La Route du sel

DE LA MÊME AUTEURE

La Favorite du sultan, Libre Expression, 2012
Le Dixième Cadeau, Libre Expression, 2008

JANE JOHNSON

La Route du sel

Roman

Traduit de l'anglais par Thierry Piélat

Libre Expression

Une société de Québecor Média

Catalogage avant publication de Bibliothèque et Archives nationales du Québec et Bibliothèque et Archives Canada

Johnson, Jane, 1951-

    La route du sel
    Traduction de: The salt road.
    ISBN 978-2-7648-0760-6
    I. Piélat, Thierry. II. Titre.

PR6060.O357S3514 2012   823'.914   C2012-941879-X

Titre original : *The Salt Road*
Traduction française : Thierry Piélat
Grille graphique intérieure : Chantal Boyer
Mise en pages : Louise Durocher

Nous remercions la Société de développement des entreprises culturelles du Québec (SODEC) du soutien accordé à notre programme de publication.

Les Éditions Libre Expression
Groupe Librex inc.
Une société de Québecor Média
La Tourelle
1055, boul. René-Lévesque Est
Bureau 800
Montréal (Québec) H2L 4S5
Tél. : 514 849-5259
Téléc. : 514 849-1388
www.edlibreexpression.com

Dépôt légal – Bibliothèque et Archives nationales du Québec et Bibliothèque et Archives Canada, 2012

ISBN : 978-2-7648-0760-6

Distribution au Canada
Messageries ADP
2315, rue de la Province
Longueuil (Québec) J4G 1G4
Tél. : 450 640-1234
Sans frais : 1 800 771-3022
www.messageries-adp.com

« C'est le pays mort,
Le pays des cactus,
Ici les effigies de pierre sont dressées,
Ici elles reçoivent les supplications
d'une main de mort. »
T. S. ELIOT, *La Terre vaine*

« Le sel est l'âme du désert. »
PROVERBE SAHRAOUI

« Faut-il qu'un peuple disparaisse
pour que nous sachions qu'il existe ? »
MANO DAYAK (1949-1995),
combattant pour la liberté et négociateur

Lorsque j'étais enfant, j'avais dressé un wigwam dans le jardin derrière la maison : un rond de fine cotonnade jaune arrimé à une perche en bambou et maintenu au sol par des piquets. J'y allais chaque fois que mes parents se disputaient. Je m'allongeais sur le ventre en me bouchant les oreilles et fixais des yeux les animaux rouges imprimés sur son liseré décoratif avec une telle intensité qu'au bout d'un moment ils se mettaient à gambader et à courir. Je n'étais plus dans le jardin mais dans les Plaines, vêtue d'une tunique à franges en daim et coiffée de plumes, exactement comme les guerriers indiens des films que j'allais voir chaque samedi matin au cinéma du quartier.

Même à cet âge, je préférais être dehors plutôt qu'à l'intérieur. La tente était mon espace vital, aussi vaste que mon imagination, autrement dit infinie. Alors que la maison, malgré sa splendeur et sa grandeur, me paraissait confinée et étouffante. Elle était remplie d'objets et pleine de l'amertume de mes parents, tous deux archéologues ; amoureux du passé, ils s'étaient entourés de boîtes bourrées de papiers jaunis, d'objets anciens et poussiéreux, coquilles vides, fragiles et friables de civilisations disparues. Je n'ai jamais compris pourquoi ils avaient décidé de m'avoir : même le bébé le plus silencieux, le bambin le plus docile, l'enfant le plus studieux aurait rompu le calme artificiel digne d'un musée dont ils s'étaient enveloppés. Ils vivaient dans cette maison, coupés du monde, dans une bulle où flottaient silencieusement des particules de poussière pareilles aux flocons de neige dans un globe de verre. Sauvageonne bruyante, désordonnée, qui n'en faisait qu'à sa tête, je n'étais pas le genre d'enfant à parfaire une telle existence. Je préférais les jeux brutaux des garçons aux relations paisibles et codifiées des filles. J'avais des poupées, que le plus souvent je décapitais, scalpais ou enterrais dans le jardin avant de les oublier. Je ne trouvais pas d'intérêt à confectionner des vêtements à la mode pour ces petits mannequins en plastique d'un rose étrangement pastel au torse d'insecte et aux cheveux d'un blond cuivré artificiel que les autres filles pomponnaient et aimaient tant. Je ne me souciais pas davantage de mes propres vêtements ; j'aimais mieux fabriquer des catapultes et des missiles en terre humide, donner la chasse à mes camarades de jeu jusqu'à avoir un point de côté et mal aux côtes à force de rire, construire des cabanes et courir partout à moitié nue, même en hiver.

« Petite sauvage ! m'admonestait ma mère en me donnant une grande claque sur les fesses. Pour l'amour du ciel, habille-toi, Isabelle. » Elle disait cela avec toute la sévérité que pouvait exprimer la sécheresse de son accent français, comme si elle avait pu m'inculquer un comportement civilisé en m'appelant par mon prénom démodé. Mais ça ne marchait jamais vraiment.

Mes amis m'avaient surnommée Izzy. Cela me correspondait bien : agitée, toujours à courir, faire du bruit, une vraie plaie, en somme.

Dans le jardin derrière la maison, mes amis et moi jouions aux cow-boys et aux Indiens, aux Zoulous, au roi Arthur et à Robin des bois, armés de bambous dérobés dans le potager en guise d'épées et de lances, d'arcs et de flèches. Quand c'était à Robin des bois, j'insistais toujours pour être l'un de ses joyeux compagnons ou même le shérif de Nottingham – tout sauf la jeune Marianne. Dans toutes les versions de la légende que je connaissais, son rôle se bornait à être une prisonnière tombée en pâmoison et délivrée, ce qui ne me tentait guère. Je voulais en découdre, donner des coups de bâton en vrai garçon manqué que j'étais. C'était à la fin des années 1960 et au début des années 1970 : le mouvement de libération de la femme n'avait pas encore transformé Marianne, Guenièvre, Arwen et autres héroïnes complaisantes en fonceuses fougueuses. Par ailleurs, comparée aux jolies petites filles au teint pâle qui étaient mes amies, j'étais trop moche pour personnifier l'héroïne. Je m'en fichais, j'aimais bien être moche. J'avais une épaisse chevelure noire, la peau sale, de la terre sous les ongles et des cals aux pieds et c'est comme ça que je préférais être. Je poussais des hurlements quand ma mère me faisait prendre un bain, quand elle m'attaquait au savon noir ou essayait de démêler mes cheveux ! S'il y avait des invités, ce qui arrivait parfois, il fallait qu'elle les avertisse : « Ne faites pas attention à ces cris. Ce n'est qu'Isabelle. Elle déteste qu'on lui lave les cheveux. »

Vous ne m'auriez pas reconnue trente ans plus tard.

Le jour où je suis allée chez le notaire chercher la lettre laissée par mon père dans son testament, je portais un tailleur-pantalon classique de chez Armani et des talons hauts Prada. Mes cheveux rebelles étaient coupés au carré à hauteur d'épaules, mon maquillage, discret et appliqué d'une main experte, mes ongles, soigneusement manucurés. Si ma mère avait été encore de ce monde, elle aurait vu d'un très bon œil ma nouvelle présentation. Il était difficile de concilier les deux, même pour moi, qui avais franchi toutes les étapes entre le petit hooligan malpropre que j'avais été et la femme d'affaires bien mise que j'étais devenue.

La lettre était courte et énigmatique, ce qui ressemblait bien à mon père, lui-même petit et secret. Elle disait :

Ma chère Isabelle

Je sais que je t'ai beaucoup déçue, comme père et comme homme. Je ne te demande pas de me pardonner, ni même de me comprendre. Ce que j'ai fait n'est pas bien : je le savais sur le moment comme je le sais maintenant. Une décision malheureuse en entraîne une autre, puis encore une autre, en un enchaînement qui mène à la catastrophe. Il y a derrière cette catastrophe toute une histoire mais ce n'est pas à moi de la raconter. Il t'appartient de la reconstituer car elle est tienne et je ne veux pas la réinterpréter à ta place ou la gâcher comme j'ai gâché tout le reste. Je te laisse donc la maison et quelque chose de plus. Dans le grenier, tu trouveras une boîte marquée de ton nom. Elle contient ce que tu pourrais appeler les « jalons » de ta vie. Je sais que tu t'es toujours sentie en désaccord avec le monde dans lequel tu t'es trouvée et c'est au moins pour moitié de ma faute, mais tu t'en es sans doute accommodée maintenant. Si tel est le cas, oublie cette lettre. N'ouvre pas la boîte. Vends la maison et tout ce qu'elle renferme. Ne réveille pas les bêtes endormies.

Va en paix, Isabelle, et que mon amour t'accompagne. Pour le peu qu'il vaille.

Anthony Treslove-Fawcett

J'ai lu cette lettre dans l'étude notariale, dans le quartier de Holborn, à dix minutes à pied du bureau où je travaillais comme conseillère fiscale grassement payée, sous le regard curieux du notaire et de son clerc. L'enveloppe contenait également un jeu de clés de la maison dans un gousset en cuir usé.

— Tout va bien ? demanda jovialement le notaire.

Étrange question à poser à quelqu'un qui vient de perdre son père, mais peut-être ne savait-il pas que je ne l'avais pas vu depuis près de trente ans. Je tremblais tellement que je pouvais à peine parler.

— Oui, merci, ai-je réussi à répondre en fourrant maladroitement la lettre et les clés dans mon sac.

Rassemblant toute ma détermination, je lui ai adressé un sourire si radieux qu'il aurait aveuglé la Justice elle-même. Le notaire cacha mal sa déception de ne pas m'entendre révéler le contenu de la lettre. Puis il me tendit un dossier et se mit à parler à toute vitesse.

Tout ce que je voulais maintenant, c'était m'en aller. J'avais besoin de sentir le soleil sur ma peau, d'être dehors. J'avais l'impression que les murs du bureau, couverts d'étagères surchargées de dossiers et de gros meubles-classeurs, se refermaient sur moi. Le notaire me bombardait de mots comme « homologation », « comptes bloqués » et « procédure légale », bourdonnement exaspérant de mouches à l'arrière de mon crâne. Alors qu'il était en plein milieu d'une phrase, j'ouvris brusquement la porte, sortis dans le couloir et m'enfuis par l'escalier.

J'avais quatorze ans quand mon père nous a quittées. Je n'ai pas pleuré, pas versé une larme. Son absence suscitait en moi des sentiments partagés : je le haïssais parce qu'il était parti, le méprisais parce qu'il nous avait abandonnées, mais de temps à autre je regrettais le père qu'il s'était révélé être parfois tout en éprouvant un profond soulagement qu'il ne soit plus là. Cela rendait la vie plus facile, bien que plus froide et appauvrie. Ma mère ne montrait pas l'affliction que son départ aurait dû lui causer. Elle n'était pas démonstrative, ma mère, et je ne la comprenais pas : elle est restée un mystère toute sa vie. Mon père, avec son caractère volcanique et son tempérament colérique, me ressemblait davantage, alors que ma mère était glaciale et polie, et ne se souciait que du visage que l'on montre aux autres. S'agissant de mon éducation, elle s'était chargée de surveiller mes progrès scolaires, de mon apparence, de mes manières. Elle trouvait vulgaire d'afficher ses sentiments ; mon exubérance et mes crises de rage ont dû terriblement la décevoir. Elle me traitait avec une sorte d'impatience froide, une exaspération réprimée, répétant inlassablement ses admonestations et ses critiques comme si j'avais été un poirier en espalier qui devait être taillé sans cesse pour pousser dans la direction voulue. Pendant la majeure partie de mon existence, j'ai cru que toutes les mères étaient ainsi.

Mais un jour, à mon retour de l'école, l'atmosphère de la maison était différente, chargée et menaçante, comme si un orage se préparait. Je trouvai ma mère assise dans la pénombre, les rideaux tirés. Je lui demandai si ça allait, soudain effrayée à l'idée de perdre mon deuxième parent.

J'ouvris les rideaux et le soleil éblouissant de la fin d'après-midi effaça ses traits, transformant son visage en un masque blanc et uni de kabuki, faisant d'elle une étrangère à la présence dérangeante. Cette femme sans visage me regarda un instant comme si j'étais une inconnue. Elle finit par dire : « Tout était merveilleux entre nous jusqu'à ta venue. J'ai su que tu gâcherais tout dès le premier instant où je t'ai tenue dans mes mains. » Elle marqua une pause. « Ce sont parfois des choses que l'on sait tout simplement. Je lui avais dit que je ne voulais pas d'enfants, mais il y tenait absolument. » Elle me fixait de ses yeux sombres et je fus consternée par la malveillance silencieuse que j'y apercevais.

Un long moment passa. Je sentais mon cœur battre à se rompre. Puis elle me sourit et se mit à parler des rhododendrons du jardin.

Le lendemain, elle était exactement la même que d'habitude. Elle eut un claquement de langue désapprobateur en voyant l'état de mon uniforme – je m'étais endormie sans le retirer et il était tout chiffonné – et essaya de me le faire enlever pour lui donner un coup de fer, mais j'étais déjà dehors. À partir de ce jour, j'ai vécu comme si je marchais sur un lac gelé, terrifiée à la pensée que la fragile couche de glace puisse céder et me précipiter dans les eaux troubles et obscures entrevues dessous. Bien entendu, personne d'autre n'était au courant de nos relations bizarres et tendues : à qui en parler et qu'en dire ? Abandonnée par un de mes parents, redoutant d'entrevoir à nouveau le vide terrifiant à l'intérieur de l'autre, je me rendais compte que j'étais seule ; et les années passant, je me suis évertuée à me suffire à moi-même, non seulement sur le plan financier, mais à tous égards. Je me suis fermée aux désirs, aux besoins, aux souffrances ; j'ai créé autour de moi une bulle dans laquelle personne ne pouvait pénétrer.

Mais ce soir-là, quand j'ai relu la lettre, assise à la table de la cuisine, j'ai su que la bulle était sur le point d'éclater.

« Oublie cette lettre. N'ouvre pas la boîte. Vends la maison et tout ce qu'elle renferme. Ne réveille pas les bêtes endormies… »

A-t-on jamais écrit une lettre d'adieu susceptible à ce point d'engendrer le tourment ? Qu'entendait-il par ces « bêtes endormies » ? L'expression me hantait. J'étais envahie par une excitation mystérieuse et profonde. Ma vie était réglée et morne depuis longtemps, mais je sentais que cela allait changer.

À la gym, le lendemain matin, j'ai couru, marché, pédalé et soulevé des poids avec détermination pendant une heure. Je me suis douchée, habillée en Chanel et suis arrivée au bureau à neuf heures moins dix précises comme toujours. J'ai allumé mon ordinateur, examiné mon agenda et dressé la liste des tâches du jour en leur attribuant durée et priorité.

J'avais veillé à ma sécurité dans tous les aspects de mon existence et, comme disait Benjamin Franklin, il n'y a de sûr dans la vie que la mort et les impôts. N'étant guère attirée par le métier d'entrepreneur des pompes funèbres, j'avais choisi la seconde option. Ma vie professionnelle de conseillère fiscale auprès d'entreprises s'écoulait dans une paisible routine quotidienne. La plupart du temps, je quittais le bureau à six heures et demie, prenais le métro et le train pour rentrer chez moi, me préparais un repas frugal, lisais un livre et regardais les informations télévisées avant d'aller me coucher, seule, à onze heures. De temps à autre, j'allais en ville rencontrer une amie ou faire de nouvelles connaissances. Il m'arrivait de m'entraîner au mur d'escalade *indoor* de Westway ou du Castle, que je grimpais comme un démon, ma seule concession à l'Izzy perdue, prise au piège au fond de moi. Voilà à quoi se résumait ma vie.

Je n'avais conservé aucune de mes relations de l'adolescence. À l'exception d'Ève.

Je la connaissais depuis l'âge de treize ans, quand elle s'était installée dans le quartier avec son père. Ève était tout ce que je n'étais pas : jolie, drôle et plus raffinée que nous toutes, qui avions pour principale occupation d'essayer de nous mettre des épingles de nourrice dans les oreilles et participer, avec quelque retard, à la révolution punk. Ève portait d'authentiques pantalons bondage Westwood et des tee-shirts déchirés noués avec art à la taille ; avec tout ça et ses cheveux blond clair, elle ressemblait à Debbie Harry. Tout le monde l'aimait, mais Dieu

15

sait pourquoi c'est moi qu'elle avait choisie comme amie et c'est vers elle que je me suis tournée le premier samedi matin après avoir accusé réception de cette lettre de mon père qui avait eu sur moi l'effet d'une bombe.

— Viens, lui dis-je. J'ai besoin d'un soutien moral.

Son rire résonna au bout du fil.

— Tu n'as pas vraiment besoin de moi pour ça. Accorde-moi une demi-heure, je t'apporterai un soutien immoral. C'est beaucoup plus rigolo.

Elle m'avait accompagnée à l'enterrement et avait pleuré à en avoir les yeux rouges alors que j'avais gardé un visage de marbre. Ceux qui ne me connaissaient pas pensaient qu'elle était la fille d'Anthony.

— Il était sympa, ton père, me dit-elle en faisant tourner sa tasse de café entre ses mains. Tu te souviens quand Tim Fleming m'a brisé le cœur ?

Tim Fleming avait dix-sept ans alors que nous en avions treize : louche, cheveux longs, veste en cuir. Sortir avec lui, c'était courir après les embrouilles, exactement ce que voulait Ève et qu'elle ne manqua pas d'avoir.

— Comment l'oublier ?

— Ton père m'a décoché un de ses regards... tu sais... – elle pencha la tête de côté et me fixa d'un œil de fouine en une imitation très réussie, quoique exagérée, de l'expression la plus inquisitrice de mon père – et il m'a dit : « Une jolie fille comme toi, perdre son temps avec un con comme celui-là ! » C'était si drôle, un tel mot prononcé avec son accent incroyablement snob, que j'ai éclaté de rire. Et c'est ce que j'ai dit à Tim la fois suivante où je l'ai vu, tu te souviens ? « Je perds mon temps avec un con comme toi ! »

Je me souvenais en effet d'Ève fonçant sur Tim Fleming devant le kebab où il traînait avec ses copains ce samedi à l'heure du déjeuner et lui lançant les mots à la figure, ses cheveux blonds flottant comme une bannière. Elle était si vive, avait un tel air de défi que j'étais fière d'elle. Mais l'image qu'elle avait de mon père n'était cependant pas celle que je me rappelais le mieux.

Elle lut sa lettre, sourcils froncés sous l'effet de la concentration, puis la relut.

— Bizarre, dit-elle enfin en me la rendant. Une boîte au grenier ? Tu crois qu'elle contient le cadavre en décomposition de ta mère ? Peut-être qu'elle n'est pas morte en France, après tout.

Elle fit une affreuse grimace. Son eye-liner avait coulé sous son œil gauche. Ça me démangeait de tendre la main pour l'essuyer, parce que ça ne faisait pas net.

— Non, non, elle est bien repartie en France.

Dès mon entrée à l'université, comme si elle niait désormais toute responsabilité à mon égard, ma mère avait vendu sa part de la maison à mon père pour une somme astronomique (je ne m'étais même pas rendu compte qu'ils étaient restés en contact) et était retournée en France. J'étais allée la voir à deux reprises et à chaque fois elle s'était montrée distante et polie comme elle l'aurait été avec une relation de passage. Chaque fois j'avais senti des ombres glisser derrière son apparence posée et je savais que si ces ombres avaient fait surface, elles auraient eu des dents monstrueuses et le pouvoir de détruire. Lorsque je décidai de ne plus lui rendre visite, ce fut probablement un soulagement pour toutes les deux.

Ève posa une main consolatrice sur mon bras.

— Qu'est-ce que ça te fait, tout ça ?

— Je ne sais pas.

C'était vrai.

— Oh, allez, Iz ! C'est moi, Ève, l'épave affective. Tu peux te lâcher.

— Pour être franche, ç'a été un peu un choc d'apprendre qu'il était mort. La dernière fois que je l'ai vu à la télé, il avait l'air d'aller bien. Mais le produit de la vente de la maison sera le bienvenu.

Elle parut consternée quelques instants. Puis elle me gratifia d'un grand sourire forcé comme celui que l'on adresse à un bambin de trois ans qui vient par inadvertance (ou non ?) de marcher sur une grenouille.

— Tu dois être encore un peu sous le choc. Certaines personnes saisissent tout de suite l'énormité d'un décès ; pour d'autres, il faut plus de temps. Le chagrin vient plus tard.

— En toute honnêteté, Ève, je ne crois pas. Il est sorti de ma vie quand j'avais quatorze ans. En m'écrivant cette satanée lettre, c'était la première fois qu'il reprenait contact. Qu'est-ce qu'on est censé ressentir pour le père qui vous a fait ça ? Aussi riche soit-il.

Peut-être mon père était-il riche à la fin de sa vie, mais il ne l'avait pas toujours été. On ne fait pas fortune dans l'archéologie, c'est bien connu. Il avait une véritable passion pour les civilisations anciennes et il avait rejeté le monde moderne, estimant qu'il était irrémédiablement pourri, ce qui n'était pas tout à fait surprenant de la part d'un jeune qui avait atteint sa majorité juste après la Seconde Guerre mondiale, dont l'inhumanité et les horreurs avaient été révélées à la Libération. Lorsqu'il avait rencontré ma mère sur un site de fouilles en Égypte, il avait trois sous en poche. Elle, au contraire, venait d'une famille d'aristocrates français, propriétaire d'une élégante maison dans le Ier arrondissement à Paris et d'un petit château dans le Lot. Ils ont parcouru le monde ensemble, d'un site antique à l'autre. Ils ont visité la ziggourat déterrée à Dour-Ountash et participé pendant un temps aux fouilles de James L. Kelso à Béthel. Ils ont vu les crânes néolithiques plâtrés exhumés à Jéricho et se sont extasiés devant la ville rouge rosé de Pétra. Ils ont vu la pyramide à degrés d'Imhotep et la cité des morts à Saqqarah, marché au milieu des ruines romaines de Volubilis et se sont rendus à Abalessa, l'ancienne capitale du Hoggar. Ils étaient, comme ils se plaisaient à me le dire, des intellectuels nomades, toujours à la poursuite de la connaissance. Puis je suis arrivée et ils ont mis fin à leur quête joyeuse.

Mon père avait trouvé un poste de chercheur au moment où la télévision a commencé à se démocratiser ; les familles britanniques n'allaient pas tarder à passer leurs soirées devant le poste. Peu après, par chance, il a remplacé le présentateur tombé malade d'une émission historique d'une heure. Il avait l'art et la manière, une allure d'érudit un peu démodée et il a tout de suite conquis le public. Il était bel homme mais pas au point de distraire les téléspectateurs ; les femmes aimaient le regarder, les hommes l'écoutaient et, sur ses sujets favoris, il faisait montre d'un enthousiasme communicatif. C'était le David Attenborough de l'archéologie : il rendait l'histoire attrayante. Les Britanniques ont toujours adoré l'histoire tant ils croient en avoir été les principaux acteurs. À l'écran, il respirait la bonhomie et on devinait son plaisir à partager sa passion. Lors d'une émission, je me souviens qu'il avait horrifié un conservateur du British Museum en voulant essayer le casque de Sutton Hoo. À l'époque, les gens étaient bien sûr plus petits que maintenant et le casque était resté coincé. Il s'était évertué à le retirer en bafouillant et, quand il y était enfin parvenu, des touffes de cheveux se dressaient sur sa tête. Des impairs de ce genre le faisaient aimer des gens, le rendaient humain et le rapprochaient d'eux, ce qui, par association, rendait aussi le sujet de ses émissions plus accessible. Cela faisait un drôle d'effet de le voir encore évoluer et parler à la télévision après nous avoir quittées, comme s'il ne s'était rien passé. Le pire, c'est qu'on ne savait jamais quand il allait se montrer. C'était une véritable institution publique, un trésor national : il n'était pas bien compliqué d'éviter les émissions d'histoire et d'archéologie, mais quand on changeait de chaîne et regardait l'appel de fonds lancé par une ONG pour quelque coin perdu d'Afrique, il vous prenait au dépourvu : il apparaissait en passant une main dans ses cheveux de plus en plus indisciplinés et se lançait dans une supplique passionnée.

— Viens, dit Ève en se levant d'un bond et prenant son sac. Allons voir la maison.

En voyant ma tête, elle s'empressa d'ajouter :

— Nous pourrons faire une estimation en prévision de la vente. Voir quelles instructions donner aux agents et ce dont tu dois te débarrasser, ce genre de choses. Il faudra que tu le fasses à un moment ou un autre, alors pourquoi pas maintenant, pendant que je suis là ? Tu ne m'avais pas demandé un peu de soutien moral ?

Je fixai par-dessus son épaule la cour détrempée par la pluie où deux chats se faisaient face, prêts à se battre, l'un sur le mur, l'autre sur la remise. Celui-ci avait les oreilles aplaties sur le crâne, le tigré sur le mur semblait sur le point de bondir. J'allai rapidement à la fenêtre et tapotai au carreau. Les deux chats se tournèrent pour me lancer un regard hostile de leurs yeux jaunes. Celui sur la remise se leva et étira ses pattes de derrière, puis celles de devant, et sauta dans le patio. Le tigré se mit à lécher les siennes avec insouciance. Les humains ont beaucoup à apprendre.

Je me souvins brusquement du chat que nous avions dans ma jeunesse : Max, diminutif de Docteur Maximus Ibn Arabi, un animal agile aux immenses oreilles et au pelage brun clair lustré de fennec. Je le revis couché dans mon bac à sable au fond du jardin, clignant des yeux face au soleil comme s'il s'était trouvé dans un désert sans fin. À huit ans, j'avais demandé à mon père pourquoi notre chat portait un nom si bizarre. Les chats de mes amies s'appelaient tout simplement Noiraud, Caramel ou Chaussette. « Ce n'est même pas son nom entier, m'avait répondu mon père d'un ton solennel, comme s'il me révélait un secret longtemps gardé. Ce n'est pas simplement un chat, mais la réincarnation d'un ancien érudit, et son vrai nom est Abd abd-Allah Mohammed ibn-Ali ibn Mohammed ibn al-Arabi al-Hatimi al-Taa'i. C'est pourquoi nous l'appelons Max. » Je n'étais pas plus avancée. Mais chaque fois que le chat me regardait, je sentais qu'il le faisait à travers le voile d'une sagesse séculaire. Cette idée aurait peut-être perturbé d'autres enfants ; moi, elle me fascinait. Je m'allongeais par terre dans le jardin, nez à nez avec Max pour voir si cette sagesse allait m'être transmise, sautant le fossé entre espèces. J'avais oublié non seulement ce chat, mais aussi cette sensation de magie et de promesse qu'il avait procurée à l'enfant que j'étais.

À présent, j'avais le sentiment d'être totalement différente de cette gamine de huit ans, naïve et confiante, mais peut-être son ombre m'attendait-elle sous le toit de la maison de mon enfance.

— Très bien, dis-je avec l'impression de prendre une décision capitale. Allons-y.

2

Nous avons pris ma voiture. Les rares fois où quelqu'un d'autre conduisait, j'avais le pied gauche constamment levé au-dessus d'une pédale de frein imaginaire; je devais serrer les dents pour ne pas crier: « Attention ! » ou « Le feu passe à l'orange ! » Je surveillais les autres automobilistes dans le rétroviseur et du coin de l'œil, anticipant leurs manœuvres. Ça me démangeait de changer de vitesse ou de prendre le volant. Je n'étais pas ce qu'on pourrait appeler une passagère détendue.

Nous avons traversé la Tamise à Hammersmith, fait le tour du rond-point encombré et pris l'A40 en direction du West End, croisant les berlines des familles qui partaient en week-end. Alors que nous coupions par les petites rues autour de Regent's Park, nous sommes passées à côté de deux hommes qui embarquaient un dromadaire dans une sorte de van amélioré. Ou bien qui l'en faisaient descendre, pour le livrer à un zoo ? Difficile à dire. L'animal semblait à bout de patience. Bien campé sur ses larges pieds au milieu de la rampe en bois, il refusait de bouger d'un pouce dans quelque sens que ce soit. Juste avant de tourner pour prendre Gloucester Gate, j'ai jeté un coup d'œil dans le rétroviseur: il était toujours au même endroit, aussi immobile qu'une statue.

Nous sommes arrivées à la maison vingt minutes plus tard, après être restées coincées dans les embouteillages de Hampstead Village. Je n'y étais pas revenue depuis que j'en étais partie à l'âge de dix-huit ans, avec pour tout bagage mes illusions sur la bienveillance du monde déglingué qui m'entourait et les cent livres sterling que j'avais raflées dans le bureau de ma mère pour subvenir à mes besoins jusqu'au versement de ma bourse.

— Accorde-moi deux minutes, veux-tu ? dis-je à Ève en la laissant dans la voiture.

La maison m'observait furtivement à travers ses volets clos. Si elle m'avait reconnue, elle ne le montrait pas. Mais je me souvenais de tout : la plante grimpante qui s'entortillait autour de l'avant-toit devenait cramoisie à l'automne, puis tachée comme par la peste et enfin d'un jaune maladif avant de joncher le jardin de ses feuilles à sa mort annuelle. Je me souvenais des rhododendrons dont les branches tordues cachaient les repaires de mon enfance et des surfaces lisses du chemin d'ardoises menant à l'entrée, usées par le passage de milliers de pieds. C'était une maison dont les proportions plaisaient à l'œil de l'adulte qui la regardait maintenant. Enfant, elle m'avait paru immense ; maintenant, elle me semblait spacieuse mais pas vraiment énorme, imposante mais sans ostentation, comme si elle avait en quelque sorte rétréci au cours des années. Je la regardai longuement et je sus que j'allais la vendre. Je n'avais même pas envie d'y entrer. Trop de souvenirs m'attendaient et pas seulement dans la boîte du grenier.

Je suivis le sentier qui longeait le côté de la bâtisse vers le jardin de derrière et contemplai ce paysage familier, respirant à peine, comme si en faisant un mouvement ou du bruit j'aurais pu effrayer et faire fuir les ombres délicates qui y habitaient encore. J'avais l'impression qu'en me glissant derrière l'épaisse haie d'ifs, je me surprendrais à l'âge de six ans, pieds nus et tannée par le soleil, les cheveux grossièrement tressés en nattes de squaw, brandissant victorieusement ma dernière découverte : un orvet ou un crapaud exhumé sans cérémonie du jardin de rocaille. Ou qu'en fermant les yeux, j'entendrais les hurlements de notre petite bande tandis que nous nous pourchassions entre les parterres de fleurs avec des pistolets en plastique. Mais le seul bruit que j'entendis fut le cri d'alarme, aigu et limpide, d'un merle dans les branches hautes du cèdre.

Je me plongeai à nouveau dans mon passé.

Le bassin près duquel je restais des heures à plat ventre à épier les évolutions paresseuses de la carpe dans ses profondeurs troubles était toujours là, maintenant envahi de mauvaises herbes et de liseron. Le jardin de rocaille n'était plus qu'un amas de pierres dévoré par le lierre, les orties et le pissenlit. Mon père n'avait jamais eu l'âme d'un jardinier, même dans sa jeunesse ; c'était ma mère qui avait entrepris de tenir la nature en respect, armée de cisailles à longs manches, de ses gants de jardinage et de sécateurs comme un chevalier du Moyen Âge parti lutter contre un petit dragon agaçant. Manifestement, personne ne s'était occupé du jardin depuis des années. En errant à travers les hautes herbes, je m'attendais un peu à trouver les restes de mon wigwam, des lambeaux de tissu jaune délavé pendillant à son piquet squelettique comme au mât d'une Mary Celeste encalminée, mon petit tapis en chiffon et mes vieux jouets encore éparpillés là où ils avaient été brusquement et mystérieusement abandonnés. Mes pas m'entraînèrent vers l'endroit où il se dressait tant d'années auparavant, mais il n'y avait même plus le cercle brun d'herbe séchée qu'il laissait sur la pelouse quand je le démontais l'hiver venu. Il aurait pu aussi bien n'avoir jamais existé, comme cette enfant rieuse à l'œil vif.

Des nuages sombres s'étaient accumulés et alors que j'étais là à rappeler mes souvenirs, il se mit à pleuvoir. Je fourrai les mains dans les poches de mon manteau et revins péniblement auprès d'Ève.

— Allons-y, dis-je. Entrons.

J'esquivai la question du grenier aussi longtemps que possible bien que j'eusse surpris Ève à lancer des coups d'œil dans sa direction chaque fois que nous traversions l'entrée d'où montait l'escalier en hélice avec sa rampe seigneuriale. Au bout de trois heures, nous avions dressé un inventaire sommaire du contenu de la maison, en particulier du mobilier, des tableaux et des objets de valeur que mes parents avaient rapportés du monde entier.

Je n'arrivais pas à me résoudre à entrer dans leur chambre. La mienne était plus loin dans le couloir. Je poussai la porte avec précaution.

Cela revenait à remonter le temps. Tout était resté exactement comme je l'avais laissé il y avait si longtemps, sauf que c'était maintenant passablement poussiéreux et fané. Les posters des Slits, des Crass et des Rezillos étaient toujours aux murs, une musique furieuse pour une fille en colère ; les vêtements en vrac dans le placard étaient sans doute redevenus à la mode dans les rues les plus miteuses autour de Camden. Je refermai la porte. C'était une période de ma vie à laquelle je n'avais aucune envie de retourner, le chapitre d'un livre que je souhaitais laisser à jamais fermé.

De retour dans le couloir, je constatai qu'Ève avait tiré l'échelle du grenier.

— Tu sais que tu dois le faire, me dit-elle gentiment.

Je savais qu'elle avait raison. Il n'y avait pas moyen d'y échapper. Je mis le pied sur le premier barreau.

Certaines personnes ont une peur morbide des greniers. Les histoires de fantômes et de dingues rôdant dans les coins sombres de nos maisons ne manquent pas : symboles psychologiques de notre moi et des autres, crainte du côté obscur de notre personnalité, de l'aspect irrationnel du monde que nous ne pouvons comprendre et par lequel nous nous sentons donc menacés. Mais ce n'était pas le grenier qui faisait trembler mes mains sur l'échelle. Je n'avais pas peur des fantômes en tant que tels. Mes camarades d'école étaient morts de trouille quand je leur racontais des histoires d'esprits vengeurs et de morts vivants. Je me demande où j'allais les pêcher, ces histoires ; toujours est-il qu'enfant j'avais apparemment une imagination morbide et l'estomac solide. Lorsque le terrier du voisin s'est fait écraser et que j'ai vu ses boyaux répandus sur la chaussée comme de gros vers blancs, je ne suis pas partie en courant, pas plus que je n'ai pleuré, mais je suis restée là, fascinée. Qui eût cru que le corps d'un chien contenait de telles choses ? Je me suis servie de ces détails horribles pour concocter une nouvelle histoire de fantômes et Katie Knox a vomi dans un rosier. Mais depuis, j'avais passé beaucoup de temps à réprimer mon imagination hyperactive, à lui passer la camisole pour entrer dans le monde où vivent les conseillers fiscaux et autres adultes. En montant dans cet espace sombre plein de toiles d'araignée, ma crainte était de donner aux morts un pouvoir sur moi sous la forme de choses qui me tourmenteraient.

Au sommet de l'échelle, je cherchai à tâtons la lampe de poche que mon père laissait à droite de la trappe. Elle était bien à sa place habituelle. Le souvenir de la dernière fois où j'étais venue là resurgit aux marges de ma conscience et je le chassai. J'allumai la lampe et balayai le grenier de son faisceau. Des boîtes et des boîtes partout.

À quoi m'étais-je attendue ? À une unique boîte au milieu d'un grand vide ?

Je mis le pied sur le plancher du grenier et l'explorai à la recherche du carton portant mon nom. Force m'était de reconnaître que mon père était organisé. Je me demandais, en parcourant du regard les archives étiquetées et rangées avec soin, s'il savait qu'il allait mourir et, dans ce cas, depuis combien de temps ? Il y avait des cartons de livres, classés par sujet. Des cartons à chaussures remplis de documents archéologiques, de vieux papiers.

Je réussis finalement à mettre la main dessus. J'avais dû passer à côté deux ou trois fois : elle était beaucoup plus petite que ce à quoi je m'attendais pour Dieu sait quelle raison – peut-être parce qu'Ève avait émis l'idée qu'elle pourrait contenir les restes de ma mère. Je m'accroupis à côté. « Isabelle » était marqué sur le dessus avec l'étonnante écriture penchée de mon père. Le papier sur lequel c'était écrit avait jauni avec le temps et l'encre avait passé. Depuis combien de temps la boîte était-elle là ? Le carton avait été soigneusement fermé avec du ruban adhésif PVC, si bien que je ne pouvais pas tout simplement l'ouvrir là, en répandre le contenu sur le plancher et m'en aller. Je le pris. Il était léger, mais en l'inclinant, quelque chose glissa à l'intérieur et heurta l'autre côté du carton avec un bruit sourd.

Qu'est-ce qui avait bien pu le provoquer ? Je fixai la boîte des yeux comme si elle avait pu contenir un crâne ou une main momifiée. Oh, arrête, Iz, me dis-je avec fermeté et je fourrai le carton sous mon bras. Ce ne fut pas évident de descendre l'échelle avec une seule main, mais j'y réussis sans coup férir. Ève lorgnait avidement la boîte.

— Allez, vas-y, ouvre-la.

Je secouai la tête.

— Pas maintenant. Pas ici.

3

Londres couvre un vaste espace, bien plus de mille cinq cents kilomètres carrés. Près de huit millions de personnes s'y entassent dans des rangées de maisons victoriennes et edwardiennes, des HLM des années 1970, des tours modernes d'acier et de verre, des banlieues sans fin. Au cours des vingt dernières années, j'avais acheté et vendu des appartements dans tout Londres, déménageant toujours et me déplaçant vers l'ouest. Je ne restais jamais longtemps au même endroit ; j'aimais chacun de mes nouveaux domiciles pendant un an ou deux, puis je m'agitais. Une fois que j'avais fini de rénover et de décorer les lieux et que je m'intéressais à nouveau au monde extérieur, je me sentais mal à l'aise. Où que je fusse, si agréables qu'aient été le quartier ou les voisins, je n'avais jamais le sentiment d'être à ma place. Chaque fois que me reprenait l'envie de bouger, je recommençais à regarder les vitrines des agences immobilières, consciente que le moment était venu de tout plaquer et de déménager. J'ai eu de la chance, le marché immobilier m'a accompagnée dans ma progression ascendante. J'ai réussi à troquer une studette à Nunhead, où des champignons poussaient entre les carreaux de la salle d'eau, contre un deux-pièces à Brockley, puis à passer d'un trois et d'un quatre-pièces plus élégants dans des maisons victoriennes divisées en appartements de Battersea et Wandsworth à une maison nichée dans une voie privée de Chelsea et finalement une propriété importante dans l'extrême sud-ouest de la ville, aussi loin que possible de la maison de mes parents, sans pour autant quitter Londres.

Moins de quarante minutes après notre départ de Hampstead, nous étions de retour à Barnes, passant ainsi d'un quartier surcoté habité par des gens aisés à l'autre. Les deux puaient l'argent – des fortunes anciennes et nouvelles – et, tandis que je garais la Mercedes dans l'allée, pendant quelques instants déplaisants, j'ai détesté ma variante de la maison de mes parents presque autant que la vraie.

Je n'en ai rien dit à Ève ; comment aurait-elle pu comprendre ? Elle aimait les objets, les aimait d'une manière viscérale, sensuelle, comme s'ils avaient comblé le vide de sa vie sans mari et sans enfants. Elle s'était mariée deux fois, mais n'avait jamais pu avoir d'enfants. Je me demandais parfois si je ne remplissais pas aussi en partie ce vide, car il lui arrivait de se montrer autoritaire avec moi quand j'étais trop lente à la comprenette à son goût, comme si elle jouait le rôle de la mère qu'elle avait perdue et moi, celui de l'enfant qu'elle n'avait jamais eu.

Je débarrassai la table et y posai le carton. Il paraissait tout à fait déplacé, telle une vieille cochonnerie ramassée dans la rue, au milieu de l'inox étincelant et du granit poli de la cuisine. Je passai la lame d'un couteau à travers le ruban en PVC et l'étiquette : « Isa » d'un côté, « belle » de l'autre.

Ève et moi tendîmes le cou pour voir ce qu'il y avait dedans. À première vue, ça ne semblait être qu'un tas de vieux papiers poussiéreux. Je les pris avec précaution : ils paraissaient suffisamment fragiles pour se désintégrer entre mes mains. La première feuille était de petit format et vert pâle – ma mère aurait dit « eau du Nil ». Elle avait été pliée et dépliée maintes fois. Un gribouillis bizarre en couvrait un côté, impossible à déchiffrer du fait de l'encre complètement passée. L'autre côté portait un en-tête indistinct, « Maroc… ». suivi de quelque chose qui disparaissait dans le pli. Cela semblait être un document officiel, car quelques mots étaient imprimés. Je distinguai « provi… » et un mot commençant par « hégir ». Tout ce qui y avait été écrit ou imprimé par ailleurs s'était effacé avec le temps, évaporé à l'intérieur du carton. Il me vint à l'esprit qu'en ouvrant la boîte, j'avais laissé l'information s'échapper, qu'elle flottait maintenant dans l'air autour de nous, invisible mais pleine de sens. Absurde ! Je tendis le mince document vert à Ève.

— Ça n'avance pas à grand-chose.

Elle le retourna, le regarda attentivement à la lumière.

— Maroc. C'est écrit en français, dit-elle au bout d'un moment. Et ça, ce ne serait pas un cachet ?

Dans un des coins inférieurs, un petit rectangle apparemment estampé portait une vague image, mais même sous la plus puissante des ampoules halogènes nous ne pûmes distinguer ce qu'elle représentait. Je mis le document de côté. Venait ensuite une liasse de papiers tapés à la machine – certaines lettres avaient systématiquement des empattements manquants et des espaces pleins ; parfois un point avait fait un trou dans le papier – et brunis sur les bords. Mon père avait toujours la main lourde quand il tapait à la machine.

Notes concernant le site funéraire près d'Abalessa annonçait le titre sur la première page. Je la parcourus, sourcils froncés, relevant les expressions « amas de pierres qu'on appelle un redjem » et « comme on en trouve fréquemment au Sahara ». Dans le bas de la page, le mot « squelette » me sauta aux yeux. Je pris l'article avec précaution, tournai la page et lus à Ève :

— « Selon des témoins, le squelette de la reine du désert avait été enveloppé dans un linceul de cuir rouge rehaussé à la feuille d'or. Elle reposait les genoux remontés vers la poitrine sur les fragments décomposés d'une bière en bois fermée avec des cordes tressées de cuir et d'étoffe de couleur. Sa tête avait été couverte d'un voile blanc et de trois plumes d'autruche ; deux émeraudes pendaient aux lobes de ses oreilles ; elle avait neuf bracelets d'or à un bras et huit d'argent à l'autre. Des perles de cornaline, d'agate et d'amazonite étaient éparpillées autour de ses chevilles, de son cou et de sa taille… »

Je sautai un passage et continuai :

— « Les professeurs Maurice Reygasse et Gautier du musée ethnographique estiment que ce site a renfermé les restes de la reine légendaire Tin Hinan. »

— Ça alors, c'est fabuleux, dit Ève, avant de fermer les yeux. On sent presque le désert, tu ne trouves pas ? Un trésor et une reine légendaire du Sahara. On se croirait dans Indiana Jones. Mais quel rapport avec toi ?

Je haussai les épaules, ne me sentant pas très bien.

— Je n'en ai pas la moindre idée. D'après les notes, il ne semble même pas que ce soit papa qui ait effectué les fouilles sur le site.

Je repoussai les papiers ; voir les trous faits par les « o » et sentir l'impression légèrement en relief produite au verso par les touches de la machine à écrire me donnait l'impression de faire un saut dans le temps. C'était une sorte de message qui m'était adressé, un message d'outre-tombe de la reine saharienne et de mon père. J'eus des fourmillements dans la nuque comme si mes cheveux se dressaient un à un.

Le dernier objet dans le carton était manifestement la chose qui s'était déplacée quand je l'avais ramassé dans le grenier. C'était une pochette en cotonnade fermée par plusieurs tours de cordelette. Elle pesait lourd dans ma main, plus que je ne m'y serais attendue. Un courant électrique me parcourut brusquement le bras comme si j'avais reçu une décharge.

— Tu crois que ça vient de la tombe ? demanda Ève avec enthousiasme.

Je tremblais maintenant, sans savoir si c'était d'excitation ou de terreur.

— Je ne crois pas que ce soit une bonne idée, dis-je en laissant retomber la pochette dans la boîte avant d'y remettre les papiers.

Je refermai les rabats du carton et posai le couteau dessus pour les maintenir en place.

— Tout ça est trop bizarre et énigmatique. Et tout à fait typique de mon père. Je me souviens qu'il a dit un jour à la télé :

« Il faut encourager la curiosité chez les enfants. Apportez-leur la connaissance sur un plateau et ils la laisseront sécher, ayant soif de quelque chose d'interdit. Laissez-les fureter seuls en leur donnant un ou deux indices judicieux et ce qu'ils apprendront, ils le sauront pour la vie. » Eh bien, moi, je déteste qu'on me donne en pâture des conneries d'indices comme ceux-là. « Ne réveille pas les bêtes endormies », disait-il dans sa lettre, et c'est peut-être bien ce que je devrais faire.

— Ça va te travailler encore plus si tu ne l'ouvres pas.

Je savais qu'elle avait raison. Luttant contre mes craintes irrationnelles, je pris une profonde inspiration, enlevai le couteau de dessus le carton, plongeai la main dedans et en ressortis la pochette. Avant de changer d'avis, je défis rapidement la cordelette et secouai la pochette pour en faire tomber le contenu dans ma main et nous regardâmes toutes les deux l'objet sur ma paume.

C'était un gros morceau d'argent, de six ou sept millimètres d'épaisseur dans sa partie supérieure, de plus d'un centimètre à la base, le tout d'une dizaine de centimètres carrés. Des cercles de verre rouge ou de quelque pierre semi-transparente rehaussaient le bossage central et des bandes de motifs complexes et ésotériques étaient gravées en diagonale dans les coins. Une lanière de cuir torsadée y était accrochée. Je la pris et le carré d'argent se mit à se balancer en tournoyant d'un côté et de l'autre à la façon d'un pendule. Les disques rouges accrochaient la lumière comme des rubis. L'objet jurait complètement dans ma cuisine ultramoderne.

— Oh, Izzy, c'est… irréel ! lâcha Ève en ouvrant de grands yeux.

En raison de son poids et de son caractère massif, il me semblait au contraire on ne peut plus réel, mais qu'est-ce que cela pouvait bien être ?

Ève le prit et l'examina de près. Pour je ne sais quelle raison, ne l'ayant plus en main, je me sentis curieusement privée de substance.

— Je crois que c'est un pendentif, dit-elle au bout d'un moment. Mais quel aspect barbare ! Pas mon style ; le tien non plus, ma chérie ! conclut-elle en plissant le nez.

C'était vrai : rien ne pouvait être plus éloigné de ce qu'elle appelait mon « style » que ce curieux objet. Je ramassai la pochette. Un bout de papier en dépassait. Je le sortis complètement et lus ce que mon père avait écrit dessus en majuscules bien nettes : « Amulette, date et provenance inconnues, peut-être touareg ; argent, cornaline, cuir. » Un frisson me parcourut l'échine. L'amulette faisait-elle partie des objets trouvés dans la tombe de la reine mentionnés dans les notes archéologiques de mon père ? Je la remis dans la pochette et fixai des yeux la bosse qu'elle faisait sous la cotonnade. Je la fourrai précipitamment dans le carton comme si elle avait pu me mordre. Qu'avais-je rapporté chez moi ? Je n'avais qu'une envie : me ruer dehors, creuser un trou dans le patio et l'enterrer avec les papiers laissés par mon père.

Cette nuit-là, pour la première fois depuis des années, j'ai rêvé.

Par l'étroite fente de mon turban, je voyais des palmiers et mon cœur bondissait de joie. J'avais traversé le désert et survécu. Alhamdoulillah.

Devant moi, les autres caravaniers laissaient leurs montures courir sans effort, leurs robes bleues brunies par le sable et la poussière, leurs turbans noués serré pour se protéger du vent qui avait décoloré la jolie patine de la selle de mon grand-père et arraché les ballots du dos de nos bêtes.

Je clignai les yeux : un troupeau de gazelles passa à toute allure, leurs queues d'un blanc de neige apparaissant et disparaissant parmi les rochers de granit rouge. Je clignai encore les yeux : nous étions dans une large vallée dans le fond d'une gorge profonde et je me sentais observée. Un lion, plus grand que nature, me regardait du haut de la falaise. Je lançai un cri d'alarme.

En y regardant à deux fois, je m'aperçus que c'était un trait naturel du paysage, taillé dans la roche rouge par la main de Dieu, haut comme plusieurs chameaux, dont les maisons en adobe disséminées sur la pente en contrebas et les petites silhouettes en robe noire parmi les cultures en terrasses donnaient une idée des proportions. Une femme accosta hardiment Souleimane et lui demanda ce que nous rapportions. Quand il lui répondit du sel et du millet, son visage s'allongea. Elle était aussi vieille que ma grand-mère, les yeux soulignés de khôl.

— Pas de bijoux? s'enquit-elle. Pas d'or?

L'époque où l'on ramenait de l'or et des esclaves était révolue. Les temps étaient désormais plus durs.

Au moment où nous entrâmes dans l'oasis, le muezzin lança l'*adhan*[1]. Nous menâmes les chameaux au caravansérail et certains des hommes se rendirent à la mosquée. Moi, je voulais voir le marché.

Dans le souk, des artisans travaillaient le fer sur des foyers en plein air. Je passai au large: les *inadan* canalisent les esprits. Des vieux assis sur des tapis vendaient des pyramides d'épices, de légumes et, merveille des merveilles, des babouches en cuir, jaune vif, aussi jaunes que le soleil. Je me les imaginai soudain aux pieds, superbes. De telles pantoufles impressionneraient sûrement la jolie Manta. L'instant d'après, ma main toucha mon amulette en argent en vue de l'échanger. Azélouane apparut comme par magie.

— À quoi songes-tu? Cette amulette vaut cent paires de babouches, mille! Qu'est-ce qui te protégera de l'influence néfaste des Kel Assouf?

Mais quand j'ai baissé les yeux, j'avais les babouches aux pieds. Elles me faisaient mal: trop neuves, trop étroites, pourtant ainsi chaussée j'avais l'air d'une impératrice.

Maintenant, il fait nuit et nous sommes assis autour du feu, emmitouflés dans nos couvertures. Ibrahim me dit:

---

1. La plupart des mots étrangers en italique sont expliqués dans le glossaire en fin d'ouvrage.

— Dieu a créé le désert pour disposer d'un lieu où il puisse prendre ses aises. Mais il a vite changé d'avis. Il a donc convoqué le vent du sud, le vent du nord et tous les autres vents ; il leur a ordonné de ne faire qu'un et ils ont obéi. Il a pris une poignée de ce mélange aérien et voici venir à l'existence le chameau, pour la gloire d'Allah, à la grande confusion de ses ennemis et au bénéfice de l'homme. À ses pattes, il a attaché la compassion, sur son dos il a posé une selle, à ses flancs il a arrimé des richesses et enfin il a lié la bonne fortune à sa queue. Le désert et le chameau sont des cadeaux de Dieu au Peuple.

— *Allahou akbar*, dis-je, parce que je savais que ça lui ferait plaisir.

— Dieu est grand, me répondit-il avant de marquer une pause et de se pencher vers moi. Ceux qui sont nés dans le Grand Désert ne peuvent être libres, jamais : aussi loin qu'ils voyagent, où qu'ils aillent. Les esprits les accompagnent toujours, ces êtres qui ont habité le monde avant qu'il n'y ait le temps, les rochers et le sable. Méfie-toi des Kel Assouf, remonte bien ton turban, couvre-toi le nez et la bouche. Ils affectionnent les orifices du corps, les esprits ; ils sont toujours à l'affût d'un moyen d'y entrer. Quand tu urines, sers-toi de ta robe comme d'une tente, et quand tu défèques, fais-le là où le sable n'a pas été touché.

« Si tu regardes attentivement, tu verras les traces qu'ils ont laissées. Parmi les dunes, tu verras parfois les sables s'élever en spirale dans les airs sans raison apparente. Là où les *sif* ondulent comme des serpents, tu apercevras parfois les marques de leurs griffes partout où elles ont labouré le sol. Surveille les angles changeants des ombres du soleil et de la lune, les tourbillons et les rides dans le sable, les petits cercles parfaits formés à sa surface par les brins d'herbe couchés par le vent ; ils laissent leurs traces où qu'ils passent. Garde toujours ton amulette à portée de la main, elle te préservera du danger, et souviens-toi toujours que le désert est ta demeure.

Je me réveillai avant l'aube, la bouche étrangement sèche et la langue râpeuse, un parfum musqué entêtant dans les narines. Je restai là un moment à me prélasser dans la douce fraîcheur de mon lit londonien avec son édredon en soie et ses luxueux draps en coton égyptien, mais il m'était difficile de me défaire de la sensation qu'une couverture en poil de chameau qui sentait fort se cachait quelque part dans la chambre.

4

J'ai dû me rendormir, car lorsque j'ai regardé ma montre, il était dix heures largement passées et, dans mon univers bien réglé, jamais je ne me réveillais aussi tard. J'avalai deux verres d'eau, mis le café à chauffer, puis courus chercher le *Sunday Times* chez le marchand de journaux, mais à mon retour je ne pus rester assise assez longtemps pour lire la moitié de la première page. Je me sentais débordante d'une énergie qui me donnait envie de courir, sauter et grimper. J'appelai Ève au téléphone.

— Allons faire de l'escalade.

Si cela avait été possible, j'aurais choisi une falaise en bord de mer ou une butte rocheuse au milieu de la lande, un lieu sauvage et désert où j'aurais pu me suspendre à une saillie ou monter sur un rocher au soleil en me riant des espaces béants à mes pieds, mais l'endroit le plus proche pour grimper en pleine nature était à plusieurs heures de route et il allait donc falloir se contenter du mur d'escalade de Westway, à une demi-heure de chez moi.

En attendant l'arrivée d'Ève, je regardai le mot « amulette » sur Internet. Le dictionnaire étymologique anglais en ligne proposait :

Amulette : 1447, *amalettys*, du lat. *amuletum* (Pline), « collier ou broche que l'on porte en guise de charme pour se protéger des sortilèges, des maladies, etc. », d'origine incertaine, peut-être liée à *amoliri*, « détourner, emporter, enlever ». Pourrait venir du français médiéval ; son usage n'est attesté ensuite en Angleterre qu'en 1601.

Je regardai la définition, le front plissé, guère plus avancée. Peut-être le pendentif ne provenait-il pas de fouilles archéologiques, après tout. Peut-être avait-il appartenu à ma famille maternelle, bien que je ne puisse imaginer mon élégante petite mère française portant un bijou de ce genre ni, avec son pragmatisme froid, se laissant aller à la superstition.

J'avais l'intention de consulter aussi « Tin Hinan » et « Abalessa », mais j'étais incapable de rester assise une minute de plus. Il fallait que je bouge, que je trouve un exutoire à mon trop-plein d'énergie. Je sautai dans la voiture et pris Ève au coin de la rue.

Le mur d'escalade était bondé : des gens étaient accrochés à des cordes partout, comme des araignées immobilisées ; des gamins qui à l'occasion d'un anniversaire recevaient un cours sur le mur d'entraînement poussaient des hurlements d'excitation et de terreur ; dans le fond de la salle, des grimpeurs en solo prenaient les choses très au sérieux. Des émanations de poussière de magnésie flottaient dans l'air et envahissaient les poumons en quelques minutes. Je me souvenais de l'endroit quand ce n'était encore qu'une installation miteuse en plein air : une traversée rudimentaire et deux ou trois grandes plaques de béton hérissées de prises d'où l'on voyait les voitures foncer sur l'autopont de l'A40 et surprenait les automobilistes en se trouvant à la même hauteur qu'eux. C'était maintenant un gymnase dernier cri consacré à l'escalade, de hauts murs blancs en polyuréthane translucide fixés à la partie inférieure de l'autopont éclairé par en dessous comme un chapiteau de cirque, ce qui procurait une vraie sensation de risque. Je n'ai jamais aimé me trouver sous la surveillance de quelqu'un d'autre, en particulier celle des gars du club d'escalade de l'université, qui nous regardaient de haut, faisaient étalage de leur supériorité et de leur carrure et aboyaient des instructions aux faibles femmes que nous étions quand nous n'arrivions pas à atteindre les prises qu'ils nous montraient ou qui se balançaient comme des singes de façon tapageuse et désinvolte. Après avoir affûté notre technique, deux ou trois d'entre nous s'éclipsèrent discrètement pour la mettre en pratique sur des parois plus ardues. Ross Myhill, le plus macho du groupe, monta tout en haut par une voie facile et pissa délibérément le long de la paroi au-dessus de nous comme un chien marquant son territoire. Nous n'avons plus jamais grimpé avec les garçons.

Je regardai Ève se frayer un chemin le long de la traversée. Elle avait une bonne technique, des pieds de danseuse et se déplaçait habilement, évitant les bosses et les surplombs avec une inversée ici, un appui rapide de la pointe du pied là. Je la suivis, plus rapide et plus forte qu'elle pour avoir soulevé des poids et fait des tours de piste à la gym, et ne tardai pas à la rattraper. Après avoir parcouru la traversée trois fois, les muscles de mes avant-bras étaient durs comme du bois. Ève haussa un sourcil.

— Tu as de l'énergie à dépenser ou quoi ?

— Tu peux le dire.

Je me sentais pleine d'entrain et de vigueur, prête à entreprendre n'importe quoi. Maintenant que nous étions échauffées, nous avons mis nos harnais, pris la corde et grimpé en suivant une demi-douzaine de voies plus ou moins difficiles avant de redescendre en rappel, les muscles gonflés, avec l'impression de réussir facilement.

Ça me plaisait de m'entraîner sur les murs d'escalade. J'aimais leur caractère artificiel, la réduction d'un sport d'aventure et de plein air à un parcours ponctué de prises colorées, défini par des degrés techniques français, des règles et des protocoles, le tout dans une enceinte surveillée. Grimper en pleine nature exige beaucoup de soi : compétence, prise de risques, jugement et confiance absolue dans votre partenaire. C'est toujours sur ce dernier point que j'ai achoppé : placer sa vie entre les mains d'un autre. Sur un mur d'escalade, on compte sur son partenaire pour qu'il tienne la corde et ne nous laisse pas tomber, et même s'il a une seconde d'inattention, avec les surveillants et les matelas en mousse qu'il y a partout, il faut mettre de la bonne volonté pour se tuer.

À la pause, je suis allée acheter des boissons et des biscuits énergétiques ; à mon retour, la tête blonde d'Ève était penchée sur un magazine que quelqu'un avait laissé sur la table basse. En me voyant, elle me fit signe.

— Jette un coup d'œil à cet article : il parle du nouveau paradis des grimpeurs : c'est très relax, le climat est excellent et les possibilités d'escalade ont l'air extraordinaires. Regarde ce rocher escarpé : il y a une fantastique voie 5A qui monte jusqu'en haut sur le devant. Ça s'appelle la Tête de Lion.

Mon regard se fixa sur la photo qui occupait une double page. La roche était exactement du même rouge rosé que celle du paysage de mon rêve, c'était la même falaise qui se dressait au-dessus de la caravane, sculptée en une forme aussi reconnaissable qu'un lion de Disney. Tout se mit à tourner autour de moi. Un parfum de safran m'emplissait les narines, j'avais la peau chaude et couverte de poussière. Je percevais un rythme étrange dans ma tête, comme un lent battement de tambour, et mon pouls battait si fort dans mes oreilles qu'on aurait dit la mer ou le vent dans les dunes, un susurrement qui se muait en grondement, et j'entendis un mot dénué de sens se répéter sans fin : *Lallaoua, Lallaoua, Lallaoua...*

Je clignai des yeux et secouai la tête. Ève me regardait.

— Ça va ? demanda-t-elle.

— Quoi ? Je...

Je fronçai les sourcils, me concentrai à nouveau sur la photo. Ce n'était qu'un endroit comme un autre, photographié pour un article sur la varappe. Qu'est-ce que ça avait de si troublant ?

— C'est en Afrique, dit Ève. Dans le sud-ouest du Maroc, pour être précis, à une journée du Sahara.

Je la regardai, puis à nouveau la photo. Une sensation de picotement remonta le long de ma colonne vertébrale jusqu'à ma nuque et ma tête se mit à bourdonner.

— Le Maroc, répétai-je en écho, avec l'impression que ma voix venait d'un autre continent.

Le Maroc, le pays de l'or et des épices, et peut-être le point de départ de l'« histoire » évoquée dans la lettre de mon père. L'idée

était fascinante, enivrante, et soudain submergée par u
de positivité, je chassai tous mes doutes.

— Allons-y, dis-je, nous surprenant toutes les deux. Allons
là-bas, Ève. Prenons des vacances, allons grimper, et, pourquoi
pas, faire une virée dans le désert. Je pourrai mettre l'amulette
dans mes bagages, nous jouerons aux détectives, nous pourrons
essayer d'en apprendre davantage…

— Qu'est-ce qui t'arrive ? me demanda Ève en ouvrant des
yeux ronds.

— Je ne sais pas.

Mon sourire s'évanouit. J'étais troublée, emportée par la
force d'une idée qui ne semblait même pas venir de moi.

— Je ne sais même pas si je veux en savoir plus sur l'amulette. Et je n'ai jamais eu la moindre envie d'aller en Afrique.

Une migraine commençait à s'insinuer dans les os de mon
crâne. J'avais l'impression que des forces antagonistes essayaient
de les séparer.

Sur le chemin du retour, j'ai été prise d'un mal de tête cara-
biné, avec éclairs de néon intérieurs en prime. Je réussis à rentrer
chez moi Dieu sait comment, comme si la voiture avait été en
pilotage automatique. Dans la cuisine, je remplis un verre d'eau
avant d'aller chercher une aspirine dans la salle de bains. Mais là,
sur la table, trônait le carton, exactement comme je l'avais laissé.
Je me surpris à poser le verre et à prendre la pochette. L'amulette
glissa dans ma paume et s'y nicha. Son caractère massif, son
poids avaient quelque chose de rassurant, comme si elle avait été
faite pour que je la tienne bien en main.

L'instant d'après, je l'avais autour du cou. Elle pesait contre
mes côtes, mais ce n'était pas désagréable. Lorsque je clignais les
yeux, c'était comme si les éclairs lumineux étaient devenus des
gazelles argentées phosphorescentes qui passaient rapidement
sous mes paupières. J'allai chercher l'aspirine.

Dans la salle de bains, j'allumai les ampoules qui entouraient
le miroir. Elles illuminèrent mon visage, rejetant dans l'ombre le

reste de la pièce. Je ne m'étais jamais vraiment rendu compte de ce curieux effet auparavant. C'était comme si on m'avait « copiée » et « collée » sur un fond différent. Mon visage et mes yeux luisaient au-dessus de mon tee-shirt, tout comme l'amulette. Elle et moi semblions super réelles, alors que le reste du monde était sombre et indistinct.

Les bijoux que je portais d'ordinaire se remarquaient à peine, n'étaient jamais voyants. Je n'avais jamais rien possédé qui s'affirmât avec autant d'ostentation que cette amulette. Mais elle m'allait bien, je le voyais maintenant. Il y avait quelque chose de puissant dans ses formes massives, de catégorique et de souverain dans son caractère ethnique authentique. Aussi loin que remontait ma mémoire, j'étais pour la première fois assez satisfaite de mon reflet. On aurait dit un autre moi : superbe et sûr de lui.

J'avais hérité de ma mère française une couleur de peau plus sombre que la normale. Parmi les filles au teint de rose et aux cheveux d'or de l'école privée dans laquelle on m'avait placée entre onze et seize ans, les années de formation les plus décisives, j'avais toujours eu l'impression de faire tache. Mes camarades me taquinaient parce que je n'étais pas comme elles, riaient de la douce coloration brune de mes bras, de mes cheveux noirs et rêches. Je les détestais à cause de ça et ne tardai pas à me détester moi-même. Mes seins poussaient plus vite que les leurs, à l'instar de la toison entre mes cuisses. Je pris l'habitude de me déshabiller dans un coin des vestiaires, le dos tourné aux autres. J'étais la dernière à arriver sur le terrain de hockey, la dernière à prendre une douche. Je commençai à me priver de nourriture et prenais plaisir à voir mes courbes diminuer. Pendant longtemps personne ne le remarqua, à l'exception d'Ève, pour qui la minceur était une affaire de mode et non un problème. Puis, un jour, dans la cuisine, je me retournai, consciente d'être observée : mon père était là et me regardait.

« Tu as perdu du poids. »

J'acquiesçai sans un mot. Je n'avais pas envie de parler de ça.

« Tu ne devrais pas, tu sais. Les femmes maigres… ce n'est pas attirant, dit-il avec une grimace. Et tu es une belle jeune fille. Une belle jeune femme. Tu ne devrais pas avoir honte du corps que Dieu t'a donné. »

Ces paroles me firent un choc. Personne ne m'avait jamais qualifiée de « belle » et ce n'était certainement pas l'opinion que j'avais de moi. Mais venant de mon père, je ne pouvais le croire. Tous les parents ne pensent-ils pas que leurs enfants sont beaux ?

Me voilà maintenant en train de porter la main à mon visage, geste reflété dans la glace. *Belle*. Cela faisait longtemps que je ne m'étais pas trouvée ne serait-ce qu'attirante et pourtant le miroir me démentait. Je resplendissais. C'était l'effet produit par l'amulette, elle m'illuminait de son propre éclat.

Je ne me souviens pas de ce que j'ai fait le restant de la journée. Peut-être ai-je regardé la télé, peut-être la migraine est-elle revenue en force. Je me souviens cependant qu'en fermant les yeux j'aperçus un autre paysage défiler fugitivement. À un certain moment, avec la netteté d'une hallucination, je vis le visage d'une fille aux yeux noirs, au regard intrépide, qui me touchait le bras comme si elle avait quelque chose à me dire. Elle prononça mon nom encore et encore.

Sauf que ce n'était pas mon nom. Il m'était inconnu, un mot dénué de sens, répété jusqu'à l'absurde. Je tendis l'oreille : quelqu'un semblait me parler et me raconter une histoire que je n'arrivais pas à bien entendre…

5

Sur les hauteurs d'une vallée de montagne, assise sous un arbre, une jeune fille contemplait le paysage. Elle avait un visage énergique qui sortait de l'ordinaire, le nez long et droit, des yeux noirs pleins de hardiesse et le menton volontaire. Personne ne disait jamais qu'elle était jolie ni ne la comparait à des choses délicates — au clair de lune, à un voile léger ou aux élégants petits oiseaux chanteurs qui s'envolaient à l'aube. Les hommes qui avaient tenté, en vain, de la courtiser évoquaient dans leurs vers maladroits les chameaux sauvages et les grands vents du désert, des forces brutes qu'ils ne pouvaient espérer maîtriser. Ils s'efforçaient, sans y réussir, de faire rimer son nom, Mariata ; elle les payait de retour avec des vers aussi corrosifs qu'une tempête de sable et ils ne tardaient pas à renoncer.

Elle était assise là depuis un moment à regarder dans le vide, comme si elle focalisait son attention sur un objet hors d'atteinte. L'arbre avait poussé sur la crête d'un pic rocheux ; vague présence, le mont Bagzan se dressait à l'horizon et c'est de cette montagne que la tribu dans laquelle elle vivait maintenant tirait son nom. À cette altitude, l'air était frais et fleurait bon le thym et la lavande sauvages, mais même ainsi on sentait la présence du désert au-delà des collines.

Elle passa un long moment à se concentrer puis se pencha pour tracer quelque chose sur le sol sablonneux à ses pieds. Au même instant, une mouche se posa sur sa joue et elles furent soudain des centaines, un nuage iridescent d'insectes. Elle les chassa.

— Que Dieu maudisse toutes les mouches ! s'exclama-t-elle.

À quoi pouvaient-elles bien servir, elles, leur vol erratique et leur bourdonnement stupide ? Et il y en avait tant, des milliers, sur les aliments, les bêtes, les bébés. Si Dieu avait été une femme, les mouches n'auraient certainement pas existé. Elle entendait presque sa mère la réprimander pour ce blasphème : *Mariata, ne dis pas cela ; un peu de respect !*

Mais sa mère était morte et elle était une étrangère chez la sœur de son père. Elle soupira et ramena ses pensées au poème qu'elle s'efforçait de composer. Une vague image se présenta à son esprit ; elle était sur le point de la traduire en mots quand elle entendit quelqu'un approcher. *Os et poussière !* Elle se fit toute petite dans l'ombre. Si elle était dérangée, son poème s'évaporerait comme un crachat sur la pierre chaude. Sarid la paierait si les vers étaient bons et lorsque l'orfèvre itinérant reviendrait, elle pourrait acheter les boucles d'oreilles qui lui plaisaient tant. C'était sa première commande ; donnait-elle satisfaction, d'autres suivraient. Travailler pour de l'argent était humiliant, mais à son grand dam elle dépendait maintenant de la charité d'autrui. Sa tante Dassine et les autres femmes Bagzan ne lui témoignaient aucun respect et certainement pas celui dû à quelqu'un de sa lignée. Elles attendaient même d'elle qu'elle traie les chèvres de ses propres mains, qu'elle les attache tête à tête et tire sur leurs mamelles ! Cette seule pensée l'écœurait. Tout le monde savait qu'une telle tâche était réservée aux *iklan*. Mais malgré leur manque de déférence à son égard, Mariata commençait à regretter de s'être éloignée autant du reste de la tribu.

Elle retint sa respiration. Ce n'était sans doute qu'un chevrier, mais il y avait dans la région des bandits qui venaient de nuit voler chameaux et chèvres ; récemment, on avait même parlé de paysans assassinés alors qu'ils travaillaient à la ferme, de violentes attaques lancées contre des villages, et elle était là, seule, loin du camp.

Une brindille craqua sous un pied et quelques instants plus tard une silhouette entra dans son champ de vision, un homme dont le turban pendillait sur la poitrine. Ce détail suffit à lui apprendre qu'il était seul et ne s'attendait pas à rencontrer quelqu'un d'autre. Elle se détendit : à son turban dénoué et à son port de tête, Mariata savait que ce n'était pas un bandit, mais Rhossi, le neveu du chef. Lui seul était assez arrogant pour se croire immunisé contre les esprits.

À la pensée que c'était lui, elle ressentit des fourmillements. Rhossi la lorgnait depuis que son père l'avait laissée dans la tribu des Bagzan ; elle sentait son regard posé sur elle chaque fois qu'elle traversait le camp, qu'elle s'exerçait avec ses compagnes aux pas des danses pour les mariages, qu'elle était assise près du feu de camp le soir.

Pour l'instant, il ne la voyait pas ; il avait les yeux rivés au sol et touchait quelque chose du bout de sa sandale. Peut-être allait-il passer son chemin. Elle le vit s'agenouiller, tâter l'herbe sèche qu'elle avait écrasée au passage. Puis il leva la tête, se tourna vers elle et sourit.

— Tu es bien à l'ombre, Mariata oult Yemma ?

Ses yeux brillants étaient fixés sur elle.

— Grâce à Dieu, je suis bien, Rhossi ag Bahédi, dit-elle en remontant son voile sur le bas de son visage et en lui jetant un regard noir, furieuse d'avoir été découverte.

Il arborait un grand sourire. Il avait les dents pointues, légèrement écartées. Les autres filles le trouvaient beau et lui lançaient des œillades, alors que pour Mariata, il ressemblait à un chacal, le visage étroit, l'air rusé, le regard calculateur et dénué de chaleur même quand il souriait.

— Et la paix est avec toi, Mariata ?

— Elle est avec moi. Est-elle avec toi ?

— Avec la bénédiction de Dieu, oui, *inch'Allah*.

Il baisa la paume de ses mains, les porta à son visage et se toucha la poitrine juste au-dessus du cœur sans la quitter des yeux. C'était la politesse et la piété personnifiées, mais il parvenait néanmoins à rendre le geste obscène. Mariata lui lança un regard accusateur.

— Es-tu un homme, Rhossi ag Bahédi ?

Il regimba.

— Bien sûr.

— On m'a toujours dit que seul un petit garçon ou un voyou sort sans mettre son turban. Lequel des deux es-tu ?

Le sourire de Rhossi s'épanouit encore.

— Je me voile seulement en la présence de mes supérieurs, Toukalinden.

Toukalinden, petite princesse. C'est ainsi que certains membres de la tribu – ceux qui honoraient sa lignée – avaient pris l'habitude de l'appeler, car la famille de sa mère remontait directement à Tin Hinan par sa fille Tamerwelt, surnommée le Lièvre, mais dans la bouche de Rhossi les mots étaient lourds de sarcasme.

Mariata se mit debout. Mieux valait encore moudre du millet ou même traire les chèvres et ramasser des bouses pour le feu que perdre son temps avec le neveu du chef. Elle passa devant lui, mais il l'attrapa par l'épaule. Ses doigts s'enfoncèrent dans son muscle au point de lui faire mal.

— Et qu'est-ce que c'est que ça dans le sable, Mariata ?

Il toucha du bout du pied les symboles qu'elle y avait tracés pour tenter de composer son poème, un mot par-ci par-là pour graver les images dans sa mémoire, notamment *yar*, le cercle traversé d'une ligne, *yagh*, la croix fermée, *yaz*, le symbole de la liberté, et un homme. Il les regarda en plissant les yeux, l'air soupçonneux.

— Tu pratiquais la sorcellerie ? Tu jettes des sorts ? ajouta-t-il en accentuant sa pression.

L'imbécile. À vingt-six ou vingt-sept étés, presque un vieux, il ne savait pas lire ! S'il avait su, il aurait déchiffré le nom de Kiiar et celui de Sarid, qui devaient se marier le mois suivant ; il aurait vu les idéogrammes représentant le palmier et le blé, l'oiseau et l'eau. Dans son état actuel, le poème qu'elle avait imaginé pour les noces chantait ainsi les beautés de Kiiar :

Sa peau ressemble au palmier,
À un champ de blé, un acacia en fleur.
Ses nattes sont pareilles aux ailes d'un oiseau,
Ses cheveux luisants de beurre
Reflètent le soleil et la lune.
Ses yeux sont ronds
Comme ceux que l'on fait dans l'eau
Quand on y jette une pierre.

Mais tout cela échappa à Rhossi : il avait passé le plus clair de son temps à apprendre le maniement de l'épée et à faire caracoler son chameau, cherchant à se rendre intéressant auprès des filles, mais jamais à lire. Pour lui, les symboles n'étaient que des signes obscurs ; il n'y voyait pas un langage, ne pouvait les comprendre et ce qu'il ne comprenait pas l'effrayait. Il savait que les femmes se servaient de symboles de ce genre pour jeter des sorts, inoffensifs la plupart du temps, mais pas toujours. C'est ce qu'elle allait laisser croire à cet ignorant, bien fait pour lui. Par ailleurs, s'il pensait qu'elle s'était livrée à des pratiques magiques, il y avait des chances qu'il s'éloigne.

— Cela se peut, dit-elle en réponse à sa question.

Elle eut la satisfaction de voir Rhossi toucher son amulette pour écarter le mauvais œil, mais ensuite, pris d'une frénésie soudaine, il se mit à piétiner avec acharnement les symboles.

Mariata se récria et voulut l'en empêcher, mais il la repoussa et elle s'affala au pied de l'arbre.

— Je ne veux pas de sorcières dans ma tribu ! hurla-t-il en projetant du sable sur les symboles.

Le poème était effacé. Mariata savait très bien qu'elle ne se le rappellerait jamais parfaitement. Si elle avait eu des pouvoirs magiques, elle les aurait utilisés : elle aurait voué Rhossi aux démons, demandé aux Kel Assouf de lui ronger l'esprit. Elle avait envie de lui cracher à la face, de le blesser, mais elle avait vu avec quelle violence il battait ses esclaves. Elle se releva et épousseta rageusement sa robe.

— *Ta* tribu ?

— Elle le sera bientôt.

Son oncle, Moussa ag Iba, souffrait d'une tumeur dans le ventre et, malgré les remèdes, elle ne cessait de grossir. Selon la tradition de leur peuple, le fils de sa sœur lui succéderait à la tête de la tribu.

— C'est pour me dire cela que tu es venu jusqu'ici ?

— Non, bien sûr que non. Comment pouvais-je savoir que tu lançais des sorts ?

— Mais tu m'as suivie ?

Il plissa les yeux sans répondre. Il lui prit une main et, lui tordant le bras, la remonta entre ses omoplates pour rapprocher Mariata de lui. Le visage de Rhossi était si près du sien qu'il en devenait flou, son haleine chaude sur sa peau. Elle sentait presque les esprits sortir de lui, leur feu et leur folie. Puis il la bâillonna de sa bouche. Elle serra les lèvres et se débattit pour lui échapper, ne réussit qu'à le faire rire.

— Si je veux t'embrasser, je t'embrasserai. Lorsque je serai *amenokal*, tous les gens de l'Aïr m'obéiront. Les femmes me supplieront de les prendre pour troisième ou quatrième épouse, et même comme esclave ! Crois-tu valoir mieux qu'elles ?

Il la tint à bout de bras et la regarda. Puis il se pencha vers elle et son visage se rembrunit.

— Ou peut-être crois-tu valoir mieux que *moi* ?

Il lisait la réponse dans ses yeux, des yeux sombres au regard intrépide et hardi. En cet instant, elle vit qu'il la haïssait autant qu'il la désirait.

— Tu dois apprendre que non ! poursuivit-il en la prenant par ses longs cheveux noirs et soyeux. Tu te donnes des grands airs, tu emplis la tête des enfants d'histoires stupides, tu t'enorgueillis de ta famille, tu considères que les Kel Taïtok nous sont supérieurs, comme si nous n'étions qu'une tribu vassale crasseuse. Il est temps qu'on te donne une leçon…

De sa main libre, il remonta la robe de la jeune fille entre ses cuisses. Pressée contre lui, Mariata était outrée. Toucher une femme sans sa permission était tabou : interdit, passible d'exil, voire de mort.

Dans le fond de la vallée, le hurlement d'un chien sauvage fit trembler l'air, suivi par un autre, un troisième puis un quatrième. Quelque chose les avait dérangés : en temps normal, ils étaient vautrés comme des carcasses jaunâtres à l'ombre des murs en pierre sèche des terrasses pendant que les *harratin* bêchaient, désherbaient et arrosaient. Leur aboiement resta en suspension dans la vallée tel un vautour, porté par les courants d'air chaud, puis s'évanouit.

Mais en entendant ce tapage, Rhossi s'était arrêté net : il redressa la tête, repoussa Mariata et monta rapidement sur la crête de la colline en se protégeant les yeux pour voir ce qui avait attiré l'attention des chiens. Tout en restant à bonne distance, Mariata alla elle aussi voir ce qui se passait : quelqu'un gravissait le sentier. Ce n'était qu'une femme voilée de noir, vêtue d'une longue robe bleue rapiécée, la tête basse, les épaules voûtées comme si elle avait porté le poids du monde. Mariata ne la reconnut pas, mais n'étant dans la tribu des Bagzan que depuis quelques semaines seulement, cela n'avait rien d'étonnant.

Cependant, Rhossi regardait cette femme comme si elle avait été un fantôme. Il rajusta rapidement son turban autour de son visage en ne laissant qu'une fente à travers laquelle ses yeux luisaient. Il avait l'air effrayé.

Comme attirée par le mouvement, la femme leva rapidement les yeux dans leur direction et Mariata fut surprise de voir qu'elle était vieille, le visage sillonné de rides, la peau aussi sombre que le bois d'acacia. Elle semblait triste et épuisée : elle donnait l'impression d'avoir été mue par des forces puissantes pour effectuer ce dur trajet le long du sentier escarpé et rocailleux sur le territoire d'une autre tribu. Mariata se demanda si elle était poussée par la faim ou si elle apportait des nouvelles. Les étrangers avaient souvent une histoire à raconter.

Comme si c'était la réaction la plus naturelle qui soit, Rhossi ramassa une pierre et la jeta sur la vieille femme en un geste plein d'animosité. Le projectile frappa violemment l'inconnue, qui poussa un cri, perdit l'équilibre, glissa sur un éboulis et tomba durement. Rhossi partit sur-le-champ au pas de course, laissant Mariata figée sur place, le regard fixé sur la blessée, complice d'une agression par sa seule présence.

La femme ne se relevant pas, Mariata sortit de sa torpeur et descendit vers elle au milieu des broussailles, des buissons d'épineux et des rochers. Quand elle arriva à son côté, la vieille essayait de se redresser sur son séant en gémissant.

— *Salam aleikoum*, la salua Mariata. Que la paix soit avec toi.

— *Aleikoum as salam*, que la paix soit avec toi, répondit la vieille femme d'une voix rauque.

De sa main pareille à une serre, elle agrippa la robe de la jeune fille, l'attrapa par l'épaule pour se redresser, aidée en cela par Mariata. Son voile avait glissé, découvrant une torsade de nattes sombres tressées de manière complexe et nouées avec des lanières de cuir coloré, des perles et des coquillages. Elles étaient semées de fils d'argent : ce n'était pas une décoration, mais seulement des cheveux blanchis par l'âge. Les yeux qui scrutaient le visage de Mariata étaient marron foncé, vifs et sans trace de cataracte, et s'ils étaient enfouis dans un réseau de rides profondes creusées par le soleil, il semblait en définitive que la femme n'était pas si vieille que cela.

— Ça va ? lui demanda Mariata.

— Grâce au ciel, oui.

Mais la femme grimaça en bougeant le bras et du sang commença à tremper sa robe là où la pierre l'avait touchée.

— Tu saignes. Laisse-moi voir.

Au moment où Mariata tendait le bras pour examiner la blessure, l'inconnue la prit par le menton et la regarda en face intensément.

— Tu n'es pas une fille d'ici, dit-elle.

C'était une affirmation et non une question.

— Je viens du Hoggar.

La femme hocha la tête et fit un geste respectueux, un geste à l'ancienne manière que l'on ne faisait plus souvent, maintenant que l'on commençait à oublier les traditions.

— Je m'appelle Rahma oult Djouma et tu dois être la fille de Yemma oult Tofenat, dit-elle, les yeux brillants. J'ai marché huit jours pour te trouver.

Mariata était stupéfaite.

— Pourquoi as-tu fait cela ?

— J'ai eu l'honneur de connaître ta grand-mère. Elle possédait des pouvoirs extraordinaires.

La grand-mère de Mariata était morte depuis des années mais la jeune fille se rappelait une femme de haute taille, imposante, couverte d'argent et assez effrayante, avec ses yeux de braise, le nez aussi busqué et pointu qu'un bec d'aigle.

— Quels pouvoirs ?

— Ta grand-mère communiquait avec les esprits.

Mariata ouvrit de grands yeux.

— Vraiment ?

— Elle savait manier les mots et chasser les démons ; j'ai besoin de quelqu'un qui soit capable de la même chose. Mon fils est mourant. On lui a jeté le mauvais œil, il est possédé par les esprits. Toutes les sorcières et les herboristes de l'Adagh sont venues le voir, tous les marabouts et les grands connaisseurs des textes coraniques, tous les *bokayes*, même un magicien itinérant de Tombouctou. Mais aucun n'a pu le guérir. Les Kel Assouf l'ont sous leur emprise et peu leur importent le Coran et les herbes médicinales. Il faut une spécialiste et c'est pourquoi je suis venue de si loin pour te trouver.

— Je crois malheureusement ne pas posséder de pouvoirs magiques, répondit Mariata, flattée car elle aimait à être jugée différente des femmes Bagzan. Je ne puis t'être utile ; je ne suis pas une guérisseuse, je suis une poétesse.

Rahma oult Djouma fit la moue.

— Je n'y peux rien. Tout ce que je sais, c'est que lorsque je jette les os divinatoires, ils me donnent le nom de ta grand-mère.

— Je ne suis pas ma grand-mère.

— Tu es la dernière de sa lignée. Les pouvoirs de la fondatrice sont transmis à toutes les femmes de ta famille.

Mariata commençait à penser que l'inconnue était folle, une pauvre vagabonde à l'esprit dérangé par le soleil, une *baggara*. Bon nombre de ceux qui vivaient dans le désert et sur son environnement brûlant lui payaient un fort tribut. Elle se leva et s'écarta d'un pas.

— Je suis désolée, je ne peux rien pour toi. Je n'ai aucun pouvoir magique.

Rahma lui empoigna le bras.

— J'ai fait un long chemin pour te trouver.

— Je suis désolée, répéta Mariata en cherchant vainement à se dégager, et puis je me demande comment tu as su où j'étais.

— Un orfèvre itinérant est passé par notre village et nous a parlé d'une Iboglan qui vivait parmi les Bagzan, une fille d'allure impérieuse, au squelette délicat et *asfar*; elle lui avait commandé des boucles d'oreilles portant le symbole du lièvre. Seule une femme de la lignée de Tamerwelt pouvait demander cela.

Les orfèvres colportaient partout les nouvelles et les ragots. Ça s'expliquait donc. Mariata porta la main à son visage. Il était vrai qu'elle avait la peau plus claire que celle des femmes des tribus plus méridionales et que le lièvre était l'animal avec lequel les femmes de sa famille et elle-même avaient un lien particulier.

— L'orfèvre a dit que son père l'avait laissée chez les Bagzan, que sa mère était morte. Il a ajouté que le neveu du chef s'intéressait beaucoup à elle, mais qu'elle n'encourageait pas ses avances.

La vieille femme cracha par terre. Sa salive était rouge de sang; elle avait dû se mordre la langue dans sa chute. Mariata détourna les yeux, mal à l'aise.

— Et comment savais-tu que j'étais ici, tout là-haut, si loin du camp?

— J'ai rencontré une grande fille qui gardait les chèvres dans la vallée. Elle m'a dit où tu étais.

Ce devait être Naïma. Mariata avait partagé le pain avec elle lorsqu'elle était montée sur la montagne et la chevrière lui avait donné des figues sauvages. Le destin semblait conspirer contre elle.

— Elle était la seule à savoir que j'étais ici.

— En dehors de celui qui m'a jeté la pierre.

Mariata hocha la tête, embarrassée.

— C'est peut-être le fils de Bahédi, le frère de Moussa.

— Oui, c'est Rhossi. Comment le sais-tu ?

On pouvait faire la distinction entre les membres de différentes tribus selon leur manière de porter le turban – plus en hauteur, un tour supplémentaire, le bout pendant plus long – mais reconnaître un individu d'un autre à pareille distance ? C'était impossible.

— J'ai su que c'était lui à sa façon de se comporter. C'est un lâche. À cet égard, il ressemble aux hommes de sa famille.

Tout homme parlant ainsi d'un parent de l'amenokal eût été obligé de défendre ses paroles avec son épée. Mieux valait qu'elles soient seules, bien que Mariata ait entendu dire que le vent portait parfois les insultes jusqu'aux personnes incriminées, raison pour laquelle les vendettas ne prenaient jamais fin.

— Tu connais donc sa famille ?

Rahma prit un air circonspect.

— Tu peux le dire. Allez, viens, il n'y a pas de temps à perdre. La route est longue jusqu'à mon village.

Mariata éclata de rire.

— Je ne vais pas avec toi ! Et puis tu n'es pas en état de faire un tel trajet. Il semble que tu n'aies ni mangé ni bu depuis des jours. En plus, maintenant tu es blessée et, regarde, tes pieds saignent.

Rahma baissa les yeux : c'était vrai, du sang suintait entre ses orteils et tachait le cuir usé et poussiéreux de ses sandales.

— Viens avec moi au camp, je ferai en sorte qu'on te donne de la nourriture, de l'eau et un lit pour la nuit. Et peut-être qu'un des hommes te ramènera à ton village demain.

La femme cracha derechef par terre.

— Je ne poserai plus jamais le pied parmi les Kel Bagzan. J'ai beaucoup hésité à aller si loin.

Mariata soupira. Quel dilemme ! Elle pouvait difficilement abandonner une femme qui avait parcouru un si long chemin pour la rencontrer et qui, ce faisant, avait été blessée.

— Viens avec moi chez les harratin. Ils prendront soin de toi.

Rahma oult Djouma sourit.

— Quelle diplomate ! Tu es exactement comme ta grand-mère, dit-elle en lui tapotant la main.

Dans le fond de la vallée, les harratin, qui travaillaient la terre pour les chefs tribaux, avaient construit à l'aide de roseaux, de boue et de pierres un village de huttes rondes. Ils habitaient là toute l'année tandis que les gens des tribus menaient leur vie nomade traditionnelle ; ceux-ci suivaient les vieilles routes saha-riennes d'une oasis à l'autre et revenaient à la saison des moissons pour prendre possession des récoltes qu'ils avaient financées, lais-sant aux harratin le cinquième qui leur était dû. Aussi habitués qu'ils aient été aux visites des surveillants de Moussa ag Iba qui venaient voir où en étaient les cultures d'hiver, même les enfants cessèrent de jouer pour regarder les deux femmes des tribus du désert qui arrivaient ainsi sans être accompagnées. Des vieilles harratin rassemblées en cercle autour du mortier pour y moudre le grain, la peau noire de leur dos couverte de poudre grise, la chair flasque de leurs bras tremblotant à chaque coup de pilon, s'arrêtèrent elles aussi en plein mouvement à la vue de Mariata et Rahma. Deux femmes plus jeunes, qui tissaient un tapis sur un grand métier vertical, observèrent les nouvelles venues à travers le réseau de fils, leurs visages sombres et solennels découpés par les laines de couleur vive. Même les vieux en train de tresser des paniers interrompirent leur tâche. Personne ne soufflait mot.

Enfin, l'un des hommes se leva lentement et s'avança, la tête haute, avec circonspection. Il portait une robe rapiécée et n'avait pas vraiment l'air d'un chef en dépit de l'autorité qui émanait de lui. Il prononça les formules de salutation usuelles, puis attendit en fixant du regard les visiteuses. Mariata expliqua que Rahma avait besoin de soins, de nourriture et d'eau.

— Je n'ai rien à vous donner en échange pour l'instant, ajouta-t-elle, mais je reviendrai vous apporter quelque chose, de l'argent…

Le chef se mit à rire.

— À quoi nous servirait de l'argent ? Demande à l'amenokal de nous accorder un répit, c'est le mieux que tu puisses faire pour nous.

— Je ne crois pas que l'amenokal connaisse le sens du mot « répit », répondit Rahma.

Le chef parut surpris par cette remarque, mais resta coi.

— Je ne suis pas en position d'intervenir pour vous auprès de l'amenokal, dit doucement Mariata. Mais je vous apporterai du thé et du riz.

L'homme posa la main sur sa poitrine et s'inclina.

— Merci, ce serait le plus acceptable.

Mariata se tourna vers Rahma.

— Je reviendrai te voir demain.

— Je compte sur toi. Nous devons nous hâter.

— Je ne t'accompagnerai pas.

— Oh, je crois que si. Regarde autour de toi. Es-tu capable de fermer les yeux sur ce qui se passe ici ?

Mariata était perplexe.

— Que veux-tu dire par là ?

Ce n'était qu'un village de harratin comme les autres, aux pauvres habitations miteuses.

— Regarde. Regarde vraiment. Ne vois-tu pas qu'ils meurent de faim ?

Mariata jeta un coup d'œil autour d'elle avant de concentrer son attention sur les détails de l'existence des harratin pour la première fois de sa vie. Les enfants avaient des yeux immenses qui leur mangeaient le visage, le ventre ballonné, les bras et les jambes comme des allumettes. Les adultes avaient l'air épuisés, comme à moitié tués par le travail, les motifs colorés de leurs robes jurant avec leurs yeux éteints, leurs joues creuses et leurs expressions désespérées.

Rahma montra le tapis auquel travaillaient les femmes.

— Les gens de Moussa leur prendront même ça. Ils ont dû leur donner la laine et le motif ; les Kel Bagzan le vendront avec profit et les harratin n'en tireront presque rien.

Elle se dirigea vers les vieilles femmes, leur dit quelques mots dans leur langue.

— Tu vois ? Elles n'ont que le grain abîmé pour moudre leur farine, les épis qu'elles ont glanés parmi la balle, pas même le cinquième de la récolte comme le stipule le contrat. Et regarde les enfants qui jouent ici…

Entre les huttes, deux gamins à la peau plus claire que les autres étaient accroupis dans la boue sous le regard las de deux plus grands, adossés à un mur. Mariata hocha la tête. Rahma claqua la langue.

— Ont-ils l'air de vrais enfants harratin ? Il me semble que non, leur peau est trop claire. Je pense que le jeune Rhossi a largement répandu sa semence. Le premier enfant a été conçu de force, elles me l'ont dit ; la deuxième fille en a appris suffisamment de la première pour conclure un marché.

Sur le chemin du retour, Mariata croisa à nouveau Naïma et ses chèvres. Pour la première fois, elle remarqua combien elles étaient nombreuses, noires et brunes, pie, blanches et rousses ; tournant autour des arbres de la vallée, elles se nourrissaient de tout le feuillage qui leur était accessible. Dans les parages du camp, elle passa devant le troupeau de moutons : les brebis étaient entravées, les agneaux s'ébattaient en liberté car ils ne s'éloignaient jamais de leur mère. Ils étaient dodus, pleins de vitalité et innombrables. Les tentes apparurent et, derrière elles,

les précieux chameaux : robustes mahgrabis, bérabish à longs poils, petits adrars gris et méharis, les chameaux blancs si prisés des plateaux du Tibesti au Tchad. Les méharis étaient un grand luxe, des jouets hors de prix pour jeunes nantis, qui s'en servaient rarement pour se déplacer avec rapidité dans le cœur du désert et lancer des raids contre d'autres tribus ou des caravanes, ce pour quoi ils avaient été élevés, mais bien plutôt pour participer à des courses et parier sur les résultats. Mariata savait que deux de ces grands chameaux blancs, ombrageux et hautains, appartenaient à Rhossi.

De l'extérieur, les tentes basses en cuir des Kel Bagzan ne payaient pas de mine, mais les femmes y gardaient leurs trésors : tapis de couleurs vives, peaux de mouton moelleuses, chaises et lits sculptés, coffrets pour leurs bijoux en argent, robes de laine, babouches et sandales décorées de clous à grosse tête, sacs de cuir à franges de couleurs. Du côté est des tentes des femmes, les hommes entreposaient leurs affaires les plus précieuses : épées en acier de Tolède forgées trois siècles plus tôt et transmises de génération en génération, *tcherots* et gris-gris, gros bracelets en argent et selles richement décorées. Les femmes étaient replètes, les enfants grassouillets. Même les chiens étaient bien nourris. Seuls les pauvres étaient maigres. Peut-être la tribu des Bagzan ne jouissait-elle pas de la réputation légendaire des Kel Taïtok, mais c'était néanmoins un clan riche. Mariata regardait autour d'elle et c'était comme si elle voyait tout cela pour la première fois et, pour la première fois, elle éprouvait de la honte. Elle n'avait jamais songé à la différence de niveaux de vie entre son peuple et les harratin dont il dépendait, ayant toujours considéré que cette différence était dans l'ordre des choses. Eux étaient des aristocrates et les harratin, leurs serviteurs, payés pour leur fournir leurs services. Il ne lui était encore jamais venu à l'esprit qu'ils étaient mal rétribués.

Assise autour du feu avec les autres femmes à manger du mouton épicé accompagné de *tigelliouin*, les pains odorants cuits par les esclaves dans l'après-midi, la pensée lui vint soudain qu'elle n'avait vu aucun animal d'élevage chez les harratin. Elle était certaine qu'aucun d'eux ne mangeait de la viande ce soir ou même n'en mangerait ce mois-ci. À cette pensée, sa bouchée lui resta en travers de la gorge et elle se mit à tousser.

— Ça ne va pas, Mariata ? lui demanda sa tante Dassine, une femme au regard aussi aiguisé que sa langue.

— J'ai perdu l'appétit, répondit Mariata avec raideur.

Assise à côté de Dassine, Yallawa regarda Mariata froidement, puis se tourna vers sa voisine.

— Les Kel Taïtok ne mangent que de la gazelle la plus tendre ; notre piètre viande de mouton n'est manifestement pas assez savoureuse pour notre royale parente.

Mariata écarta le reste de son repas.

— Je n'ai pas faim, mais j'ai vu beaucoup de gens qui, eux, avaient faim.

Des regards curieux se tournèrent vers elle.

— Des mendiants ? s'enquit Dassine.

— Vos propres harratin, répliqua sèchement Mariata. Leurs enfants ont le ventre gonflé par la faim. Même les adultes sont maigres comme des clous.

Des murmures s'élevèrent. Mariata ne saisissait qu'un mot par-ci par-là, mais l'hostilité était palpable.

— Il ne convient pas que des jeunes filles ignorantes discutent de tels sujets, dit finalement Yallawa. Et il convient d'autant moins à une jeune fille dont le bien-être dépend de la charité d'autrui d'exprimer des opinions aussi sottes et malvenues.

— Ce n'est pas de ma faute si ma mère est morte et si mon père parcourt la route du sel ! Je ne serais pas venue là si on m'avait laissé le choix.

Dassine pointa un menton agressif vers Mariata.

— Lorsque mon frère a pris ta mère pour épouse, les Kel Taïtok ont traité ceux et celles d'entre nous qui ont fait le chemin pour assister à la noce comme des vassaux qui leur payaient tribut. Les femmes riaient en douce de notre peau plus sombre

59

et se moquaient de nos vêtements les plus beaux, de nos bijoux et de la façon dont nos hommes portaient le turban. Tu peux te donner de grands airs et te vanter de ta haute ascendance, mais cela ne m'impressionne pas. Tu as de la chance d'être assez jolie pour avoir attiré l'œil du beau-fils d'Awa. Un tel mariage tempérera au moins ton arrogance.

Mariata se leva et s'éloigna sans un mot, craignant, si elle ouvrait la bouche, de ne pas répondre de manière civile.

Elle se dirigea vers les tentes en passant le plus au large possible du feu de camp des hommes, ce qui ne l'empêcha pas de voir du coin de l'œil que Rhossi ag Bahédi se détachait du groupe. Elle accéléra l'allure, mais il ne tarda pas à la rattraper et lui barra le passage, les yeux brillants.

— Viens te promener avec moi.

— Je n'irai nulle part avec toi de mon propre gré.

— Si tu connaissais ton intérêt, tu ferais ce que je dis.

— Depuis quand un homme a-t-il le droit de dire à une femme ce qu'elle doit faire ?

— Si tu ne le fais pas, tu le regretteras.

— Je suis certaine que je le regretterais si je le faisais.

— J'espère que tu n'as rien dit à personne de ce que tu ne devais pas dire, ajouta-t-il en la prenant par le bras.

— Je ne vois pas de quoi tu parles.

— Tu le sais parfaitement, rétorqua-t-il en la secouant.

— Ah, tu veux parler de la façon dont tu jettes des pierres à une vieille femme sans défense ?

— Elle est morte ? demanda-t-il avec un peu trop d'empressement.

Mariata lui lança un regard curieux.

— Pourquoi l'héritier du grand chef se préoccupe-t-il autant du sort d'une pauvre vagabonde ?

— Une vagabonde, c'est bien ce qu'elle est, répondit Rhossi en la fixant intensément. Mais est-elle en vie ? Dis-le-moi.

— Je suis heureuse de t'apprendre que tu n'as pas sa mort sur la conscience.

Rhossi la lâcha et se recula.

— Je suis content de l'entendre, dit-il d'un ton qui manquait de sincérité. Où est-elle maintenant ?

Mariata hésita.

— Elle est repartie, répondit-elle enfin.

Une expression de soulagement envahit le visage de son interlocuteur.

— Et je vais me coucher. Les événements de la journée m'ont épuisée.

— Je t'accompagne jusqu'à la tente de Dassine.

Mariata se mit à rire.

— Je n'ai guère besoin d'une escorte sur une si courte distance.

— Ça ne fait rien, dit-il en la prenant par le coude avant de l'entraîner loin des feux de camp. Ne parle jamais de cette femme à qui que ce soit, tu m'entends ?

— Qui est-elle pour que tu t'inquiètes tant qu'on sache qu'elle est venue ?

Il serra la mâchoire.

— Personne de spécial.

Mariata s'arrêta à l'entrée de la tente de Dassine.

— Bonne nuit, Rhossi.

Après s'être dégagée, elle se baissa pour entrer. À l'intérieur, après avoir allumé la lanterne, elle s'agenouilla afin d'arranger la couverture déployée sur le châssis ; elle venait du sud du Maroc et elle y tenait beaucoup. Des files de chameaux géométriques, méconnaissables pour ceux qui ne comprenaient pas l'abstraction, marchaient sur un fond d'or ; sur les bords, des fleurs stylisées en forme d'étoiles évoquaient les sols en mosaïque qu'elle avait vus un jour à Tamanrasset. Plus que tout autre, cette couverture lui rappelait son chez-soi. Ils étaient partis dans une telle hâte ! « Ne prends que ce que tu peux porter, lui avait dit son père avec brusquerie. Ta tante Dassine possède tout ce dont tu auras besoin et je ne veux pas que la caravane soit obligée de ralentir pour charrier tes affaires. »

Elle avait laissé derrière elle une dizaine de jolies robes, des bottes d'hiver, des sandales et des ceintures ornées de pierreries, des foulards et des châles multicolores, ses peaux de mouton et le beau cuir de chèvre que sa mère avait gardé à son intention pour dresser sa propre tente quand elle serait mariée. Le coffret en bois au chevet de son lit contenait ses maigres biens : ses bijoux, ses cosmétiques, un petit couteau et une robe de rechange. Les vêtements qu'elle avait sur le dos et sa couverture représentaient tout ce qui lui restait au monde, du moins en ce lieu. Elle passa les mains sur la broderie avec un vif sentiment de solitude et le mal du pays.

— Très jolie.

Elle se retourna, mais avant qu'elle n'ait eu le temps de crier, une main la bâillonna. Une main qui sentait la graisse de mouton et le bois carbonisé.

— Qui veux-tu appeler ? Ton père et tes frères sont à l'autre bout du Sahara, occupés à charger leurs chameaux de cônes de sel, comme les commerçants ordinaires qu'ils sont. Ta tante ? Elle ne peut pas te supporter. Tes cousines, Ana et Nofa ? Voilà des années qu'elles me courent après, mais ces grosses vaches ne m'intéressent pas. Tous les hommes vivent dans la crainte de mon oncle et je suis son successeur désigné. Tu es étrangère à la tribu, Mariata, alors que je suis l'héritier de son chef suprême. Personne ne lèvera le petit doigt pour m'empêcher de faire ce que je veux. Et puis qui croira-t-on ?

Il la poussa à plat ventre sur le lit et l'immobilisa en se mettant à califourchon sur elle. Suffoquée par son poids, elle ne pouvait pas crier, à peine respirer. Quelques instants après, elle sentit de l'air sur l'arrière de ses cuisses nues et une main qui cherchait à lui écarter les jambes, des ongles qui s'enfonçaient dans sa chair délicate.

— Ne résiste pas, lui dit-il. Ça te plaira : les filles aiment toujours quand elles se sont faites à l'idée. Ne bouge pas, bon sang !

La literie étouffait les cris d'indignation de Mariata.

— Tu n'as pas à t'inquiéter pour le bébé ; tu n'auras pas à le tuer… Tu seras ma femme. Il n'y aura pas de déshonneur.

L'espace d'une minute, il relâcha son emprise et Mariata se sentit alors possédée par un esprit vengeur doué d'une force surnaturelle. Elle décocha des ruades, se tortilla en laissant échapper un son bestial, âpre et guttural. Elle dégagea son bras droit et lança un grand coup de coude que Rhossi reçut en pleine bouche. Tout s'arrêta.

Mariata se débattit pour se relever, ramena sa robe sur ses chevilles. Elle prit la dague dans le coffret près de son lit et, le souffle court, la brandit devant elle, prête à s'en servir.

Rhossi ouvrait de grands yeux. Il se toucha le visage, retira sa main couverte de sang et la fixa des yeux comme si main et sang appartenaient à un autre. Quand il cracha, une dent tomba sur la belle couverture, y laissant une tache d'un rouge différent. Il la regarda, incrédule, puis tourna son regard vers Mariata. Il laissa échapper un petit gémissement avant de fondre en larmes, se remit debout précipitamment et sortit de la tente en courant.

Mariata le suivit des yeux. Puis rassembla méthodiquement les choses dont elle avait besoin.

Elle arriva au village des harratin une heure plus tard.

— Ne dis à personne que tu nous as vues, Rahma et moi, enjoignit-elle au chef. Et assure-toi que personne dans le village, pas même les enfants, ne dira quoi que ce soit. Ils vous puniront s'ils savent que vous nous avez aidées.

Elle lui donna le riz, la farine et le thé dérobés dans la tente de Dassine. Puis elle prit Rahma par le bras et la conduisit à l'endroit où deux beaux méharis blancs chargés à plein les attendaient complaisamment à la lueur de la lune dans son troisième quartier.

6

Avais-je oublié d'enlever l'amulette quand je m'étais couchée la veille au soir ? Massive comme elle était, on aurait pu penser qu'il était difficile de l'oublier. Toujours est-il que je la portais encore lorsque je me suis réveillée le lendemain matin.

Au saut du lit, j'eus l'impression de me trouver en même temps en deux endroits différents, sans être vraiment présente dans aucun d'eux. Je tirai les rideaux : le soleil de Londres qui entra dans la chambre me parut faible, comme si on avait changé une ampoule de cent watts pour une autre à basse consommation.

Lorsque je pris le métro pour me rendre au travail, j'eus conscience pour la première fois depuis des années que des millions de tonnes de pierres, de terre, d'égouts et d'immeubles pesaient sur le tunnel à travers lequel nous filions à une vitesse contre nature. Pour me distraire, je jetai un coup d'œil autour moi. Une publicité pour des vacances en Égypte montrait une file de chameaux sur fond de dunes et de pyramides, et vantait des vols bon marché pour Marrakech… Des femmes musulmanes montèrent à bord à Knightsbridge et restèrent debout à se balancer avec les mouvements de la rame ; on n'apercevait que leurs yeux abondamment soulignés de khôl par la fente de leurs niqabs noirs. L'une jeta un coup d'œil dans ma direction, dit quelque chose à ses compagnes et toutes me regardèrent.

Déconcertée, je pris un *Guardian* abandonné sur le siège à côté de moi et l'ouvris au hasard. À la page des « Nouvelles mondiales », un paragraphe me sauta aux yeux : « Quatre employés de la compagnie nucléaire française Areva ont été enlevés et pris en otages par un groupuscule dissident du Mouvement nigérien pour la justice, formé de combattants pour la liberté touaregs. » *Touareg*, le mot accrocha mon regard. Il m'était inconnu et pourtant familier. J'avais l'impression d'être tombée dessus récemment et qu'il revêtait une grande importance, mais ma mémoire se refusait à retrouver le lien pertinent. « Un porte-parole du groupe a affirmé que les quatre otages étaient en bonne santé "et détenus dans l'Aïr, la zone de conflit du Niger…" » Je me souvins brusquement que ma mère parlait des immenses réserves d'uranium qui avaient été découvertes au Niger, alors colonie française, découverte qui avait permis à la France de devenir une puissance nucléaire. Ah oui, le Niger. Je l'entendais mentalement jouer avec son accent langoureux sur les deux longues syllabes du mot. C'était là-bas et dans d'autres colonies françaises que mon grand-père maternel avait bâti la majeure partie de sa fortune assez considérable, dans le secteur minier. Ou, comme, adolescente, je l'avais dit un jour avec fureur lors d'une discussion, « avait dépouillé l'Afrique de ses ressources ». La ferveur politique de ma jeunesse n'avait pas tardé à laisser place à une angoisse existentielle plus introvertie, puis au conservatisme timide et prudent qui m'avait permis de suivre mes études de comptabilité et d'entamer ma confortable carrière. Avec une pointe de honte, je poursuivis ma lecture.

« "Là où naguère nos familles conduisaient leurs bêtes et emmenaient paître leurs chameaux, il n'y a plus maintenant qu'une vaste friche industrielle. Personne ne nous a demandé notre permission, personne ne nous a indemnisés. On nous a volé nos terres, on nous a volé nos moyens d'existence et l'héritage de nos enfants. On a laissé notre peuple dans le dénuement. Il ne sera fait aucun mal à ces otages : nous voulons seulement faire connaître notre cause et que le monde nous entende. Nous ne voulons pas de vos bombes atomiques, nous ne voulons pas de vos mines. Tout ce que nous voulons, c'est vivre librement sur nos terres ancestrales." »

L'article concluait en rappelant que le Premier ministre britannique Tony Blair avait prétendu, dans ce qui allait devenir « le dossier douteux » de 2002, que Saddam Hussein avait cherché à acheter au Niger d'énormes quantités d'uranium pour fabriquer les « armes de destruction massive », qui justifiaient en grande partie l'« offensive préventive » lancée contre l'Irak. Il était accompagné d'une petite carte assez peu précise de la région. Je fronçai les sourcils et examinai la carte, l'arrière de la tête rongé par une sensation de malaise. Finalement, incapable de lire les petits caractères, je feuilletai les pages consacrées à l'art. Placée là comme par une force malicieuse déterminée à me tourmenter, se trouvait la photo d'un groupe de femmes voilées, leurs turbans enroulés de manière aussi complexe que ceux des hommes qui peuplaient mes rêves. « Desert Blues obtient le Diapason d'or », disait le titre, suivi d'une critique louangeuse du nouveau CD de Tinariwen, un groupe de musiciens touaregs.

Touareg. Je me souvins où j'avais vu le mot. Dans l'article de mon père, quand il évoquait la provenance possible de l'amulette.

J'éprouvai une sensation de picotement par tout le corps.

Toute la journée, je perçus un murmure dans ma tête, comme si quelqu'un avait une longue conversation avec une partie de moi-même à laquelle je n'avais pas accès, dans une autre pièce, derrière mon dos, juste hors de portée de voix, dans une langue étrangère. Je me surprenais parfois à examiner une colonne de chiffres comme s'ils avaient été écrits en caractères hiéroglyphiques ou puniques, sans queue ni tête, me semblait-il.

De retour chez moi, j'allumai mon ordinateur portable et cherchai des vols pour le Maroc. Cela faisait des années que je n'étais pas allée à l'étranger. Ma peur de l'avion n'en était qu'une des raisons ; je n'avais eu personne avec qui partir, Ève n'étant que récemment divorcée. Et l'Afrique est au diable vauvert.

C'est plus près que tu ne penses.

La voix était maintenant extérieure à moi, dans la pièce. Je secouai la tête et consacrai mon attention à la recherche des vols meilleur marché. Puis, cette tâche accomplie, j'ouvris le carton et en sortis les pages tapées à la machine par mon père.

Notes concernant le site funéraire près d'Abalessa

Abalessa (latitude 22° 43' 60" N., longitude 6° 1' 0" E., altitude 915 m) est situé presque au cœur du grand désert. Le terrain est accidenté et rocailleux. Lorsque le site a été découvert par Byron Khun de Prorok en 1925, il aurait été aisé de passer à côté sans le voir : ce n'était qu'un amas de pierres qu'on appelle un « redjem » comme on en trouve fréquemment au Sahara. Les premières excavations révélèrent un grand monument de plus de 25 m sur son plus grand axe et de 23 sur le plus petit, bâti selon des techniques anciennes de construction de murs en pierres sèches, celles-ci soigneusement choisies et mises en place. L'irrégularité de la structure et la grossièreté du style suggèrent une origine berbère et non romaine, comme on l'a laissé entendre (voir notes plus bas).

À l'intérieur du mur d'enceinte se trouvent l'antichambre et diverses pièces, dans la plus grande desquelles on a découvert le sépulcre.

Selon des témoins, le squelette de la reine du désert avait été enveloppé dans un linceul de cuir rouge rehaussé à la feuille d'or. Elle reposait les genoux remontés vers la poitrine sur les fragments décomposés d'une bière en bois fermée avec des cordes tressées de cuir et d'étoffe de couleur. Sa tête avait été couverte d'un voile blanc et de trois plumes d'autruche ; deux émeraudes pendaient aux lobes de ses oreilles ; elle avait neuf bracelets d'or à un bras et huit d'argent à l'autre. Des perles de cornaline, d'agate et d'amazonite étaient éparpillées autour de ses chevilles, de son cou et de sa taille. (N.B. La calcédoine a donné son nom à Carthage – Karchédon – qui exportait ce produit du désert dans le monde méditerranéen).

Ces détails ont permis d'établir que le corps était celui d'une femme de haute naissance. Les professeurs Maurice Reygasse et Gautier du musée ethnographique estiment que ce site a renfermé les restes de la reine légendaire Tin Hinan.

Tin Hinan (lit. Celle des Tentes) est la mère fondatrice légendaire et spirituelle du peuple du désert qui se donne le nom de Kel Taguelmoust (les Gens du Voile) ou Kel Tamazight (les Gens qui parlent le tamazight). Les Arabes les appellent les Touaregs. Touareg est un terme arabe, qui d'après certains signifie : « chassé par Dieu », du fait que ces peuples nomades ont farouchement résisté à l'invasion islamique au huitième siècle. Selon leur mythologie, Tin Hinan venait de la région berbère du Tafilalet, dans le sud du Maroc, et elle a parcouru à pied, seule ou, d'après une autre version de la légende, avec une servante, mille cinq cents kilomètres à travers le désert jusqu'au Hoggar où elle a établi sa tribu. On lui donna le titre de Tamenokalt (m. Amenokal ; au féminin on ajoute le « t » berbère au début et à la fin) et elle est appelée la Mère de Tous même par les membres des tribus actuelles. Les aristocrates touaregs prétendent faire remonter leur famille jusqu'à elle.

Un bol en bois communément utilisé pour le lait de chameau faisait partie des objets funéraires trouvés dans le monument par Prorok. Sa base portait l'impression d'une pièce d'or à l'effigie de l'empereur Constantin (337-340). La nature de la sépulture est incompatible avec les rites funéraires musulmans (l'islam a été introduit dans la région par les Arabes à partir de l'est vers le huitième siècle). On a également trouvé une lampe en argile d'un modèle romain courant, usagée et noire de fumée. Selon les experts, ce style de lampe date du troisième ou du quatrième siècle. De ces informations, nous pouvons déduire avec une certaine assurance que le site funéraire date probablement du quatrième siècle et est certainement contemporain de l'Empire romain tardif.

L'amulette que nous avons trouvée sur le site est semblable aux tcherots que les hommes et les femmes touaregs portent comme talisman pour écarter divers maux, mais j'ignore pourquoi elle a été négligée par les fouilleurs en 1925 et ceux qui ont pris leur suite dans les années 1930 et 1950. Nous l'avons découverte dans l'antichambre, à même le sol, sans rien qui montre qu'elle ait été enterrée. De plus, elle porte des inscriptions de la région de l'Adagh et ses disques en cornaline rouge sont plus récents que les perles en cornaline trouvées dans la tombe. Au-dessus, sur la paroi rocheuse, nous avons trouvé en outre une inscription que j'ai recopiée plus bas, mais personne n'a été capable de la déchiffrer et la provenance de l'objet reste un mystère.

Une série de symboles bizarres étaient inscrits dessous à l'encre bleue.

J'enlevai l'amulette et la regardai solennellement. Avais-je en main l'un des objets funéraires d'une reine légendaire ou le mystère était-il encore plus profond ?

7

Dans sa hâte à fuir le camp et le courroux de Rhossi ag Bahédi, Mariata n'avait pu porter qu'une seule selle à l'enclos aux dromadaires, celle qu'elle avait prise avec elle lorsqu'elle était partie du Hoggar. C'était un magnifique objet, qui se transmettait de génération en génération depuis son arrière-grand-mère, en cuir et bois sculpté, orné de laiton appliqué et de clous en cuivre. Lorsqu'elle y était assise, elle avait le sentiment d'être la princesse qu'elle estimait être. Elle n'avait pas envie de la mettre à disposition de son aînée, s'obligea cependant à le faire par politesse. Rahma y jeta un coup d'œil et se mit à rire.

— Tu crois que j'ai besoin de ce vieux truc encombrant ?

Elle claqua la langue jusqu'à ce que le méhari plie les genoux puis saisit l'animal par le licol, lança une jambe par-dessus son encolure et s'assit devant sa bosse, sur le garrot, une jambe pliée sous elle en guise de selle. Elle perçut le regard admiratif de Mariata et expliqua :

— Mon père n'a eu que des filles ; quand les temps étaient durs, je suivais la caravane.

Mariata regarda d'un air dubitatif son méhari. Elle avait fait tout le trajet de l'Alhaggar jusqu'à l'Aïr, mais la plupart du temps en palanquin, comme il convenait à une femme de son rang.

— Fais-lui baisser la tête, lui enjoignit Rahma.

Mariata s'exécuta et l'animal bien dressé s'agenouilla.

— Enlève tes sandales et garde-les dans ton giron. Donne-lui une tape sur le côté droit de l'encolure pour tourner à gauche et sur le côté gauche pour tourner à droite. Pose la plante des pieds sur la courbe de son encolure afin de sentir son mouvement. Tu peux le guider de cette façon aussi bien qu'avec les rênes. Pour le mettre au trot, frappe-le sur la croupe… Pas trop fort, sinon il s'emballera, ou talonne-lui les flancs. Si tu veux le faire asseoir, donne-lui une bonne tape à l'arrière de la tête et siffle fort. Prête ?

Mariata tira un coup sec sur les rênes mais l'animal se borna à pousser un mugissement sourd.

— Comment le fais-tu partir ?

Elles chevauchèrent toute la nuit en suivant vers le nord et l'ouest des ravines profondes et des défilés rocheux. La lune brillait dans un ciel sans nuages et plaquait sur toute chose une teinte argentée. Un chacal appela sa femelle. Leurs cris se répercutèrent dans les collines, arrachant des frissons à Mariata.

Le moindre bruit lui faisait tourner la tête pour vérifier si elles n'étaient pas poursuivies, mais il n'y avait personne. La chaîne du Bagzan se dressait derrière elles, déchiquetée et imposante ; en contrebas, des cours d'eau, certains miroitants, d'autres visiblement asséchés, serpentaient à travers les herbages au sud.

— Là-bas, à une demi-journée de chameau, se trouve Agadez, la porte du Ténéré, dit Rahma en indiquant vaguement la direction.

Le Ténéré, « le Vide », ou simplement « le Désert », dans leur langue : plus de mille cinq cents kilomètres de roche nue et de sable. Encore maintenant, le père et les frères de Mariata le traversaient en suivant les vieilles routes commerciales entre Fezzan, l'Égypte et l'ancien empire Songhaï. Pendant des siècles, les caravanes avaient charrié or et ivoire, coton, cuir et esclaves à travers le Ténéré vers les grandes civilisations qui fleurissaient à chaque bout de la route, mais les beaux jours étaient révolus depuis longtemps. Les caravaniers en étaient maintenant réduits à échanger des légumes secs et des sacs de millet contre des cônes de sel. Les profits étaient maigres après avoir marchandé dur avec les

Kanouri exploitant les mines et payé un droit de passage aux hommes dont ils franchissaient le territoire et puisaient l'eau des puits. Parfois les marchands étaient victimes de raids, parfois des tempêtes de sable ou des sables mouvants – *fesh-fesh* – engloutissaient des caravanes entières et ne laissaient que des ossements que l'on retrouvait des années plus tard, si ce n'est même aucune trace prouvant leur passage.

— Nous allons dans le Ténéré ? s'enquit Mariata.

Cette perspective l'emplissait d'impatience et d'inquiétude mêlées. Pour la première fois depuis le départ, elle se rendit compte, dans l'air immobile de la nuit, en se balançant au rythme de la démarche étrange de sa monture, qu'elle n'avait pas la plus petite idée de l'endroit où elles allaient. Elle ne savait que ce que Rahma lui avait dit : elle avait marché pendant huit jours pour la trouver. Celle-ci eut un petit rire.

— Grand dieu, non !

Elle n'en dit pas plus et elles poursuivirent leur chevauchée en silence. Elles descendirent du plateau de l'Aïr et pénétrèrent dans les larges oueds qui débouchaient dans le fond de la vallée en contrebas, des lits de rivière à sec pleins de schiste argileux dans lesquels les dromadaires marchaient sans difficulté, écrasant les pierres sous leurs larges pieds. Le soleil se leva derrière elles et darda de longs rayons rouges à travers le paysage, embrasant les acacias. Mais il n'y avait toujours pas de Rhossi en vue.

En arrivant dans la vaste plaine, Rahma donna une tape à son dromadaire, qui accéléra immédiatement l'allure. Elle jeta un coup d'œil par-dessus son épaule.

— Dépêche-toi ! cria-t-elle à Mariata. Étant donné la valeur des bêtes que tu as volées, il est certain qu'ils nous suivent : nous devons mettre le plus de distance possible entre eux et nous.

Mariata tapa nerveusement sur la croupe de son dromadaire, mais il se borna à tourner sa grosse tête blanche et à poser sur elle le regard languissant de ses grands yeux, l'air hautain et profondément ennuyé.

— Plus vite, s'il te plaît, le pria-t-elle en le talonnant.

Pendant plus d'une journée, le monde alentour fut vert et gris, succession sans fin de végétation et de pierre, mais peu à peu le vert fit place au brun et la végétation se réduisit bientôt à des broussailles et des herbes jaunies. Elles cheminaient à terrain découvert sur la roche nue et des étendues de gravier noir comme du charbon, ponctuées d'épineux et de brousse tigrée, de tamaris épars là où la nappe phréatique était haute. Le lendemain apparurent les sables, vague après vague, de couleur fauve et sculptés par le vent.

Le regard de Mariata errait sur la brume chatoyante à la jonction du désert et du ciel ; son esprit vagabondait comme si lui aussi dérivait vers le point de fuite. Une paix délicieuse l'envahissait, détendait ses muscles, pénétrait ses os.

— Que c'est beau ! murmura-t-elle.

Rahma sourit.

— Et comme tout ce qui est beau, très dangereux si on ne le traite pas avec respect.

— Tu as fait tout ce chemin à pied ?

— Oui.

Mariata secoua la tête, stupéfaite.

— Tu dois vraiment aimer ton fils.

— Oui.

— Parle-moi de lui. Est-ce qu'il est beau ? Est-il noble et poète ? S'habille-t-il en bleu ? Son turban a-t-il teinté sa peau d'indigo ? Parcourt-il les routes du désert ? Peut-être est-ce un guerrier armé d'une épée célèbre dont il crie le nom en ferraillant dans la bataille ?

Sa compagne claqua la langue.

— Vous êtes toutes les mêmes, de jeunes bécasses rêveuses et romantiques. Et les garçons ne valent pas mieux ; non, ils sont pires, avec leurs rêves de bataille et leur bêtise. Il est proche de la mort, c'est tout ce que j'ai à dire pour l'instant. S'il meurt, tu n'auras pas besoin d'en savoir plus ; s'il vit, tu le lui demanderas toi-même.

Mariata était déçue.

— Tu ne me dis même pas son nom ?

— Il s'appelle Amastan.

— C'est son nom entier ?

— Que de questions ! répondit Rahma en soupirant.

— S'il me faut traverser le désert, il serait bon que je sache quelque chose de celui pour qui je fais tout ce trajet.

La vieille femme garda longtemps le silence, le regard perdu au loin, les yeux à demi fermés pour les protéger de la réverbération du soleil.

— Il s'appelle Amastan ag Moussa, dit-elle enfin.

— Comme Moussa ag Iba, l'amenokal, le grand chef des groupes de percussionnistes de l'Aïr ?

— Heureusement, il ne tient pas de son père.

— Il est donc le fils de l'amenokal ?

Rahma donna une bonne tape sur la tête de son dromadaire et siffla. L'animal s'arrêta docilement, s'agenouilla et elle se laissa glisser à terre.

— Et de ce fait le cousin de Rhossi ? insista Mariata.

— Ne juge pas Amastan en fonction de ce que tu sais de celui-là. Jusqu'à la naissance de mon fils, Rhossi faisait les délices du chef Moussa. Il lui suffisait de demander quelque chose et il l'obtenait : une jolie breloque, le meilleur morceau de viande, une épée en bois. Mais Amastan était le premier-né de Moussa et son héritier ; il l'a adoré dès l'instant où il a posé les yeux sur lui et cela a rendu Rhossi fou de jalousie. Je remarquais sur mon enfant des bleus et des coupures qu'il ne pouvait s'être faits en jouant, et un jour il est rentré le cou marbré de traces de doigts comme si quelqu'un avait essayé de l'étrangler. Je n'ai jamais rien dit à Rhossi, mais une mère sait.

— C'est pour cela que tu es partie ?

Rahma pinça les lèvres.

— Maintenant, nous allons marcher, dit-elle à Mariata.

— Marcher ? s'exclama Mariata, horrifiée.

— Nous devons laisser les bêtes se reposer.

Elle but une longue rasade à l'outre, puis la tendit à Mariata, après quoi elle enroula son foulard autour de son visage à la façon d'un *taguelmoust* d'homme. Puis elle se mit en route sans tarder, le dos droit comme une flèche, en menant son dromadaire par la longe.

Mariata dégringola de sa monture plus qu'elle n'en descendit et lui emboîta le pas, après s'être enveloppée elle aussi le visage de son foulard en grosse cotonnade, ne laissant qu'une fente pour les yeux. Peu habituée à porter un voile, elle le trouvait encombrant et étouffant, mais dès que le premier souffle de vent arriva des dunes, elle comprit son utilité. Les grains de sable lui fouettaient la peau et lui piquaient les yeux. Le sable chaud lui brûlait les pieds à travers ses fines sandales ; après tant d'heures à dos de dromadaire, elle se déplaçait avec raideur.

Malgré son âge et la blessure infligée par Rhossi, Rahma, elle, marchait avec aisance comme si elle avait effectué de tels voyages chaque jour de sa vie. Elle marche comme un homme, comme un caravanier ou un chasseur, pensa Mariata, sans pouvoir s'empêcher d'éprouver de l'admiration pour son aînée, si hardie et déterminée. Le vent forcissant, Rahma se plaça de l'autre côté de son dromadaire pour s'en abriter et Mariata l'imita. Elles continuèrent ainsi jusqu'à ce que le soleil soit haut dans le ciel. Il n'y avait toujours pas trace de poursuivants.

Mariata marcha jusqu'à n'en plus pouvoir, mais elle continua d'avancer. Elle avançait comme en transe ou dans un rêve, un bras passé autour de la longe tressée du dromadaire, ses jambes se mouvant machinalement ; elle marcha au point de ne plus sentir la gêne qui l'avait tant exaspérée en début de journée. Libéré des exigences de son corps, son esprit vagabondait. Pourquoi faisait-elle ce voyage démentiel avec une femme qu'elle venait tout juste de rencontrer, et ce, dans des circonstances si bizarres ? Rester au sein de la tribu était-il si terrible que cela ? Si elle avait appelé, quelqu'un serait certainement venu à son secours, quoi que Rhossi ait dit. La protection des femmes était sacrée chez les siens : elles étaient respectées plus que tout. Sa peur du neveu de Moussa lui avait faussé le jugement, l'avait amenée à prendre de folles décisions. Mais elle se souvint ensuite des harratin en train de mourir de faim et du caractère coléreux du grand chef dont tout le monde disait qu'il était mourant. Lui mort, Rhossi serait le chef et plus personne ne pourrait la protéger. Il avait même essayé d'étrangler le fils de l'amenokal !

Elle réfléchit à tout cela. Quoi qu'il ait pu se passer entre Rahma et Moussa, ça avait dû être grave, car il était rare qu'un homme se sépare de sa femme ou, pis, qu'une femme quitte son mari. Elle flairait le scandale.

Toutes ces pensées tournaient dans sa tête comme des papillons de nuit autour d'un feu, disparaissaient parfois dans l'obscurité, à d'autres moments accrochaient la lumière et zigzaguaient follement.

Rahma se tourna enfin vers elle et dit quelque chose d'inaudible.

Mariata leva brusquement la tête. Devant elles se dressaient des palmiers qui tremblotaient dans la brume de chaleur. Était-ce un mirage ? se demanda-t-elle. Elle avait entendu dire que le désert jouait de tels tours, en particulier aux voyageurs novices.

— Une oasis, répéta Rahma plus distinctement. L'oasis de Doum. Nous avons parcouru plus de la moitié du chemin.

Elles abreuvèrent les chameaux et les laissèrent paître. Elles remplirent les outres et, pendant que Rahma s'allongeait à l'ombre pour dormir, Mariata s'assit les pieds dans l'eau fraîche de la *guelta* et contempla le reflet des palmiers et le ciel éblouissant au-delà. Quelle paix ! Jamais elle n'en avait ressenti de semblable. Il y avait toujours eu les allées et venues des parents et des voisins, le bruit des enfants, des chèvres et des chiens, la succession interminable des tâches quotidiennes. Elle avait été Mariata oult Yemma, fille de Fatima et d'Ousmane, sœur, cousine et membre de la tribu. Ensuite, elle avait été la nièce de Dassine, une étrangère de la tribu des Taïtok brusquement déplacée parmi les Bagzan, arrachée de son pays et laissée au milieu d'inconnus. Et peut-être parce que les Kel Bagzan lui étaient étrangers, ils semblaient beaucoup plus nombreux, avec des noms, un patrimoine et des histoires qu'elle ne connaissait pas encore, et tous circulaient dans le camp, parlaient, criaient, vaquaient à des affaires dont elle ignorait tout. Mais maintenant, il n'y avait qu'elle – Mariata –, Rahma, qui dormait à poings fermés, une femme dont elle n'avait fait la connaissance que quelques jours auparavant et avec laquelle elle n'avait aucun lien familial ou tribal, et le désert, magnifique, serein et éternel.

Ce moment de liberté, de perfection, se dilata en elle et elle se sentit légère, presque au point de flotter dans l'air doré.

Combien de temps passa ainsi, elle n'en eut aucune idée, mais elle fut tirée de sa rêverie par une brusque détonation.

Tel un chat qui semble dormir mais ne le fait que d'un œil, Rahma se mit immédiatement debout.

— Mariata, prends ton chameau. Vas-y, dépêche-toi !

— Pourquoi ?

— Pas de questions. Vite !

Mariata s'éloigna en courant, désentrava son méhari, puis resta là, les rênes à la main, indécise.

— Monte en selle ! Va jusqu'aux hautes dunes que tu vois là et attends-moi ; ils n'iront pas là-bas, le sable est trop profond. Va !

— Et toi ?

— Fais ce que je dis, ma fille, sinon nous sommes mortes toutes les deux.

Mariata réussit à faire agenouiller son dromadaire et, dès qu'elle fut montée sur son dos, il partit comme s'il avait l'intuition de ce qu'il fallait faire. Elle donna une tape sur la croupe et il accéléra l'allure. Le sable volait sous ses grandes pattes. Hautes collines de sable, les dunes se dressaient devant elle. Elle dirigea l'animal vers la jonction de deux des plus grandes et, par sa seule volonté, le poussa tout en haut avant de redescendre de l'autre côté. Puis elle sauta à terre sans attendre qu'il soit couché et rampa jusqu'à la crête. L'oasis semblait être à des kilomètres, bien plus loin que la distance qu'elle venait de parcourir en ce court laps de temps, et pendant un moment, elle ne vit ni Rahma ni son dromadaire. Paniquée, elle scruta désespérément les environs : si elle avait perdu Rahma, elle était condamnée. Puis, brusquement, du coin de l'œil elle perçut un mouvement : Rahma, loin sur sa droite, sur son dromadaire lancé au galop, dont les pattes disgracieuses volaient en tous sens. Mariata les regarda obliquer vers la bordure orientale de la longue rangée de dunes sur laquelle elle se trouvait, puis disparaître à sa vue.

C'est alors qu'elle entendit un grondement sourd. Une jeep couverte de poussière fonçait vers l'oasis, plusieurs hommes vêtus de noir assis à l'arrière, leurs fusils pointés vers le ciel. Mariata se figea. Rhossi avait-il fait appel aux autorités pour retrouver ses méharis et les lui ramener ? Son sang se glaça.

Mais même Rhossi n'aurait certainement pas fait intervenir la police. Leur peuple n'avait que faire des frontières et des juridictions nationales, et ce, depuis des millénaires. Mariata resta étendue là, comme si le temps s'était arrêté, attendant que quelque chose se passe, détermine son sort.

— Fais qu'ils ne me voient pas, articula-t-elle en silence, avant de modifier rapidement sa prière : Fais qu'ils ne *nous* voient pas. Qu'ils s'en aillent sans nous voir…

Plusieurs secondes s'écoulèrent. Tout était silencieux, en dehors du sang qui battait à ses tempes. Même son dromadaire sentait la nécessité de ne pas faire de bruit : il s'était agenouillé du côté de la dune que le soleil n'avait pas encore réchauffée de ses rayons, la tête bien droite, le regard de ses yeux frangés de longs cils fixé sur un point invisible, l'étrange membrane claire de sa troisième paupière clignant pour chasser les grains de sable.

Ensuite la jeep réapparut : elle sortit de l'oasis et accéléra sur la piste damée menant vers l'est, qu'elle suivit sur plusieurs centaines de mètres. Puis elle vira brusquement à l'endroit où Rahma et son méhari avaient obliqué quelques minutes plus tôt. Mariata retint sa respiration, le cœur battant. La jeep commença à gravir la dune avant de s'enliser dans le sable plus meuble de

son flanc. Deux des hommes sautèrent à terre, fusils en bandoulière, examinèrent le sol. Ils en touchèrent la surface, parlèrent
avec animation, puis continuèrent de monter, laissant les autres
dégager le véhicule. Les deux hommes étaient vêtus à l'occidentale : ils ne portaient ni robe ni turban, mais un pantalon et un
calot. Ils ressemblent à des araignées escaladant la dune, se dit
Mariata, minces, sombres, rapides et dangereux. La houle de
sable ne tarda pas à les cacher.

Que devait-elle faire ? Sauter sur son dromadaire et fuir
avant qu'ils ne la voient ou attendre en espérant qu'ils passent
leur chemin ? Elle était sur le point de se décider à remonter en
selle quand elle entendit un sifflement. Elle se releva précipitamment car la morsure d'une vipère à cornes peut être mortelle.

— Couche-toi !

C'était Rahma, qui menait son dromadaire par un bout de
tissu attaché autour de sa mâchoire. Docilement, Mariata se
remit à plat ventre sur le sable chaud.

— Qui est-ce ? chuchota-t-elle.

— Des soldats.

— Des soldats ? Quels soldats ?

— Il y en a partout maintenant. Par ici, expliqua-t-elle en
montrant la gauche, au Mali indépendant depuis peu, et par là,
dit-elle avec un geste sur sa droite, au Niger. Au nord aussi, en
Algérie. Leurs soldats grouillent dans la région. Ils ont trouvé des
minerais précieux sous les sables et leurs gouvernements veulent
mettre la main dessus. Arracher les entrailles de la terre, détruire
nos territoires ancestraux, nous abattre si nous nous mettons en
travers de leur chemin.

Elle prit une autre longueur de tissu et l'entortilla prestement
autour de la mâchoire du deuxième dromadaire. Un mugissement
eût risqué de trahir leur présence.

— Bon, si tu tiens à la vie, suis-moi rapidement.

Elle entraîna Mariata vers le bas de la dune, à couvert sous
sa crête, tout en prenant soin d'effacer derrière elles les traces
de leur passage avec une feuille de palmier. Cela n'aurait pas

fait illusion auprès d'un éclaireur nomade, mais de loin, la dune semblait inviolée.

Après l'avoir dévalée, elles s'engagèrent au pas de course dans une profonde vallée, puis Rahma les conduisit à un autre embranchement dominé de chaque côté par de hautes collines de sable. Elle fourra la longe de son dromadaire dans la main de Mariata et lui enjoignit de l'attendre sans bouger.

Elle grimpa précipitamment sur l'une des dunes pour surveiller leurs poursuivants. Assise par terre, Mariata ramena ses genoux contre sa poitrine. Des soldats. Des hommes armés de fusils. Des ennemis. Elle n'avait jusque-là jamais envisagé la possibilité d'avoir un ennemi, quelqu'un capable de la tuer. Il y avait certes des rivalités entre tribus, des duels, des razzias, mais c'était affaires d'hommes. Personne ne menaçait jamais une femme de violence, sauf Rhossi. Mais même Rhossi ne l'effrayait pas autant que ces hommes anonymes en uniforme. Pour la première fois depuis qu'elle était entrée dans le désert, elle avait vraiment peur.

8

La vallée était déjà à moitié à l'ombre quand Rahma réapparut ; elle marchait d'un pas énergique et ses pieds soulevaient des petits nuages de sable. Avec sa robe poussiéreuse et ses yeux brillants de colère, elle faisait penser à l'un des esprits du désert.

— Ils t'ont attaquée ? demanda timidement Mariata, les genoux toujours contre la poitrine. Tu es blessée ?

— Monte en selle, lui répondit son aînée sans même lui accorder un regard avant de désentraver son méhari et de grimper sur son dos avec agilité.

— Ils sont partis ? chercha à savoir Mariata quand elle eut réussi à la rattraper.

Mais Rahma ne la gratifia que d'un « Oui » laconique, puis elle serra les lèvres et regarda droit devant elle, perdue dans ses pensées, sourcils froncés.

Mariata tenta encore plusieurs fois de soulever la question des soldats tandis qu'elles franchissaient les dunes les unes après les autres, puis traversaient une vaste plaine sablonneuse, mais Rahma resta sur son quant-à-soi et c'est tout juste si elle dit un mot le reste de la journée et le lendemain. Le soir du troisième jour après leur départ de l'oasis, en plongeant vers l'horizon, le soleil absorba tous les rouges du paysage et le laissa violet et froid.

La lune montante illumina le sable, teintant d'une lueur argentée, fantomatique, les épineux solitaires devant lesquels elles passaient. Mariata n'avait jamais vu une telle contrée : elle semblait sans fin et elles chevauchaient toujours. En s'aplanissant, le sol devint plus ferme et caillouteux, des petites touffes de végétation apparaissaient de place en place. Enfin, dans une zone parsemée d'énormes rochers solitaires, Rahma arrêta son dromadaire.

— Nous allons rester ici jusqu'à l'aube, décréta-t-elle. Nous ne pouvons monter dans les collines de nuit; les esprits deviennent vengeurs au clair de lune.

Même les esprits les plus bienveillants changent de nature à la tombée de la nuit. Mariata marmonna une incantation pour parer à ces influences dangereuses et observa les collines ombreuses. Il était difficile de distinguer le ciel du sol, mais elle ne voyait aucun signe de la présence d'un camp, ni feux ni lanternes. Il n'y avait que ces gros rochers épars, comme abandonnés par un géant qui se serait soudain lassé de jouer avec eux.

— C'est un ancien lieu magique, plein de *baraka*, expliqua Rahma à voix basse. Aucun esprit ne nous fera de mal ici.

Les rochers étaient énormes, mais pour Mariata ils ne paraissaient ni magiques ni porteurs de chance. Elle ferma les yeux, épuisée. Tous ses muscles lui faisaient mal. Elle ne songeait qu'à s'étendre à l'abri d'une tente; elle avait envie de poser sa joue sur un coussin, de s'envelopper dans une couverture et de dormir, dormir, dormir. Elle était si fatiguée qu'elle chancelait et dut s'appuyer au rocher le plus proche pour ne pas perdre l'équilibre. La chaleur accumulée par la pierre pendant la journée s'était dissipée: elle était froide et rugueuse sous ses doigts; rugueuse et froide mais, en quelque sorte, vivante…

Des visions lui traversèrent fugitivement l'esprit — une femme dont les larmes assombrissaient l'indigo de sa robe, un enfant à tête ronde agrippé aux jupes de sa mère, le scintillement argenté sur fond de ciel bleu d'une épée lancée en l'air. Un bébé emmailloté aux grands yeux sombres couché sans défense dans le sable. Le mouvement de va-et-vient d'un corps d'homme nu, la courbe de ses fesses éclairée par la lueur vacillante d'une bougie. Elle rouvrit brusquement les yeux, ébranlée.

— Qu'y a-t-il ? demanda vivement Rahma en la prenant par le bras. Tu as vu quelque chose ?

Vaguement honteuse, Mariata se dégagea.

— Non, rien. Je suis seulement fatiguée.

Elle prit la couverture sur son chameau et s'étendit sur le sol dur, mais elle eut du mal à trouver le sommeil. Le monde défilait en elle comme si elle était encore en train de marcher, la tête lui tournait. Des visions l'assaillaient – des hommes armés épaulant leurs fusils ; le visage de Rhossi près du sien, qui fixait sur elle un regard concupiscent ; un squelette près duquel elles étaient passées dans le désert, ses os nettoyés par les vautours et blanchis par le soleil ; des enfants affamés, une femme en sanglots – au point qu'elle se trouva malade d'angoisse. Lorsqu'elle se dressa sur son séant pour s'éclaircir les idées, la seule pensée qui lui vint fut qu'elle était seule, à la merci du monde, sans autre protection que celle d'une inconnue un peu folle. Au-dessus d'elle, les étoiles brillaient, indifférentes à son sort. Elle s'apitoya sur elle-même, des larmes lui piquèrent les yeux et c'est alors qu'elle entendit la voix.

Rappelle-toi qui tu es, Mariata. Souviens-toi de ton héritage. Tu nous portes tous en toi ; nous sommes toujours avec toi, depuis le temps de la Mère de Nous Tous. Rappelle-toi qui tu es et ne désespère pas.

Cette nuit-là, Mariata eut un rêve. Elle était de nouveau dans le Hoggar : ses collines déchiquetées se découpaient sur le ciel d'un bleu éclatant et, assise au soleil, elle regardait sa mère tresser les cheveux d'Azaz. La dernière fois qu'elle avait vu son frère, il était grand et maigre, presque un homme, portant robe et turban bleu, mais dans son rêve c'était encore un gamin aux yeux ronds et rieurs, avec un grand vide entre ses dents de devant. Elle se souvenait que ses frères dominaient les vieilles femmes de la tête et des épaules et inventaient des histoires pour se protéger mutuellement d'une punition quand l'un des deux n'avait pas été sage. Baye, le plus jeune, rampait nu dans le sable. Comme sa mère était belle ! pensait Mariata, en voyant ses mains agiles et le soleil souligner l'élégante ossature de son visage. Combien de temps contempla-t-elle cette scène paisible, elle l'ignorait ; elle était dans le temps des rêves. Derrière la tête de Yemma, des nuages défilaient haut dans le ciel ; le soleil descendit et s'éleva, descendit et s'éleva de nouveau et elle fit les premières tresses de Baye, les bras tendus au-dessus de la rondeur de son ventre. Puis une ombre tomba sur elle, elle leva les yeux, sourit et le temps s'arrêta. Quel sourire ! Mariata aurait pu le regarder toute la journée, toute la nuit. Il y avait en lui tant d'amour, tant de plaisir ! Elle se demanda un moment ce qui faisait sourire sa mère si béatement, puis elle se vit en train de marcher au côté de la haute silhouette de son père, portant un panier de figues, fruits dont sa mère avait une telle envie au cours de cette dernière grossesse. Et elle savait, elle avait toujours su que sa mère l'aimait, qu'elle n'avait pas voulu la laisser seule au monde, qu'elle veillait toujours sur elle.

Ce furent les premiers rayons du soleil sur son visage qui réveillèrent Mariata et, pendant quelques instants, elle ne sut plus où elle était ; elle ne savait qu'une chose, c'est qu'elle était reposée et en paix. Lorsqu'elle s'étira, ses articulations ne craquèrent pas ni ne protestèrent ; elle se leva, bien ferme sur ses pieds, sans que ses muscles ne se plaignent. Peut-être y avait-il du vrai dans ce que Rahma avait dit à propos des rochers, pensa-t-elle, peut-être possédaient-ils une forme de pouvoir. Elle plia sa couverture et alla voir l'un d'eux de plus près.

Les trois quarts de l'énorme rocher étaient encore dans l'ombre. Elle en fit le tour, s'étonnant de sa taille, de la fraîcheur de son ombre. Son côté est était déjà brillamment éclairé par le soleil levant. Au centre, des lettres et des symboles gravés dans l'ancienne langue de son peuple serpentaient du sol presque jusqu'au sommet, à cinq mètres de hauteur. Elle leva la tête.

« Aujourd'hui, nous avons enterré Majid, un brave homme, mari de Tata et père de Rhissa, Elaga et Houna », disait une inscription.

Une autre énonçait simplement : « Sarid aime Dinbiden, qui ne l'aime pas. »

Une troisième était le début d'un poème : « *Asshet nan-nana shin ded Moussa, tishenan n ejil-di du-nedoua* », lut-elle à haute voix. *Filles de nos tentes, filles de Moussa, pensez au soir de notre départ.*

Elle essaya d'en déchiffrer une autre, qui montait vers la droite, et lut d'abord : « L'amour dure ; la vie, non. » Puis elle se rendit compte que cela pouvait se lire : « Un amour durable est plus rare que la vie. » Elle plissa le front, incapable de décider lequel des deux sens était le plus juste. Une troisième interprétation possible se présenta alors à son esprit : « Là où tu trouves l'amour, demeure. »

— Poétique, non ?

Mariata se retourna : Rahma était à son côté.

— Qui a gravé cela ? Des gens de ton village ?

Son aînée se mit à rire.

— Certaines de ces inscriptions ont été laissées par les Kel Nad, les Gens du Passé. Personne ne sait de quand elles datent : aussi loin que remontent les souvenirs des plus vieux, de leurs parents et de leurs grands-parents, elles étaient déjà là.

Mariata fronça les sourcils.

— Mais elles paraissent si... nouvelles.

Le mot n'était pas approprié, surtout dans la bouche de quelqu'un qui se croyait poète. Ce qu'elle voulait dire, c'est que les sentiments exprimés par ces inscriptions étaient les mêmes que ceux éprouvés quotidiennement par les gens de son peuple.

— Le passé est toujours présent, déclara Rahma. Et les gens sont au fond toujours les mêmes, qu'ils soient de maintenant ou d'avant.

Elle semblait plus gaie ce matin, peut-être à la perspective de rentrer chez elle triomphalement avec la descendante de la Fondatrice. Mariata eut un pincement d'appréhension à l'idée de ce que l'on attendait d'elle. Sur le moment, la décision de quitter les Kel Bagzan n'avait pas été difficile à prendre ; elle l'avait fait sans trop songer à l'avenir et, depuis, la traversée du désert lui avait en grande partie vidé l'esprit. Elle s'efforça de ne pas y penser. Les gens sont au fond toujours les mêmes, se dit-elle. Il n'y a rien à craindre.

Elles entrèrent dans le village et Rahma salua longuement, avec une grande politesse, tous ceux qui se portaient à leur rencontre – ils étaient nombreux. « Je vais bien, répondait-elle à leurs questions. Je vais bien, merci. » Elle s'enquérait ensuite de leur famille, demandait des nouvelles et écoutait patiemment leurs réponses, bien qu'elles fussent toujours les mêmes : Je vais bien, ma femme va bien, mes fils vont bien, mes filles vont bien, grâce à Dieu. Puis elle finissait par désigner Mariata, qu'elle présentait comme « Mariata oult Yemma oult Tofenat, fille des Kel Taïtok, qui est venue des monts de l'Aïr, où elle vivait avec les Kel Bagzan, et a traversé le Tamesna avec moi pour voir mon fils et chasser les esprits qui l'ont possédé ».

Après les manifestations de respect suscitées par la noble ascendance de la jeune fille et le voyage qu'elle avait accompli, Mariata constata que les visages se fermaient brièvement à la mention d'Amastan, mais tout le monde se montra poli, lui souhaita bonne chance et appela sur elle les bénédictions qui la protégeraient des mauvais esprits.

Rahma parla à une petite femme à la peau sombre qui portait un foulard rouge vif ; celle-ci partit en courant et revint quelques instants plus tard avec un bol de riz mélangé à du lait. « Pour le rafraîchir », dit-elle. Rahma opina du chef et lui prit le bol des mains. Mariata regarda le bol avec envie et son estomac se mit à gargouiller, mais Rahma était en train de dire à son interlocutrice : « Il faut qu'il retrouve un certain équilibre. » Un petit déjeuner semblait donc peu probable avant qu'elles n'aient vu le patient.

Elles passèrent devant un enclos où picoraient des poules, ce qui surprit Mariata. Les nomades n'élevaient pas de volailles car celles-ci ne pouvaient marcher à travers le désert ni suivre la route en volant, et les dromadaires et les ânes étaient toujours trop chargés pour qu'on ajoute encore des cages à poules à leur fardeau. Elle avait également remarqué que plusieurs huttes en adobe apparemment bâties pour durer étaient disséminées autour du camp et que certaines étaient agrémentées d'une belle végétation, un figuier ici, ailleurs des plants de tomates.

— Ta tribu ne suit plus la route du sel ? demanda-t-elle avec curiosité.

— Certains la suivent encore. Nous avons toujours quelques caravaniers, mais nous avons perdu une caravane entière dans le désert il y a deux ans et la maladie a tué un bon nombre de dromadaires la saison dernière. La pauvreté et les troubles ont poussé beaucoup de nos harratin et de nos esclaves à s'enfuir pour aller en ville et le nouveau gouvernement les y encourage : la vie ici est de plus en plus difficile. Nous allons avoir besoin d'hommes jeunes comme Amastan plus qu'à aucun autre moment de notre histoire. Sans lui et ses pareils, nous sommes condamnés à gratter la terre pour survivre.

Mariata était consternée.

— Mais vous êtes les maîtres du désert, pas des pauvres paysans !

— Si cela continue, notre fier héritage ne représentera plus rien.

Le dernier habitant du village qu'elles rencontrèrent était une personne d'allure étrange, dont le taguelmoust mal noué laissait voir la partie inférieure du visage, une peau couleur charbon de bois et de lourdes boucles d'oreilles qui lui étiraient les lobes. Ce singulier personnage prit la main de Mariata et la tint serrée. Celle-ci imputa cette absence de réserve au fait qu'il n'appartenait manifestement pas aux Gens du Voile et elle se força à ne pas retirer sa main. Eût-elle voulu le faire, elle n'y aurait sans doute pas réussi car l'inconnu possédait une force hors du commun. Mais quand il parla, sa voix était celle d'un jeune garçon qui n'avait pas encore mué et il pressa la main qu'il tenait contre sa poitrine, qui ressemblait de manière suspecte à celle d'une femme. Mariata était très troublée.

— Ah, la fille du Hoggar, qui a fait une longue route. Bienvenue, bienvenue au Teggart.

— Merci, dit Mariata en inclinant poliment la tête et en réessayant, sans succès, de retirer sa main.

— Les esprits prennent de multiples formes, fille charmante. Méfie-toi de la beauté mélancolique des Kel Assouf, de crainte d'être séduite. Je vois qu'il y a en toi de la sauvagerie et la sauvagerie appelle la sauvagerie. J'espère que tu as la tête entière.

Sur ces paroles énigmatiques, l'étrange personne lâcha la main de Mariata et poursuivit son chemin. Mariata la regarda s'éloigner.

— Que veut-elle dire ? Et, d'abord, est-ce bien une femme ?

— Tana ? fit Rahma avec un sourire. Nous n'avons pas de mot pour ce qu'est Tana. J'ai entendu des étrangers dire que c'est un homme-femme, mais cela ne lui rend pas justice. Disons que Dieu lui a donné deux fois sa bénédiction. On trouve en elle une parfaite symétrie entre les sexes et c'est quelqu'un de tout à fait remarquable. Il arrive qu'elle en sache davantage que la plupart des gens. Elle était la fille du forgeron, quand le village était assez riche pour avoir le sien ; quand il est mort, elle est restée et a accompli certaines des tâches de l'*enad*.

Les inadan étaient à la fois forgerons et maîtres des rituels mystiques : ils présidaient aux cérémonies, tuaient les chèvres sacrificielles, maîtrisaient le feu et travaillaient les objets en fer qu'aucun Kel Taguelmoust, et surtout pas une femme, ne pouvait toucher sans danger.

— Ne peut-elle pas guérir Amastan ?

— Elle est allée le voir une fois après son retour ; ensuite, elle n'a plus voulu l'approcher.

Mariata digéra ces paroles en silence. Au bout d'un moment, elle demanda :

— Et que voulait-elle dire par « la tête entière » ?

— C'est ce que nous disons parfois d'un apprenti en médecine qui atteint sa majorité, lorsque ses connaissances sont complètes.

— Mais je n'ai aucune connaissance de la médecine ! s'insurgea Mariata. Je n'ai jamais appris quoi que ce soit.

— Il est des choses qui ne s'apprennent pas : des dons d'en haut, des dons qu'on a dans le sang.

Rahma la prit par le bras comme si elle craignait qu'elle ne s'enfuie et Mariata fut soudain envahie par la peur : peur que le fils de Rahma soit fou furieux, la bave aux lèvres comme un chien enragé, enclin à des accès de violence. Peur aussi qu'il ait l'air tout à fait normal, en dehors de la danse des esprits dans ses yeux. Elle craignait de n'avoir aucun effet sur lui, et qu'en dépit de sa noble ascendance on s'aperçoive qu'elle était une fille tout ce qu'il y a d'ordinaire. Et c'est cette possibilité qu'elle redoutait le plus.

Au-delà de la dernière tente, au-delà des huttes et des enclos à bestiaux se trouvait une oliveraie et derrière, sur une parcelle caillouteuse, un abri de fortune avait été construit entre deux tamaris, guère plus qu'une simple structure en branchages tendue de couvertures et de vieux sacs de grain. Dans l'ombre, à l'intérieur, Mariata distinguait la silhouette d'un homme en robe noire et taguelmoust noué serré à travers la fente duquel brillaient des yeux sombres et torves.

Il était assis par terre en tailleur, immobile, les mains jointes dans son giron. Il ne changea pas de position à leur approche, ne fit aucun effort pour les saluer. Il ne réagit même pas quand Rahma s'accroupit à côté de lui et posa la main sur sa joue.

— Reçois ma bénédiction, Amastan, mon fils. Tu sembles aller mieux qu'à mon départ. Mange un peu de riz au lait pour réduire l'excès de chaleur que tu as en toi.

Elle posa le bol au sol près d'un plat de pain et de dattes auxquels il n'avait pas touché. Il ne lui accorda même pas un coup d'œil.

— Et regarde, je t'ai amené aussi quelqu'un venu de loin. Mariata oult Yemma oult Tofenat, des Kel Taïtok, qui descend en ligne directe de Tin Hinan. Elle a traversé le Tamesna uniquement pour te voir. Ne veux-tu pas te lever et lui souhaiter la bienvenue comme il convient au maître de la maison ?

Elle cherchait manifestement à lui faire plaisir, constata Mariata, car cela n'avait rien d'une maison et de toute évidence il n'était maître de rien, pas même de son esprit. Elle scruta le peu qu'elle voyait de son fin visage brun à travers la fente de son turban, ne vit que des os saillants, des sourcils bien formés et des pattes-d'oie au coin de ses yeux qui se détachaient sur son hâle. Maintenant qu'elles étaient près de lui, il n'avait rien d'effrayant, pensa-t-elle avec soulagement. Elle commençait à se détendre quand le regard du jeune homme, jusque-là rivé au sol, se posa brusquement sur son visage.

On dit que quand une gazelle est acculée par des chasseurs, il est fréquent qu'elle reste paralysée à l'endroit où elle se trouve, alors qu'elle pourrait aisément semer ses poursuivants. C'est ce qui arrivait à Mariata sous le regard d'Amastan : clouée sur place, terrifiée et incapable de se sauver.

Il avait les yeux les plus expressifs qu'elle eût jamais vus. Des yeux en amande, des yeux de poète et non de guerrier ou de fou, mais dès l'instant où il la fixa du regard elle ne fut plus à même de penser à quoi que ce soit, si ce n'est que ce regard était profond et sombre comme l'eau entraperçue au fond d'un puits en fin de saison avant que le puits ne soit à sec et que ceux qui en dépendent ne finissent par mourir de soif.

Le cœur de Mariata se mit à battre la chamade. Les muscles de ses jambes se contractèrent comme si elles allaient l'emporter au loin, très loin, très vite, qu'elle le leur demande ou non. Mais malgré elle, elle resta où elle était.

Puis, d'un coup, les yeux d'Amastan s'emplirent de larmes. Il les laissa couler. C'était choquant de voir un homme pleurer. Les hommes étaient peu enclins à montrer leurs sentiments : cela participait du code d'*asshak*, le code de la fierté et des bonnes manières. Mariata n'en avait jamais vu manifester une telle émotion et elle sentit son cœur aller à lui.

Certaines femmes ne peuvent s'empêcher d'essayer d'arranger ce qui ne va pas, se font un devoir de remettre le monde en ordre, même s'il ne s'agit que de petites choses, comme épousseter des vêtements, balayer le sol de la tente ou réparer un panier. Mariata n'avait jamais été de ces femmes. Mais elle avait devant elle un homme brisé et elle aspira subitement à lui rendre son intégrité.

— Depuis combien de temps est-il comme ça ? demanda-t-elle tandis qu'elle et Rahma retournaient au village.

À mesure qu'elle s'éloignait de ce possédé, son cœur reprenait son rythme normal, et pourtant elle sentait sa présence, comme s'ils étaient reliés par une corde qui se tendait un peu plus à chacun de ses pas.

Rahma ne répondit pas tout de suite. Elles arrivèrent à un rocher. Là, elle s'arrêta et s'assit, le visage levé vers le soleil, si bien que Mariata aperçut des traces de larmes séchées sur ses joues.

— C'est son dromadaire qui l'a ramené, comme s'il reconnaissait le chemin, alors que cela faisait au moins un an qu'ils étaient partis. Il était affaissé sur le dos de l'animal, hébété. Il ne savait pas où il était ; il avait les yeux ouverts mais ne reconnaissait même pas sa propre mère. Il était couvert de sang. J'ai pensé, dit-elle d'une voix entrecoupée, j'ai pensé qu'il était mort... ou du moins mortellement blessé. Son épée, la Faucheuse, qui avait appartenu à mon frère, son *anet ma*, et à l'*anet ma* de celui-ci, son épée avait disparu. Il refusait de s'en séparer, elle faisait sa fierté. Il n'avait rien, ni nourriture ni eau. Je ne peux imaginer comment il a survécu, si ce n'est que les esprits l'ont maintenu en vie pour servir leurs propres desseins.

« Il tenait cependant quelque chose, serré dans sa main droite. Nous avons tenté de la lui faire ouvrir, mais il s'en est pris à nous comme une bête sauvage. Il l'a toujours. Je suis certaine que si nous parvenons à lui enlever cette chose, nous pourrons le sauver. C'est de ça que les Kel Assouf tirent leur pouvoir, j'en suis sûre. Nous avons tout essayé. Les sorcières lui ont donné des herbes médicinales pour dormir, mais il ne les a pas prises. L'enad a entonné le chant des vents et nous avons joué du tambour pour que les esprits se mettent à danser et s'en aillent, en vain. Les marabouts ont prié pour lui et épinglé des versets du Coran sur sa robe. Je savais que ça ne marcherait pas : il les a arrachés avec rage et s'est mis à courir partout, nu ! Le magicien de Tombouctou a entouré sa tente des charmes et des fétiches qu'il avait apportés du Sud : Amastan les a ignorés et il s'est couché pour dormir, la main droite bloquée sous lui. Quiconque essaie de lui ouvrir la main de force se heurte à la fureur des esprits sauvages qu'il a en lui. Il est comme ça depuis plus de trois mois ; il ne pourra pas tenir beaucoup plus longtemps.

Mariata se mordit la lèvre.

— J'aimerais me rendre utile, mais je ne sais pas quoi faire.

Rahma se tourna pour la regarder.

— Il a pleuré quand il t'a vue, Mariata. C'est la première émotion humaine qu'il manifeste depuis tout ce temps.

Elle soupira et se leva, l'air soudain épuisée.

— Quand il était adolescent, Amastan adorait la poésie, reprit-elle. Il aimait composer des chansons et des vers ; son talent pour manier les mots éblouissait les filles du cru. Toutes voulaient l'épouser, mais lui disait qu'il ne se marierait pas tant qu'il ne serait pas allé jusqu'à l'Arbre du Ténéré, qu'il n'aurait pas vu la mer et touché la neige qui tombe sur les plus hautes montagnes.

Mariata sourit. C'était exactement le genre d'idées romantiques qui lui plaisait.

— A-t-il fait tout cela ?

— Oui, tout. Et après avoir atteint son but, il s'est enfin fiancé. À une fille des monts N'Fughas. Il était allé la chercher là-bas pour nous la présenter, à moi et à sa grand-mère, avant qu'ils se marient. Ma mère était trop vieille et malade pour effectuer le déplacement, tu comprends. Elle est morte avant son retour. C'est sans doute une bénédiction.

En entendant cela, Mariata éprouva une violente sensation de malaise. Il était fiancé ? Certes, qu'un homme qu'elle ne connaissait pas soit engagé envers une autre ne la concernait en rien, mais elle n'en ressentit pas moins une forte déception.

— Et où est sa bien-aimée ?

Rahma détourna le regard.

— Je l'ignore. Personne ne le sait. Il semble qu'elle ait disparu. Mais n'écoute pas les ragots, je t'en prie.

Avant que Mariata ait pu comprendre le sens de cette étrange requête, Rahma se hâta de continuer :

— Ce sont les mots qui possèdent le plus grand pouvoir magique, ta grand-mère le savait bien. Le pouvoir des mots est enraciné dans ta famille depuis l'époque de la Mère de Nous Tous. Sinon, comment aurait-elle pu convaincre d'autres gens de la rejoindre dans le désert et fonder son peuple ? C'était une fille comme les autres, pas plus âgée que toi, une fille d'un petit village poussiéreux du sud du Maroc. Pourtant, elle avait en elle un tel pouvoir qu'elle a quitté un endroit sûr et habité pour une nouvelle vie dans le désert. Pour cela, elle a dû communier avec les Kel Assouf, devenir l'un d'eux ou les plier à sa volonté, car ils l'ont aidée à façonner son peuple. Comme toute chose de valeur, ce pouvoir a dû se transmettre par la lignée féminine et tu le possèdes donc. Je veux le croire, sinon Amastan est perdu. Tu l'aideras ? Reste auprès de lui et raconte-lui des histoires, compose des vers et prononce des incantations pour lui : apaise les esprits, soumets-les à ta volonté. Tente de le convaincre de se dessaisir de l'objet qu'il a dans sa main droite. Tu le feras ?

— J'essaierai, répondit Mariata.

Mais elle était rongée par l'appréhension.

Amastan était revenu au village couvert de sang et sans sa fiancée. Elle ne devait pas prêter l'oreille aux ragots. Mais elle se rappela soudain un conte populaire de l'Aïr souvent répété autour du feu le soir : celui des noces sanglantes d'Iferouane. Un bel inconnu richement vêtu était arrivé à cheval dans un village, suscitant un grand émoi parmi les filles du coin ; les semaines suivantes, il avait jeté son dévolu sur la plus jolie d'entre elles et l'avait courtisée avec de belles paroles, puis il l'avait promptement épousée avec la bénédiction de la famille. La nuit de leurs noces, on entendit du vacarme dans la tente des nouveaux mariés et les gémissements pitoyables de la fille. Les vieillards secouèrent la tête d'un air désapprobateur : il était inconsidéré de la part du jeune marié d'essayer d'arriver à ses fins dès le premier soir. Un enfant conçu au clair de lune était maudit à vie. Rien de bon n'en sortirait. Et, en effet, lorsqu'une des vieilles femmes apporta son petit déjeuner au couple le lendemain matin, elle fut accueillie par un spectacle macabre : la tente était pleine de sang, de cheveux et d'os, et il n'y avait plus trace ni du jeune marié ni de sa jeune épouse. Les frères de celle-ci découvrirent cependant les traces d'un grand félin ; ils les suivirent jusqu'à sa tanière dans la montagne et tuèrent l'animal après une lutte acharnée. Dans son ventre, ils trouvèrent les restes de leur sœur, mais pas du jeune marié ; ils en déduisirent que le bel inconnu était un être capable de se métamorphoser, un esprit de la nature dont la véritable forme s'était révélée pendant la nuit de noces.

Mariata ne pouvait s'empêcher de se demander si Amastan n'était pas un autre monstre de ce genre. Possédé par des *djenoun*, n'avait-il pas tué sa bien-aimée ? Elle ne tenait pas à le découvrir, et pourtant il fallait qu'elle sache.

Rahma la conduisit à sa tente, qui était fort belle, faite de plus d'une centaine de peaux de chèvre.

— Je l'ai prise avec moi quand j'ai quitté Moussa ag Iba, dit-elle avant même que Mariata ouvre la bouche. Ainsi qu'Amastan, qui avait alors douze ans, et un vieil âne, mort depuis longtemps. Ce satané marabout a décrété que je devais restituer les biens acquis pendant mon mariage, alors que j'étais en droit de les garder. Il m'a dit que je devais accepter le fardeau dont Dieu m'avait chargée lorsque Moussa avait pris une seconde épouse et que j'avais tort de le quitter à cause d'une telle peccadille. Je lui ai montré les bleus qui me couvraient bras et jambes ; il s'est contenté de sourire et a déclaré que les hommes doivent parfois battre leurs femmes pour leur apprendre à bien se comporter. Depuis lors, j'en suis revenue aux anciennes façons de faire. Le marabout est mort maintenant et les entrailles de Moussa le font beaucoup souffrir, à ce que j'ai entendu dire.

Mariata la dévisagea.

— Tu as jeté sur lui une malédiction ?

— Sur lui et sur le marabout. Mais Moussa est un homme solide, il a tenu plus longtemps.

À ces mots, Mariata fut parcourue d'un frisson.

— Si tu es capable de manipuler les esprits, pourquoi ne sauves-tu pas Amastan ?

Rahma eut un petit sourire amer.

— Il y a un équilibre dans l'univers ; je crois que les esprits me l'ont appris de cette façon-là.

Les jours suivants, Mariata endossa quotidiennement pendant un bref moment une robe et un voile blancs que Tana lui avait prêtés pour attirer la bonne fortune et faire contrepoids à la noirceur qui avait envahi Amastan. Elle allait s'asseoir auprès de lui, composait en silence des vers dans sa tête, puis les disait à haute voix. Sa présence ne semblait pas le gêner ; à croire qu'il ne la remarquait pas. Pas de larmes, pas de regards paralysants, aucune manifestation des esprits qui le possédaient. S'il entendait ses poèmes et ses histoires, il n'en montrait rien ; après un certain temps, elle trouva sa présence reposante et même inspirante. Elle ne tarda pas à composer ses meilleurs poèmes, maniant les mots, les associant en acrostiches complexes doués du pouvoir de retenir la magie entre les lignes. Elle en griffonnait certains par terre avec un bâton, en mémorisait la plupart. Aucun ne semblait avoir le moindre effet sur le patient.

Chaque jour, elle remportait intacte la nourriture qu'elle lui avait apportée la veille. Comment pouvait-il vivre sans manger ? Il doit être nourri d'une autre façon, pensa-t-elle, par quelque chose contre nature, peut-être même impie. Un jour, elle trouva le bol renversé, le sol imbibé de lait de chèvre. C'était tabou et l'œuvre évidente des esprits. Elle grava par terre des incantations autour du bol pour tenter de neutraliser les influences malignes.

Quelques jours plus tard, elle eut ses règles. Un marabout l'aurait confinée dans sa tente, mais Rahma se mit à rire.

— C'est en ce moment que tu as le plus de pouvoir : celui du sang est plus fort que celui des esprits.

Et, effectivement, lorsqu'elle apporta à Amastan son bol de riz au lait, il le prit et mangea. Mais il le fit avec les doigts de la main gauche, bafouant ainsi la loi du Coran.

Pendant ce temps-là, il gardait sa main droite fermée et elle remarqua que, lorsqu'elle la regardait, ses articulations blanchissaient car il la serrait plus fort.

Inspirée par les inscriptions anciennes qu'elle avait vues sur le rocher le dernier soir de leur voyage, Mariata composa un jour ce poème et entreprit de le réciter à haute voix :

Filles de nos tentes, filles de Moussa,
Songez au soir de notre départ.
Les selles des femmes sont sur le dos des chameaux,
Les femmes arrivent maintenant, majestueuses dans leurs robes.
Parmi elles se trouve Amina, aux yeux brillants,
Et Houna, un foulard neuf sur la tête.
La belle Manta, aussi fraîche qu'une pousse de palmier...

— Non !

Le cri poussé par Amastan était à crever les tympans, à fendre le cœur. Mariata se leva d'un bond, terrifiée de voir le visage du jeune homme déformé par une émotion excessive. Elle s'attendait à moitié à ce que des crocs sortent de sa bouche, des griffes de ses mains, des poils de sa peau, mais après avoir laissé échapper ce cri, il parut épuisé et s'affaissa. Il ouvrit la main droite et elle entrevit l'objet qu'elle tenait.

— Manta, oh, Manta, murmura-t-il.

Ou du moins c'est ce que Mariata crut entendre.

Les yeux fermés d'angoisse, il porta l'objet à son front.

C'était une amulette, un carré de métal massif avec un bossage central embelli de cercles de cornaline et de bandes de motifs gravés. Quelque chose avait séché dessus, comme du sang.

9

Je n'avais pas pris de vacances depuis trois ans et avais beaucoup de jours de congé disponibles. Un peu inquiète, j'allai voir notre principal associé pour lui demander si je pouvais m'accorder six semaines, dont trois non payées. À ma grande honte, je pris pour prétexte le décès de mon père afin de justifier un si long arrêt de travail : j'avais beaucoup à faire pour préparer la maison en vue de la vente et puis j'avais besoin de changer de décor.

Richard accepta avec un empressement presque insultant.

Je me sentis coupable, puis je regardai la boîte en carton et une vive impatience m'envahit de nouveau. J'allais en Afrique, suivre ce que mon père avait appelé les « jalons » de ma vie. J'allais rapporter l'amulette sur le continent auquel elle appartenait et réveiller les bêtes endormies. J'avais cherché Abalessa sur un atlas : un point minuscule dans le sud de l'Algérie. Maroc, Algérie : Tafraout, Abalessa. À l'échelle du vaste continent noir, la distance entre ces deux endroits ne semblait pas infranchissable. En trois semaines, Ève et moi pouvions prendre la direction du sud et entrer dans le Sahara pour aller jusqu'au bout de l'aventure.

Je trépignais, comme à la veille des examens : je voulais qu'ils commencent pour cesser de m'en inquiéter, être dans le bain au lieu d'en faire un cauchemar. En vérité, tout ce que je voulais, c'était cesser de penser.

Je consacrai mon énergie débordante à la vente de la maison et à régler les questions administratives – rapports d'expertises interminables et inutiles, garanties et autres documents exigés par la nouvelle législation. Je fis évaluer et vendre aux enchères les collections; une entreprise se chargea de venir enlever le reste. Je donnai mandat à un agent, une femme, qui se plaignit en long et en large de l'état du marché immobilier et insista sur la nécessité d'« habiller » la maison dans un style plus moderne pour attirer la « bonne catégorie » d'acheteurs, de louer du mobilier et des plantes en pot, et de vaporiser des parfums de synthèse de café et de pain avant les visites. « N'existe-t-il pas aussi un parfum d'herbe coupée chauffée par le soleil que nous pourrions répandre dans le jardin ? » lui demandai-je d'un ton sarcastique alors que nous étions sous le crachin à regarder la jungle de ronces qui avait envahi le potager. « C'est une bonne idée », dit-elle pensivement après un instant de réflexion. Puis elle sortit son calepin et prit note, sans voir mon regard incrédule.

Le jour de notre départ, je me réveillai à cinq heures du matin en poussant un cri, inondée de sueur, car on m'avait laissée sous le soleil brûlant du désert, trop faible même pour ramper jusqu'à l'eau miroitant au loin. Je me dressai sur mon séant, le cœur battant. D'où cela venait-il ? Était-ce un rêve de substitution provoqué par ma crainte de prendre l'avion ou quelque chose d'encore plus inexplicable ? Je m'efforçai de ne penser à aucune des deux possibilités et lorsque j'eus soigneusement rangé dans mon sac à main mon passeport, l'amulette et les autres objets contenus dans le carton, l'excitation de l'aventure avait pris le dessus.

Nous n'étions apparemment pas les seules à aller faire de la varappe au Maroc. Dans la queue pour l'enregistrement à Gatwick, au cocktail habituel de touristes en mal de soleil et de familles escortées d'enfants en pleurs s'ajoutaient quatre ou cinq groupes pourvus de sacs à dos, de cordes et même d'un ou deux tapis pour « faire du bloc ». La plupart n'avaient pas la trentaine et ils me paraissaient terriblement jeunes avec leurs jeans Fat

Face râpés et leurs polaires de couleur vive, les filles arborant des dreadlocks blondes, les garçons, des bracelets en cuir. À peine étions-nous dans la queue avec notre chariot que le sac d'Ève en dégringolait promptement, produisant un grand bruit métallique sur le sol en béton. Tout le matériel se trouvait dedans et le sac, bourré à bloc, pesait une tonne. Alors qu'elle tentait de le soulever pour le remettre sur le chariot, un jeune homme se précipita et l'y replaça sans effort, puis se tourna vers nous et nous sourit. Il avait le visage épanoui et agréable, les cheveux blond-roux, le regard nonchalant, et pourtant un petit air de pirate.

— Salut, je m'appelle Jez, se présenta-t-il avec un accent de Sheffield à couper au couteau. On vous a vues arriver et on s'est dit : des grimpeuses ! Comme ça, juste à votre façon de marcher. Pas vrai, Miles ?

Son compagnon avait un an ou deux de plus et était plus élégamment vêtu. Il hocha la tête, un peu timide, réticent à lier connaissance.

— Les sacs à dos étaient assez révélateurs.

Jez avait manifestement le béguin pour Ève.

— Vous allez à Tafraout ?

Ève sourit. Il était ébloui, non sans raison.

— Bien sûr. Et vous ?

— Naturellement. C'est le meilleur spot au monde pour grimper en cette période de l'année et il y a beaucoup moins d'enquiquinements que dans le reste du Maroc.

— On a quand même eu droit à ces marchands de tapis, la dernière fois, lui rappela Miles. Ils tenaient absolument à ce qu'on entre dans leur boutique. Ils nous ont poursuivis jusqu'au bout de la rue !

Jez se mit à rire.

— Ouais, habillés comme des Touaregs. Ils n'étaient pas plus touaregs que toi ou moi. J'ai malgré tout acheté un beau tapis. Je l'ai mis dans ma chambre : il me rappelle le Maroc.

Ils étaient d'un commerce agréable. Nous nous sommes installés à l'un des cafés de la zone Départs et avons parlé des ascensions qui nous avaient plu, des sommets que nous aimions, des moments épiques que nous avions connus et des catastrophes que nous avions évitées de justesse. Nous nous sommes retrouvés dans l'avion sans avoir vu le temps passer et sans que ma peur de monter à bord ait pu m'obnubiler.

Un vol de courte durée peut se dérouler en un clin d'œil pour les voyageurs aguerris qui n'ont pas la terreur de tomber du ciel dans un embrasement de kérosène, mais pour ceux d'entre nous que cette vision obsède, le temps devient affreusement subjectif, les minutes s'éternisent, on panique à chaque turbulence et, en dépit de la stratégie des compagnies aériennes, ni la distribution de boissons ni le passage du chariot des marchandises hors taxes ne distraient celui qui a vraiment la phobie de l'avion. « Franchement, dit Ève en voyant mes articulations blanchir chaque fois que je serrais les poings, que tu puisses t'attaquer à une paroi 5C non protégée sans te dégonfler et être à ce point terrifiée dans un avion me dépasse. Tiens, tu n'as qu'à lire le guide, ça te fera penser à autre chose. »

Comme l'avaient dit Jez et Miles, il y avait des hectares de rochers à escalader autour de Tafraout, des milliers de voies à emprunter et des milliers d'autres qui attendaient d'être portées sur les cartes. Je me distrayais en épluchant le guide de varappe, choisissant des objectifs possibles, mais je revenais sans arrêt à la photo de l'Assgaour, la Tête de Lion, ce rocher escarpé à l'aspect si étrange. Il me fallait suivre la voie qui montait le long du museau du lion, je le sentais dans mon for intérieur ; il ne cessait de me renvoyer mon regard – un défi, un rite de passage dans le cœur de l'Afrique. Je touchai l'amulette que j'avais glissée au fond de ma poche et mes craintes s'apaisèrent. Même en entendant le grincement du train d'atterrissage lorsque nous avons entamé la descente vers Agadir, je n'ai pas immédiatement pensé chute libre et boule de feu, mais j'ai remis calmement le guide dans mon sac et j'étais toute détendue lorsque les roues ont heurté la piste.

À l'aéroport, toutes les voitures louées semblaient au rendez-vous, sauf la nôtre. Désorientées après le long passage au guichet de l'immigration, nous attendîmes en plein soleil devant le terminal pendant qu'Ève appelait le numéro qu'elle avait griffonné au dos de son agenda, obtenant une série de bips mais pas de tonalité. Il lui fallut recommencer plusieurs fois en essayant divers codes avant de réussir enfin à obtenir la communication et à expliquer dans son français approximatif que notre voiture n'était pas là. Son interlocutrice lui répondit quelque chose et Ève prit un air horrifié. « Parlez plus lentement ! » gémit-elle en me tendant l'appareil. À la suite d'une conversation alambiquée, il s'avéra qu'en réservant la voiture par téléphone de Londres, Ève avait trouvé le moyen de la commander pour « minuit » et non « midi ». Je poussai un soupir. Ève trouvait cela hilarant, sauf qu'ils n'avaient pas de voitures disponibles avant le soir. Elle me regarda l'air affligée, pleine de remords quand je lui eus transmis l'information.

— Hé, les filles !

Une Peugeot 206 bleu métallisé s'était arrêtée devant nous. Miles était au volant, Jez avait baissé la glace et nous souriait.

— Venez avec nous !

Je leur fis signe de s'en aller.

— Non, sincèrement, ça va. Nous avons une voiture. C'est juste qu'elle arrivera avec un peu de retard.

Un peu de retard… huit heures.

Mais Jez était déjà descendu et casait non sans mal le sac à dos d'Ève dans le coffre bien rempli et Ève s'installait sur la banquette arrière.

— Hé, il va falloir qu'on ait notre propre voiture, tu sais bien, pour le Sahara.

— On pourra toujours en louer une plus tard à Tafraout.

Je haussai les épaules, m'excusai auprès de la femme de la société de location et m'assis à côté d'Ève à l'arrière de la petite voiture, coincée au milieu des sacs à dos.

— Vous risquez d'être un peu à l'étroit, dit Miles d'un ton laissant entendre qu'il n'était pas particulièrement enchanté de nous trimballer.

Mais il ne tarda pas à s'animer tandis que nous passions une bourgade où circulaient pêle-mêle des autocars, des voitures, des bicyclettes, des charrettes tirées par un âne, à des vitesses variables et suivant des trajectoires imprévisibles, au milieu de centaines de piétons. Tous traversaient là où il ne fallait pas, s'arrêtaient même sur la chaussée pour bavarder avec les conducteurs. Il y avait là des hommes en djellaba, au visage brun foncé, plein de caractère et creusé d'un enchevêtrement de rides, des femmes voilées, des enfants en short et chemise aux teintes pastel, des filles en uniforme scolaire blanc ou en jean et coiffées de foulards de couleurs vives. Les gens klaxonnaient sans arrêt, criaient, riaient, sifflaient, des ânes brayaient. Une Mercedes rouillée nous frôla par la droite, la radio à fond – une voix aiguë de femme qui chantait à travers le battement sourd de percussions.

Nous sommes passés devant des rangées de boutiques fermées : épiceries, quincailleries, boulangeries, magasins de peinture, tapis, matelas, mécanique, mobilier de jardin blanc ou pneus empilés sur le trottoir, et un autre où l'on ne vendait apparemment que des brouettes en métal bleues. Je me tournai pour montrer cette bizarrerie à mes compagnons quand j'aperçus de l'autre côté de la rue une mule tirant une longue charrette transportant la carcasse dépecée et éviscérée d'une Dacia. Installé sur un siège de fortune posé à même le capot, un homme tenait les rênes ; derrière lui, trois femmes voilées en robe noire étaient assises en majesté à l'intérieur de l'auto. Je m'attendais à les voir saluer la foule d'une main gantée de blanc, comme la reine d'Angleterre.

— Regardez ! m'écriai-je.

Mais Miles, les yeux droit devant lui, s'efforçait d'éviter les myriades d'obstacles qui surgissaient sur notre chemin, alors qu'Ève et Jez discutaient avec animation d'un groupe de musiciens dont je n'avais jamais entendu parler.

Lorsqu'ils se retournèrent, l'équipage hybride et ses occupants étaient loin derrière, remplacés par une succession de bâtiments municipaux, gardés par des hommes armés en uniforme, et la longue muraille ocre d'un fort qui semblait à la fois vieux et récent.

Après quoi, ce fut la campagne : des hectares de terre arable vouée à des cultures sous tunnels et filets en plastique, des champs de piments rouges, des bananeraies, des oliveraies, des vergers d'agrumes, des dattiers chargés de lourdes grappes. Le paysage devenait plus ouvert, plus sec et rouge. Un groupe de femmes en robes pourpres, jaunes ou noires se détachait sur l'orange poussiéreux de la terre qu'elles travaillaient. Des figuiers de Barbarie, des cactus et des buissons d'épineux formaient des haies naturelles entre les champs où, assis à l'ombre d'arbres solitaires, des bergers gardaient des troupeaux de moutons efflanqués et de chèvres au poil noir qui broutaient ce qu'elles pouvaient. Une zone intermédiaire, où tout – arbres, rochers, route et champs – était blanc de poussière, marquait la transition entre le littoral et les hautes terres. Juste après un panneau indiquant les Carrières de l'Atlas, où une énorme colline de pierre blanche avait été rongée sur deux côtés comme si deux géants rivaux avaient tenté de manger le tout, nous avons quitté la voie principale et entamé la longue montée vers la brume des montagnes bleues à l'horizon.

En première et en seconde, la Peugeot poursuivit péniblement son chemin le long d'une route étroite où se succédaient des virages en épingles à cheveux. Le panorama était si saisissant et le risque de catastrophe si grand, que tout le monde cessa de parler, si ce n'est pour faire remarquer combien le précipice sur notre droite était vertigineux. « Comment deux voitures peuvent-elles se croiser sur une route pareille ? » demanda Ève, épouvantée. Au même instant, un camion tout en hauteur, enguirlandé d'amulettes porte-bonheur et décoré de scènes de couleurs criardes représentant des palmiers et des chameaux, apparut à la sortie d'un virage, se dirigea vers nous en donnant de la bande sous son chargement instable. Nous ne tardâmes pas à avoir la réponse à la question d'Ève : il faut dégager et se fourrer dans le premier recoin venu pour éviter une collision probable avec le véhicule qui arrive en face, lequel est conduit par quelqu'un qui croit plus au destin qu'à la prudence. À l'arrière de la voiture, mon pied écrasa une pédale de frein fantôme.

— Putain, c'était moins une, hein ? lâcha Jez en se retournant vers nous.

J'essayai de ne plus penser à ma vie que j'avais placée de façon douteuse entre les mains de Miles et tentai de faire le lien entre le paysage et la carte de la région que j'avais achetée à Londres. Elle avait été imprimée au Maroc et ne ressemblait pas du tout aux cartes d'état-major auxquelles j'étais habituée. L'échelle n'était pas bonne, les couleurs étaient différentes, les routes difficiles à distinguer des courbes de niveau et certains des noms de lieux berbères si exotiques que je n'arrivais même pas à former le son dans ma tête : Imi Mqourn, Idaougnidif et Tizgzaouine. Au bout d'un moment, l'aspect désolé et romantique du paysage et le luxe consistant à pouvoir prêter attention à sa ligne de crête déchiquetée, à ses massifs érodés, aux terrasses en pierres et aux cours d'eau asséchés bordés d'amandiers au lieu d'avoir à se concentrer sur la conduite, commencèrent à me séduire et à m'apaiser. Je ne m'étais pas attendue à ce que le Maroc soit aussi beau : non pas décliné dans les mêmes courbes et plans vert tendre que la campagne anglaise, mais de manière sauvage et rude. Les gens qui vivaient ici devaient l'être aussi, pensai-je, pour survivre en un tel lieu.

Nous avons franchi le col de Tizi-n-Tarakine dans une succession de virages au moment où le soleil commençait à descendre paresseusement vers l'ouest, mais l'air était pur et les ombres indigo. Quand la magnifique vallée d'Ammelne nous apparut de l'autre côté, je restai bouche bée. Elle serpentait jusqu'à l'horizon, dominée sur son flanc droit par l'énorme muraille montagneuse du djebel al Kest.

— Vous voyez les à-pics là-haut ? lança Jez par-dessus son épaule en montrant la paroi.

Je suivis la direction indiquée. Au premier coup d'œil, elle était déjà impressionnante.

— Il y a une classique 5B de Joe Brown qui grimpe par le milieu. Ça s'appelle le Terrain du Milieu. Génial : raide, long, incroyablement dangereux.

Je souris. Son enthousiasme était communicatif et il me semblait tout à fait typique que ce varappeur terre à terre du Yorkshire, sans aucun doute l'un des héros de Jez, ait donné à cette voie un nom aussi prosaïque parmi tous ces toponymes berbères imprononçables. Tandis que nous descendions dans la vallée, même Miles se dérida et nous montra d'autres voies qu'ils avaient empruntées ou voulaient tenter : la Grande Écaille, les Vieux Amis, la Tour Blanche, le Bosquet Noir, la Veine Noire, le Grand Bloc et l'Arête de l'Angoisse. Jusqu'en bas, les murailles rouges se dressèrent au-dessus de nous. À l'idée de grimper, les paumes de mes mains me démangeaient puis transpiraient, comme si j'étais tour à tour fascinée et troublée par la dimension même des parois : certaines paraissaient avoir au moins trois cents mètres de haut. Je ne m'étais jamais attaquée à quelque chose d'aussi impressionnant ; toute ma pratique, je l'avais acquise au cours d'escalades en Grande-Bretagne, la plupart ne nécessitant qu'une seule longueur de corde. Celles qui en exigeaient plusieurs ne dépassaient pas les cent mètres, des parois granitiques de Cornouailles sous un doux soleil, avec la mer léchant le pied des falaises et la possibilité de se payer une glace au parking quand on avait fini l'ascension. Ici, il fallait grimper de l'aube au crépuscule sous la chaleur africaine, des parois inconnues, dans un pays où il n'y avait ni services de secours, ni moyen de redescendre facilement, ni en tout cas de marchand de glaces qui vous attendait en haut. Je jetai un coup d'œil à Ève pour voir sa réaction face à ces parois monstrueuses, mais elle avait moins de pratique que moi et ne semblait pas avoir mesuré la difficulté de ce qui nous attendait. Étant donné son manque d'expérience des grandes ascensions, c'est moi qui prendrais toutes les décisions et serais sans doute première de cordée la plupart du temps. Brusquement, je fus terrifiée à l'idée de grimper seule avec elle dans un pareil endroit. Tout en aspirant à diriger les opérations, je me sentais accablée par le poids de cette responsabilité. Peut-être n'était-ce pas une si mauvaise chose après tout d'être accompagnées de ces deux garçons : ils connaissaient la montagne et la région, nous pourrions peut-être même grimper à quatre jusqu'à ce que je me sois habituée à la nouvelle donne. J'avais toujours les nerfs à vif quand nous arrivâmes dans le fond de la vallée et que Jez se retourna, tout sourire.

— Vous voyez ça ? demanda-t-il en montrant par la portière le sommet le plus haut de la chaîne. On vous emmène là-haut demain ; vous allez adorer ; pas vrai, Miles ?

Miles nous jeta un regard sardonique par-dessus son épaule.

— C'est un cadeau, dit-il, une ascension guidée par des spécialistes. Vous pourrez nous inviter à dîner au retour.

— Et même toute la semaine, renchérit Jez avec un clin d'œil. La marche d'approche est superbe, une vue fabuleuse. On laisse la voiture à Assgaour et on monte à travers les ruines d'un vieux village, puis on suit un chemin de chèvres jusqu'à la paroi. Ça prend deux bonnes heures, à moins de courir comme on l'a fait l'année dernière. Gare-toi, Miles, qu'elles aient un aperçu.

Miles arrêta la voiture sur une piste adjacente et nous en descendîmes, contents de nous dégourdir les jambes après trois heures de route. L'air était chaud et sec, chargé d'une odeur musquée, à la fois de terre et d'épices. Je fermai les yeux pour mieux la savourer, car elle ne ressemblait à rien de ce que j'avais connu en Grande-Bretagne, tout en m'étant d'une certaine façon familière.

— Ce n'est pas aussi effrayant que ça, hein ?

Une main s'était posée sur mon épaule et je sursautai. Miles fixait sur moi un regard pénétrant. Il avait les yeux très bleus et, je ne sais pourquoi, cela me parut étrange ; pendant deux ou trois secondes, je le regardai comme s'il était d'une autre planète, jusqu'à ce que, troublé, il détourne les yeux vers Jez, qui montrait à Ève les diverses étapes de l'ascension.

— Désolée, dis-je, j'étais complètement ailleurs.

— C'est une voie très longue, comme la plupart. Plusieurs centaines de mètres. Dans le guide, ils parlent de 5A, mais il n'y a pas beaucoup de passages à ce niveau de difficulté. Il y a quelques endroits où la roche n'est pas très solide… Il suffit de donner un coup de piolet, si ça ne paraît pas sûr, on le retire.

Nous avons souri tous les deux et le moment de gêne est passé.

— Regarde, c'est incroyable, tu ne trouves pas ? On dirait un truc de bande dessinée. Il y en a qui ne le voient pas, mais je dois reconnaître que c'est plus facile en plein soleil. Une fois qu'on l'a repéré, on ne peut pas ne pas le voir chaque fois qu'on regarde la montagne... C'est comme un œil magique.

Je regardai. La paroi de la gorge rouge sombre se dressait au-dessus d'un village de maisons en adobe éparses dans les tons rose et terre cuite ; à côté, la mosquée blanche et les arbres semblaient tout petits. On aurait dit que d'énormes formations rocheuses pyramidales avaient été empilées les unes sur les autres, leurs flancs déchiquetés soulignés d'ombres indigo. Il était impossible d'évaluer l'échelle de l'ensemble : cela paraissait immense. Conformément aux instructions de Miles, je suivis des yeux la ligne d'une arête ascendante qui flanquait à main droite le sommet le plus haut. Il me fallut un moment pour trouver ce qu'il voulait me montrer, mais ensuite je ne pus en détacher le regard. Deux yeux plongés dans l'ombre, un long museau incurvé : une tête de lion, *la* Tête de Lion. On ne pouvait pas ne pas la reconnaître. Mon cœur se mit à tambouriner dans ma poitrine. Je fermai les yeux et le visage fier d'un jeune homme aux yeux noirs et vifs se surimposa à l'image du lion...

Il y avait des tas d'hommes aux yeux noirs à Tafraout, et aucun d'eux n'était celui que j'avais « vu » au cours de mes rêveries. Les Berbères du coin étaient beaux : solide ossature faciale, visage frappant, silhouette mince et souple. Je les regardais se promener dans leurs robes poussiéreuses, discuter en fumant, rire des plaisanteries de leur compagnon, se tenant parfois par la main.

— Ça se fait beaucoup par ici, dit Miles en montrant de la tête deux messieurs âgés en burnous et babouches en cuir jaune caractéristiques de la région, main dans la main.

— La première fois qu'on est venus ici, on était un peu inquiets, ajouta Jez. On croyait que c'étaient tous des homos.

Ève éclata de rire.

— Quelle lucidité ! En tout cas, je trouve ça plutôt chouette. C'est bien que les hommes montrent leurs sentiments, qu'ils témoignent de l'affection à leurs amis et parents en public. Le monde serait beaucoup plus sympa si tous les gens se promenaient en se donnant la main.

Jez se tourna vers Miles, un sourcil levé.

— Ça te dit, une petite balade ?

— Volontiers.

Et les voilà partis main dans la main en forçant la note pour la galerie. Les gens du cru les suivirent du regard, perplexes d'abord, puis avec un large sourire. Deux gamins en maillots Manchester United, qui tapaient le ballon dans la rue devant le café où nous nous étions installés pour compulser nos guides, les montrèrent du doigt et se mirent à rire, puis les suivirent en singeant leur démarche avec une perfection troublante.

— Je ne sais pas qui se paie le plus la tête des autres, dis-je à Ève, tout en étant contente que personne ne s'offusque de voir Jez et Miles faire les pitres.

Les premières impressions de la ville me furent une agréable surprise. Je ne savais à quoi m'attendre, car toutes les photos que j'avais vues représentaient les environs et les rochers à escalader. Peut-être à un village en adobe à moitié en ruine comme celui qui se trouvait sous la Tête de Lion, pittoresque et d'un autre temps, mais la majeure partie de ce que nous avions vu de Tafraout était moderne : des petits immeubles qui bordaient la rue principale par laquelle on pénétrait dans l'agglomération en venant de la vallée, le rez-de-chaussée voué au commerce : magasins et cafés, trois mosquées et un hôtel style *kasbah* sur la colline. Nous sommes arrivés au moment où le soleil se couchait et il n'y avait pas beaucoup de femmes dehors.

— Elles sont probablement en train de faire la cuisine pour leurs hommes comme de bonnes petites femmes au foyer, dit Ève.

Quant à moi, je n'en étais pas sûre. Les rares que j'avais vues jusque-là travaillaient aux champs ou en revenaient, enveloppées de la tête aux pieds dans les robes noires traditionnelles de la région, l'étoffe drapée de manière à montrer les broderies complexes des ourlets. Elles étaient chaussées de babouches en cuir rouge et portaient de lourds fardeaux, sans doute du fourrage. Élever des bêtes dans un tel pays ne devait pas être facile. La seule végétation que j'avais aperçue le long de la vallée consistait en cactus, en palmiers dans des lits de rivière asséchés et en quelques arbres noueux que je n'avais pas reconnus, mais qui émaillaient le paysage à intervalles si réguliers et si grands que j'imaginais sous la surface l'entrelacs complexe des racines marquant leur territoire, serpentant en tous sens dans leur quête désespérée de l'eau. En dépit des signes extérieurs de modernité – pharmacies, automobiles et antennes paraboliques –, c'était de toute évidence une région à moitié désertique, rocailleuse et sèche ; il devait

110

être malaisé d'y gagner sa vie. J'avais lu dans notre guide que la plupart des hommes du coin travaillaient la majeure partie de l'année à la ville ; ils appliquaient les valeurs berbères – sagacité, détermination et solide éthique du travail – à la gestion de petites affaires prospères à Casablanca ou Marrakech et envoyaient de l'argent à la maison pour entretenir leur famille. On disait que le lion que nous avions vu dominant la vallée veillait sur leurs femmes, leurs enfants et leurs vieux parents en leur absence et j'avais remarqué en effet que la majorité des hommes ici étaient soit âgés, soit très jeunes. En ces circonstances, il fallait que les femmes soient sacrément résistantes et autonomes.

Deux d'entre elles remontaient justement la rue dans notre direction en portant un très gros panier de légumes qu'elles tenaient chacune par une anse. Elles s'arrêtèrent pour échanger des salutations avec des hommes qui se trouvaient devant la boulangerie ; l'un des plus jeunes prit la main de la plus âgée et la baisa, puis porta sa main à son cœur. C'était un geste venu droit du quatorzième siècle, qui sentait la galanterie d'antan. Je me surpris à sourire et souriais encore lorsque les deux femmes vinrent vers nous tout en bavardant. En approchant, la plus âgée marqua une pause dans sa conversation comme si elle avait senti mon regard posé sur elle, puis, de sa main libre, elle se couvrit rapidement le bas du visage de son voile, immédiatement imitée par son amie. Elles accélérèrent l'allure, passèrent devant nous en détournant la tête. J'étais obscurément déçue par cette attitude, comme si j'étais considérée comme une touriste, une intruse dans leur univers. Ce que j'étais évidemment.

Nos deux compagnons de route paraissaient mieux s'en sortir en matière de relations interculturelles. Un peu plus bas dans la rue, Jez et Miles s'étaient joints aux deux jeunes qui s'étaient moqués d'eux pour jouer au ballon, et certains des hommes plus âgés s'étaient aussi mis de la partie. Tous criaient, riaient, couraient et taclaient avec cet enthousiasme joyeux que l'on ne voit guère que chez les enfants.

— Ah, dit Ève. Le football, la langue universelle.

Nous sirotions nos cafés en jouissant de notre compagnie mutuelle tout en regardant le spectacle de la rue. De l'autre côté de la chaussée, deux chats tigrés aux yeux jaunes perçants et aux longues pattes, allongés à l'abri du store d'un salon de coiffure, faisaient de même. À quelques mètres, une grosse chienne couchée sur le flanc allaitait ses trois petits. Les gens qui sortaient de chez le coiffeur les enjambaient avec précaution, alors que j'étais sûre d'avoir lu quelque part que les musulmans n'aiment pas les chiens et les trouvent malpropres. Il y avait beaucoup de laisser-faire ; je me détendais de plus en plus et sentais la petite Isabelle lovée en moi se déplier peu à peu.

Ce soir-là, nous avons mangé dans un petit restaurant que Miles avait dégoté la première fois qu'il était venu ici ; il y avait au moins trois autres groupes de grimpeurs. Certains d'entre nous avaient déjà trouvé le bar de l'hôtel, le seul endroit en ville possédant une licence pour vendre de l'alcool, et plusieurs n'étaient pas très frais. Ça riait et criait beaucoup quand nous avons suivi en trébuchant dans l'obscurité une ruelle bordée de maisons en adobe. L'entrée du restaurant était éclairée par une lanterne très ornée et encadrée par des hibiscus et des bougainvilliers. Un soleil souriant et joufflu avait été peint sur le mur extérieur, symbole approprié de la ville et de l'attitude de ses habitants face à la vie. Miles frappa à la porte et quelques instants plus tard un homme de haute taille en robe berbère bleue et turban rouge ouvrit. Ses yeux sombres brillaient en nous embrassant du regard — une dizaine de varappeurs occidentaux débraillés en jean et polaire, qui sentaient la bière, les femmes tête nue — et je me demandais ce qu'il pensait de nous, infidèles, bruyants, sales et irrévérencieux, quand il prit Jez et Miles dans ses bras en une étreinte qui engloba Dieu sait comment le reste du groupe et déclara avec un fort accent :

— Vous êtes chez vous !

Après être entrés en troupeau, nous retirâmes consciencieusement nos boots et nos chaussures de marche et prîmes place sur les tabourets et les banquettes équipées de coussins autour de plusieurs tables rondes qu'il nous indiquait. À la lumière tremblotante des bougies qui éclairait le stuc sculpté et les brocarts de couleurs vives, nous nous régalâmes de lentilles épicées et de tigelliouin, d'un magnifique *tajïne* d'agneau aux pruneaux et aux amandes, et d'un couscous au poulet parfumé, accompagné de légumes frais et d'une sauce écarlate qui nous laissa pantois et nous incita à demander la recette.

— C'est un secret de famille, répondit-il en se tapotant l'aile du nez. Elle contient un mélange de plus de vingt épices. Si je vous disais comment elle est préparée, vous n'auriez aucune raison de revenir. Il n'y aurait plus de magie. Le mystère est très important dans la vie, non ?

Sur ce, il emporta nos assiettes vides et repartit à grands pas dans la cuisine dans un tourbillon de bleu. Nous nous sommes regardées, Ève et moi, les sourcils arqués.

— Un sacré beau mec, dit-elle.

— Superbe, ai-je reconnu pensivement.

Il y avait dans l'attitude des gens que nous avions rencontrés en quelques heures quelque chose d'indépendant, d'assuré et d'aisé qui séduisait quelqu'un comme moi, habituée que j'étais à l'arrogance des Londoniens animés d'un esprit de compétition masquant un sentiment d'insécurité et un manque de confiance profond en l'autre.

— Ne vous faites pas trop d'illusions, dit Jez en nous voyant tendre le cou pour essayer de jeter un coup d'œil dans la cuisine. Une autre vous a devancées. Nous avons fait la connaissance de sa femme l'année dernière.

La conversation tourna inévitablement autour de l'escalade et des projets pour le lendemain. La compagnie était diversifiée selon l'âge, les capacités techniques et les ambitions. Trois autres femmes, dont une quinquagénaire, les deux autres – Jess et Helen – plus jeunes et exhibant plus de chair qu'il n'était de mise, et cinq hommes, sans compter Jez et Miles : deux types dans la cinquantaine et trois jeunes cracks qui se vantaient des nouvelles voies qu'ils étaient venus ouvrir. « Des hectares de rochers qui n'ont jamais été escaladés, des dizaines de voies qui n'attendent que d'être explorées », disait le blond, comme s'il avait été à l'avant-garde d'une armée conquérante sur le point de violer les vierges de la ville.

— Tout semble un peu difficile par ici, remarqua Helen, qui se pencha vers Jez en battant des cils. Je parle des ascensions. On se demandait, Jess et moi, si Miles et toi seriez disposés à nous emmener avec vous demain, comme guides, puisque vous êtes déjà venus ? Histoire de nous familiariser un peu avec le coin.

Elle reconnut qu'elle n'avait encore jamais grimpé en extérieur. Miles eut l'air horrifié ; Jez se montra plus aimable.

— Désolé, les filles, mais demain on prend Ève et Iz avec nous. Vous devriez essayer de « faire du bloc » sur le granit ; il y a même deux ou trois voies pitonnées que vous pourriez tenter... Difficiles techniquement, mais pas dangereuses.

Helen me lança un regard assassin de femme jalouse. Je haussai les épaules – ce n'est pas mon combat, ma jolie –, alors qu'Ève jouissait de la situation.

— Oui, nous allons faire la Tête de Lion, dit-elle en posant une main possessive sur la cuisse de Jez, dont le visage se figea dans sa tentative de ne pas trahir une réaction.

Quelqu'un eut pitié des deux filles, un quinquagénaire à lunettes, le visage pâle et l'air lugubre, qui était accompagné de son épouse, la femme à cheveux gris et courts, et de son beau-frère.

— Nous allons grimper juste au-dessus d'Oumesnat demain, dit-il à Helen. Il y a là une paroi qu'on peut escalader avec une seule longueur de corde et des tas de voies faciles. Vous pouvez venir avec nous, si ça vous tente.

Je voyais bien que Helen n'allait pas renoncer sans lutter, mais heureusement notre conversation fut interrompue par le patron du restaurant, qui apportait une théière en argent et une dizaine de verres sur un grand plateau. Il était suivi d'une blonde en tunique marocaine et jean, qui sourit, amusée par notre sur-

114

prise en voyant une Européenne sortir d'une cuisine berbère et non l'une de ces omniprésentes femmes en robe noire. Il versa le thé à la menthe d'un grand geste et de très haut, si bien que le liquide ambré moussa dans les petits verres décorés qu'elle nous distribua avec de délicieux biscuits aux amandes. En arrivant à moi, elle s'arrêta net.

— Comme c'est beau ! Où l'avez-vous acheté ?

J'avais oublié que je portais l'amulette ; les varappeurs étaient bien trop intéressés par leur sport pour y avoir prêté attention. Je passai les doigts dessus ; elle me parut soudain chaude au toucher, comme si elle avait absorbé la chaleur des bougies et des aliments et l'avait accumulée dans ses disques de verre rouge.

— Oh, non. C'est... un cadeau.

— Vous savez quelque chose d'elle ?

— Un petit peu, répondis-je prudemment.

— On dirait un Moack, remarqua Jez en souriant. Tu ne trouves pas, Miles ?

Miles fit la grimace, pas du tout intéressé par la question.

— Qui grimpe avec des Moack de nos jours ? C'est des antiquités.

— Mon père m'a donné le sien. Le meilleur anneau de sangle que j'aie jamais eu, dit Jez tout content.

La femme du restaurateur sourit.

— Je doute qu'il ait été façonné à Sheffield, dit-elle malicieusement, ayant reconnu son accent. On dirait que ça vient du désert ou du moins que ça a été inspiré par le travail des gens du désert. Tafraout est sur l'ancienne route commerciale qui menait du désert vers Taroudant et la côte. On trouve beaucoup d'influences méridionales dans les bijoux faits ici.

— Du désert ? Vous êtes sûre ?

Elle rit.

— Non, pas vraiment. Je ne suis pas experte. Mais vous devriez vous renseigner. Mhamid a des colliers similaires à son éventaire du souk. Houcine aussi. Vous devriez leur poser la question si vous voulez en apprendre davantage.

Son mari la rejoignit et me fixa de ses vifs yeux noirs.

— C'est à Taieb que vous devriez parler. Mon cousin. Il est expert en antiquités et a une affaire à Paris, mais il est en vacances à Tafraout en ce moment. Je peux vous arranger un rendez-vous si vous voulez.

— Non, non, merci. C'est très aimable à vous, mais non, dis-je, troublée.

Il haussa les épaules et continua à verser le thé. Je sentais qu'on me regardait, je sentais le poids des regards sur moi, sur mon collier. Je déglutis rapidement et fermai les yeux. La panique enflait en moi comme une vague noire, pire que celle qui m'avait envahie au cours de n'importe laquelle de mes tentatives d'ascension, pire que la fois où j'étais à mi-hauteur de Bubble Memory, coincée au milieu de la paroi de calcaire délité avec des prises qui ne tenaient pas et mon seul anneau de sangle apparemment bon qui avait fichu le camp. La bile me monta à la gorge. Je l'avalai et me forçai à respirer régulièrement. Rentre dans ta boîte, ordonnai-je à la panique d'un ton féroce. Retourne à ta place, au fin fond de mon esprit où j'entasse les choses qui ne doivent pas en sortir. J'entourai l'amulette de ma main et la sentis battre avec mon pouls, de plus en plus lentement. Quand je rouvris les yeux, je constatai que personne ne me regardait, pas même Ève. Surtout pas Ève : elle buvait comme du petit-lait chaque parole de Jez, penchée vers lui, la bouche ouverte, les yeux brillant d'une telle ferveur que je me détournai. Un peu comme si j'étais tombée sur eux en pleins ébats. Je me sentis obscurément honteuse et consternée, comme si j'avais été responsable d'elle. Je glissai l'amulette sous mon pull et m'efforçai de me concentrer pour reprendre le fil de la conversation.

Cette nuit-là, je dormis mal, réveillée plusieurs fois par les aboiements lugubres des chiens errants et l'appel à la prière du muezzin avant l'aube. Couchée sur mon lit étroit, j'écoutais Ève respirer paisiblement de l'autre côté de la chambre. Des lambeaux de rêve voltigeaient à la lisière de ma conscience. J'avais beau essayer d'en reprendre le fil, il réussissait à m'échapper et me laissait une vague sensation de terreur, comme si quelque chose d'affreux venait de se produire juste hors de ma vue, quelque chose lié à mon destin, un avertissement ou une prémonition.

11

Assise sur ses talons dans l'abri en branches de palmier un peu à l'écart du camp, Mariata regardait les mains habiles de l'enad travailler le morceau de fer au-dessus d'une flamme si chaude que son cœur semblait blanc. Le marteau se levait et s'abattait à un rythme qui l'assoupissait à moitié. Il y avait là quelque chose de primitif qui la fascinait – qui, en vérité, la fascinait tout en lui inspirant de la répulsion, effets contradictoires que l'enad exerçait sur elle également. Alors qu'elle avait passé de longues semaines dans son nouveau foyer et était venue presque chaque jour à la forge voir l'enad travailler, Mariata ne savait toujours pas que penser de Tana aux grandes mains, aux seins petits mais incontestablement féminins, qui laissait son voile flotter et s'habillait en homme. Il était proscrit pour une femme de travailler le métal sur le feu, proscrit aussi de venir ici comme Mariata le faisait, mais Tana n'était pas une femme ordinaire, et Mariata non plus. L'enad et son travail faisaient résonner quelque chose au plus profond d'elle-même. Trouvait-elle une similitude entre sa poésie et la façon dont Tana façonnait le fer et l'argent, martelait, s'exclamait devant des imperfections et attaquait le métal à petits coups furieux jusqu'à ce qu'il se plie à sa volonté? Ou bien s'identifiait-elle à cette personne qui avait un pied dans la tribu et l'autre en dehors? Il était possible aussi qu'après les longues heures passées au côté d'Amastan, elle éprouvât le besoin de chercher quelqu'un qui communique avec les esprits et comprenne les tensions épuisantes induites par cette tâche. Ou peut-être était-ce parce qu'elle sentait qu'elle pouvait relâcher les esprits captifs dans le feu de l'enad. La pièce de métal à laquelle Tana travaillait se révélait à l'évidence plus récalcitrante que les autres. L'enad la saisissait de temps à autre avec ses pinces fines et l'examinait d'un œil critique, la lueur du foyer ajoutant un lustre rouge effrayant aux aplats de ce visage sévère. C'était une clef, grande comme la main, dentelée et incisée sur toute sa longueur ; une fois finie, elle correspondrait à la serrure ouvragée que Tana avait fabriquée la veille et qui devait servir à fermer le grand coffre en bois contenant les trésors du chef de clan. L'enad la tenait maintenant devant son visage et regardait Mariata à travers le cercle ajouré à son extrémité, cercle symbolisant le monde. À l'autre extrémité, la clef se terminait en un croissant qui représentait l'infini du ciel.

— Est-ce qu'il t'a déjà dit quelque chose ?

Mariata se sentit rougir. Elle baissa les yeux vers la pièce qu'elle tripotait, pièce en argent provenant d'un tas d'autres semblables que l'enad fondrait pour répondre à la commande de bijoux qu'on lui avait passée.

— Ce matin, quand je lui ai apporté sa bouillie de flocons d'avoine, il a parlé.

Ce qu'elle n'avoua pas à Tana, c'est qu'Amastan avait accompagné ces premières paroles qu'il lui avait adressées directement – car elle ne pouvait compter pour des paroles ces accès de colère ou de peur semblant jaillir de quelque coin sombre de sa mémoire, déclenchés par un passage de ses poèmes ou un de ses mouvements, accès qui souvent la terrifiaient et la faisaient fuir – d'un léger contact sur le dos de sa main qui l'avait transpercée comme l'éclair. Le visage impassible de Tana ne trahit pas la moindre réaction.

— Es-tu certaine que c'est Amastan qui a parlé et non les esprits qui l'habitent ?

Mariata retourna la pièce et concentra furieusement son attention sur elle. Après l'avoir regardée un moment, elle se rendit compte qu'elle n'avait pas sous les yeux une combinaison aléatoire de lignes et de gravures, mais un motif, la représentation de choses de ce monde, et non du métal mort. Les ramages insérés dans les tapis et les châles étaient tout autres : les textiles provenaient d'êtres vivants, de la laine des moutons et des chameaux ou du coton des plantes qui poussaient près des rivières, alors que les images représentées sur du métal avaient quelque chose de répréhensible. Elle retourna la pièce par deux fois. D'un côté apparaissait un aigle à deux têtes aux ailes déployées, aux rémiges écartées en éventail comme des doigts ; au revers, on voyait le profil d'une personne assez grasse, de sexe indéterminé, dont la tête effleurait d'étranges symboles bordant la pièce.

— Qui est-ce ? demanda-t-elle en montrant la pièce à Tana. Un homme ou une femme ?

Tana plissa les yeux.

— C'est important de le savoir ?

Mariata n'avait encore jamais vu de représentation visuelle réaliste d'une personne ni d'aucun être vivant. Ceux qui adhéraient à la religion nouvelle disaient qu'il était blasphématoire, irrévérencieux, d'imiter les œuvres d'Allah ; même les dessins de leurs tapis étaient stylisés à l'extrême : triangles pour les chameaux, losanges pour le bétail, cercles en pointillés pour les grenouilles, qui incarnaient la fertilité. Elle n'avait jamais vu quoi que ce soit de suffisamment détaillé pour distinguer les boucles de cheveux ou le drapé d'une robe tombant sur l'épaule. Elle examina le disque d'argent de plus près. Les signes sur le pourtour ne ressemblaient en rien au *tifinagh*, et cependant elle avait la certitude qu'ils constituaient un langage. Même si elle ignorait d'où lui venait cette certitude.

— Peut-être, répondit-elle enfin. De la simple curiosité. Je voulais seulement savoir.

L'enad arbora un large sourire, mais son regard resta froid.

— Tous veulent savoir. Est-ce un homme ou une femme ? C'est toujours la question que je sens suspendue à leurs lèvres, qu'ils ont au bout de la langue comme la vibration d'une guêpe imbue de sa propre importance. Comment savoir ? En se faufilant dans sa tente nuitamment pour voir quand elle se déshabille quels organes elle possède ? En la bousculant mine de rien dans la foule pour deviner à travers ses vêtements ?

Mariata était consternée.

— Désolée, ce n'est pas du tout ce que je voulais dire. Je voulais seulement savoir pourquoi quelqu'un est représenté sur cette pièce et qui cela peut être.

— La pièce est un thaler et la femme dont on voit le visage s'appelait Marie-Thérèse. C'était une grande reine. La pièce a été frappée pendant son règne au dix-huitième siècle, selon la façon dont les chrétiens comptent les années.

— Je n'avais jamais entendu parler d'elle.

Tana éclata de rire et ses lourdes boucles d'oreilles en argent tournoyèrent, accrochant le soleil.

— Ah, la descendante directe de Tin Hinan croit donc qu'il n'y a qu'une grande reine, n'est-ce pas ? Tu apprendras, Mariata du Hoggar, qu'il y a beaucoup de reines en ce monde et beaucoup de pays au-delà de ceux que tu connais. C'était plus qu'une reine : une impératrice, celle du Saint Empire romain germanique, reine de Hongrie, de Bohême, de Croatie et de Slavonie, archiduchesse d'Autriche, duchesse de Parme et de Plaisance, grande-duchesse de Toscane, mère de Marie-Antoinette, la reine de France et l'épouse de Louis XVI, qui fut décapitée par son peuple.

Mariata n'avait entendu parler d'aucun de ces pays en dehors de la France ; leurs noms lui entrèrent par une oreille et sortirent par l'autre, mais à la mention du dernier détail, elle regarda Tana avec horreur.

— On lui a coupé la tête ?

— Avec une guillotine : un grand couperet suspendu à des cordes, qu'on laisse tomber à toute vitesse, expliqua Tana en imitant la chute de la lame d'un geste si brusque que Mariata sursauta.

— Mais si la tête et le corps sont séparés dans la mort, l'âme erre pour toujours. Les Kel Assouf s'en emparent et elle devient l'un d'eux, elle fait partie de Ceux du Désert.

Il n'y avait pas de pire destin. Elle frissonna à cette pensée et à l'idée qu'une chose aussi horrible puisse arriver à une femme qui avait été la fille d'une grande reine. Elle sentait presque le métal froid de la lame sur son cou…

— C'étaient des gens cruels, dit-elle.

Tana pencha la tête de côté et répondit après un instant de réflexion :

— Le monde est plein de gens cruels qui donnent toute satisfaction aux Kel Assouf.

— Comment le sais-tu ?

— Crois-tu que j'aie vécu ici toute ma vie ? J'ai voyagé, plus loin que tu ne l'imaginerais.

— Je pensais que tu étais chez toi ici.

— Les inadan ont toujours voyagé. Nous sommes les porteurs de nouvelles et les messagers des Kel Tamazight autant que des forgerons. Nous sommes dépositaires du savoir des tribus et savons ce qu'elles ne souhaitent pas savoir elles-mêmes.

Ne sachant trop que penser de cette dernière déclaration, Mariata demanda :

— As-tu suivi la route du sel ?

Tana prit sa lime et la passa sur une aspérité de la clef.

— Oui, littéralement et symboliquement, dit-elle, avec un sourire en coin empreint d'ironie. Mon père était un forgeron itinérant qui accompagnait souvent les caravanes, ma mère, une esclave de cette tribu. Au début, on m'a traitée comme un garçon. Peut-être ne connaissaient-ils même pas mon secret : ma mère veillait à bien me couvrir et m'appelait fils. Qui eût mis en doute la parole d'une mère ? J'ai appris mon métier auprès de mon père et j'ai aussi voyagé avec lui. Avec l'*azalay*, j'ai traversé le Djouf, rapporté le sel de Taoudenni dans l'Adagh, l'Aïr et même dans le Hoggar, ta patrie. Puis j'ai commencé à avoir mes menstrues et ma poitrine s'est mise à pousser.

Mariata se pencha pour mieux écouter, fascinée maintenant.

— Qu'as-tu fait alors ?

— Pour commencer, j'ai noué des chiffons autour de mon entrejambe. Je n'urinais que lorsque j'étais seule. Je ne laissais voir mon corps à personne. Ce n'était pas difficile : dans le désert, personne ne se lave ni ne se déshabille. Mais ensuite, je suis tombée amoureuse d'un caravanier.

— Tu le lui as dit ?

La lime continuait de grincer.

— Quoi ? Que je l'aimais ? Ou que je n'étais « pas comme les autres hommes » ? Et pas comme les autres femmes non plus, d'ailleurs, ajouta-t-elle après une brève pause. Non, je ne lui ai dit ni l'un ni l'autre, mais je lui ai suffisamment fait les yeux doux pour qu'il m'évite à la nuit tombée. Pendant tout ce long voyage, alors même que le soleil me brûlait et qu'il n'y avait pas assez d'eau pour tout le monde, ce n'était pas de chaleur ou de soif que je me mourais, mais d'amour. Chaque fois que je le regardais et qu'il détournait les yeux, c'était comme si on m'avait percé le cœur d'un coup de dague. Quand il riait avec les autres et se taisait à mon passage, je pleurais dans mon for intérieur. Lorsque nous sommes arrivés à son village, il a annoncé qu'il allait se marier avec sa cousine ; je suis partie dans le désert, je me suis couchée par terre et j'ai supplié Allah qu'il m'envoie la mort. *Baghi n'mout*, lui ai-je dit. Je suis prête, mon heure est venue. Mais il n'a pas exaucé ma prière et je suis toujours là… et assez heureuse à ma manière. J'ai accepté ma place dans le monde et l'idée que je ne serai jamais le mari ou la femme de quelqu'un. Mais, même ainsi, sache que je comprends ce que veut dire aimer un homme.

Mariata avait le sentiment d'être pareille à ce verre de couleur que l'enad enchâssait dans ses créations : transparente sous son œil d'aigle. Son cœur se mit à battre très vite, elle sentit son pouls battre autour de la pièce qu'elle serrait dans son poing.

Tana posa la clef et la lime.

— Un amour aussi ardent n'est jamais une bonne chose, mon petit. Le désert se trouve hors de nous ; pourquoi l'y faire entrer ?

— Il a besoin de quelqu'un qui l'aime, répondit Mariata sans la regarder.

— Sa mère l'aime assez sans qu'il ait besoin de quelqu'un d'autre, rétorqua Tana d'un ton pince-sans-rire.

— Elle a traversé le Tamesna pour venir me trouver, parce qu'elle pensait que je pouvais être utile à Amastan. Je dois faire en sorte qu'il aille mieux, je le dois ! Et il ira mieux, je le sais.

— Tu es très jeune et les jeunes n'écoutent jamais leurs aînés, surtout pour les questions de cœur, fit Tana en secouant la tête. Tu as sans doute entendu les rumeurs, j'en suis certaine. Ce n'est pas que je sois partisane des rumeurs ; Dieu sait que j'en ai été suffisamment l'objet au cours de ma longue vie, mais ce que je veux dire, mon petit, c'est que tu dois te méfier d'Amastan. Il porte sur lui l'odeur de la mort. Il ne fait pas l'effet d'être un homme qui a de la chance ni qui porte chance à ceux qui le côtoient.

Les cheveux de Mariata se dressèrent sur sa nuque.

— Tu dois te demander pourquoi les esprits le suivent, continua l'enad. Le hantent-ils à cause des vies qu'il a pu prendre ou de celles qu'il n'a pas encore prises ?

Mariata la fixait du regard, consternée. Elle ne pouvait croire que c'était un meurtrier, elle ne le pouvait pas.

— Amastan est assailli par les esprits, c'est vrai ; ils envahissent ses rêves. Mais ce n'est pas de sa faute, dit-elle d'un ton ferme. Ils se rassemblent autour de la chose qu'il serre dans sa main droite.

— As-tu vu ce que c'est ?

— Une amulette. Et il y a du sang séché dessus.

L'enad émit un petit sifflement, mais peut-être était-ce seulement le jaillissement soudain d'une flamme dans le feu. Puis elle dit :

— Lorsqu'il est arrivé ici, il avait en lui beaucoup de son père, beaucoup de colère, une langue de vipère. C'est difficile de se défaire de la première impression laissée par quelqu'un. J'aurais dû l'aider quand il est venu me voir avec cette amulette. Toutes les actions ont des conséquences dans la vie ; elles reviennent vous hanter par la suite.

D'un coffret en cuir tout simple, Tana tira un sachet fermé par un cordon noir et le suspendit au cou de Mariata. Il s'en dégageait une déplaisante odeur de moisi et quand Mariata dénoua légèrement la cordelette pour regarder ce qu'il contenait, elle crut voir une patte de poulet ainsi que d'autres choses moins aisément identifiables.

— Ce gri-gri te protégera des effets de ce que nous allons tenter, déclara Tana. Mais je compte sur toi pour ne jamais raconter ce que tu vas me voir faire aujourd'hui. C'est déjà assez difficile d'être un forgeron qui n'est pas vraiment un homme. Inutile qu'en plus on m'accuse de sorcellerie.

— Tu es une sorcière ? demanda Mariata avec des yeux ronds.

— Pas vraiment, mon petit, non. Je fais de la divination, je parle avec les esprits de temps à autre. Mais certains dans cette tribu y trouveraient peut-être prétexte à me chasser, alors que je ne suis qu'une faible créature.

Avec ses bras musclés à force de manier le marteau, ses grandes mains et sa haute taille, sans parler de ses yeux marron doré si vifs, l'enad ne donnait pas du tout l'impression d'être faible à Mariata.

— Viens, allons rendre visite à Amastan et je verrai ce que je peux faire.

Lorsqu'il les vit arriver, Amastan rajusta son turban et s'adossa à la paroi de son abri. Avec un air de chien battu, pensa Mariata. À leur approche, il ne quitta pas des yeux le visage de Tana.

— Amastan ag Moussa, il est temps de te défaire de l'amulette, dit l'enad en allant à lui, la main tendue, paume ouverte.

Amastan écarquilla démesurément les yeux, puis il pressa sa main droite fermée contre sa poitrine tout en serrant de la gauche son turban sur son visage comme pour se protéger de l'enad. Ils restèrent ainsi sans bouger pendant un bon moment. Tana se mit alors à psalmodier dans une langue que Mariata ne comprenait pas, bien qu'elle entendît répéter sans cesse le nom d'Amastan. Puis, elle sortit de dessous sa robe une pièce d'argent suspendue à un long cordon et commença à la faire osciller devant lui. Il la suivit du regard, l'attention captée par le mouvement du pendule.

Cela dura si longtemps que Mariata commença à avoir la tête qui tournait. Puis Tana interrompit son incantation et dit :

— C'est l'amulette qui te retient ainsi prisonnier, Amastan ag Moussa. Il te suffit de t'en dessaisir. Les esprits qu'elle renferme doivent être libérés : il est aussi cruel pour eux d'être retenus que pour toi de les retenir. Je ne te demande pas de me la donner ; je sais que tu as peur de moi, comme les esprits que tu gardes. Mais peut-être accepteras-tu de la céder à quelqu'un qui t'a ouvert son cœur, poursuivit-elle en faisant signe à Mariata d'approcher. Défais-toi de l'amulette, Amastan ag Moussa. Laisse Mariata oult Yemma, dernière-née de la lignée de Tin Hinan, te la prendre. Pose l'amulette dans sa main. Allez !

Une lourde atmosphère pesa quelques instants entre eux. Puis, tel un homme en train de rêver, Amastan ouvrit le poing et tendit le talisman.

— Prends-la, Mariata, la pressa Tana à voix basse sans cesser de faire osciller le pendule ni quitter Amastan des yeux. Prends-la-lui, dépêche-toi. Tu es protégée contre les esprits, je te l'assure, mais il n'y a que toi qui puisses le faire. Il existe entre vous un lien de confiance.

Mariata hésita. Et si les esprits sortaient de l'amulette et l'engloutissaient ? Ne serait-elle pas hantée par eux toute sa vie ? Ne deviendrait-elle pas folle, une paria, condamnée à vivre en marge de la société, exilée dans une pauvre cabane pareille à celle-là, comme un chien malade ? Elle chassa cette pensée : il était en son pouvoir de sauver Amastan. Tana l'avait dit et, en dépit de son étrangeté, elle avait confiance en l'enad. Elle posa un genou à terre devant Amastan et prit prestement l'amulette accrochée à un long cordon enfilé de perles noires luisantes. Elle la sentit un moment palpiter dans sa paume, comme si le pouvoir que possédait le talisman passait d'Amastan à elle, puis le lien fut rompu.

Le regard hypnotisé du jeune homme passa du pendule à Mariata. Elle le vit froncer les sourcils et baisser les yeux vers sa main vide, où l'amulette avait laissé une profonde empreinte. Ses sourcils se froncèrent davantage. Puis il releva la tête, détourna les yeux de Tana et fixa Mariata du regard. Il pencha la tête de façon que Tana ne puisse le voir et laissa tomber le pan de son turban. C'était la deuxième fois de sa vie que Mariata voyait le visage nu d'un homme adulte, mais le geste d'Amastan était empreint de vulnérabilité, un présent qu'il lui faisait, rien à voir avec le mépris arrogant des convenances manifesté par Rhossi. Il ne ressemblait d'ailleurs guère à son cousin : son ossature était plus élégante et, au-dessus de sa barbe en bataille, les joues étaient légèrement colorées de bleu. Voilà un homme qui avait voyagé au loin, ballotté par les vents du désert, protégé par un taguelmoust dont l'indigo avait déteint sur la peau. Puis il inclina la tête, passa la main sur son visage pour sentir ces poils rêches auxquels il n'était pas habitué, et posément se voila à nouveau la face.

— Veux-tu demander à ma mère de me faire porter mon rasoir et une cuvette d'eau afin que je voie qui je suis maintenant ? demanda-t-il au bout d'un moment. Tu peux lui assurer que je ne m'en servirai pas pour me trancher la gorge.

Ce jour-là, Amastan regagna le sein de la tribu, quoiqu'il restât souvent seul et n'échangeât que quelques mots avec les autres hommes. Au début, on avait tendance à l'éviter, on lui lançait des regards en coin quand on était certain qu'il ne les voyait pas. Sa mère le traitait comme un invalide en train de se rétablir ; elle lui apportait une nourriture spéciale et mettait de côté de la viande à son intention. Elle chantait les louanges de Mariata, grâce à qui, pensait-elle, son fils avait miraculeusement retrouvé sa vraie personnalité. Mariata ne savait que dire ; elle ne pouvait raconter à Rahma ce que l'enad avait fait. Elle-même ne le comprenait pas vraiment et se demandait si Tana avait recouru à quelque étrange magie, si les esprits étaient partis de leur propre gré, si le fait de se dessaisir de l'amulette avait effectivement permis à Amastan de recouvrer sa santé mentale ou s'il avait tout simplement décidé, pour une raison connue de lui seul, de mettre fin à cette période de solitude, longue et inquiétante. Elle se contentait donc de sourire et disait combien elle se réjouissait qu'Amastan aille de nouveau bien et d'avoir pu se rendre utile.

— Reste avec nous aussi longtemps que tu veux, lui dit Rahma, comme si d'autres possibilités s'offraient à elle. Je te considère comme ma fille.

— C'est très gentil à toi, répondit Mariata à cette invitation, mais sans regarder son aînée dans les yeux, car elle ne souhaitait pas du tout être comme une sœur pour Amastan.

Elle portait son amulette, lavée de son sang, sous sa robe, contre son cœur.

12

Les visions cauchemardesques qui m'avaient tourmentée pendant mon sommeil la première nuit à Tafraout ne me quittèrent pas, fugitives et déplaisantes, au cours des deux pénibles heures de marche qu'il nous fallut pour arriver au pied de la Tête de Lion. Les quatre heures suivantes, alors que nous escaladions par équipes de deux – Miles et moi, suivis de Jez et Ève – les trois cents mètres de la paroi, je passai d'une longueur à la suivante plus prudemment qu'à mon habitude, harcelée par ces rêves perturbants. Je posais le pied avec une précision exagérée, vérifiais consciencieusement chaque prise avant d'y peser de tout mon poids, renforçais chaque assurage de la manière la plus orthodoxe qui soit et contrôlais les nœuds et les boucles des harnais avec un soin si névrotique que Miles bouillait d'impatience, je m'en rendais bien compte. Étant donné les conditions, il aurait visiblement préféré grimper seul avec Jez, rapidement, à la manière alpine. Il avait cependant de la chance : du moins me hissais-je toute seule, grimpais-je en tête alternativement avec lui et remplissais-je mes obligations de coéquipière avec une certaine efficacité. Étant la plus lente et la moins expérimentée de nous quatre, Ève ne fut à aucun moment première de cordée, aussi Jez devait-il prendre la tête à chaque longueur, ce qui l'obligeait à installer les cordes dans les ancrages, processus lent et fastidieux, car elles s'emmêlaient inévitablement. Miles marmonnait et jurait dans sa barbe depuis deux longueurs de corde, alors que le temps était magnifique et l'ascension sûre – pour la majeure partie –, et attrayante. Lorsque nous atteignîmes le passage clé, une traversée sous un grand surplomb, longue saillie transversale de rocher instable dont les couches supérieures se desquamaient en raison de leur exposition à la chaleur et au froid, il la parcourut en crabe avec impatience, sans s'arrêter pour mettre en place du matériel en vue de m'assurer lorsque je passerais à mon tour. Je laissais filer les cordes avec colère. Les longues traversées comme celle-là sont aussi dangereuses pour le second que pour le premier de cordée. Si on fait une chute sur une longueur de corde verticale, celle-ci est toujours au-dessus de nous et, au pire, on ne tombe que d'un mètre ou deux, alors que si on chute en étant second sur une traversée, on dégringole dans un mouvement de balancier depuis l'endroit où on a perdu pied jusqu'à celui qui se trouve en dessous du point où le premier de cordée s'est assuré. De là où j'étais, cela représentait une bonne vingtaine de mètres. Sans pouvoir m'en empêcher, je jetai un coup d'œil en contrebas, ce que je faisais d'ordinaire sans éprouver de terreur insurmontable ; je me rendis compte que la traversée était elle-même en devers et que si je m'engageais là-dedans, j'allais avoir un vide de près de cent mètres sous les pieds. Telle était du moins mon estimation car c'était impossible à calculer. Je ne voyais que les taches vertes des arbres qui se détachaient sur le sol rocailleux rose orangé et, plus bas encore, de minuscules points noirs pareils à des fourmis, probablement des chèvres. Je levai les yeux, mais Miles était maintenant hors de vue ; il avait franchi le bord de la saillie et la corde s'était immobilisée. Je regardai sur ma gauche. Beaucoup plus bas, j'aperçus le bandana bleu de Jez qui montait par à-coups. Ève était encore invisible en raison de la courbure de la falaise. J'étais livrée à moi-même. La tentation était grande d'attendre que Jez atteigne la saillie d'assurage ; je me sentais seule dans l'ombre froide et ténébreuse du surplomb, un endroit angoissant dans le meilleur des cas, qui l'était d'autant plus à la perspective de ce qui m'attendait. Cependant, au bout de deux ou trois minutes, les cordes furent agitées de trois secousses successives, signal que Miles était arrivé en lieu sûr et avait trouvé un point d'ancrage. Je détachai les rappels et les regardai onduler le long de la paroi jusqu'à ce qu'ils se tendent sur mon baudrier. Cela voulait dire que Miles m'avait assurée. Les mains tremblantes, j'enlevai le matériel avec lequel j'avais mousquetonné notre relais et donnai à mon tour une secousse à la corde. *Prête à grimper*. Je touchai mon amulette, que j'avais accrochée pour me porter chance au dos de mon baudrier, où elle ne risquait pas d'être abîmée, et entamai la traversée. Je fis deux premiers pas chancelants, me sentant très exposée au danger. La corde était déroulée dans toute sa longueur : un faux mouvement et j'allais me balancer le long de la paroi en faisant une chute de premier de cordée qui, au mieux, m'arracherait la peau des mains et du visage, et, au pire, appliquerait une telle force sur l'ancrage qu'elle nous ferait faire le plongeon à tous les deux. Le tremblement de mes mains se propagea aux muscles de mes avant-bras, puis à mes cuisses et mes genoux. J'étais en équilibre sur moins d'un centimètre de roche délitée, sans prise manuelle, les paumes appuyées à la paroi de quartzite : situation pour le moins précaire. Trouve une prise, Izzy, me dis-je. Tu es attachée à une corde et tu ne mourras pas.

Mais je pourrais…

J'effectuai un autre déplacement latéral, collée au rocher. Toujours pas de prise convenable. Autre mouvement : l'orteil dans une fissure. Un petit bout de roche céda sous la pression de mon pied et dégringola le long de la paroi. Je l'entendis rebondir – *tic, tic, tic* –, puis plus rien, quand il tomba dans le vide. Je tremblais comme une feuille.

Trouve une prise, bon Dieu. Ce n'est qu'une 5a.

Je baissai les yeux, posai le pied gauche aussi fermement que possible pour déplacer le droit et tendis le bras. Rien, ou pas grand-chose. Mais il fallait s'en contenter. Tout mon corps tremblait, dans l'expectative, tandis que je m'apprêtais à transférer mon poids d'un pied sur l'autre et c'est alors que je vis les cordes. Elles pendillaient en une grande boucle entre moi et mon assureur invisible ; ennuyé et contrarié, Miles n'avalait pas leur mou aussi vite qu'il aurait dû. Je lui criai : « Sec ! » mais le mot tomba dans le vide, comme la pierre. De toute façon, une corde tendue me déséquilibrerait, me rappelai-je. Je pris une profonde inspiration pour me calmer et déplaçai mon poids vers la droite…

Un morceau de quartzite de la taille d'une brique se détacha sous mon pied et je tombai contre la paroi, trop vite pour crier ou sentir pleinement la douleur en me cognant la cheville ici, la joue, le nez, la hanche, le genou, le front là, à nouveau la cheville… Un cri désincarné retentit, perçant et hallucinatoire, très loin en contrebas ou bien dans ma tête ? Je ne pouvais le dire. J'attendis le grand plongeon alors que la roche se dérobait sous moi, mais, sur une secousse qui faillit me démettre la hanche, la chute s'arrêta. J'étais suspendue de biais, le visage tourné vers le bas. Très étrange. Si les cordes avaient arrêté ma chute, j'aurais fait face à la paroi ou lui aurais tourné le dos, mais je n'aurais pas été pendue selon cet angle bizarre. Je levai les yeux. Tout là-haut, les cordes, d'un rose et d'un bleu criards, pendillaient mollement le long de la roche de quartzite d'un rouge profond, insoucieuses de mon sort. Je restai comme j'étais, craignant de faire un mouvement, osant à peine respirer. Ce n'était donc pas la corde qui me retenait, mais mon baudrier. Une de ses boucles s'était probablement accrochée à un becquet. La panique me reprit : les boucles n'étaient pas faites pour résister à un tel choc ; celle qui me retenait pouvait lâcher d'un moment à l'autre, je serais précipitée dans le vide et ce serait la fin.

Je tournai lentement la tête pour examiner ce qui m'avait arrêtée dans ma chute. J'avais la vue trouble, le crâne qui bourdonnait à la suite des coups qu'il avait reçus. Pendant quelques instants, à demi consciente, je n'en crus pas mes yeux. C'était incroyable. Apparemment, l'amulette s'était coincée dans une fissure et j'étais suspendue à son cordon de cuir, fixé à une boucle de mon baudrier par un petit mousqueton. Je regardai sans y croire le résultat de cette improbable combinaison de cause, d'effet et de chance. Puis, compulsivement, je me tournai pour chercher une prise, une saillie pour les pieds afin de soulager de mon poids ce fragile point de contact. Dieu merci, je la trouvai. À l'instant même où je poussais un soupir de soulagement, le cordon de cuir qui retenait l'amulette cassa net. Je plaquai mon visage à la paroi, le cœur battant si fort qu'il donnait l'impression de pouvoir me faire lâcher prise.

Le danger ne tarda pas à m'éclaircir les idées. J'enfonçai rapidement un piton dans une anfractuosité de roche, passai deux fois un anneau de corde à travers la boucle de mon baudrier et le fixai, puis fermai le mousqueton. Cela me donna le courage de regarder à nouveau l'amulette. Elle était coincée à son point le plus large, réfléchissant le soleil. Elle semblait avoir été faite en prévision de cet incident. Mais la force de la chute l'avait déformée : elle était tordue, l'air bizarre. Il n'y aurait sans doute jamais moyen de la sortir de là. J'allais devoir l'y laisser en guise de sacrifice, de remerciement à la Tête de Lion, qui avait une fois de plus accordé sa protection à une femme. Je tendis la main pour en caresser le bord une dernière fois et elle tomba dans ma paume.

Toute tremblante, je la glissai dans une poche de mon pantalon de varappe et tirai la fermeture éclair. Puis, chassant ma peur avec détermination, j'enlevai le mousqueton et grimpai vers Miles le cœur battant comme un oiseau en cage. Il était beaucoup plus facile de grimper que d'effectuer une traversée, même en dépit de la douleur. Lorsque j'apparus par-dessus le bord de la saillie où il s'était vaché[2], il était encore en train de ramener la corde à toute vitesse.

— Doucement, dit-il. J'arrive à peine à suivre ton rythme.

Il soufflait comme un bœuf pendant qu'il me mousquetonnait au point d'ancrage, puis il me regarda vraiment pour la première fois.

— Bon sang, tu t'es vue ? Qu'est-ce qui t'est arrivé ?

Je portai la main à mon visage et la retirai maculée de sang. Je me rendis soudain compte que j'avais très mal un peu partout.

---

2. Se vacher : s'auto-assurer à un relais.

— Oh…

Les mots ne venaient pas. Je baissai les yeux, les tempes battantes après l'effort. Du sang suintait à travers mon pantalon à hauteur du genou, mais bien que la rotule me fît mal, je savais d'instinct que ce n'était pas ma blessure la plus grave. Maintenant que la poussée d'adrénaline provoquée par la chute et le besoin désespéré d'atteindre la sécurité du point d'assurage ne se faisaient plus sentir, je percevais une douleur sourde de mauvais augure dans la cheville gauche. Je remontai avec précaution la jambe de mon pantalon pour examiner les dégâts. La cheville était enflée et la chair débordait monstrueusement par-dessus mon chausson d'escalade. Prise d'une envie de vomir, je constatai subitement que je ne pouvais plus m'appuyer dessus. Miles avait l'air horrifié.

— Mais comment tu t'es fait ça, bon Dieu ? Comment as-tu pu grimper cette longueur dans cet état ? Tu arrives à la bouger ?

Il fixait des yeux l'articulation lésée, mais ne fit rien pour l'examiner de plus près. Je le vis détourner le regard vers la haute paroi irrégulière en contrebas et sus qu'il prévoyait déjà les difficultés de la descente, handicapé par une blessée. Il passa la main sur son visage, geste qui signifiait clairement : « Ce n'est pas du tout à ça que je m'étais engagé. »

— Je vais la bander, dis-je d'un ton brusque, furieuse de m'être fourrée dans une telle situation et mise à la merci d'un inconnu. Je vais la bander et je mettrai ma chaussure de marche pour la soutenir.

Miles tira sur sa lèvre, sceptique.

— Je ne suis pas sûr que ce soit le mieux.

Il semblait ne pas savoir quoi faire. Puis il rajusta son assurage et traversa le bouclier rocheux jusqu'à l'endroit d'où il pouvait suivre la progression de l'autre cordée. Là où il aurait dû tout de suite s'assurer, de façon à pouvoir surveiller comme il fallait sa grimpeuse, pensai-je avec rage. Mais il ne servait à rien de récriminer. Si j'étais tombée, c'était de ma faute ; malgré toutes mes précautions jusqu'à cet instant fatidique, je ne m'étais pas assurée de la solidité de la prise de pied critique avant de porter mon poids dessus. En grimpant, on apprend vite à assumer la responsabilité de ses erreurs et à en supporter les conséquences. C'était l'un des aspects du sport qui me plaisait le plus : les causes et les effets étaient bien définis, comme ils l'étaient rarement dans la vie de tous les jours.

Miles revint au point d'ancrage, visiblement soulagé.

— Jez sera là dans quelques minutes, dit-il.

Puis il s'assit et remit en ordre son matériel, la tête baissée pour éviter mon regard. Nous n'échangeâmes plus un mot.

Le temps passa avec une lenteur pesante. Un quart d'heure plus tard, le bandana de Jez apparut au bord de la corniche. Il souriait jusqu'aux oreilles, manifestement heureux de sentir le soleil marocain sur son dos, la roche chaude sous ses doigts, le vide sous ses pieds, la délicatesse des mouvements. Quand il vit dans quel état j'étais, son sourire s'évanouit.

— Bordel de merde, Izzy, qu'est-ce que t'as fichu ?

J'attendis qu'il soit en sécurité pour lui livrer une version soigneusement revue et corrigée des événements. Inutile de lui dire que Miles n'avait pas assuré convenablement sa coéquipière ni de lui parler de son manque de patience et de son refus de communiquer. Jez retira son bandana, le mouilla avec de l'eau de son bidon et s'apprêta à me laver le visage. Je repoussai sa main, pris le foulard et me tamponnai le nez.

— Il n'est pas cassé ?

Je secouai la tête.

— C'est sa cheville, dit Miles impassible en contemplant le paysage.

Si nous étions au sommet de l'Everest, pensai-je, il m'aurait plantée là. Chacun pour soi et Dieu pour tous. Mais Jez n'était pas fait du même bois. Il passa une main exercée sur la chair contusionnée et enflée ; j'essayai sans succès de ne pas grimacer.

— Tu peux la bouger ? me demanda-t-il.

Je ne le pouvais pas et gémis en tentant de le faire.

— Bon Dieu de bon Dieu, Izzy, je crois qu'elle est fichue.

Au moment où, sous le choc, j'ouvrais la bouche, il adoucit sa remarque en me faisant un clin d'œil.

— C'était un terme technique. Détends-toi et laisse faire le docteur.

D'un geste vif, il déchira le bandana en deux, noua deux des extrémités et j'eus bientôt la cheville immobilisée d'une main experte.

— Je voulais remettre ma chaussure de marche pour la maintenir encore mieux.

Jez eut l'air dubitatif.

— Je crains que tu ne puisses pas la retirer. Laisse-moi voir.

Quelques minutes après, il avait enlevé ma 5.10³, l'avait accrochée au dos de mon harnais, avait modifié le laçage de mon chausson d'escalade afin qu'il s'adapte à ma cheville enflée, puis serré les lacets le plus possible sans que je m'évanouisse. En voyant ma pâleur, il me tapota l'épaule.

— On va te sortir de là, ne t'en fais pas.

— Je suis vraiment désolée, dis-je sans en penser un mot. Ça n'est pas un très bon début pour des vacances sportives. J'espère que vous ne croyez pas aux présages.

Miles ne dit rien. Jez haussa les épaules.

— Les accidents, ça arrive quand on fait de l'escalade. Voilà pourquoi on aime ça, non?

Il laissa filer une boucle de corde, y fit un huit et l'attacha à son baudrier, puis il redescendit jusqu'à un endroit où se vacher en ayant Ève en vue. Il lui fit signe de grimper et je me demandai comment elle allait s'en sortir avec la traversée. Quand elle apparut enfin, les yeux écarquillés par la concentration et la panique, je vis que ses cordes étaient festonnées d'anneaux de sangle: Jez avait manifestement assuré toute la longueur de corde à son intention. Tous deux eurent une rapide conversation à voix basse que je ne pus entendre entièrement, puis Ève me rejoignit à pas comptés et se vacha.

---

3. Les chaussures d'escalade les plus vendues au monde. (N.d.T.)

— Désolée, Iz. Jez pense que ta cheville est cassée.

Ce n'était pas ce que j'avais envie d'entendre. Merde. J'étais vraiment dans le pétrin. Je me forçai à sourire.

— Peut-être. Voilà une bonne occasion de mettre en pratique nos techniques de sauvetage, hein ?

Miles prit Jez en premier de cordée puis celui-ci partit vers l'arête, équipé de matériel et de sangles, farouchement déterminé.

— C'est bon, me dit-il une fois de retour, on va pouvoir t'emmener là-bas et, du bord, je crois qu'on a assez de corde pour te descendre jusqu'en haut de la ravine. Puis Ève pourra descendre en rappel pour rester avec toi pendant que Miles et moi récupérons le matos et finissons la dernière longueur. Ensuite, on vous rejoint par le col, ça te va ?

— Parfait. Si vous arrivez à me descendre, je pourrai regagner la voiture, même si ça me prend une semaine et que je dois le faire sur les fesses. Achève l'ascension, Ève. Ne t'inquiète pas pour moi.

— Hors de question. Je ne te laisserai pas, répondit-elle, consternée.

— Sincèrement, je préfère me sortir de là toute seule ; inutile de gâcher la journée de tout le monde, dis-je avec plus de courage que je n'en avais.

L'installation des cordes de rappel parut durer une éternité. On ne me laissait rien faire : d'un seul coup, de grimpeuse expérimentée, j'étais devenue un fardeau à déposer sur le bas-côté de la route. Je bouillais intérieurement et m'efforçais de ne pas penser à ce qui m'attendait : la descente, la recherche d'un médecin et, si j'avais bel et bien la cheville cassée, le reste des vacances à m'ennuyer, bagage inutile.

Mi-sautillant, mi-glissant, je réussis à atteindre le relais et regardai par-dessus le rebord. C'était une longue descente. J'espérais que les soixante mètres de cordes arriveraient jusqu'en bas, mais, d'ici, il était impossible de dire avec précision où elles atterriraient, car la falaise présentait un renflement. La seule façon de le savoir était de descendre. En sueur, je m'appuyai à la roche chaude en regardant Jez faire des nœuds aux extrémités des cordes puis les enrouler habilement et les lancer dans le vide. Retenant notre respiration, nous tendîmes l'oreille pour guetter le bruit qu'elles feraient en touchant le sol, mais seul nous parvint un bêlement de chèvre. Jez me sourit.

— T'as entendu, je crois qu'on aura de quoi dîner ! dit-il en me tendant le rappel. Je ne comprends pas que tu n'aies pas dévissé jusqu'en bas, ajouta-t-il en baissant la voix. J'ai vu que Miles n'avait pas assuré la traversée.

Je ne lui parlai pas de l'amulette. Ce qui s'était passé semblait maintenant irréel, trop étrange pour s'être produit.

— Mon baudrier s'est accroché à la paroi et m'a retenue, répondis-je gaiement.

Il émit un petit sifflement.

— Tu as de la chance d'être encore vivante.

Je n'avais vraiment pas envie de m'étendre là-dessus. Ma tête m'élançait, la douleur atroce de ma cheville remontait dans ma cuisse, prenait possession de mon corps. Je me sentais alternativement nauséeuse et faible, puis horriblement présente, un paquet de nerfs et de sang en ébullition qui palpitait contre la roche.

— Trouve un coin d'ombre et attends-nous. Ça ne nous prendra qu'une heure. Je veille sur Ève, ajouta-t-il à brûle-pourpoint, tout en examinant les boucles de mon harnais, le descendeur et les mousquetons à vis.

— Ève est assez grande pour ne pas avoir besoin qu'on s'occupe d'elle.

— Je sais. Une femme moderne, indépendante et tout ça. C'est seulement que... que je l'aime beaucoup.

Son œil placide soudain écarquillé, de tout son être il guetta ma réaction. Qu'attendait-il ? Ma bénédiction ? Je parvins à sourire et lui souhaitai bonne chance.

Je me plaçai sur le bord et laissai les cordes supporter mon poids. Descendre en rappel m'avait toujours terrifiée – faire ce premier pas dans le vide, comme le Fou du tarot, s'en remettre entièrement au hasard et à un bon ancrage –, mais une fois lancée, ça n'était pas si terrible. Je fis les vingt premiers mètres en sautant à cloche-pied sur la paroi, style GIGN, tant qu'il était encore possible d'avoir un contact avec la roche, puis je me retrouvai suspendue dans les airs comme une araignée à son fil.

Je descendais petit à petit en essayant de ne pas surchauffer le descendeur, scrutant les environs, à la recherche d'un point d'atterrissage probable. Je n'arrivais pas à distinguer l'extrémité des cordes sur le fond coloré du terrain en contrebas, puis je compris brusquement pourquoi. Elles pendaient dans le vide à environ cinq mètres du sol, à l'endroit où la ravine descendait soudain en pente raide dans ce qui semblait être le cours asséché d'une cascade. Mes tempes se mirent à battre, ma tête à tourner. Je n'avais pas besoin de ça, bon sang ! Il était hors de question que je saute à terre avec une cheville dans cet état. Je fis un nœud aux cordes et les mousquetonnai de nouveau au baudrier pour faire une pause et réfléchir. Jez ne pouvait plus me voir maintenant que j'avais disparu sous le renflement de la falaise. Je regardai en bas. Ne pouvais-je pas atterrir plus haut dans la ravine en me balançant ? Je ne le pensais pas : je risquais de heurter violemment la roche et de revenir taper contre la falaise…

— Hoï !

La voix venait d'en dessous. Je me retournai et regardai en contrebas. Deux personnages en robe du pays autour desquels tournaient des dizaines de petites chèvres noires et quelques moutons maigrelets, et un âne brun foncé chargé de paniers. L'homme qui avait appelé se protégeait les yeux du soleil et il cria encore quelque chose que je ne compris pas, puis très clairement, en français :

— Voulez-vous de l'aide ?

Certes, oui, pensai-je, suspendue à ma corde, mais que pouvait-il faire ?

— Oui, merci ! criai-je en réponse, surtout parce que cela me semblait poli.

L'homme monta plus haut dans la ravine et lança :

— Vous voyez la saillie là ?

Il montra un point au-dessus de lui sur la falaise. À une dizaine de mètres au-dessous de moi, une grotte s'ouvrait sur une large saillie. Il se pouvait que la corde arrive jusque-là, mais la falaise était en surplomb et se balancer jusqu'à la saillie n'allait pas être facile, mais je criai oui. L'homme repartit en courant jusqu'à l'âne, farfouilla dans son chargement et revint quelques instants plus tard avec une courte corde lestée d'une pierre. Puis il se débarrassa de sa djellaba, découvrant le jean et le tee-shirt qu'il portait dessous, et grimpa avec agilité jusqu'à la saillie, la corde en bandoulière. Lorsqu'il me fit face, souriant, je vis que c'était un Berbère de la région, malgré son impeccable accent français. Sous son turban blanc sale, il avait la peau brun foncé, les pommettes saillantes, les yeux noirs et vifs des gens du cru.

— Est-ce que vous pouvez descendre encore un peu ? demanda-t-il.

Je défis le nœud des cordes de rappel et me laissai glisser, puis je les enroulai autour de ma jambe en guise de frein de manière à avoir au moins une main libre. L'adrénaline et la nécessité de se concentrer chassèrent momentanément la douleur quand il me lança la corde lestée que je rattrapai du premier coup. C'était une entrave de l'âne, une longueur de vieille corde en nylon bleu, usée, effilochée et décolorée par le soleil, dont je sentais les fibres dures et piquantes contre ma paume.

— Je vais vous tirer jusqu'à la saillie.

Il me hala vers lui jusqu'à avoir l'extrémité nouée d'une corde de rappel à portée de la main. Ainsi assurée, je descendis les derniers mètres de corde disponibles et me retrouvai sur la saillie, debout sur une jambe.

— Cheville cassée, je crois, dis-je en montrant mon pied gauche.

Son visage s'immobilisa et devint grave, puis il cria quelque chose dans sa langue à l'autre personne, une femme, la tête couverte d'un foulard bleu noué sur la nuque.

— Ma sœur va faire monter l'âne sur le vieux sentier de chèvres, me dit-il en montrant l'endroit où la saillie disparaissait derrière un arbre énorme qui semblait avoir poussé dans la falaise.

La douleur et le soulagement étaient si grands que je ne pus que hocher la tête. Je me débarrassai maladroitement des cordes, tirai dessus un bon coup pour signaler à Jez que j'étais arrivée en bas et les vis remonter comme par enchantement et disparaître.

Peu après, sans doute me suis-je évanouie car je n'ai aucun souvenir de l'arrivée de la femme, ni d'avoir été débarrassée de mon sac à dos, ni d'avoir été hissée sur l'âne, pas plus que de la descente sur le sentier de chèvres le long de la ravine. L'épisode ne me revient à l'esprit que sous forme de flashs, comme des images isolées d'un film : un cactus à fleurs blanches, un lézard disparaissant dans l'ombre d'une fissure avec un mouvement rapide de sa queue mouchetée, l'une des chevrettes quasiment nez à nez avec moi me regardant avec curiosité de ses yeux jaunes. Les gros rochers, les cariatides et les parois du canyon d'un rouge rosé, strié de gris et de vert, où alternaient des bandes d'ombre et de soleil. De minuscules escargots à coquille blanche pareils à des petits bouts de quartz, des fleurs aplaties pourpres semblables à des améthystes, le bourdonnement lyrique de la conversation à voix basse du couple en contrepoint des bêlements aigus des chèvres. Je sentis s'éloigner la présence troublante de la montagne qui m'avait estropiée, puis je m'évanouis à nouveau.

13

Durant les semaines qui suivirent, peu à peu, avec leur courtoisie et leur réserve coutumières, les membres de la tribu accueillirent de nouveau Amastan au sein de leur société, acceptant l'idée, du moins en apparence, qu'il s'était remis d'une longue et mystérieuse maladie. À la fin de cette période de rétablissement, plus personne n'évoqua la nature ou la cause de sa folie passée ni ne jasa sur le sort de la fiancée qu'il avait laissée dans les montagnes. Il était redevenu lui-même : les esprits l'avaient quitté, chassés par la fille du Hoggar, et ils étaient fiers de compter Mariata comme une des leurs. Elle fut acceptée par les autres femmes, encouragée à prendre place parmi elles. Après l'hostilité des Kel Bagzan, c'était un soulagement d'être traitée ainsi et plus plaisant encore de voir sa haute lignée reconnue avec un certain respect. Ici, personne ne lui lançait de piques ni ne l'appelait Toukalinden, petite reine, avec une moue méprisante. Et tout en sachant que c'était Tana le véritable catalyseur du rétablissement d'Amastan, ça ne déplaisait pas à Mariata qu'on lui attribue le mérite de la guérison. Les plus âgées lui offraient des dattes et appréciaient réellement ses poèmes quand elle les disait ; elles apportaient des percussions, mettaient ses paroles en musique et toutes participaient. Les mères la priaient d'apprendre à écrire le tifinagh à leurs enfants et les filles encore célibataires venaient de plus en plus souvent lui réclamer des petits mots à cacher dans leurs amulettes ; les plus pieuses lui demandaient d'y transcrire des versets du Coran pour attirer la chance, les plus superstitieuses voulaient des charmes propices à l'amour et des formules magiques pour écarter le *tehot*, le mauvais œil. En retour, elles lui prodiguaient des conseils.

— Tu devrais te marier et rester ici, suggéra Khadija.

— Ne dis pas de bêtises, la réprimanda Nofa. Mariata est une Kel Taïtok : pourquoi s'abaisserait-elle à épouser un Kel Teggart ?

Il y eut quelques hochements de tête approbateurs, mais Yéhali rétorqua avec fougue :

— Nos hommes valent bien ceux du Hoggar ! Ils sont grands, beaux et endurcis par les épreuves. Cela leur a donné des membres musclés et l'esprit grave.

— Trop grave en ce qui concerne Ibrahim ! dit l'une, faisant rire ses compagnes. Mais son frère Abdallah est un gentil garçon et Akli, de bonne compagnie. Si elle ne veut pas déchoir, il n'est pas nécessaire qu'elle se marie.

— Peut-être veut-elle danser !

— Ah, si tu veux danser, alors c'est Kheddou qu'il te faut.

— Il aime trop danser, fit remarquer Nofa.

Toutes ramenèrent leur voile sur leur bouche et rirent aux éclats. Mariata comprit soudain qu'elles se servaient du terme « danser » pour signifier tout autre chose et elle se prit à rougir.

— Eh, nous avons toutes dansé avec Kheddou en notre temps, admit Djouma. C'est un excellent danseur. Mais il faut que tu te dépêches si tu veux prendre ton plaisir avec lui, car il épouse Laïla à la prochaine lune.

— Pauvre Laïla, elle va avoir les mains pleines avec celui-là, remarqua Nofa d'un ton faussement sérieux.

Toutes comprirent le jeu de mots et se tordirent de rire. Mariata secoua la tête en souriant. Elles étaient paillardes, ces Kel Teggart ! Elles travaillaient dur, car n'ayant pas beaucoup d'esclaves ou de harratin à leur disposition pour effectuer les travaux manuels quotidiens, elles n'avaient guère de loisirs, mais quand elles s'amusaient, elles le faisaient de tout leur cœur.

Djouma soupira.

— Ce n'est pas facile de trouver un bon mari par ici, c'est vrai. Nous avons perdu des hommes sur la route du sel et d'autres sont partis dans les montagnes. Il n'y a pas assez d'hommes de valeur pour toutes.

— Il y a Bazou.

— Trop gros.

— Makhammad ?

— Trop religieux.

— Azélouane ?

— Trop vieux.

— Il y a Amastan ag Moussa, dit l'une. Il est le fils d'un amenokal, après tout. Il ne souillerait pas la lignée de Mariata.

Elles marquèrent une pause, comme pour laisser à ces paroles le temps de faire leur chemin.

— Il est très beau, le fils de Rahma. Il a les plus belles mains qui soient, dit Yéhali au bout d'un moment.

Puis chacune y alla de son couplet.

— C'est le meilleur poète de la région. Il a battu tous ses concurrents à l'*ahal* de l'année avant la venue des sauterelles.

— Et il sait aussi danser… Non, danser pour de bon ; ne sois pas aussi grossière, Nofa, tu vas choquer Mariata. Il a le pied agile et il saute aussi haut qu'une gazelle.

— Il s'y entend à faire courir les chameaux.

— Il manie l'épée.

— Et il tire bien !

— Et puis il a voyagé loin.

C'est ainsi que Mariata apprit qu'avant d'être « parti », comme elles disaient, Amastan avait été fêté quand il s'arrêtait au camp de temps à autre entre ses expéditions commerciales pour voir sa famille et apporter aux filles de menus cadeaux. Il était très apprécié et admiré, un vrai homme que toutes souhaitaient épouser. Apprendre qu'il avait trouvé une fiancée ailleurs les avait attristées. Mais ensuite… Djouma changea de sujet.

— Enfin, peut-être pas Amastan. Il n'a pas de chance et de nos jours, nous avons toutes besoin d'hommes chanceux, n'est-ce pas, Nofa ?

— Chanceux et riches, admit Nofa. Cinq chameaux au moins.

— Dix !

Dans cette atmosphère bon enfant, Mariata les laissa plaisanter. Leurs louanges n'avaient pas été nécessaires pour raviver son intérêt pour Amastan, car en vérité elle ne pensait qu'à lui. Les filles n'avaient cependant pas remarqué l'attention qu'il lui avait témoignée ces dernières semaines et elle s'en félicitait. Tous les soirs au coucher du soleil, il venait la chercher et ils allaient marcher et parler un peu ; un jour, il lui avait pris la main, l'avait effleurée de ses lèvres. Lorsqu'il la regardait, elle avait l'impression que ses yeux la brûlaient ; cette sensation la mettait mal à l'aise et pourtant elle la désirait ardemment. Ce n'était pas une bonne journée si, de sa place près du feu des hommes, il ne l'avait guignée quand elle était assise avec les autres femmes autour de leur feu.

Et parce qu'elle faisait maintenant partie de sa communauté, elle avait adopté sans rechigner un mode de vie qu'elle aurait naguère jugé indigne d'elle. Elle suivait le rythme paisible des tâches quotidiennes : elle se levait à l'aube pour aider à traire les chèvres et, les jours où elle n'accompagnait pas les bêtes au pâturage, elle était contente de rester au village à piler le grain avec ses compagnes pour faire la tagella du jour, à les écouter papoter et cancaner, à les divertir de ses poèmes quand elles préparaient et buvaient leurs innombrables cruches de thé vert. Peut-être était-ce la simplicité même et le caractère absorbant de cette nouvelle routine qui lui procuraient un sentiment de paix inhabituel.

Cependant, chaque matin avant de partir avec les chèvres ou d'entreprendre ses autres travaux, elle montait sur une éminence derrière le village et scrutait l'horizon vers l'est pour s'assurer que Rhossi ag Bahédi ne venait pas la chercher pour les ramener dans l'Aïr, elle et ses dromadaires. Mais elle s'aperçut un jour que cinq lunes s'étaient écoulées depuis qu'elle avait fui les Kel Bagzan. S'il n'avait toujours pas réussi à faire le lien entre sa disparition et sa tante détestée ou persuadé les harratin de lui livrer les informations qu'ils détenaient, il était peu probable qu'il arrive à brûle-pourpoint dans le Teggart. Pour sa part, Rahma avait pris des dispositions pour que les deux méharis blancs si reconnaissables soient conduits au marché aux chameaux de Goulemime, tout là-bas dans le nord, afin qu'on y modifie discrètement le marquage Bagzan et qu'on les vende pour un bon prix, car il était rare de voir deux tibestis de cette qualité sur les marchés de la région. Elle avait remis à Mariata le produit de la vente, une somme assez considérable, même après déduction de la part des marchands, et refusé une commission pour sa participation à l'opération. « Tu es maintenant une femme seule et, comme je l'ai appris à mes dépens, il est difficile d'être une femme sans famille et sans fortune. Tu devrais songer à investir une partie de la somme dans une caravane quand une nouvelle azalay sera organisée, peut-être même la confier à Amastan lorsqu'il se remettra à commercer. »

Cela ne semblait guère probable à Mariata, car au cours des conversations qu'elle avait eues avec Amastan ces dernières semaines, il avait affirmé n'avoir aucune envie de reprendre la route du sel. Ce n'est pas qu'elle avait réussi à le convaincre de parler de beaucoup de choses sérieuses, car chaque fois qu'elle abordait un sujet épineux, il se taisait et se repliait sur lui-même. Mais elle souleva de nouveau la question ce soir-là lorsqu'ils se promenèrent le long de la rivière.

— J'ai suffisamment parcouru les vieilles routes commerciales en mon temps, dit-il, sa voix grave en contrepoint du chant aigu des grenouilles, plein de défi et de désir. Je ne repartirai plus jamais en voyage.

— Raconte-moi ce que tu as vu, le pria Mariata, les yeux pétillants de curiosité. Ta mère m'a dit que tu t'étais juré d'aller jusqu'à l'Arbre du Ténéré, de voir la mer et de toucher la neige des plus hautes montagnes, et elle m'a dit aussi que tu l'avais fait.

Les yeux d'Amastan brillaient dans la lumière rouge du couchant, mais comme le reste de son visage était caché par son turban, Mariata ne pouvait voir son expression. Il s'assit alors sur un rocher et parla comme s'il s'adressait à un auditoire tout en retournant sans fin entre ses mains une brindille sèche de laurier-rose, ce mouvement répétitif lui permettant, semblait-il, de retrouver plus aisément ses souvenirs. Tout à coup, cela rappela à Mariata le conteur venu un jour chez elle dans le Hoggar muni d'un sac de galets, chacun d'eux lié à l'une de ses longues histoires, et qui avait fait passer le sac de main en main, chaque femme pouvant ainsi choisir le conte qu'elle avait envie d'entendre. Amastan parlait avec autant d'autorité que lui.

— J'ai traversé le désert de pierre, le désert de roche et le désert de sable ; à pied ou à dos de chameau, j'ai parcouru les anciennes routes. J'ai vu le soleil se lever comme une boule de feu sur la mer de dunes, j'ai vu la nuit dérober au monde toutes ses couleurs et teinter toutes choses d'un gris fantomatique tandis qu'au-dessus les étoiles brillaient comme les bijoux d'une houri. J'ai transporté de l'indigo des teintureries de Kano, du millet et des dattes à Ingal et Ghat et en ai rapporté. J'ai vu les marchés de l'or du Tafilalet et traversé le Haut-Atlas ; c'est là que j'ai vu cette substance d'un blanc pur qu'on appelle neige, qui, bien que froide, brûle la peau comme une flamme. Dans la fameuse ville de Marrakech, j'ai marché sur la grande place et été assailli par la clameur des centaines de jeunes danseurs, de charmeurs de serpent, d'oiseaux parleurs, de devins et de charlatans. J'ai vu le vaste océan bleu à Agadir, qui miroite et change d'aspect sous les caresses du vent, exactement comme font les dunes sans fin. J'ai suivi les chemins battus des marchés à travers les monts de l'Anti-Atlas depuis les murailles fortifiées de Taroudant jusqu'à la belle ville oasis de Tafraout en passant par l'imposant Djebel El Kast...

« C'est pendant que nous franchissions le Grand Vide en chemin pour les salines de Bilma et Kauar au Soudan que j'ai vu le célèbre Arbre du Ténéré : un acacia solitaire qui se dresse comme une vieille sentinelle au milieu du désert le plus âpre du monde. Notre azalay l'a entouré et lui a rendu hommage comme le font les caravaniers depuis des siècles : il subsiste, aveugle et épineux, seul et robuste dans la chaleur étouffante du désert tel un talisman pour la survie de notre peuple. On dit que si l'Arbre faiblit, les Gens du Voile le font aussi. Je voulais le voir, ne serait-ce qu'une fois, pour m'assurer qu'il était toujours vivant. Mais c'était il y a cinq ans et, compte tenu de ce que j'ai vu depuis, je crains qu'il ne meure ou soit déjà mort.

La brindille se cassa avec un bruit sec entre ses mains, faisant taire même les grenouilles. Amastan regardait dans le vide comme si l'avenir le plus sombre se jouait sur l'immense ciel rougeoyant. Mariata soupira, en extase.

— Si j'étais un homme, je passerais certainement ma vie à dos de chameau, allant de merveille en merveille.

Amastan s'ébroua et revint au présent.

— Ah, oui, une petite vagabonde. Quelle vision romantique du monde tu as ! J'ai appris à faire tournoyer les mots comme des derviches, à enchanter et brouiller la réalité. Tu n'entends pas souvent les poètes dire combien il est difficile de dégager un puits ensablé, parler du goût infect de l'eau saumâtre que tu dois boire pour rester en vie, des coliques qui te tourmentent, de ta peau fouettée par le sable au point de te donner l'impression d'être du vieux cuir et du bois de la selle qui te fait si mal aux fesses qu'il est plus facile de marcher que de chevaucher, alors même que le sol te brûle la plante des pieds à travers la semelle de tes sandales. Ils ne composent jamais de chansons pour expliquer que même en plein cœur du désert, il y a des charançons dans le pain et que les lanières de viande de chèvre séchée deviennent si dures que tu peux t'y casser les dents car il n'y a pas d'eau dans laquelle les mettre à tremper et que toute ta salive s'est tarie. Ils ne font pas non plus de vers pour révéler que ta langue enfle tellement que ta bouche semble pleine d'ouate, que la peur et la soif en arrivent à te faire prendre en haine les inconnus et à te les faire regarder avec méfiance. Et aucun ne dit mot des scorpions, des vipères à cornes, des chacals et des bandits. Je ne crois pas qu'une fille ait sa place dans l'azalay.

Mariata se hérissa.

— Tu me sous-estimes.

— Vraiment ? N'as-tu jamais entendu le dicton : aucune femme, aucune chèvre n'a la robustesse qu'il faut pour traverser le désert ?

— Comment crois-tu que je sois arrivée ici ? s'emporta Mariata, mordant à l'hameçon. N'oublie pas que je suis née dans le Hoggar et que j'avais déjà fait un long voyage jusqu'à l'Aïr avant de traverser le Tamesna pour persuader les djenoun de te laisser tranquille ! Et n'oublie jamais que je descends en ligne directe de la Mère de Nous Tous, qui a parcouru à pied mille cinq cents kilomètres dans le désert pour fonder notre peuple !

À la fin de sa tirade, Mariata, empourprée, avait les poings fermés. Amastan était ravi, elle le voyait aux petits plis autour des yeux. Il cueillit une fleur du laurier-rose et, se penchant en avant, la glissa derrière l'oreille de Mariata, un geste d'une familiarité si inhabituelle que sa rougeur devint encore plus sombre que le rouge de la fleur.

— Lorsque Tin Hinan a fait son voyage épique, lui dit-il gentiment, c'était à travers un paysage où l'herbe ondulait sous le vent, où les branches déployées des acacias faisaient de l'ombre, où paissaient des troupes d'antilopes et de gazelles.

Mariata le fixa du regard.

— Comment cela se pouvait-il ? Le désert est éternel. C'est le cœur brûlant du monde, le chaudron dans lequel toute vie a commencé. Tout le monde sait ça. Même les djenoun viennent de là, ils sont faits de chaleur et de feu, ce sont des esprits enflammés. Comment pourraient-ils venir d'un pays d'herbages ?

— Je pourrais t'emmener dans des grottes du Tassili et te montrer les peintures laissées sur la roche par les Kel Nad, les

Gens du Passé, les chasseurs qui ont représenté les bêtes qu'ils traquaient : antilopes, gazelles, chevaux à rayures et girafes, des animaux de la savane et de la plaine. Et nos aînés pensent que ces peintures datent même d'avant l'époque de la Mère de Nous Tous.

Mariata détourna la tête. Ce n'était pas ce qu'elle avait envie d'entendre.

— Ils ont rêvé ces scènes, dit-elle avec mépris. J'ai moi aussi vu des peintures de ce genre dans les cavernes de mon pays. J'ai vu la Dame Blanche d'Inawanghat porter sur sa tête la Lune cornue, avec une rivière d'étoiles qui coulait de ces cornes et des semences qui brillaient dans son ventre et tombaient de ses mains. Cela aussi a été peint d'après nature ?

— Ah, tu m'as eu avec ta logique féminine. Peut-être n'as-tu pas le cœur d'une poétesse après tout.

— Du moins ai-je un cœur, rétorqua-t-elle avec légèreté.

Amastan se leva brusquement et s'éloigna à grands pas, puis, changeant d'avis, il revint auprès d'elle, la dominant de toute sa hauteur.

— Ne répète jamais une chose pareille ! ordonna-t-il avec colère. Jamais.

Il prit la fleur qu'il avait piquée dans ses cheveux, la jeta à terre et la piétina avec une fureur soudaine, puis repartit à grandes enjambées dans la nuit tombante.

Ce soir-là, il ne vint pas la voir, ni le lendemain et elle en pleura jusqu'à s'endormir. Le matin du troisième jour, elle se leva avant le soleil, fit la traite des chèvres, les rassembla avec leurs petits et les conduisit en troupeau paître à la rivière. Elle appliqua des galets froids sur ses paupières gonflées jusqu'à ce que leur rougeur disparaisse et qu'elle n'ait plus l'air d'une grenouille.

— Excuse-moi.

Elle pivota sur elle-même. Amastan s'écarta du tronc de l'arbre auquel il était appuyé, ombre sortie de l'ombre. Son turban était noué serré ; il semblait aussi grand que l'arbre, aussi haut que le ciel. Le khôl faisait briller ses yeux.

— Tu n'as pas dormi ? demanda-t-il.

Mariata secoua la tête, craignant d'être trahie par sa voix si elle parlait.

— Moi non plus. Le sommeil ne m'a pas procuré le refuge que les autres trouvent en lui.

Il se tut, soucieux.

— Je ne suis pas un bon parti pour toi. Pour aucune femme. Mais je ne t'importunerai plus.

Elle le regarda, consternée.

— Pourquoi dis-tu des choses pareilles ? J'apprécie ta compagnie. J'avais… j'avais espéré…

Elle n'en dit pas plus, n'osant pas révéler ce qu'elle avait sur le cœur.

— N'espère pas, Mariata. C'est trop dangereux.

— Dangereux ?

Il se détourna d'elle. Lorsqu'il la regarda de nouveau, elle crut voir une fois de plus la folie dans ses yeux. Quand il ouvrit la bouche, elle s'attendit à ce qu'il hurle, mais il dit seulement, d'une voix si basse qu'elle eut peine à saisir ses paroles :

— J'ai un cœur, mais il est brisé en deux.

Il pense toujours à sa bien-aimée morte, pensa Mariata, envahie par la douleur.

— Que veux-tu dire par là ? demanda-t-elle avec appréhension.

Amastan s'assit sur le roc près d'elle.

— J'aimerais que le monde soit fait autrement, Mariata. J'aimerais pouvoir effacer le passé.

Il s'interrompit, la regarda, puis détourna les yeux.

— J'aimerais pouvoir prendre un nouveau départ. Me marier, avoir des enfants, être heureux, ajouta-t-il dans un murmure. Mais je ne peux pas.

— Tu ne peux pas ? répéta-t-elle en écho.

— Le monde est différent de ce que je croyais il y a un an, et je ne suis plus le même homme.

Un lourd silence s'installa entre eux. À ce moment-là, le soleil se leva sur l'horizon et répandit sa lumière rouge tout autour d'eux. À leurs pieds, la rivière coulait comme du sang.

— Le monde n'est jamais pareil à ce qu'il était. Tout change et nous devons changer aussi. Il y avait un ruisseau qui courait au milieu des rochers près de notre camp d'hiver là où je vivais dans mon enfance. Quand j'étais petite, j'ai posé une rangée de cailloux près de l'eau et lorsque je suis revenue au camp l'année suivante, je me suis mise à leur recherche, mais ils n'étaient plus là. J'en ai posé d'autres et l'année d'après, ces galets avaient eux aussi disparu. Je les ai cherchés, pensant que quelqu'un m'avait joué un tour, mais il n'y en avait plus aucune trace. Je me suis finalement rendu compte que le cours du ruisseau se déplaçait, d'une largeur de main chaque année. Je savais que lorsque je serais vieille, le ruisseau ne ressemblerait pas à celui que je voyais alors. Rien au monde ne reste identique à soi-même, Amastan, et parce que le monde change autour de nous, nous changeons avec lui. Nous ne sommes plus la même personne que la veille parce que nos expériences nous transforment. Je ne suis plus l'enfant naïve qui a quitté le Hoggar.

Le regard qu'elle lui lança était éloquent. Il détourna les yeux.

— Ce que tu dis est sans doute vrai, mais les choses que j'ai vues, que j'ai faites, m'ont beaucoup changé, dit-il avant de rester longtemps silencieux. Je n'avais pas l'intention de dire à quiconque ce que je vais te raconter, reprit-il enfin. Il n'y a pas là matière à poésie ou à chanson. Mais je le porte en moi depuis trop longtemps et je te dois la vérité.

Il inspira profondément et expira lentement.

— La dernière femme que j'ai aimée est morte, d'horrible façon.

Ça y est, pensa-t-elle. Il va me dire comment il l'a tuée et je saurai alors quel monstre il est. Elle avait envie de partir en courant, mais il fallait qu'elle sache et elle resta donc.

— Sa mort pèse sur ma conscience, commença-t-il, confirmant les pires craintes de Mariata.

Mais le récit qu'il lui fit, visiblement torturé par chaque mot qu'il tirait de lui-même, n'était pas du tout celui auquel elle s'attendait. Il avait rencontré Manta alors qu'il sortait à peine de l'enfance, en passant dans son village avec une caravane. Elle lui avait fait forte impression car elle n'était pas timide comme les autres filles ; elle l'avait embrassé avant son départ et il avait gardé le souvenir du contact de ses lèvres au cours des longs mois d'hiver pendant lesquels il avait traversé le désert. Il lui achetait des cadeaux avec l'argent qu'il gagnait ; finalement, lors de sa visite à la troisième saison, il lui promit de l'épouser et lui donna une amulette pour sceller leurs fiançailles.

— Elle aurait dû la protéger du danger, dit-il.

Mariata sentait le lourd pendentif en argent contre sa peau. Elle le toucha à travers la fine cotonnade de sa robe.

— Tu l'as sur toi.

Elle sursauta, l'air coupable, tandis qu'il la fixait des yeux.

— Je ne veux pas que tu me la rendes ; elle porte la guigne. Tu ne devrais pas la mettre ; elle n'a pas porté chance à la dernière qui l'avait sur elle.

Mariata tira l'amulette de dessous sa robe et la passa par-dessus sa tête. Elle était là dans sa paume, la lumière jouant sur les perles noires du cordon, et tous deux la regardaient.

— Mais elle me plaît, dit-elle à voix basse. Comment peut-elle attirer la malchance ? Vois le symbole du *tefok*, du soleil, ici et là. Le rouge porte chance, ajouta-t-elle en caressant les disques de cornaline.

— Ouvre-la, dit Amastan, la mine sombre.

Mariata examina le talisman en le retournant dans sa main. Elle glissa un ongle dans la fente en haut et en bas, mais l'amulette était d'un seul bloc et rien ne bougeait. Elle tenta de faire pivoter les disques de cornaline et appuya sur le bossage central. Elle retourna à nouveau le pendentif, chercha une ouverture au dos, mais l'amulette semblait bien décidée à garder son secret.

— Comment ? demanda-t-elle.

Amastan tendit la main et fit glisser le bossage central sur le côté. Apparut alors un compartiment caché qui ne contenait… rien. Mariata leva les yeux ; Amastan n'avait pas bougé, son visage était tout près du sien, elle sentait la chaleur de son haleine.

— Il n'y a rien, dit-elle, énonçant l'évidence.

— Je suis allé voir l'enad pour lui demander un charme protecteur à mettre dedans. Mais elle… elle a vu quelque chose quand elle l'a touchée. Elle savait… Elle a essayé de me prendre l'amulette, elle a dit qu'elle avait été atteinte par le mauvais œil. J'étais en colère. Je l'ai récupérée de force et j'ai quitté Tana en l'insultant. J'avais l'intention d'aller voir un marabout pour lui acheter un verset du Coran à la place, mais je ne me suis jamais décidé. Je ne sais pas ce qui m'en a empêché, la superstition peut-être. Ou la fierté. Je croyais que le cadeau lui-même suffirait, que mon amour serait assez grand pour protéger Manta. Je ne sais pas à quoi je pensais, dit-il en secouant la tête. Elle était si heureuse que je lui aie donné l'amulette ! Elle est très ancienne et de l'argent le plus fin. Elle la portait tout le temps, jusqu'à…

— Jusqu'à ?

Quelle que fût la suite, il fallait qu'elle l'entende. Amastan prit son temps. Sa respiration saccadée ralentit à mesure qu'il se calmait.

— Ce nouveau gouvernement, qui se dit indépendant, est composé d'hommes du Sud qui nous haïssent. Ils nous accusent d'avoir réduit leurs ancêtres en esclavage, d'avoir opprimé leur peuple et ils en tirent prétexte pour nous persécuter. Certains membres de ce gouvernement ont usé de leur pouvoir contre nous, ils ont défini des frontières arbitraires, empêché les nôtres de les franchir sans les papiers qu'ils ont décrétés nécessaires, mais qu'est-ce que les Touaregs ont à faire de frontières et de papiers ? Nous avons toujours commercé au loin, du Sahel à la mer. Qui sont-ils, avec leurs fusils russes et leurs uniformes occidentaux, pour nous traiter de « non-civilisés » et de « barbares », pour tenter de nous imposer leur mode de vie ? Ils ont toujours détesté les nôtres, parce que nous sommes libres et qu'ils sont pauvres, parce que nous refusons de vivre dans les conditions sordides des villes, de nous soumettre à leurs règles, de rester enfermés dans leurs frontières. Ce sont des lâches ! s'exclama Amastan en tapant du poing sur la roche. Ils profitent de toute résistance de notre part pour s'attaquer aux vieux, aux femmes sans défense et aux enfants.

Sa voix s'étrangla. D'un regard de côté, Mariata vit que ses yeux étaient embués de larmes.

Manta habitait un village du Nord, lui expliqua-t-il. Elle lui avait dit qu'il y avait eu des troubles, sans gravité pour la plupart. Enhardis par le changement de gouvernement, le départ des Français, les Songhaï avaient mis la main sur tout ce qu'ils pouvaient, si maigre le butin fût-il : bétail, nourriture, couvertures et jusqu'à des ustensiles de cuisine. Des plaintes avaient été déposées mais n'avaient pas eu de suite. Des rumeurs concernant injustices et agressions se multipliaient. À leur retour, les jeunes partis sur la route du sel ou à la chasse trouvaient leur camp profané, leurs mères et leurs bien-aimées insultées ou dévalisées, mais il n'y avait pas de blâmes officiels. Ce qui arrivait ailleurs était pire. Emmenés pour être « interrogés », des gens disparaissaient. Les vieilles rancœurs refaisaient surface, des puits étaient empoisonnés, des récoltes détruites.

Les hommes jeunes de la tribu avaient tenté de résister, mais il n'y avait pas de stratégie cohérente, de coordination des forces, rien que quelques représailles sans envergure contre les brutalités subies par les leurs et qui semblaient n'avoir pour seul effet que d'envenimer la situation. C'était cependant mieux que rien. Amastan avait rejoint un groupe de résistants dans les monts N'Fughas.

— Nous suivions l'exemple de Kaocen, le héros du premier soulèvement : nous nous battions comme des chacals, pas comme des lions. Nous attaquions et prenions la fuite après avoir fait le plus de dégâts possible.

Il s'interrompit, prit une longue inspiration et passa la main sur son visage. Ils apprirent un jour que des soldats avaient fait des incursions dans les lointaines régions du Nord, où vivait Manta. Les rumeurs étaient inquiétantes : des femmes avaient été violées pour souiller les lignées tant vantées des Touaregs, des enfants touaregs emmenés de force à la ville. Il essaya de convaincre d'autres résistants de l'accompagner, mais ils étaient engagés dans leurs propres luttes et il partit donc seul.

— Je voulais l'éloigner de tout danger, expliqua-t-il.

Il ferma les yeux. Au-dessus d'eux, le ciel était d'un bleu pâle impitoyable. Mariata avait l'impression qu'il allait lui tomber dessus si elle proférait un son. Réprimant son émotion, Amastan poursuivit son récit d'une voix monocorde, le regard fixé sur la rivière.

— J'ai chevauché toute la nuit à travers les piémonts, sursautant au moindre bruit. Pour une raison que j'ignore, je n'ai jamais eu autant la frousse de ma vie. Lorsque à l'approche de mon chameau un oiseau s'envolait des buissons, j'étais à moitié mort de peur. Chaque ombre semblait receler une menace. Le paysage avec lequel je m'étais familiarisé de jour au fil des ans paraissait différent de nuit, plein d'*afrits*, de goules et des esprits vengeurs des morts. J'ai senti le village avant de le voir. Je ne peux te décrire cette odeur, car les mots manquent pour t'en faire une idée. Tout ce que je sais, c'est que, si tu l'avais sentie comme moi, elle ne te quitterait plus jusqu'à la fin de tes jours. Je ne m'en débarrasserai jamais. Elle a rendu mon chameau ombrageux, il n'a pas voulu aller plus loin. Il traînait les pieds, devenait têtu. Ses mugissements perçaient les ténèbres. J'ai dû user de toute ma volonté pour le faire avancer. Même dans l'obscurité, je me rendais compte qu'une nappe d'épaisse fumée noire flottait dans l'air ; son goût répugnant me restait sur la langue comme de la graisse. Aucun bruit ne venait du camp : aucun chien n'aboyait, aucune chèvre ne bêlait, personne n'était assis autour d'un feu. Je me suis dit qu'ils avaient peut-être évacué les lieux, qu'ils s'étaient réfugiés plus haut dans les montagnes.

« En approchant, j'ai senti l'odeur d'essence. Ce n'était pas une bonne odeur, une odeur d'ici. Qu'est-ce que des Touaregs pouvaient bien faire avec de l'essence ? Mes sens en alerte, j'avais un mauvais pressentiment. J'avais envie de faire demi-tour. Mais je ne le pouvais pas.

« De grosses pierres étaient empilées en une sorte de cairn à l'entrée du village. J'ai failli passer à côté sans y prêter attention, quand le clair de lune est devenu soudain plus brillant. Ce n'était pas des pierres, mais des têtes. Sous le choc, je suis tombé de mon chameau. J'ai heurté le sol durement et suis resté étendu là sans connaissance jusqu'au lever du soleil.

« Il y avait trente-quatre têtes, pour être précis. Je les ai comptées une à une. Trente-quatre personnes dont les esprits allaient errer pour l'éternité. Je les sentais tournoyer furieusement autour de moi. Celle de Manta a été la trente et unième. J'étais assis là, sa tête nichée dans mon giron. Elle qui avait été si belle, si pleine de vie, n'était plus que de la chair froide, dure, couverte de sang coagulé, une tête séparée du reste du corps. Ses yeux vifs, maintenant mornes et vitreux…

Les mots lui restèrent dans la gorge. Il parut chercher au fond de lui et s'obligea à continuer.

— J'ai supplié son esprit de me parler, mais il restait silencieux en signe de reproche. Je n'avais pas été là pour lui porter secours et l'amulette que je lui avais donnée pour la protéger n'avait rien fait pour écarter les maux qui avaient frappé son village.

« J'ai trouvé l'amulette sur son corps : ils ne l'avaient pas brûlé comme ils l'avaient fait avec tant d'autres, chèvres et bétail y compris, découpés à la machette, leurs membres éparpillés et puants. Je ne te dirai pas dans quel état était Manta quand je l'ai trouvée. Je me suis évertué à réunir sa tête avec ce qui restait de son corps, mais, j'ai eu beau enrager et pleurer, les deux morceaux ne se raccordaient pas. C'est à ce moment-là que j'ai dû perdre l'esprit et que les Kel Assouf se sont emparés de moi, car je ne me souviens de rien de plus. Je ne sais pas comment je suis retourné au Teggart ; j'ignore comment j'ai survécu, si j'ai mangé, bu et dormi. Je n'avais plus rien d'humain. Jusqu'à ce que tu viennes à moi et me regardes dans les yeux. Je croyais que c'était elle, qu'elle m'était revenue. Puis je me suis rendu compte que je me trompais.

— Et c'est pour cela que tu as pleuré.

Mariata prit sa main, mais elle fut tout de suite assaillie par la vision d'Amastan assis par terre dans le village dévasté, la tête coupée de sa bien-aimée sur les genoux, d'Amastan qui lui parlait comme un dément et caressait sa peau froide.

Peu après, elle partit en courant comme poursuivie par mille djenoun. Elle ne s'arrêta pas avant d'atteindre le camp et quand elle se retrouva dans la tente de Rahma, elle regarda autour d'elle, stupéfaite, sans savoir comment elle était arrivée là.

14

Où étais-je ? Je clignai des yeux et essayai de me concentrer, mais j'avais l'esprit brouillé et le sol défilait devant mon visage. Sans pouvoir m'en empêcher, secouée de spasmes, je me mis à vomir tout ce que j'avais dans le corps.

— Comment allez-vous ?

La voix était aimable, mais la question absurde. Je crachai ce qui me restait de bile et tentai de me réorienter. Je compris peu à peu que j'étais transportée à dos d'âne, la tête en bas.

— Pouvons-nous nous arrêter, s'il vous plaît ?

En l'occurrence, je me félicitai d'avoir deux langues à ma disposition pour tenter de communiquer. Le monde cessa miraculeusement de se déplacer autour de moi et les nausées s'atténuèrent. Des mains fermes m'aidèrent à me remettre d'aplomb sur l'animal, puis le visage d'un inconnu entra dans mon champ de vision.

— Ça va ? Vous allez bien ? demanda-t-il.

Je me souvins alors du jeune homme qui était venu à ma rescousse.

— Où m'emmenez-vous ? fis-je avec mauvaise grâce, paniquée d'être à la merci de quelqu'un d'autre.

— Chez Nana, répondit-il.

— Nana ?

— Notre grand-mère, Lalla Fatma. C'est une guérisseuse et herboriste renommée. On trouve ici des plantes qui ne poussent nulle part ailleurs et Nana est experte en la matière.

— Non, non, ça ne va pas, dis-je en essayant de retrouver la voix ferme avec laquelle je m'adressais aux intérimaires évaporées qu'on m'envoyait quand mon assistante était absente, articulant lentement, avec une clarté d'élocution exagérée. C'est très gentil à vous, mais non. Je dois aller à l'hôpital. Pour qu'on me fasse une radio.

Mon interlocuteur se mit à rire ; qu'y avait-il de drôle à vouloir aller à l'hôpital quand on croyait avoir la cheville cassée ? Je fis une nouvelle tentative.

— Écoutez, j'ai besoin de passer une radio et d'être plâtrée pour que ça se remette correctement. Je ne crois vraiment pas que quelques herbes suffiront.

Mais mon sauveteur se détourna sans un mot et il me vint brusquement à l'esprit que son français n'était pas aussi bon que je l'avais cru. Je soupirai. Par-dessus son épaule, je voyais les abords d'un village rural d'aspect médiéval, un fouillis de constructions en adobe de la même teinte rouge rosé que la roche environnante, pareilles à des excroissances du paysage. Elles avaient un toit en terrasse et de minuscules fenêtres grillagées, et certaines étaient si vieilles qu'elles semblaient retournées à l'état de roche. Pas beaucoup de chances de trouver là un hôpital. Des femmes en robe noire interrompaient leurs travaux dans les champs pour nous regarder passer en silence de leurs yeux noirs de biche méfiante. Les enfants, au contraire, couraient, criaient et riaient à la vue d'une Européenne montée sur un âne. Chèvres et moutons se bousculaient autour de nous et bêlaient de confusion, car ce n'était pas l'heure à laquelle ils revenaient habituellement de paître dans la montagne. Sur un mur, un énorme jeune coq dressa sa crête cramoisie à notre approche tandis que les poules de son harem caquetaient et gratouillaient le sol au-dessous de lui.

— Il n'y a pas d'hôpital ici, au sens que vous donnez au terme, dit le Berbère sur le ton de la conversation, confirmant mes pires craintes. Il n'y a pas d'appareil radioscopique et quant au médecin, eh bien… ma grand-mère en sait davantage que n'importe lequel d'entre eux. On vient la consulter de Taroudant, de Tiznit et même de Marrakech.

Je me voyais déjà marchant avec une canne parce que mon os s'était mal ressoudé… Non, rectifia mon esprit délirant, avec une prothèse pour remplacer la jambe dont on avait dû m'amputer à la suite d'un empoisonnement du sang et de la gangrène provoqués par les prétendues herbes médicinales…

— Pour l'amour du ciel ! m'écriai-je au bord de l'hystérie, sentant que je perdais définitivement mon sang-froid. Il me faut un *médecin* !

Personne ne faisait attention à moi, hormis les gamins dégue-nillés aux yeux rieurs. Ils me trouvaient hilarante.

La fille qui menait l'âne tendit la longe à son frère et partit en avant au pas de course, appelant : « Lalla Fatma ! Lalla Fatma ! »

Des femmes de toutes allures et tous âges apparurent sur le pas de leur porte pour se rendre compte de ce qui se passait ; en voyant une Européenne, elles ramenèrent leur voile sur leur visage et leurs cheveux comme si, en vulgaire touriste, j'allais les agresser avec un appareil photo. Puis, l'âne s'arrêta devant un mur de la même teinte ocre rose que le reste du village. Mon sauveteur, d'une force surprenante en dépit de sa minceur, me prit dans ses bras et me porta à travers un jardin fleurant bon le citronnier, l'oranger, les olives et les roses. Il longea le sentier de terre battue, et une fois au seuil se plia en deux pour me faire passer par la porte basse.

Le contraste entre le violent soleil et l'intérieur aussi sombre qu'une caverne était tel que je crus un instant avoir été frappée de cécité. Lorsque mes yeux se furent habitués à la pénombre, la vaste pièce dans laquelle nous étions entrés se révéla être pleine de femmes occupées à des tâches domestiques et jacassant comme des pies, assises le dos au mur, gesticulant de leurs mains ornées de ramages dessinés au henné. L'une d'elles pilait quelque chose dans un grand mortier en pierre, une autre tisonnait le charbon d'un brasero installé au centre de la pièce sur lequel fumait une grosse bouilloire en cuivre terni, une troisième triait des lentilles, une quatrième cardait la laine. La cinquième, très grosse, assemblait des pots d'argile sur une table basse ronde, aidée par la fille qui avait ramené l'âne de la montagne. Comme si ce spectacle ne me suffisait pas, quatre chèvres firent irruption avec force bêlements par la porte restée ouverte. L'une des femmes se leva pesamment, prit un balai et les chassa dehors en les appelant chacune par leur nom : « Teaza ! Imshi ! Toufila ! Azri ! »

La grosse femme se mit debout à son tour et dit quelque chose à ses compagnes. Elles se levèrent l'une après l'autre, lui baisèrent respectueusement les mains et s'en allèrent. Nous n'étions plus que quatre dans la pièce. Un lourd silence succéda soudain à l'agitation et au bruit. Le Berbère me déposa avec douceur sur une natte, mais la vieille le réprimanda vertement et il m'installa plus confortablement sur des coussins. J'étais étendue là, le regard levé vers elle, ne sachant que faire ou dire. Imposante, la peau sombre, elle avait une allure extraordinaire. Contrairement aux autres femmes vêtues d'une simple robe noire, elle portait une longue chemise et, par-dessus, une étoffe de soie à rayures noires et orange vif, nouée autour de son opulente poitrine et drapée sur la tête. Elle avait au cou un collier de boules d'ambre aussi grosses que des œufs et de lourdes boucles d'oreilles en argent tiraient sur ses lobes. Les manches retroussées de sa chemise laissaient voir des avant-bras musclés couverts de bracelets en argent qui s'entrechoquaient et tintaient tandis qu'elle me montrait du geste.

— *Marhaban, marhaban !* s'exclama-t-elle.

Et elle se mit à parler fort avec le frère et la sœur qui m'avaient amenée.

Pendant que tous trois se lançaient dans une conversation passionnée, je jetai un coup d'œil autour de moi. De grandes jarres d'huile s'alignaient contre deux des murs irréguliers, si grosses qu'Ali Baba et ses quarante voleurs auraient pu facilement s'y cacher ; des sacs de blé, de riz ou de farine étaient posés à côté et tout autour de la pièce se trouvaient des pots, des coffrets et d'antiques boîtes de conserve – de thé Tetley, Lyons et Chinese

Gunpowder –, des emballages qui semblaient dater d'avant la guerre mais qui avaient gardé tout leur éclat. Une nouvelle sensation m'assaillait maintenant : une dizaine d'odeurs différentes, certaines fétides, d'autres âcres. Parmi elles, je reconnus nettement celles de crotte, de lanoline, d'huile de cuisson, d'épices et de sueur, et par-dessus quelque chose d'impossible à identifier. La douleur, le bruit, les odeurs et l'étrangeté de tout cela me faisaient tourner la tête, j'étais parcourue de vagues de nausées accompagnées du ballet d'étoiles noires qui présageait la perte de conscience. Le jeune homme s'agenouilla près de moi et me souleva doucement la tête.

— Nana dit que je manque à la politesse et dois vous présenter des excuses. Je m'appelle Taieb, dit-il la main posée sur le cœur, et voici ma sœur Hasna, fit-il en désignant du menton la jeune fille mince à l'allure solennelle debout derrière lui. Nous sommes chez ma grand-mère, Lalla Fatma.

Reconnaissant son nom parmi des mots étrangers, la vieille femme inclina la tête et tapota son ample poitrine.

— Fatma, *eyay*, Fatma, répéta-t-elle.

Tous trois me regardèrent, dans l'expectative. Pendant quelques instants, je fus incapable de me souvenir de mon nom. Puis, avec un effort herculéen, je réussis à le repêcher au fond de mon cerveau.

— Isabelle Treslove-Fawcett, dis-je.

Ils n'avaient manifestement pas compris.

— Isabelle, corrigeai-je.

Puis, renonçant :

— Izzy.

Ils éclatèrent de rire. La grand-mère émit un bourdonnement grave et ils rirent de plus belle. J'étais complètement désorientée.

— Désolé, dit enfin Taieb. *Izi* est le mot berbère qui désigne la mouche, satanée et misérable bestiole.

Satanée et misérable, j'en avais de la chance !

Taieb se retourna vers sa grand-mère et ils se remirent à jacasser dans leur langue gutturale. Il montra l'extérieur et la montagne, puis moi, toujours avec mon harnais. La vieille femme me regarda avec stupéfaction. Elle dit quelque chose d'une voix forte et emphatique en se frappant la paume du poing et secouant la tête. Le sens en était clair : ces femmes européennes modernes qui croient pouvoir faire ce que font les hommes ! Escalader une montagne et quoi encore ? Pas étonnant qu'il lui soit arrivé malheur !

Elle agita les mains en signe de résignation, puis l'air affairée alla surveiller ce que Hasna préparait sur le brasero ; au bout d'un moment, un parfum d'essence de rose mêlé à quelque chose d'étrange et amer prit le pas sur les strates d'odeurs qui flottaient dans la pièce. Une fois l'atmosphère purifiée, Lalla Fatma étala une épaisse peau de mouton sur le sol et s'y assit en tailleur avec le mouvement précis et maîtrisé de quelqu'un dont les muscles des cuisses sont entraînés à cet exercice depuis de longues décennies, puis sans autre cérémonie elle posa les mains sur ma cheville blessée. Mon cri se répercuta dans la pièce. Personne n'y prêta attention. Ils regardaient ma chaussure de montagne comme si ç'avait été un objet venu de Mars. C'était en fait un vieux modèle auquel je tenais beaucoup, dont le laçage complexe était caché par un rabat de Gore-Tex maintenu en place par une fermeture éclair. Pour un œil non exercé, elle devait sembler impénétrable, impossible à ouvrir : une chaussure magique. Taieb sortit un couteau et s'apprêta à la découper.

— Non ! m'exclamai-je en me penchant en avant malgré mon état nauséeux, et je leur montrai où se trouvait la fermeture éclair qui allait révéler le secret. *Doucement, s'il vous plaît. Très doucement.*

Respectant ma prière, il ouvrit la fermeture éclair, défit le laçage le plus possible et retira ma chaussure montante avec un soin infini, opération qui me fit venir malgré tout les larmes aux yeux. Ensuite, Dieu sait pourquoi, il me la tendit. Je la serrai contre ma poitrine comme un talisman.

Lalla Fatma entoura ma cheville de ses mains, puis avec un savoir-faire extraordinaire elle immobilisa l'articulation et sonda l'enflure tout autour avec application. Cela me fit mal, mais bien moins que je ne le craignais.

— *Lâ bès, lâ bès, lâ bès*, répétait-elle pour me rassurer.

Je ne tardai pas à me détendre. À tort. L'instant d'après, elle immobilisa ma cheville d'une main et tira fortement sur mon pied avec un mouvement de torsion. Il y eut comme le claquement sec d'un coup de feu. Une mer écarlate m'engloutit, pas vraiment une douleur, mais quelque chose de profond et primal semblable à une poussée d'adrénaline. Elle fit place à un flot de lumière blanche, quelqu'un applaudit et tous se remirent à parler.

Lorsque je rouvris les yeux, la vieille femme paraissait très contente d'elle, comme si elle venait d'accomplir un exploit qui ajoutait à sa grande renommée. Sur ce, les autres femmes rentrèrent dans la maison et elle leur distribua immédiatement leurs tâches en frappant dans ses mains pour les activer ; après le calme, la pièce redevint d'un coup bruyante et pleine d'animation. Hasna fit passer un plat contenant une pâte d'un vert terne à sa grand-mère ; celle-ci cassa prestement un œuf, goba le blanc et ajouta le jaune à la mixture. Elle mit le plat à chauffer près du brasero et alla chercher sur une étagère un pot en terre au couvercle scellé de cire. Elle dut déployer une certaine énergie pour l'ouvrir et une puanteur pestilentielle se répandit dans la pièce, une odeur de rance, de pourri, infecte au-delà de toute expression. Elle la huma avec satisfaction, puis plongea la main dans le pot et en tira une poignée de matière visqueuse. Elle m'adressa un sourire passablement édenté et tendit la main. Il était hors de question qu'elle s'approche de moi avec ce brouet de sorcière.

— Non, non, dis-je en me plaquant contre le mur et en secouant la tête. Non, non. De l'eau, s'il vous plaît, seulement de l'eau.

Taieb traduisit, mais sa grand-mère ne voulut rien entendre.

— *Oho, oho, aman oho*, répéta-t-elle en agitant le doigt vers moi d'un air de reproche.

Puis avec sa force surprenante, elle me saisit la cheville et entreprit d'y appliquer la substance nauséabonde à longues touches fermes. Dès que j'eus surmonté la répulsion que m'inspirait l'odeur, je trouvai très agréable la sensation procurée par ce massage des tissus. Ma blessure irradiait et la chaleur remontait le long de ma jambe en se dispersant. Peut-être Lalla Fatma savait-elle effectivement ce qu'elle faisait.

Ma cheville fut prise d'une crispation nerveuse. Elle bougeait ! Finalement, elle n'est pas cassée, me dis-je avec un regain d'espoir, bien qu'elle me fît un mal de chien. La vieille Berbère étala ensuite une épaisse couche de pâte verte chaude, y plaqua une poignée de roseaux en guise d'attelles et enveloppa le tout avec des bandes de tissu déchirées dans le turban blanc que lui tendait Taieb.

— Deux semaines, traduisit-il à mon intention. Vous ne devez pas poser le pied par terre pendant deux semaines. Vous avez lésé les ligaments et peut-être le tendon, mais les os sont intacts.

C'était une bonne nouvelle en comparaison du scénario dans lequel je perdais ma jambe, mais mes vacances sportives semblaient pour le moins compromises. Je n'ai même pas terminé une ascension, pensai-je sombrement. Je fis la grimace, puis, me rappelant les bonnes manières inculquées par ma mère française, je la remerciai.

— *Tanmirt*, Lalla Fatma.

C'était à peu près tout ce que j'avais appris de la langue jusque-là, mais la vieille femme parut enchantée. Elle trottina jusqu'aux sacs alignés le long du mur et revint avec quelque chose de marron-rouge sombre que j'aperçus entre ses doigts. Taieb réprima un sourire, tel le magicien, impassible, qui laisse le public entrevoir le lapin avant de le faire disparaître. Je lui adressai un regard interrogateur, mais sa grand-mère me disait maintenant quelque chose et ouvrait la main pour montrer son cadeau. Je tendis la mienne par politesse, avant de la retirer vivement avec horreur.

— Des sauterelles, me dit Taieb en s'efforçant de garder son sérieux. Elles ne se nourrissent que des meilleures plantes et elles ont une grande force dans les pattes. Si vous en mangez, leur force se transmettra à votre cheville et elle guérira vite.

— Je ne veux pas manger de sauterelles, dis-je en repoussant la main de Lalla Fatma doucement mais fermement.

— Mais elles sont frites et nappées de sucre. C'est délicieux, insista Taieb. Pour nous, c'est comme des bonbons. Regardez.

Il en fourra une dans sa bouche et la croqua ; je le regardai, atterrée, puis me mis à rire en le voyant faire la grimace et recracher les restes pâteux de l'insecte dans le creux de sa main.

— D'accord, c'est dégoûtant. Nous allons décevoir Nana.

Sa grand-mère tourna les yeux vers moi, émit un claquement de langue désapprobateur et sortit de la pièce. L'avais-je mortellement offensée ? Pas moyen de le savoir. Mais deux minutes plus tard elle était de retour avec un objet brillant qu'elle attacha autour de ma cheville.

— *Baraka*, dit-elle, comme si je savais ce que cela voulait dire. *Baraka*.

— Ça porte chance, traduisit Taieb. C'est pour éloigner le mauvais œil et vous aider à guérir. Comme vous ne mangez pas les sauterelles, cela vous aidera à aller mieux.

Je me penchai pour mieux voir. Un petit carré d'argent était accroché à mon bandage par de fins lacets de cuir. Mon cœur bondit. J'ouvris la glissière de ma poche, en sortis l'amulette et la montrai à Lalla Fatma.

— Regardez.

Taieb et sa grand-mère fixèrent des yeux la réplique géante de la plaque d'argent attachée à ma cheville et se mirent à parler très vite, leurs têtes penchées l'une vers l'autre, celle de la vieille dame enveloppée de soie noir et orange, les cheveux noirs de Taieb coupés court et semés de quelques cheveux gris. Il était plus âgé que je ne l'avais cru.

— Elles sont très semblables, n'est-ce pas ? dis-je sur le ton de la conversation.

— Elles sont de régions différentes, répondit Taieb en levant les yeux vers moi. Nous tenons la petite de nos ancêtres mauritaniens, l'autre provient de plus au sud, je crois. Elles sont manifestement d'origine touareg toutes les deux. Comment vous l'êtes-vous procurée ?

— C'est un… cadeau.

— Un cadeau de prix. C'est une très belle pièce. Savez-vous d'où elle vient ?

— Je crois qu'elle a été trouvée près d'une tombe dans le désert, dis-je, incapable de me souvenir du nom de la femme mentionné dans le compte rendu archéologique. La tombe de quelqu'un dont le nom signifie « Celle des Tentes » ou quelque chose de ce genre.

Il me regarda en plissant les yeux.

— Vous ne parlez pas de Tin Hinan ?

Le nom fit tilt.

— Oui, c'est ça. Mais peut-être que le pendentif n'a rien à voir avec elle.

Taieb examina l'amulette avec attention. Puis il secoua la tête.

— Elle ne peut être aussi ancienne ; c'est sûrement une coïncidence, marmonna-t-il, presque pour lui-même. Puis-je vous l'acheter ?

Était-ce une forme polie d'appel codé pour que j'offre l'amulette à la famille qui m'avait secourue ? Je fus soudain envahie d'une colère irraisonnée : tout ce qu'ils avaient fait, c'était m'emmener ici auprès de cette vieille aux remèdes de bonne femme. L'amulette était à moi et je ne m'en séparerais pas. Je la serrai dans ma main.

— Elle n'est pas à vendre.

Il haussa les épaules.

— Même si nous ne pouvons pas prouver sa provenance, elle atteindrait un bon prix, vous savez. À Paris. Les collectionneurs de ce genre d'objets ne manquent pas : une pièce originale d'enad. Pas une copie moderne en nickel.

Je le regardai de biais.

— Vous semblez bien connaître la question.

— Vous voulez dire pour un pauvre Berbère arriéré ? fit-il avec un rire bref. En vérité, je ne reviens dans la région que pour voir ma sœur, dit-il en montrant de la tête la jeune fille, qui répondit par un sourire, Nana et les autres membres de ma famille. Le reste du temps, je fais le commerce d'antiquités nord-africaines, à Paris généralement.

Je sus tout de suite qui il était – le cousin mentionné par le restaurateur – et je me sentis toute bête.

— Ah, dis-je, vous êtes ce Taieb-là.

Comme il apparaissait évident que je n'allais pas m'étendre davantage sur cette étrange remarque, il enchaîna :

— Puis-je la regarder de plus près ? C'est vraiment une belle pièce.

Alors que j'allais lui tendre mon amulette à contrecœur, quelque chose sembla se déplacer à l'intérieur. Je la retournai pour l'examiner.

— Oh, je crois qu'elle est cassée. Cela a dû se produire quand je suis tombée.

Je me sentis brusquement nauséeuse. L'amulette m'avait sauvé la vie et maintenant elle était abîmée. Taieb tendit le cou.

— Elle n'est pas cassée. Regardez.

Le bossage central n'était plus à sa place, poussé de côté par l'impact de la chute. Il révélait un compartiment secret. Ma blessure passait maintenant au second plan. Le compartiment contenait un minuscule rouleau de papier, à moins que ce ne fût du parchemin, voire même du papyrus. Les doigts tremblants, j'essayai de l'en sortir, mais il était là depuis longtemps sans doute et se montrait récalcitrant.

— Essayez, vous, suggérai-je en tendant l'amulette à Taieb.

Sa grand-mère posa la main sur son épaule et lui dit quelque chose très vite et d'une voix très forte qui le consterna.

— Nana est superstitieuse, expliqua-t-il. Elle dit que mieux vaut laisser reposer les morts.

— Les morts ?

— C'est une façon de parler. Ne pas remuer le passé. Elle craint qu'elle ne renferme de la magie noire, un mauvais sort, et elle ne veut pas qu'il soit transmis à sa famille.

Ne réveille pas les bêtes endormies. Les mots de la lettre de mon père me revinrent d'un coup en mémoire. Ça ne risquait pas ! Je m'acharnai sur la petite alvéole jusqu'à ce que le rouleau de papier me tombe dans la main, m'attendant à éprouver le même picotement étrange que la première fois que j'avais touché l'amulette. Mais non, rien. Le papier semblait seulement très fragile, très cassant. J'avais peur qu'il se réduise en poussière dès que je le déplierais, mais il fallait que je sache ce qu'il contenait. Je le déroulai avec précaution. Je m'étais attendue à y trouver quoi ? Un SOS style « bouteille à la mer » ? Je regardai sans comprendre les obscurs glyphes, dont un cercle traversé d'une ligne horizontale pareil à un panneau de sens interdit, un triangle d'où dépassait une ligne oblique évoquant un parapluie ouvert posé à terre, un homme formé de bâtonnets, les bras levés, un X aux branches du haut et du bas fermées, un symbole rappelant une table de camping renversée et deux petits cercles, l'un au-dessus de l'autre. L'écriture paraissait aller d'un côté à l'autre et de haut en bas, entrelacée de manière compliquée comme pour empêcher l'ingérence d'une intruse dans mon genre. Je jetai un coup d'œil à Taieb.

— Vous savez ce que c'est ? Vous êtes capable de le lire ?

Il secoua la tête en signe de dénégation.

— C'est du tifinagh, la forme écrite de la langue des tribus du désert, maintenue vivante par les femmes touaregs, les Kel Tamazight. Je ne sais pas le lire. Ma famille a des origines touaregs, mais celles qui étaient capables de déchiffrer le tifinagh sont depuis longtemps mortes et enterrées.

— Et votre grand-mère ?

La vieille femme tendait le cou à son tour pour voir ce que j'avais trouvé et elle ouvrait de grands yeux, comme si elle savait quelque chose mais le gardait pour elle. Puis elle leva les mains, apparemment pour écarter de mauvaises influences, tourna les talons et s'en alla. Nous la regardâmes se baisser pour franchir la porte basse donnant sur la cour et disparaître dehors.

15

Après cette pénible confession, Mariata évita la compagnie d'Amastan. Elle ne voyait pas ce qu'elle pouvait lui dire. Pourquoi n'arrivait-elle pas à trouver les mots qu'il fallait ? Pourquoi était-elle incapable de répondre à l'immense sacrifice qu'il avait consenti en s'ouvrant à elle ? Quelle sorte de poétesse était-elle, quelle sorte de femme ? Son incapacité à lui parler faisait souffrir Amastan, elle le devinait à sa façon de la regarder, puis de détourner rapidement les yeux, mais l'ombre de Manta planait toujours entre eux. Mariata se l'imaginait énergique et pleine d'assurance, plus jolie que la plupart, un peu rebelle, ne craignant pas d'embrasser un jeune homme qui lui plaisait, prête à lui donner son cœur alors qu'elle le connaissait à peine. Autrement dit, une fille assez semblable à elle. En raison de cette similitude, il lui était encore plus difficile d'aller à Amastan ; le faire lui aurait curieusement donné l'impression de commettre une trahison envers la morte et l'amour tragique qu'ils avaient partagé.

Une semaine plus tard, Amastan partit vers le nord traquer le gibier avec un groupe de chasseurs en vue des noces de Laïla et Kheddou. Les premiers jours, elle fut soulagée de ne plus avoir sous les yeux le rappel constant de sa présence, mais elle ne tarda pas à souffrir cruellement de son absence. Elle avait l'impression que son cœur se changerait en pierre si elle ne posait pas bientôt le regard sur lui. Comme pour se venger de ce désir, Manta s'insinuait nuit après nuit dans ses rêves et elle se réveillait en sueur. Elle entendait une voix désincarnée, voyait le corps décapité se mouvoir tout seul, la tête rouler à ses pieds, la bouche s'ouvrir, révélant ainsi l'amulette couverte de sang qu'elle portait maintenant autour du cou…

Un matin, Rahma vint s'asseoir à côté d'elle alors qu'elle pétrissait la pâte pour la tagella du jour.

— Tu as l'air fatiguée, ma fille.

Mariata reconnut qu'elle ne dormait pas bien.

— Il a fait plus chaud que d'habitude, concéda Rahma avec un demi-sourire signifiant qu'elle savait bien que ce n'était pas la seule raison.

Quand elle aborda une fois de plus la question de son fils et de la route du sel, Mariata reposa la pâte d'un geste sec.

— Je ne crois pas qu'Amastan reparte jamais avec les caravanes, dit-elle.

Rahma cessa d'essuyer la poussière et le sable de la pierre où elle laissait lever la pâte et regarda fixement Mariata.

— Que t'a-t-il dit ? T'a-t-il raconté ce qui est arrivé à Manta ?

La seule mention de ce nom lui faisait l'effet d'un coup de couteau, mais elle se tut. Ce n'était pas à elle de le lui expliquer, même si elle en était capable. Rahma insista.

— Nous devons essayer de savoir, mais il faut que ce soit toi qui le lui demandes. Avec moi, il a toujours gardé des secrets, même quand il était petit. Lorsque son oncle lui a offert un couteau à cinq ans, il l'a dissimulé dans le sable derrière la tente de crainte que je ne le trouve et le lui confisque. Lorsqu'il s'est fait mal au genou en jouant avec des garçons plus âgés que lui, par fierté il ne m'en a pas parlé de peur que je l'empêche de jouer avec eux ; le sang coagulé s'est collé à sa culotte et il me l'a caché pendant une semaine, si bien que la cotonnade s'est prise dans la plaie. Il porte encore la cicatrice, remarqua-t-elle avec un petit air triste. Promets-moi, Mariata, que tu vas tenter de savoir ce qui s'est passé. Promets-le-moi, pour notre bien à toutes les deux.

Mariata la regarda avec curiosité.

— Pourquoi me demandes-tu cela ?

— J'ai vu comment tu le regardais… dit Rahma en agitant la main pour écarter tout démenti. Nous l'aimons toutes les deux. Lorsqu'il reviendra, je ferai tout ce que je peux pour te faciliter les choses et tu feras ce que tu peux pour m'aider à savoir. Avec nous deux, Amastan aura ce qu'il lui faut.

— C'est-à-dire ?

Rahma la regarda par-dessous ses paupières tombantes.

— Rester ici avec nous deux, élever la famille qu'il aura formée et qui lui donnera l'espérance dont il a besoin pour reconstruire son univers.

— Je ne crois pas qu'il soit prêt à cela, dit Mariata d'un ton las. Je suis même tout à fait certaine qu'il ne l'est pas, que ce soit avec moi ou avec une autre.

— En ce cas, nous devrons faire en sorte que les événements décident à sa place, répliqua Rahma avant de se taire.

Les invités commençaient à arriver pour la noce de toute la région, d'aussi loin que Tafadek et Iferouane : tantes et cousins, frères, oncles et vieux amis. Il y avait à peine de quoi nourrir et loger tout ce monde ; on abattit quelques-unes des précieuses chèvres, des poules aussi, bien que les plus âgés n'en mangent pas, les considérant comme taboues. Pour l'occasion, on prépara comme dessert un plat de sauterelles frites et nappées de sucre.

Quelques jours plus tard, les chasseurs revinrent avec un certain nombre de lapins, beaucoup de ces jolies volailles tache- tées qui couraient en liberté dans les collines et deux gazelles qu'ils avaient traquées sur le plateau au-dessus du village. Du coup, le vieux bélier qu'on projetait d'abattre au cas où les chas- seurs seraient revenus bredouilles eut droit à un sursis. Ce fut un sujet de plaisanterie pour les hommes du village et l'un d'eux suspendit une amulette en cuir à son cou pour qu'il lui apporte la baraka. Tout le monde était de bonne humeur. Tout le monde sauf Rahma et Mariata, car Amastan n'était pas revenu avec les autres. D'après les chasseurs, il était parti de son côté, mais ils ignoraient où.

Mariata se lança à corps perdu dans les préparatifs de la noce, mais le cœur n'y était pas. Elle passa la matinée à cuire des miches de pain : elle pétrissait la pâte, la mettait à lever sur les pierres chauffées au soleil, alimentait les feux jusqu'à ce que les braises rougeoient, repoussait celles-ci sur les côtés, mettait la pâte à cuire enfouie dans le sable chaud et ramenait le charbon de bois incandescent par-dessus ; à mi-cuisson, elle retournait les miches. Tout cela exigeait une grande concentration et, bien que l'absence d'Amastan ait laissé en elle un vide impossible à combler, elle mettait un soin méticuleux à son travail, lequel lui valut les louanges des vieilles femmes qui avaient fait le pain pour les mariages pendant un demi-siècle.

L'après-midi, alors qu'il faisait trop chaud pour préparer le repas ou se déplacer sous le soleil brûlant, les femmes rentrèrent dans les tentes pour dormir, bavarder, choisir leurs vêtements et bijoux en vue de la soirée, appliquer leur khôl et leur henné tandis que les hommes allaient se mettre à l'ombre sous les arbres de l'autre côté du camp.

Pendant que Nofa dessinait des flammes et des fleurs sur les mains et les pieds de la future mariée avec de la pâte de henné, Laïla demanda à Mariata de lui tresser les cheveux à la manière du Hoggar, qui semblait très chic et extravagante aux femmes Kel Teggart. Les heures passèrent ainsi agréablement à faire les nattes et à papoter. Quand elles virent le résultat, les autres célibataires réclamèrent à grands cris la même faveur, mais Mariata refusa.

— C'est réservé à la mariée, dit-elle. Comment se sentirait-elle différente si vous aviez toutes la même allure ?

Elles parurent si déçues qu'elle finit par se laisser fléchir et refit les tresses des plus jeunes d'une autre façon. Ses doigts lui faisaient mal avant même d'être arrivée au bout de la file d'attente. Elle y trouva Idrissa, un petit garçon de quatre ans, bien décidé à ne manquer aucune des réjouissances auxquelles participait sa grande sœur.

— Moi aussi, je veux que tu me coiffes, exigea-t-il.

Malgré sa fatigue et son cœur en peine, Mariata dissimula un sourire. Elle saisit l'unique natte au sommet de sa tête rasée, comme en portaient tous les enfants de la tribu.

— Mais, Idrissa, si je tresse tes cheveux à plat comme ceux de ta sœur, par quoi les anges vont-ils te retenir si tu tombes ?

Il parut pensif, puis une expression rusée se peignit sur son visage.

— Coiffe-moi comme Tarichat et je te promets que je ferai attention à ne pas tomber. Tu pourras changer ma coiffure demain.

Toutes les filles rirent de bon cœur.

— On en fera un bon commerçant de celui-là.

— Il est déjà dur en affaires, reconnut Mariata. Mais tu sais, Idrissa, si je te coiffe comme Tarichat, tu ressembleras à une fille et tous les autres garçons se moqueront de toi.

Idrissa envisagea la question avec solennité, puis déclara :

— Je ne veux pas ressembler à une fille.

Sur ce, il prit la fuite et, riant et criant, courut se joindre aux gamins qui jouaient avec des chiens et des bâtons de l'autre côté de l'enclos à chèvres.

Mariata souriait encore quand elle sortit de la tente, puis elle sentit qu'on la regardait. Elle se retourna. Les tentes des femmes, d'où s'échappaient des rires, se trouvaient derrière elle, mais toutes ses compagnes étaient gaiement absorbées par leurs tâches et aucune ne faisait attention à elle. Les enclos et les enfants en train de jouer étaient sur sa gauche, l'oliveraie déserte sur sa droite, le coin où les hommes de la tribu buvaient le thé, fumaient et parlaient, devant elle. Personne ne regardait dans sa direction. Elle éprouva à nouveau la sensation d'être observée et se tourna vers l'oliveraie. Très lentement, comme s'ils déchiffraient une langue oubliée, ses yeux distinguèrent une silhouette immobile, la robe sombre formant une tache d'ombre au milieu du feuillage vert argent. Son pouls s'accéléra : même à pareille distance, il était impossible de ne pas reconnaître Amastan. Pourquoi restait-il là à la regarder ? Tout autour résonnaient le brouhaha et le tohu-bohu des préparatifs de la noce – on riait, chantait, portait des marmites et autres ustensiles de cuisine, de la nourriture, des tapis et des percussions sur les lieux du banquet. Il était tel un étranger regardant de l'extérieur, un point isolé au milieu de l'agitation. Mariata sentit son cœur attiré vers lui. Il faut que j'aille le voir, pensa-t-elle. Je dois lui parler aujourd'hui même, combler le fossé qui s'est ouvert entre nous. Tremblante, elle s'apprêtait à le rejoindre lorsque quelqu'un s'approcha d'elle. C'était Tana, les mains encore couvertes de sang après avoir préparé la viande.

— Non, dit-elle en fixant Mariata du regard.

— Non, quoi ?

— Ne va pas à lui. Ne t'occupe pas de lui.

— Je ne fais rien, répliqua Mariata, troublée.

Comment l'enad savait-elle ce qu'elle avait en tête ? Elle porta sa main à l'amulette sous sa robe. Tana n'avait pas les yeux dans sa poche.

— Je vois qu'il est déjà trop tard. Ce talisman ne te sera d'aucune utilité et ce n'est pas de moi que tu dois te protéger. Je le répète, ne va pas à lui. Il n'en sortira rien de bon.

— Je ne vois pas ce que tu veux dire. J'allais seulement aider Laïla à mettre ses bijoux.

— Ses sœurs s'en chargeront.

— Pourquoi me parles-tu ainsi, comme si j'étais une intruse et n'avais pas ma place ici ?

Le regard noir et opaque de Tana cachait ses secrets.

— J'ai vu la mort dans les entrailles et suis venue tout de suite t'avertir. Tu devrais t'en aller. Tu peux prendre ma mule.

Mariata la dévisagea.

— Quoi ? La mort de qui ?

L'enad s'éloignait déjà.

— Et où irais-je ? lui cria Mariata.

Mais elle ne répondit pas.

Elle avait alternativement chaud et froid. Elle avait cru que Tana était une amie, une étrangère comme elle, qui avait été adoptée par la tribu. Mais le regard de l'enad n'avait pas été plus amical que ses paroles troublantes, bien qu'elle ait mis sa mule à sa disposition. Tenait-elle tant à ce que Mariata quitte la tribu ? Avait-elle réellement vu la mort dans les entrailles et était-ce la sienne ? Une autre pensée lui vint soudain à l'esprit, pire que la première : peut-être était-ce la mort d'Amastan, et elle-même, Mariata, en était la cause, raison pour laquelle elle devait s'en aller. Pendant les longues heures du banquet, pendant les danses au son de la musique joyeuse, l'enlèvement rituel de la mariée et l'enfermement du jeune couple dans la nouvelle tente de Laïla, les paroles de l'enad tournoyaient dans la tête de Mariata, tissant une toile d'araignée de pensées dans laquelle elle se sentait piégée comme une mouche. Lorsque le soleil se coucha, elle ne parvint pas à se réchauffer. Assise près du feu, elle frissonnait et n'avait pas le cœur à chanter, alors que d'ordinaire elle adorait ça. Quand elle dansait, elle avait l'impression de suivre un rythme différent de celui des autres filles, celui d'un tambour entendu au loin, plus lent, plus insistant. Pendant le concours de chant, la poésie ne sortait pas de sa bouche aussi facilement que d'habitude : elle perdait le fil, oubliait les liaisons qu'elle était censée faire, restait muette. À un certain moment, elle surprit un regard d'exaspération échangé par Yéhali et Nofa – Qu'a Mariata ce soir ? Elle ne fait rien comme il faut et nous fait toutes passer pour des bécasses ! Elle aperçut même un coup d'œil interrogateur d'Amastan, un froncement de sourcils à travers la fente de son turban. Finalement, à bout, elle s'éclipsa discrètement. Elle alla chercher dans la tente les quelques affaires avec lesquelles elle était arrivée, une outre dont elle était sûre que la disparition ne lui attirerait pas de reproches et quelques-uns des pains qu'elle avait cuits le jour même. Puis, comme en transe, elle sortit du camp et se dirigea vers la forge et le petit enclos dans lequel l'enad enfermait sa mule. Lorsque enfin elle se retrouva près du piquet auquel l'animal était attaché, elle fixa du regard la mule, qui le lui rendit sans curiosité, les yeux brillant dans l'obscurité.

— Nous y voilà, lui murmura Mariata. Mais qui peut dire où nous allons ?

La mule n'avait évidemment rien à répondre. Il y eut un mouvement derrière Mariata et quelqu'un dit à voix basse :

— Où que tu veuilles aller, je t'y conduirai.

Elle se retourna : Amastan était là, sa robe indigo se fondant dans la nuit.

— Toi aussi tu veux que je m'en aille ?

— Moi ? Non.

— Bien que je me sois montrée cruelle avec toi ?

Il ne répondit rien, mais elle crut voir la petite flamme d'un sourire éclairer ses yeux. Les insectes nocturnes stridulaient ; de la rivière au loin, les appels des grenouilles mâles étaient portés par la brise.

— Cruauté et gentillesse, gentillesse et cruauté, dit-il enfin. Qui peut les distinguer ? Lance-les en l'air, ce ne sont que les deux côtés d'une même pièce.

Mariata plissa le front.

— Tu t'es certainement aperçu que ce soir je n'étais pas d'humeur à comprendre les jeux de mots et à être taquinée comme une enfant.

Elle ramassa par terre les paniers de bât de la mule, les posa sur le dos de l'animal et y rangea ses quelques affaires. Puis elle fit face à Amastan en soupirant.

— Comme je suis sur le point de m'en aller, autant parler clairement. Lorsque je suis venue ici, c'était pour apporter mon aide à un homme que tout le monde croyait fou, un meurtrier possédé par les djenoun, qui, sous l'emprise des mauvais esprits, avait vraisemblablement tué sa bien-aimée. Ta mère a traversé le Tamesna pour me trouver, persuadée que je pourrais être utile en raison de mon ascendance, mais il est apparu bientôt évident que je n'avais aucun pouvoir magique car je ne pouvais rien faire pour toi. C'est Tana qui t'a libéré des esprits, pas moi ; et elle l'a fait par égard pour moi, non pour toi. Parce que, vois-tu... Ah, c'est si difficile... s'interrompit-elle en passant une main sur son visage avant de poursuivre précipitamment, presque dans un murmure : Parce que ce n'est pas toi qu'elle a pris en pitié, mais moi.

178

Elle le regarda avec appréhension pour voir comment il réagissait à ces paroles, mais il ne parut pas les comprendre.

— Ensuite, tu m'as raconté ce qui est réellement arrivé à… Manta. Tu m'as ouvert ton cœur et au lieu de te témoigner de la sympathie comme j'aurais dû le faire envers quelqu'un qui a vécu de telles horreurs, j'ai fui, comme un enfant qui vient d'entendre une histoire de monstres ! Tu avais gardé ces terribles souvenirs en toi si longtemps et… je t'ai fui. Peut-être ne suis-je pas aussi adulte que je le croyais, mais quand même, tu ne devrais pas me taquiner comme une enfant.

— L'effet que tu produis sur moi n'est pas celui d'une enfant, je peux te l'assurer, répondit gravement Amastan. Tu me troubles.

— Je te trouble ?

— J'étais en sûreté dans ma nuit, caché de tous. Personne ne pouvait m'y atteindre et mes démons me protégeaient du monde à la manière d'un bouclier. Et puis tu es venue et tu as transpercé ce bouclier avec la lumière de tes yeux et les paroles pénétrantes de tes poèmes. Il se peut que Tana ait libéré les démons, Mariata, mais c'est toi qui as ouvert la porte par laquelle ils se sont enfuis. Ta grâce m'a touché et ton silence m'a terrifié. Lorsque tu ne me parlais pas ni même ne me regardais, c'était comme si la nuit m'avait à nouveau englouti. Il me semblait qu'il n'y avait plus d'espoir. Voilà pourquoi je suis parti avec les chasseurs. Loin de toi, loin de la tribu, loin de tout. Puis j'ai quitté les chasseurs et j'ai marché seul. Je suis allé loin, sans nourriture ni eau, et j'ai attendu que la mort vienne. Mais pendant que j'étais là à attendre, j'ai vu que le monde continuait à aller son train autour de moi comme si je n'avais compté pour rien, pas plus qu'un bout de bois ou un caillou. Les écureuils des rochers couraient alentour, enfouissaient les noisettes qu'ils avaient ramassées et urinaient dessus pour marquer leur cachette, mais comme je ne bougeais pas, ils ne voyaient guère en moi qu'un obstacle inanimé à contourner. Un lézard passa si vite que ses pattes touchaient à peine le sol brûlant et j'ai vu avant lui la vipère qui est sortie comme une flèche d'entre les rochers et l'a attrapé dans sa gueule.

La nuit tombée, je me suis allongé sur le dos et j'ai regardé les étoiles tourner dans le ciel, j'ai regardé la Grande Ourse et son alignement de trois étoiles guider les constellations à travers le firmament. J'avais l'impression d'être à la fois aussi grand et aussi petit que ces graines de vie. Je me suis alors rendu compte qu'il n'y avait probablement rien eu à faire pour sauver Manta, qu'aucune magie n'aurait pu la protéger de la mort, que le projet de l'univers est trop vaste pour qu'un homme puisse le modifier. Qu'il n'existe peut-être rien de tel que le monde des esprits, de la magie ou des sortilèges, que les hommes en parlent par peur, parce qu'ils ne peuvent accepter la dure vérité, à savoir que la mort et le danger sont toujours présents autour de nous et que nous ne pouvons rien pour les écarter. Que la vie est courte et cruelle, mais que les étoiles – ces minuscules joyaux lumineux tout là-haut au milieu des ténèbres – poursuivent éternellement leur course. Et peut-être est-ce aussi là-bas que nous allons quand vient la fin. Tu y crois, Mariata ? Devenons-nous des étoiles quand nous mourons, des petits points de lumière dans l'implacable obscurité ? Ou bien allons-nous seulement en terre pour y pourrir ?

Mariata le regardait d'un air malheureux, ne sachant trop que dire. Pendant un moment, il lui avait semblé que l'esprit d'Amastan avait été tourné vers elle, vers des questions de cœur et des choses que l'on peut comprendre et dont on peut discuter entre homme et femme. Puis il avait obliqué dans des sables mouvants, sur un terrain dangereux. Elle avait été élevée dans la croyance aux esprits, aux djenoun sous leurs formes diverses. En parler de cette manière revenait sans aucun doute à les inviter à apparaître en grand nombre, et à cette heure de la nuit, ce n'étaient pas les bons djenoun qui allaient venir mais les Kel Assouf, Ceux du Désert, qui séduisaient l'esprit des vivants afin de les éloigner de leur famille et de la sécurité du feu pour qu'ils se transforment en chacals, en charognards errants ; c'étaient les afrits et les démons, les esprits de la nuit ; les goules, ces esprits vengeurs des méchants et des damnés, qui hantaient le lieu de leur mort, assoiffés de la souffrance d'autrui pour apaiser la leur ; les *qareen*, les démons personnels toujours prêts à inspirer de mauvais désirs à l'esprit fertile et à dévoyer les bonnes âmes. Et toutes ces histoires à propos des étoiles et de la mort, d'où venaient-elles ? Sa grand-mère lui avait enseigné la cosmologie de leur monde en insérant chacun de ses éléments dans des contes et des poèmes de son époque qui avaient été transmis de génération en génération. Elle savait que ceux qui n'étaient pas morts en paix erraient sur terre, qu'il fallait entrer dans un nouveau corps dès que l'on mourait, en ayant le sien intact et le visage tourné vers l'est, qu'il fallait disposer sept pierres plates sur la tombe pour maintenir l'âme à sa place, y disposer des branches d'épineux afin d'empêcher les bêtes sauvages de venir déchirer ses chairs. Le corps physique se décomposait certainement dans le sol ; elle était sans cesse entourée par la mort – celle des chèvres et des chiens, des chameaux et des bébés –, il était donc impossible de le nier, mais la vie de l'esprit, c'était autre chose. Les adeptes de la religion nouvelle parlaient d'un paradis nébuleux où allaient les âmes des élus, mais les gens comme sa grand-mère ou comme Rahma, qui rejetaient l'appel de l'islam, adhéraient à une conception plus élémentaire et plus sombre du monde. L'idée folle que les morts puissent flotter au-dessus de sa tête dans le ciel infini lui semblait à la fois oppressante et révolutionnaire ; à seulement envisager cette éventualité, son esprit se rebellait. Elle secoua la tête, incrédule.

— Personne ne devrait parler de telles choses la nuit. Cela attire l'attention de ceux qu'il ne faut pas, dit-elle en touchant l'amulette pendue à son cou.

Amastan sourit.

— Tu portes toujours l'amulette.

— Je n'ai cessé de la porter depuis que nous te l'avons prise.

— Il fut un temps où je pensais que tous les maux de la terre s'y trouvaient réunis.

Il fit un pas vers elle, saisit le collier de perles brillantes auquel l'amulette était accrochée et la tira de dessous la robe de Mariata.

— Puis quand je l'ai vue sur toi, j'ai su que cela ne pouvait être vrai. Je suis heureux de voir que tu la portes, Mariata. Avant Manta, personne n'avait ému mon cœur. Et je croyais que plus personne ne le ferait.

— Et maintenant ? demanda-t-elle d'une voix mal assurée, les yeux brillants d'espérance.

Il garda le silence si longtemps qu'elle crut avoir dépassé les bornes du respect. Puis il prit sa main dans la sienne, la retourna et la regarda intensément.

— Comme elle est petite ! dit-il, avant de porter sa paume à ses lèvres.

À travers la douce étoffe du turban, elle sentit la chaleur de sa bouche contre sa peau et crut que ses jambes allaient se dérober sous elle.

— Viens, dit-il enfin, et il l'entraîna vers la rivière.

16

Les hurlements d'un enfant me réveillèrent en sursaut alors que j'étais en train de faire un rêve agréablement sensuel. Je me retournai : un bambin blond couché au milieu du sentier sur lequel il était tombé tapait du poing par terre en hurlant, le visage écarlate de fureur. Sa mère, tout aussi blonde, traversa d'un pas vif la terrasse de l'hôtel entourée de plantes pour le relever.

Derrière eux, le soleil baignait les sommets de la vallée d'Ammelne : le lion semblait somnoler dans la chaleur.

— Il s'ennuie à mourir ! Comment as-tu pu penser que c'était une bonne idée de venir ici ? Qu'est-ce qu'il peut faire ? Absolument rien ! cria-t-elle par-dessus son épaule à son mari, un homme à la calvitie naissante, penché sur des cartes étalées sur une table à quelques mètres de moi.

Sur ce, elle revint sur ses pas et déposa sans cérémonie le gamin braillard sur ses genoux. Le père le regarda d'un air perplexe comme s'il ne savait absolument pas qui était cet enfant. Puis il prit un biscuit aux amandes sur le plateau à thé et le fourra dans la bouche du petit, qui, pris au dépourvu, cessa brusquement de piailler.

À contrecœur, j'éprouvais de la sympathie pour cet enfant. Si j'avais pu en être quitte en piquant une colère de ce genre, je l'aurais fait sur-le-champ. Mais il n'y avait dans les parages personne susceptible de me remettre sur pied, de m'épousseter et de me donner un biscuit aux amandes pour que je me taise. Du moins avais-je des biscuits aux amandes : j'avais commandé un thé à la menthe avec ses délicieux accompagnements avant de m'assoupir et l'avais complètement oublié. Le garçon qui s'occupait du service avait manifestement été trop poli pour me réveiller. Je me versai un verre de thé. Il était tiède, orange et amer comme du poison pour avoir infusé trop longtemps.

J'avais déjà passé trois jours de mes précieuses vacances cloîtrée dans l'hôtel de Tafraout ou sur sa terrasse à laisser reposer ma malheureuse cheville tandis que les autres partaient à l'aventure. Le lendemain du jour où Taieb m'avait secourue et ramenée ici, Ève était restée avec moi, mais culpabiliser en la voyant s'ennuyer malgré ses efforts pour le cacher était pire que rester seule ; je lui avais finalement demandé de s'en aller avec Miles et Jez.

Le surlendemain, j'avais presque apprécié d'avoir du temps à moi, rien à faire et nulle part où aller. C'était une nouveauté. Je restais installée sur la terrasse, le visage levé vers le soleil comme une fleur cherchant la chaleur, et sentais mes muscles et mes nerfs se dénouer peu à peu. Je contemplais l'étonnant paysage et m'émerveillais pour la première fois du continent où avait pris naissance toute vie humaine. À parcourir du regard les falaises immuables de quartzite, le fouillis de buttes de granit rouge orangé et la tache de verdure de l'oasis au fond de la vallée, j'imaginais aisément la vie se poursuivant ici depuis les premiers temps : la procession sans fin d'animaux et de gens qui partaient vendre leurs marchandises, échanger denrées et objets artisanaux contre ceux qu'ils ne produisaient pas eux-mêmes. À voir les gens du cru vaquer lentement à leurs tâches quotidiennes vêtus de leurs longues robes et coiffés de leur foulard ou de leur chèche comme ils devaient l'être depuis des siècles, j'imaginais presque que j'avais voyagé dans le temps, parcouru les millénaires et pas seulement des milliers de kilomètres comme une touriste lambda.

Cependant, une fois passé l'attrait de la nouveauté, je regrettai d'avoir été aussi brusque avec Taieb lorsqu'il était venu me déposer à l'hôtel après que sa grand-mère eut exercé sur moi son étrange magie. Il avait insisté pour me porter de l'âne au hall comme un jeune marié franchissant le seuil de la maison, son épouse dans les bras. Cet excès de familiarité m'avait tellement perturbée que j'avais sauté à terre et m'étais montrée tout à fait impolie avec lui afin que le réceptionniste au visage sévère ne se méprenne pas sur le sens de la scène.

« Si vous voulez, je viendrai vous chercher demain ou après-demain avec ma voiture pour vous faire visiter les environs », m'avait-il généreusement proposé. J'avais refusé et je le regrettais maintenant.

Je jetai un coup d'œil à ma montre. Trois heures à peine. C'est incroyable comme le temps s'écoule avec lenteur quand on le passe à ne rien faire. Je m'absorbai dans la lecture du guide passablement écorné, espérant en vain trouver un chapitre que je n'avais pas encore lu, mais toutes les pages avaient évidemment été tournées. J'avais déjà lu l'autre livre que j'avais emporté, une biographie de Gertrude Bell, et en désespoir de cause, j'avais fait une incursion dans les bagages d'Ève, pour ne trouver qu'un roman féminin qui m'était tombé des mains au bout de deux pages de bavardage futile à propos de chaussures et de petits amis. J'étais généralement corsetée par le travail et ses contraintes ; la varappe, qui occupait des vacances comme celles-là, exerçait un effet structurant et régulateur. Sans l'un ou l'autre, j'étais livrée à moi-même, muée en une créature informe. Je détestais me sentir aussi désœuvrée, aussi dépourvue de ressources intérieures. Étais-je à ce point devenue un robot, programmé par les mornes exigences répétitives de la vie professionnelle occidentale moderne, que je ne trouvais aucun moyen de me distraire quand j'étais immobilisée par une simple cheville foulée ? Comment faisaient les autres, ceux qui étaient affligés de handicaps beaucoup plus graves ?

En colère contre moi-même, je me décidai à descendre en ville, coûte que coûte. Peut-être aller voir ces bijouteries dont avait parlé la femme du restaurateur, me renseigner encore sur l'amulette. Comme je maîtrisais correctement le français, peut-être pourrais-je aussi avoir une conversation sur la région, la culture et les coutumes locales. Ou tout simplement flemmarder dans le petit souk que j'avais entrevu lorsque nous avions acheté des provisions pour notre journée d'escalade à la Tête de Lion. Qui sait quelles autres choses bizarres je pourrais trouver dans un endroit où les sauterelles étaient considérées comme des friandises ?

Ragaillardie par ces ébauches de projet, j'étais prête à partir. Avant de changer d'avis, je posai vingt dirhams sur le plateau à thé, fourrai mon guide touristique dans mon sac à bandoulière et me levai prudemment, en équilibre sur ma jambe valide. Puis, avec précaution, je posai mon pied blessé par terre et tentai de m'appuyer dessus. Bon Dieu ! Une douleur à couper le souffle remonta le long de la jambe. Je m'agrippai à la table et attendis qu'elle passe. Mais dès que je fis bouger mes orteils, aïe ! un autre élancement moins violent me parcourut la cheville. Si je devais passer un jour, une heure de plus dans ce fichu hôtel… Je fis un pas, un autre…

— Mademoiselle ?

La voix venait de derrière moi. Surprise, je me retournai d'un bloc, perdis l'équilibre et tombai par terre en me cognant la hanche à la chaise métallique et m'éraflant le visage sur les pierres du patio. Sous l'effet de la douleur, je régressai au stade d'enfant mal élevé.

— Merde ! Qu'est-ce qui vous prend d'arriver comme ça subrepticement derrière moi ? Ah, putain, ma cheville !

Je rageai, jurai et en rajoutai en faisant appel à mon meilleur vocabulaire de grimpeuse jusqu'à ce que s'apaisent et ma fureur et la douleur. Je me rappelai alors que j'avais vu en ville un cul-de-jatte sur une patinette se propulser avec les mains en plaisantant avec les enfants qui couraient à son côté, une vieille femme presque pliée en deux par la scoliose se tordre le cou pour sourire à tous ceux qu'elle croisait en leur souhaitant le bonjour et la baraka, un gamin terriblement maigre tomber de son âne et atterrir sur le crâne au milieu de la rue, puis se relever d'un bond, épousseter sa robe et se mettre à rire pour oublier que tout le monde se moquait de lui et qu'il s'était fait très mal. Et moi qui n'avais qu'une entorse à la cheville, j'en faisais tout un plat, une « scène ridicule », aurait dit ma mère, comme si cela avait été le plus grand péché qui soit. Je levai les yeux : même le gamin blond me regardait bouche bée. Eh oui, pensai-je dans ma position inconfortable et peu digne, prends-en de la graine, petit gars. Voilà comment un adulte pique une vraie colère. Pourquoi n'apprends-tu pas quelques bons jurons anglo-saxons ? Après, tu pourras vraiment choquer tes bourges de parents.

On me prit sous les aisselles, me remit debout et me fit rasseoir, puis il y eut un débordement d'activité et un flot de paroles berbères. Un garçon se précipita avec une cruche d'eau et un essuie-mains. L'instant d'après, quelqu'un me tamponna le visage et murmura en français d'un ton apaisant :

— Ce n'est qu'une égratignure, il n'y a pas de mal.

J'écartai la serviette avec brusquerie parce qu'on avait envahi mon espace personnel.

— Laissez-moi tranquille !

— Excusez-moi, j'essayais seulement de me rendre utile.

C'était évidemment Taieb, son visage puissamment charpenté sévère à force de concentration sous les plis de son turban.

— Désolée, dis-je, gênée par mon emportement. C'est tout simplement que j'en ai par-dessus la tête d'être dépendante de tout le monde.

— J'ai pensé que cela vous ferait peut-être plaisir de venir avec moi dans un village, là-haut dans les collines, pour rencontrer une très vieille femme qui pourra peut-être vous dire ce que signifie l'écrit trouvé dans votre amulette.

— Vraiment ? dis-je, la curiosité le disputant à la prudence.

Pouvais-je faire confiance à cet homme que je venais de rencontrer ? *Es-tu capable de faire confiance à un homme quel qu'il soit ?* me taquina une voix intérieure. Je pris métaphoriquement une profonde inspiration et écartai cette pensée indigne avant d'acquiescer.

— Vous en avez assez de paresser au soleil, n'est-ce pas ? remarqua Taieb.

Je lui souris, vaincue.

— Je le crains.

Il s'assit et me regarda avec attention.

— Les Européens n'ont pas l'habitude de rester à ne rien faire. Nous autres, Marocains, nous pouvons nous tourner les pouces pendant des jours d'affilée, ajouta-t-il dans un rire. À Paris, je ne cesse de travailler, toute la journée, parfois toute la nuit. Ici, continua-t-il en écartant les mains pour embrasser du geste la ville et les collines magnifiques, je redeviens moi-même. Je ralentis l'allure, parfois je m'arrête complètement. Je me lève tard, je prends un long petit déjeuner, puis je vais au café bavarder avec mes amis. Je rends visite aux voisins et aux parents qui me manquaient quand j'étais en France, j'écoute leurs nouvelles pour rattraper mon retard, je passe le temps avec eux. J'observe le soleil changer de couleur sur les rochers. Je dors beaucoup ou je m'assois pour regarder le monde défiler. Mais je vois que vous avez du mal à faire de même.

— Je ne supporte pas d'être inactive, ça me rend folle.

— C'est dommage. Cela vous ferait peut-être du bien.

Je lui lançai un coup d'œil acerbe mais décidai de tenir ma langue.

— Alors… cette vieille dame. Où est-elle et comment l'avez-vous trouvée ?

— Elle habite un village à deux heures d'ici en voiture, un endroit appelé Tiouada. Nana l'a connue quand elle était enfant ; c'est… une cousine éloignée.

— Et elle sait lire le tifinagh ?

Il haussa les épaules.

— C'est ce qu'a dit Nana. Mais qu'avez-vous à perdre ? En tout cas, vous passerez le temps avec l'un des plus charmants enfants du pays et, par-dessus le marché, vous aurez l'occasion de voir des paysages spectaculaires. Je crois que vous ne perdez pas au change.

— Ah oui ?

Il me jeta un regard entendu sous ses cils qui, à mon grand dam, étaient plus longs que les miens.

— C'est ce qu'on me dit souvent.

— Et dois-je payer pour avoir ce privilège ?

Dans le court laps de temps que j'avais passé au Maroc, je m'étais déjà habituée aux attentes de la population, qui ne paraissait que trop empressée de plumer les touristes en faisant mine, avec le sourire, de leur accorder une faveur. Taieb eut l'air offensé, mais il le cacha très vite.

— Si vous voulez, vous pouvez participer aux frais d'essence, dit-il d'un ton sec avant de se lever. Il serait bon que vous preniez un vêtement chaud. Quand le soleil se couche, il fait très froid là-haut.

Parcourue d'un bref frisson d'irritation, je le regardai descendre rapidement les marches menant au parking de l'hôtel. Puis j'allai à cloche-pied chercher ma parka dans ma chambre.

De retour au parking, je jetai un coup d'œil autour de moi. Pas de Taieb à l'horizon. Deux ou trois berlines de location avaient été laissées bêtement en plein soleil par leurs conducteurs, l'antique Renault du directeur de l'hôtel était garée à l'ombre d'un figuier. En dehors de ça, il n'y avait qu'un pick-up Dacia vide et un gros 4 × 4 noir étincelant. Je n'étais pas dans le pays depuis longtemps, mais j'étais capable de distinguer à cent mètres la voiture d'un Marocain de celle d'un étranger. Taieb a dû aller faire le plein en prévision de la virée, pensai-je. Aussi ma surprise fut-elle de taille quand le 4 × 4 fit demi-tour dans un ronronnement de moteur et vint s'arrêter près de moi.

— Volkswagen Touareg, dis-je en me laissant tomber à la place du mort. Vous l'avez choisi à cause du nom ?

— Absolument pas, répondit-il, impassible.

Et nous voilà partis bien installés sur les fauteuils en cuir de la luxueuse voiture climatisée.

En descendant la colline depuis l'hôtel nous sommes passés devant des maisons modernes peintes en ocre, un cybercafé avec des affichettes écrites à la main dans la vitrine, un homme âgé assis en amazone sur une mule efflanquée et un camion duquel on déchargeait des centaines de caisses de boissons non alcoolisées dans un entrepôt qui semblait déjà bien rempli. Je tendis le cou.

— Du Coca ordinaire, fis-je observer. Pas bien, ça.

— Ah oui. Personne n'aime la version basses calories ; les gens d'ici ont appris à considérer le sucre comme une monnaie d'échange. Si vous buvez du Coca light, c'est que vous êtes pauvre. Même s'il coûte le même prix. Nous en faisons le commerce, vous savez ; le sucre marocain s'est vendu partout dans le monde. On offre encore des cônes de sucre aux jeunes mariés ou à l'occasion de fêtes. Ma mère a conservé les cônes qu'on lui a donnés le jour de ses noces et celui qu'elle a reçu à sa naissance.

— Vraiment ? dis-je, intriguée. Des cônes de sucre ? Je crois que je n'en ai encore jamais vu.

— Vous en verrez.

Dans le centre-ville, il y avait partout des écoliers, qui parlaient avec animation ou déambulaient par groupes de trois ou quatre, les garçons en jean déchiré, tee-shirt et fausses Nike, les filles, minces et sombres de peau, en blouse et pantalon blancs, comme si elles sortaient d'une conférence donnée à de jeunes pharmaciens. Presque aucune n'avait la tête couverte, bien que les quelques femmes que j'aie vues – leurs mères, tantes ou sœurs aînées – aient toutes porté le *haïk* noir réglementaire, qui cachait tout à l'exception du visage, de leurs mains brunes toujours en mouvement et de leurs chaussures de couleurs vives. Installés aux terrasses des cafés, les hommes fumaient, buvaient du thé et discutaient, mais rien n'échappait à leur regard nonchalant. L'atmosphère était détendue : personne ne travaillait beaucoup, en dehors peut-être du personnel des cafés. Sur la place centrale, Taieb s'arrêta et descendit de voiture, m'y laissant seule. Je regardai autour de moi. Dans des magasins poussiéreux alignés d'un côté de la place étaient exposés des tapis dont les teintes éclatantes passées au soleil avaient pris les nuances des vieilles photos en couleurs, des burnous en laine rayés et des djellabas qui semblaient bien trop chaudes pour être portées ailleurs qu'au pôle Sud, des épées et des dagues ornementales, des bijoux en argent et des colliers de grosses perles disposées sur un support recouvert de feutre décoloré, des marmites en cuivre vert-de-gris, des tas d'énormes vieilles jarres comme celles que j'avais vues chez Lalla Fatma. Tout cela pour les touristes, mais assez miteux pour être authentique.

Je commençais à étouffer dans la voiture ; je coupai le contact et appuyai sur le bouton pour baisser la glace. Juste à cet instant, deux adolescents montés sur une bicyclette déglinguée passèrent tranquillement et l'un me regarda par-dessus son épaule. Il dit quelque chose à son ami qui était assis devant, les pieds sur le cadre, véritable paquet de genoux et de coudes, puis fit demi-tour et repassa près de la voiture dans l'autre sens.

— Gazelle, lancèrent-ils à l'unisson avant de s'éloigner en riant.

Gazelle ? Était-ce quelque obscure forme d'insulte ou un compliment ? Impossible de le savoir. J'imaginais que c'était mieux que s'ils m'avaient crié : « Hippopotame ! » ou « Éléphant ! », mais tout de même... Je jetai un coup d'œil alentour et constatai que l'apostrophe avait fait rire certains des hommes assis au café. D'autres me regardaient, impassibles, de leurs indolents yeux noirs. Je fus soulagée de voir Taieb revenir, même s'il semblait engagé dans une vive discussion avec un homme en djellaba bleu roi à revers brodés d'or et grand turban noir. Ils échangeaient des rafales de paroles gutturales furieuses en s'accompagnant de grands gestes. Puis Taieb empoigna son compagnon par l'épaule et je crus qu'ils allaient se battre, mais quelques instants plus tard, ils s'étreignirent chaleureusement et éclatèrent de rire. De toute évidence, je ne comprenais ni la langue ni le langage corporel des gens de ce pays.

— Je vous présente mon cousin Azaz, dit Taieb en arrivant à la voiture.

Alors que Taieb était mince, le visage fin, Azaz était gros, joufflu et doté d'une grande moustache à la Saddam Hussein.

— Bienvenue, bienvenue, dit-il en me serrant vigoureusement la main. Je parle très bien anglais, français et allemand aussi ;

tous les touristes viennent me demander conseil. Je suis tout à fait désolé d'avoir appris votre accident sur la Tête de Lion.

— Tout le monde est au courant à Tafraout ? demandai-je avec humeur, décontenancée.

— Oh, oui, m'assura-t-il. Tout le monde ! Tout le monde sait ce qui est arrivé à la jeune femme anglaise sur la montagne. Mais nous sommes très contents que notre lion ait veillé sur vous et vous ait envoyé Taieb.

— En fait, je suis à moitié anglaise : père anglais, mère française.

— Je crois que vos amis se sont inquiétés en ne vous trouvant pas quand ils sont redescendus de la Tête de Lion !

— Vous les connaissez aussi ?

— Bien sûr ! Je connais tous les grimpeurs qui viennent ici. Beaucoup d'Anglais ! J'ai rencontré Joe Brown, Chris Bonington et les journalistes qui ont rédigé les guides touristiques ; ils viennent tous me voir et je leur parle des montagnes et des voies d'ascension de la région. Donc, oui, je connais vos amis Miles, Ève et son sympathique mari Jez.

— Ce n'est pas son mari.

Azaz ne parut pas choqué par cette nouvelle, bien au contraire. Il se mit à rire et joignit les mains, qui étaient potelées, apparemment douces et couvertes d'extraordinaires bagues en argent. Pas des mains de grimpeur.

— Oh, nous sommes très larges d'esprit par ici, très cool. Disons que c'est son copain.

Azaz recula d'un pas. Du coin de l'œil, je vis que Taieb et lui échangeaient un regard, puis tous deux montèrent dans la voiture, Azaz sur la banquette arrière. Il se penchait tellement entre les sièges qu'il aurait pu tout aussi bien être devant avec nous. Tandis que nous sortions de la ville dans un vrombissement de moteur et montions la longue colline vers le plateau, Taieb et lui ne cessèrent de jacasser en berbère sans prendre la peine de traduire à mon intention. Je commençai à paniquer un peu. Où allions-nous déjà ? J'étais infichue de me rappeler le nom du village : comment prendre la précaution élémentaire d'envoyer un texto à Ève pour lui dire où j'étais ? Il me vint de nouveau à l'esprit que je ne savais rien de Taieb et moins encore de son cousin. N'allaient-ils pas m'emmener dans un coin perdu et me soumettre à quelque horrible épreuve ? Laisser mon corps en plein désert à la merci des chacals et des vautours ? Y avait-il même des vautours par ici ? Je songeai aux hommes attablés à la terrasse des cafés, à leur souriante complicité masculine avec les deux ados taquins à bicyclette ; si je disparaissais, toute la ville n'allait-elle pas respecter l'omerta en présentant au monde un visage totalement fermé, de même que son architecture cache ses secrets derrière de hauts murs et des volets clos ?

— Il faut que je dise à mon amie Ève où je suis partie, sinon elle va s'inquiéter, dis-je en m'immisçant dans la conversation.

— C'est inutile, m'assura Taieb. Tout le monde sait que vous êtes allée avec nous à Tiouada… Il y a une *fichta* là-bas ce soir.

— Une quoi ? demandai-je.

Mais ils s'étaient déjà remis à parler entre eux.

Tiouaδa ? *Tiwouaδa* ? Comment écrivait-on ça ? Je tirai mon portable de mon sac, l'allumai et m'apprêtais à écrire un texto quand un bip retentit et l'icône de l'enveloppe apparut. J'avais apparemment un message. Je l'ouvris.

DES MECS NS ONT INVITÉS À DÎNER DS LEUR VILLAGE. J'ESPÈRE K ÇA T'ENNUIE PAS ! À +, ÈVE

Super ! J'étais sur le point de répondre quand le signal vacilla puis disparut. De mieux en mieux.

— Qu'est-ce qu'une fichta ? demandai-je, profitant d'une accalmie dans leur conversation.

— Une fête !

— Une très grande fête, renchérit Azaz, rayonnant. Beaucoup de musiciens, tout le monde sera très content. Et Taieb et moi allons jouer.

— Jouer ?

— Des percussions ! De l'*agoual* et du *tamtam*, et Mohammed va apporter la *ganja*…

La ganja ? Voulait-il dire de l'herbe ? Quel genre de fête cela allait-il être ? Ma panique monta encore d'un cran.

— Et où sont-elles, ces percussions ?

— À l'arrière, derrière Azaz, me dit Taieb.

Je me retournai. Dans le coffre, il y avait tout un fatras : des couvertures, des boîtes, une caisse et, en effet, deux gros objets non identifiables cachés par une vieille carpette multicolore.

— Je croyais qu'on allait seulement faire un saut pour voir la vieille dame et l'interroger à propos de l'amulette avant de rentrer tout de suite.

Taieb tourna vers moi un visage de marbre.

— Au Maroc, on ne se contente jamais d'un « saut » pour voir quelqu'un, dit-il avec calme. Nous avons une vieille tradition d'hospitalité. Il y aura de quoi manger, du thé, de la musique…

— Et combien de temps cela va-t-il durer ? Il faut que je retourne à l'hôtel.

— Vous avez donc tant à faire ?

Je lui lançai un regard furibond en rougissant jusqu'aux oreilles. Je savais que je ne me montrais guère aimable et réagissais de manière exagérée alors qu'on m'offrait la possibilité de voir la vraie vie du pays, mais je n'y étais pas préparée et je sentis que je perdais tout sang-froid. J'envisageai un moment d'exiger qu'il me ramène à Tafraout mais, effectivement, qu'est-ce qui m'attendait là-bas ? Des heures mornes à passer sur la terrasse pendant que le soleil descendait à l'horizon, un dîner en solitaire dans la salle à manger de l'hôtel, qui n'était pas une merveille… Bon sang, Izzy, vis un peu ! me sermonnai-je. Tente ta chance. Je me forçai à sourire.

— D'accord, ça semble super.

— Vous allez adorer, promit-il.

Puis Azaz et lui se remirent à bavarder dans leur langue dure et incompréhensible. Le berbère est plein d'emphase, de coups de glotte et de sons rauques venus du fond de la gorge, et, comme toutes les langues étrangères qu'on ne parle pas, il semble à la fois rapide et empreint d'agressivité. Avec tous ces gestes insistants de la main qui accompagnent même une simple conversation entre amis ou cousins, il donne l'impression d'être conflictuel. Mais au bout d'un moment, je commençai à le trouver apaisant, un flot de bruit dépourvu de sens dont je pouvais m'abstraire à volonté en contemplant le paysage par la vitre.

Et quel paysage ! Immense et déchiqueté, il se déployait devant nous semblable à une promesse ou une menace. Il n'y avait absolument rien d'aussi vaste et vide en Grande-Bretagne. Même la plaine que nous traversions était spectaculaire, semée d'énormes rochers sculptés par les intempéries en des formes fantastiques : champignons de cinq mètres de haut, dont le pied jadis solide était réduit à une tige rongée par les vents de sable ; grandes buttes rocheuses pareilles à des crêpes empilées les unes sur les autres ; pics vertigineux aux surplombs en saillie comme des becs d'aigle ; silhouettes arrondies évoquant des lièvres accroupis ou des femmes endormies, et des dizaines de flèches dressées vers le ciel.

Taieb me toucha le bras pour me montrer l'une d'elles, isolée et d'aspect frappant.

— Vous voyez ça ? On l'appelle l'Aglaïn.

À l'arrière de la voiture, Azaz s'étrangla de rire.

— Qu'est-ce que ça veut dire ? dis-je, regrettant immédiatement d'avoir posé la question, tant la réponse était évidente.

— La Bite et les Couilles, répondit Taieb, les yeux brillants de malice.

— Les femmes qui veulent des enfants viennent ici la toucher, ajouta obligeamment Azaz. Et ça marche ! Mes cousines ont eu des tas de marmots après être venues à l'Aglaïn.

— Vous voulez qu'on fasse un petit détour pour que vous puissiez la toucher ? demanda Taieb d'un ton faussement innocent. Cette voiture passe partout.

— Non ! explosai-je. Bien sûr que je ne veux pas. Quelle absurdité !

— Vous avez déjà des enfants ? s'enquit Azaz, qui ne semblait pas jouer le même jeu que son cousin, ce qui ne m'empêchait pas d'être encore perturbée.

— Non.

— Vous êtes très âgée pour ne pas avoir d'enfants, continua-t-il avec un irrespect total des convenances.

— Dans mon pays, les femmes font carrière, rétorquai-je, la bouche pincée. Et nous estimons que cela est tout aussi important que de faire des enfants.

— Rien n'est aussi important que d'avoir des enfants, dit-il avec componction tandis que je me détournais de leurs regards indiscrets.

Peu après nous obliquâmes à gauche et la route commença bientôt à monter en zigzags par une série de virages en épingles à cheveux, bordée de tous côtés par des amas vertigineux de roche rouge. En me retournant à notre arrivée près du sommet pour jeter un coup d'œil au paysage que nous venions de traverser, son immensité me laissa bouche bée : à perte de vue, de la roche nue, des rochers épars et une maigre végétation ; pas une maison, pas âme qui vive. Au loin, très loin, on apercevait la muraille sombre et menaçante du djebel al Kest dominant la vallée d'Ammelne et je fus stupéfaite de voir avec netteté les traits de la face du Lion même à pareille distance. Pas étonnant qu'il ait été partie intégrante de la mythologie locale : avec un tel point de repère, personne ne pouvait se perdre, si sauvage cette région fût-elle. J'imaginai des marchands du temps jadis venus du désert, qui poursuivaient péniblement leur chemin vers le nord avec leurs chameaux chargés d'or, d'ivoire, de plumes d'autruche, arrivaient en haut de cette montagne que le 4 × 4 gravissait en ce moment et mettaient le cap avec soulagement sur la Tête de Lion, attirés par la promesse d'une oasis verdoyante après des semaines, peut-être même des mois de rude voyage.

De l'autre côté du col, le paysage changeait à nouveau et s'ouvrait sur une magnifique vallée sinueuse creusée par quelque grande rivière disparue dont le cours avait laissé des falaises rouges qui évoquaient, en à peine plus petit, le Grand Canyon. Leurs couches superposées mises à nu étaient aussi distinctes que sur un diagramme de manuel de géologie. Mais il n'y avait pas ici de rivière Colorado, rien qui pût rappeler la puissance du torrent qui avait excavé une gorge aussi impressionnante, car dans le lit tout en bas on ne voyait que des rochers lissés et blanchis longtemps auparavant par le passage de l'eau. Nous descendîmes dans la vallée, des précipices d'un côté et, de l'autre, d'imposantes masses de roc instable parsemées de petites fleurs orange étoilées et de figuiers de Barbarie. Des chèvres nous regardèrent passer de leurs yeux en amande quand la route franchit la rivière fantôme. Nous longeâmes à toute vitesse une chaussée cahoteuse, nos pneus soulevant des nuages de poussière qui masquaient la route que nous avions suivie. L'espace d'un court instant surréaliste, j'eus le sentiment que tout mon avenir s'étendait devant moi comme l'étroit ruban de goudron sur lequel nous roulions, menant vers l'inconnu, et que mon passé était lentement mais sûrement en train de s'effacer, de se muer en cendres et en poussière dans notre sillage.

17

Nous sommes finalement arrivés à Tiouada, un fouillis de constructions anciennes en adobe et modernes en parpaings qui ne payaient guère de mine. En comparaison de Tafraout, le village semblait pauvre et miteux, au bord du néant. Tout y était sec, sec, sec. Nous sommes passés devant un enclos dans lequel un âne était attaché à un pieu par un bout de corde effilochée. Il leva la tête et nous lorgna d'un œil morne, n'attendant rien de la vie et ne risquant donc pas d'être déçu. Il n'y avait rien de vert dans son enclos, pas une feuille, pas une plante; la corde qui l'entravait semblait être ce qu'il y avait de plus comestible à sa portée.

Le village était désert, volets clos, portes fermées, même la grille métallique de l'inévitable épicerie était baissée; rien ne bougeait. Des voitures rouillaient, cuites par le soleil de l'après-midi, aucun enfant ne jouait dans les rues, pas un chat ou même un chien ne paressait à l'ombre des feuilles parcheminées de l'eucalyptus au centre de la place. L'endroit ne donnait certes pas l'impression qu'un mystère pouvait y être éclairci, que l'unique gardienne d'une ancienne langue oubliée pouvait y habiter; personne ne semblait vivre là. C'était à se demander si toute la population ne s'était pas rassemblée dans la journée et, après en avoir longuement débattu, n'avait pas pris la décision depuis longtemps ajournée de finalement abandonner le village à la sécheresse et à la désertification, de plier bagage et d'aller chercher ailleurs une vie meilleure, quelque part où il y eût une nappe phréatique plus haute et un peu de végétation.

— Où sont les habitants ?

— Vous verrez, répondit laconiquement Taieb.

La voiture passa devant une rangée de bâtiments administratifs sur la façade desquels le drapeau national rouge et vert pendait mollement. Un gros graffiti sur le mur proclamait : VIVE LE TIFINAGH ! À côté un personnage formé de bâtonnets semblait danser, les genoux fléchis, les bras levés, à la fois plein de défi et délirant. Je ne sais pourquoi, il me sembla vaguement familier. Je demandai à Taieb ce qu'il signifiait.

— La fierté berbère, répondit-il, énigmatique. Ça s'appelle l'*Aza* ; c'est le symbole des Amazighs – *Ama-zir* –, les Gens Libres.

— Ah bon, dis-je, ma curiosité piquée. Qui sont les Gens Libres ?

Il m'adressa un sourire sombre.

— Nous. Les Berbères formaient la population d'origine de l'Afrique du Nord. Avant l'arrivée des Romains, bien avant les Arabes, nous étions déjà ici, avec notre langue et notre culture, notre religion et nos croyances. Les Arabes sont venus des déserts de l'est au septième siècle et ont apporté avec eux l'islam, telle une épée flamboyante. Les envahisseurs arabes ont déclaré illégal l'usage oral et écrit de l'alphabet tifinagh ; même parler berbère chez soi était considéré comme un acte subversif. Mais les Berbères sont des gens fiers et, parce qu'ils ont toujours eu la vie dure, ils savent comment subsister alors que tout est contre eux. Ils se sont rebellés et ont été brutalement réprimés. Mais ils ont continué la lutte au fil des siècles et résisté avec acharnement à l'invasion arabe, puis française. Un mouvement séparatiste berbère s'est constitué. Du temps du dernier roi, Hassan II, quiconque soutenait la cause berbère risquait d'être tabassé, ou pire. Mais plus fort on piétine un serpent, plus il a envie de vous mordre.

— Oui, dit Azaz, son visage d'ordinaire réjoui devenu solennel. C'était une mauvaise période. Beaucoup de gens disparaissaient purement et simplement.

— Le père d'Azaz a fait partie du mouvement séparatiste, mais il n'a pas pris les armes. Il s'est borné à faire campagne pour des élections libres. Il est mort en prison, reprit Taieb. Personne ne parle de cela maintenant. Le nouveau roi est différent. Il est plus progressiste que son grand-père, Mohammed V, et que son père, Hassan II. Il sait que pour réussir à faire du Maroc un pays moderne prospère, il doit éviter les dissensions et l'agitation politique.

Nous tournâmes encore un coin pour nous retrouver dans une rue bloquée par un troupeau de moutons faméliques. Je n'en croyais pas mes yeux : où les emmenait-on paître ? Il n'y avait nulle part la moindre touche de vert. Les bêtes devaient être ici aussi robustes que les hommes. Il semblait honteux de les manger.

— Pourquoi le mouvement n'a-t-il pas bénéficié de davantage de soutien ?

Taieb réfléchit à la question en pianotant sur le volant sur un rythme compliqué en attendant que les moutons lui laissent le passage.

— La plupart des Marocains ont des racines berbères, mais ils ne sont plus très nombreux à se considérer avant tout comme berbères. Ils ne peuvent pas se le permettre. Le siècle dernier a été particulièrement difficile. Les Français ont colonisé le Maroc et pompé ses ressources. Les guerres se sont succédé et la pauvreté généralisée en a été le résultat inévitable. Si vous voulez vous en sortir, vous devez parler l'arabe et le français. Si vous parlez berbère, on vous prend pour un péquenot et on vous traite en conséquence. Ceux des jeunes générations ont renoncé à essayer de vivoter à la campagne ; ils vont à la ville et adoptent le mode de vie occidental. Ils s'intègrent au système au lieu de lutter contre lui, dit-il avec un soupir. Ma famille est un bon exemple, bien que Lalla Fatma reste le point d'ancrage de notre héritage. Nous avons perdu le contact avec la langue et les traditions. Même dans les endroits les plus reculés, on ne sait plus ni lire ni écrire le tifinagh. Nous avons réussi à maintenir vivante la langue orale, mais nous avons depuis belle lurette perdu l'usage de l'alphabet. Au moins avons-nous obtenu le droit de l'enseigner dans les écoles ; le roi a qualifié la culture amazigh de « trésor national ». Mais le mal est fait depuis longtemps : j'éprouve de la honte quand je constate que nous ne pouvons pas aller simplement voir quelqu'un à Tafraout et lui demander de lire l'inscription que contient votre amulette ; personne n'est capable de le faire, alors que c'est la forme écrite de notre langue, un dialecte de celle que nous parlons tous les jours.

Jusque-là, je ne m'étais pas rendu compte qu'il existait un lien entre la langue que j'entendais parler autour de moi et les étranges symboles de l'amulette. Et je compris soudain pourquoi le signe barbouillé sur le mur m'avait paru si familier : c'était l'un des symboles de l'inscription. Extraordinaire ! Je me sentais en même temps exaltée et troublée par ce lien inattendu.

Le dernier mouton sauta sur le bord pierreux de la chaussée, nous tournâmes à gauche et suivîmes une piste dans le crissement de la blocaille sous les pneus de la voiture.

— Et où sont les Touaregs dans tout ça ? demandai-je.

Taieb évitait les nids-de-poule avec maestria en donnant des coups de volant rapides à droite et à gauche.

— Bonne question. Il fut un temps où nous formions un seul peuple ; les Berbères s'étaient répandus dans toute l'Afrique du Nord, du Maroc à l'Égypte. Mais lorsque les Romains ont conquis le Maghreb, une partie de la population locale a capitulé, d'autres ont résisté et se sont enfuis dans le désert. Là, ignorant les frontières et vivant hors de tout contrôle politique, ils ont réussi à échapper même aux razzias des Bédouins et ont emporté avec eux les racines de notre culture, y compris notre vieil alphabet. Maintenant, ils sont les seuls gardiens du tifinagh, en particulier lorsqu'il s'agit des anciens usages, comme l'inscription trouvée dans votre amulette.

— Vous croyez vraiment qu'elle est ancienne ?

— Le style de l'amulette est très traditionnel. Concernant les Touaregs, vous devez garder à l'esprit que jusqu'à il y a peu leur mode de vie était resté quasiment inchangé depuis mille ans. Mais la dernière génération a souffert de la sécheresse, de la famine, des persécutions, et leur effectif a grandement diminué. Et puis, évidemment, ils ont été touchés dans une certaine mesure par le monde moderne. Quand je dis que votre amulette paraît ancienne, j'entends par là que sa conception est ancienne, transmise de père en fils au fil des générations de forgerons. Votre collier peut donc aussi bien dater de mille ans que d'un siècle, voire moins, c'est difficile à dire. Je reconnais les motifs, mais j'ai besoin d'en savoir plus sur sa provenance pour estimer son ancienneté avec certitude. L'inscription qu'elle renferme devrait cependant nous en donner une meilleure idée. Et c'est là qu'intervient Lallaoua.

— Ah, Lallaoua, s'exclama Azaz, égayé à la mention de ce nom. Elle fait le meilleur *m'smen* du monde !

Lallaoua. C'était le nom que j'avais entendu répéter sans fin dans mes rêves. Quelque chose de froid m'effleura le cœur.

Mais Lallaoua ne répondit pas quand nous frappâmes à sa porte.

— Elle est devenue sourde comme un pot, me confia Taieb, et elle passe maintenant beaucoup de temps à dormir.

Il jeta un coup d'œil par la fenêtre et l'appela d'une voix forte. Toujours pas de réponse. Nous fîmes le tour de sa petite maison en adobe, de la même teinte terre cuite que ses voisines et trouvâmes derrière un enclos désert. Il y avait par terre des plumes de poules et des crottes de chèvres séchées, mais aucun signe de la présence de ces animaux en dehors de l'odeur de moisi qui flottait dans l'air lourd de l'après-midi. Azaz fronça les sourcils et dit quelques mots à Taieb, qui hocha la tête.

— Ses bêtes, dont elle était si fière, ne sont plus là. Quelque chose ne va pas du tout. Je vais aller voir Habiba. Elle saura.

— Qui est Habiba ?

Était-ce un effet de mon imagination ou avait-il l'air vraiment embarrassé ?

— C'est une… cousine, répondit-il enfin. Une cousine à moi et à Azaz. Lallaoua vivait avec la famille de Habiba.

Nous reprîmes la piste en sens inverse pour retourner dans le village désert et passâmes à nouveau devant les bâtiments municipaux et leurs graffitis subversifs. Juste avant la place, nous nous garâmes à l'ombre d'un mur couvert d'une peinture colorée composée d'un mélange de personnages de Walt Disney, de portraits de footballeurs célèbres et des élégantes volutes de l'écriture arabe.

— Habiba enseigne ici, m'expliqua Taieb quand nous descendîmes de voiture.

Le soleil de la fin d'après-midi me tapait sur la nuque et il me vint à l'esprit que je n'avais pas mangé et surtout bu depuis des heures. Taieb vint à mon côté et sans dire un mot ni me demander ma permission, passa un bras autour de ma taille pour m'aider à marcher. J'ouvris la bouche pour protester avant de me raviser. Il voulait simplement m'apporter son soutien. De l'autre côté de la cour de l'école, l'ombre était très attirante, mais pourtant cette proximité, sa hanche qui cognait contre la mienne, les muscles de ses épaules que je sentais bouger, la chaleur de son corps à travers la cotonnade de sa djellaba me mettaient mal à l'aise.

À l'entrée de l'école, un petit bâtiment préfabriqué auquel on accédait par un escalier en bois branlant, Azaz passa le premier. Il disparut dans la pénombre de l'intérieur et quelques instants plus tard j'entendis les éclats de voix saccadés habituels suivis de multiples cris et rires aigus. Taieb m'aida à gravir les marches et m'escorta à l'intérieur.

Malgré l'heure tardive, trente ou quarante enfants de tous âges étaient entassés dans l'unique salle de classe. Tous eurent un large sourire à la vue d'une touriste sautillante, dévoilant leurs dents d'un blanc éclatant dans la semi-obscurité. Certains des plus jeunes se couvrirent la bouche de la main et me regardèrent avec un plaisir non dissimulé ; d'autres hurlaient des mots que je ne pouvais comprendre et riaient à n'en plus finir. L'instituteur, un homme mince aux grands yeux, l'air sérieux, vêtu comme un moine mendiant d'une djellaba marron poussiéreuse, leur fit finalement signe de se calmer et de se taire. Puis il se tourna vers Taieb et Azaz, et tous trois se lancèrent dans une discussion très animée.

Je regardai autour de moi. À mesure que mes yeux s'habituaient à la pénombre, je me rendis compte à quel point les enfants présents différaient les uns des autres. À Tafraout, à deux heures de voiture de là, tous se ressemblaient plus ou moins : peau café au lait et cheveux noirs brillants. Ici, toutes les nuances qui existaient sous le soleil étaient représentées, à l'exception de la peau la plus blanche des Européens. Une fille aux yeux de biche, aussi jolie qu'une princesse arabe avec son foulard pastel et ses boucles d'oreilles en perles, l'avait aussi claire que la mienne en hiver ; sa voisine, la tête ronde, les cheveux tressés serré comme des rangées de grains de maïs, était aussi foncée que l'ébène. À côté d'elle, un garçonnet d'environ six ans, presque deux fois plus petit et plus jeune, avait les pommettes saillantes et les traits fins des Berbères de la région ; près de lui, un enfant aux traits délicats, de sexe indéfinissable, arborait une unique tresse au sommet de son crâne, par ailleurs entièrement rasé. Deux ou trois portaient des tee-shirts qui semblaient appartenir à quelqu'un d'autre, mais la plupart étaient vêtus de la robe traditionnelle bleu pâle ou jaune moutarde.

La salle de classe était impeccable, et mieux valait car tous étaient assis à même le plancher. Sur les murs, on avait exposé leurs travaux manuels : les mêmes maisons sommaires, soleils souriants et personnages en bâtonnets que l'on trouve dans toutes les écoles du monde, ainsi que des échantillons de broderie et des petits tapis tissés main portant les mêmes motifs géométriques simples que j'avais vus sur ceux du marché de Tafraout.

Quelqu'un me tira par la manche. Je baissai les yeux : une fillette à qui manquaient les dents de devant me souriait, la tête levée vers moi.

— Asseyez-vous, madame ! m'invita-t-elle en français, m'attirant vers un coussin placé cérémonieusement par terre sur le devant de la classe.

Je m'installai avec difficulté et dès que je fus assise, les enfants fondirent sur moi comme un nuage de sauterelles, riant, jacassant et sollicitant mon attention, comme si le fait d'être maintenant à leur niveau les autorisait à me traiter comme une des leurs. Une fillette se laissa carrément choir sur mes genoux.

— Bonjour ! roucoula-t-elle en me regardant de ses grands yeux noirs.

— Bonjour ! répondis-je, hésitante.

Je n'arrivais pas à me souvenir de la dernière fois où j'avais touché un enfant, sans parler d'en voir un grimper sur mes genoux avec une telle confiance.

— Comment t'appelles-tu ? lui demandai-je, ne trouvant rien de mieux à dire.

— Voyez ! fit-elle en me mettant son cahier sous le nez.

Cinq symboles simples étaient tracés au stylo bille en travers de la page à grands traits incertains : un petit cercle, une ligne verticale, un grand cercle avec un point au milieu, un autre petit cercle, un cercle coupé par une ligne verticale.

— Mon nom ! déclara-t-elle triomphalement. Hasna.

Interloquée, je regardai Taieb.

— Elle a écrit son nom en tifinagh ?

Il sourit fièrement.

— Oui, Habiba n'est pas là et Abdelkader la remplace pour la journée. C'est une chance : c'est un pionnier des études berbères. Pourquoi ne lui montrez-vous pas votre amulette ?

Maintenant que le moment était venu, je n'étais plus sûre du tout de vouloir que le mystère de mon amulette soit éclairci. Et si l'inscription ne consistait qu'en un nom, écrit de la main d'une femme ou d'un homme mort depuis longtemps, un nom désormais dépourvu de toute signification pour une personne vivante, a fortiori pour moi ? Et si elle renfermait une ancienne malédiction comme le croyait la grand-mère de Taieb ? Mon cœur se mit à battre de plus en plus vite. Mais tous les regards étaient rivés sur moi dans l'expectative et après avoir fait tout ce chemin dans ce but, cela paraissait ridicule de refuser. Je sortis l'amulette de mon sac et la tendis à Taieb, qui fit glisser le bossage central sur le côté avec précaution et laissa tomber le petit rouleau de papier au creux de sa main. Abdelkader le prit, le lissa et la ride verticale entre ses sourcils se creusa davantage quand il regarda l'inscription complexe.

Un silence inhabituel tomba sur la classe comme si même les enfants se rendaient compte qu'un événement important était en train de se dérouler, que quelque chose d'un peu magique allait se révéler sous leurs yeux s'ils restaient tranquilles. Personne ne bougeait ; on aurait dit que personne ne respirait.

Au bout d'un moment, l'instituteur tourna le petit carré de papier et l'examina de nouveau. Il s'approcha de la fenêtre, le leva pour mieux voir, puis il retourna sur le devant de la salle et se mit à faire les cent pas. Les enfants le regardaient avec de grands yeux, impatients. Les paumes de mes mains commençaient à me démanger et à transpirer de la même façon que quand je m'apprêtais à grimper une voie difficile. Abdelkader poussa finalement un profond soupir.

— Cela dépasse de beaucoup ma connaissance du tifinagh, dit-il dans son français précis. Je reconnais bien sûr un certain nombre de caractères, mais la forme des lettres varie considérablement dans toute la région où le tifinagh a été utilisé, soit la moitié d'un continent ! Je dois aussi avouer que je n'arrive pas à comprendre dans quel sens il faut lire l'inscription… Non, non, ne riez pas, ce n'est pas si simple que cela. L'écriture s'entrecroise et je ne sais trop par quel bout m'y prendre. Le plus souvent, la lecture se fait de droite à gauche, mais dans les inscriptions les plus anciennes, c'est de bas en haut. N'oublions pas qu'on a commencé à écrire sur le roc, et il était donc logique de le faire à partir du sol et vers le haut. De plus, les Touaregs utilisent la version la plus ancienne et la plus pure de la langue ; les voyelles sont sous-entendues. Depuis, les formes ont dévié tant géographiquement que linguistiquement. Je crains donc que cela ne dépasse mon entendement, conclut-il en écartant les mains en guise d'excuse.

Taieb lui dit quelques mots dans leur langue, Abdelkader se gratta l'oreille et hocha la tête, montra à nouveau le papier et fit remarquer quelque chose, puis tous deux regardèrent l'amulette. Azaz posa alors une question et ils se mirent à parler fort tous en même temps. Qu'ils puissent se comprendre m'étonnait beaucoup, pourtant la communication semblait très bien passer. Les enfants commençaient à s'agiter et moi aussi.

— De quoi parlez-vous ? m'interposai-je d'un ton péremptoire – il s'agissait de mon amulette, après tout.

Taieb se tourna vers moi.

— Désolé. Abdelkader est d'avis que c'est ancien et très certainement touareg ; il dit qu'on n'y voit aucun des ajouts modernes qui ont été faits à l'alphabet, des modifications auxquelles on a recouru pour compenser l'absence de certains sons et caractères dans l'alphabet d'origine. Les voyelles, par exemple : dans les formes les plus anciennes de tifinagh, on écrit rarement celles que nous sommes habitués à utiliser de nos jours. Tout ça est très compliqué…

Il n'acheva pas sa phrase, comme si le sujet était trop ardu pour qu'une simple femme puisse y comprendre quoi que ce soit. Je me hérissai et, presque comme s'il l'avait senti, il leva les mains en un geste défensif et ajouta :

— Il a dit aussi que Habiba est auprès de Lallaoua, qui est très malade. Toutes les femmes du village se relaient à son chevet. Puisque nous sommes ici, nous devrions au moins aller lui présenter nos respects.

La maison familiale de Habiba était terne et modeste, à un étage, en parpaings enduits, avec de petites fenêtres aux grilles métalliques rouillées et une entrée entourée de carreaux de fabrication industrielle aux couleurs voyantes. La porte était ouverte : Taieb entra directement en appelant.

Une femme sortit précipitamment d'une pièce en ramenant son voile sur sa tête. Lorsqu'elle vit de qui il s'agissait, son air anxieux se mua en expression d'extrême plaisir. Taieb s'avança à grands pas et l'embrassa quatre fois sur les joues, effusions intimes et chaleureuses, dépourvues de la réserve que je croyais caractéristique des relations entre hommes et femmes dans ce pays. Tout en parlant, ils se tenaient les mains, leurs têtes se touchaient presque et j'avais l'impression de jouer les voyeurs.

Puis elle regarda par-dessus l'épaule de Taieb, me vit et fronça les sourcils quelques instants. Lorsque Taieb se retourna vers nous, il avait le visage grave.

— Lallaoua est très malade, mais Habiba veut que nous allions la voir, déclara-t-il, le ton de sa voix laissant supposer que c'était peut-être la dernière chance de le faire.

— Je vais peut-être attendre dehors, dis-je.

Le regard que m'avait lancé Habiba m'avait donné l'impression d'être une intruse dans l'univers privé de la maladie et de la souffrance. Mais Taieb ne voulut rien savoir. Pendant qu'Azaz saluait sa cousine, de manière passablement moins intime, me sembla-t-il, il me fit entrer dans le salon. Là, assises sur les divans bas alignés le long de trois murs de la petite pièce obscure, une demi-douzaine de femmes en robe noire entouraient une forme immobile étendue sur un grabat. On aurait dit des corbeaux rassemblés autour d'un cadavre, mais dès qu'elles virent Taieb et Azaz, l'atmosphère sombre changea et toutes se levèrent en jacassant. Distribution générale de baisers, serrements de mains, puis Taieb s'agenouilla près de la malade couchée sur le dos. Je tendis le cou. Je crus un moment qu'elle était morte lorsqu'une main se leva lentement et lui tapota le visage. Azaz s'agenouilla à son tour et la vieille femme tourna la tête vers l'un et l'autre et leur sourit de sa bouche édentée. Sa peau avait la couleur du charbon de bois brûlé, comme si la vie l'avait déjà presque entièrement quittée. La sclérotique de ses yeux était d'un jaune vif malsain, les pupilles voilées par la cataracte. Enfin, Azaz me fit signe d'approcher et j'entendis mon nom prononcé par Taieb, qui expliquait qui j'étais. Je me mis à genoux tant bien que mal.

— *Salam*, dis-je, mettant à contribution ce que j'avais retenu du glossaire à la fin de mon guide, avant de tendre la main.

Ses doigts effleurèrent ma paume avec la légèreté d'ailes de papillon.

— *Salam aleikoum*, Lallaoua.

Ses yeux voilés me fixèrent avec une attention farouche et ses doigts se refermèrent sur les miens comme des serres. J'essayai de dégager ma main, mais elle la tenait fermement, d'une poigne étonnamment forte pour quelqu'un de si malade. Ses lèvres articulèrent un mot, le son qui en sortit ressemblait plus à un gargouillis qu'à une parole.

— Montrez-lui l'amulette, m'enjoignit Taieb.

— Vous êtes sûr ? Elle paraît très malade et je ne me sens pas le droit de l'importuner avec ça.

— Mais non, je vous en prie.

Habiba était apparue au côté de Taieb et avait posé une main sur son épaule en un geste à la fois décontracté et possessif.

— Cela lui rappellera les bons moments de sa vie. Ça va lui faire vraiment plaisir.

Je sortis l'amulette : la main crochue chercha la mienne à tâtons et approcha l'amulette de son visage, si bien que son haleine embua le métal. Elle la pressa contre ses lèvres en soupirant. Lorsqu'elle laissa retomber sa tête sur l'oreiller, un coin de sa bouche était relevé en une esquisse de sourire tandis que l'autre restait relâché et je me rendis compte à retardement qu'elle avait dû avoir une attaque. Elle émit un son indistinct, fronça les sourcils et fit une nouvelle tentative :

— À... *dra*.

— Adagh ? demanda Taieb.

Elle hocha la tête.

Il ouvrit le compartiment secret de l'amulette et en sortit le bout de papier, puis me rendit le bijou, déroula soigneusement le papier et le tint devant le visage de Lallaoua. Habiba secoua la tête.

— Elle ne va pas pouvoir le déchiffrer. Elle est devenue presque aveugle.

Mais la vieille femme semblait déterminée. Les yeux plissés, elle s'efforça d'examiner le papier et souleva la tête de l'oreiller comme pour se colleter avec l'inscription. Elle toucha les signes, marmonna. Taieb se pencha davantage, de sorte que le papier n'était qu'à deux centimètres du visage de Lallaoua. Je lus de la contrariété dans son regard tandis qu'elle s'évertuait en vain à accommoder, puis une grosse larme s'échappa d'un œil et coula le long de son nez.

— Arrêtez, dis-je. Vous lui faites de la peine.

Taieb tapota gentiment la joue de la vieille femme et se redressa sur ses talons.

— *Tanmirt*, Lallaoua. *Tanmirt*.

Il enroula le parchemin et le replaça dans l'amulette toujours dans la paume de ma main. Ses doigts effleurèrent les miens et je sentis une brusque décharge électrique courir le long de mon bras. Étonnée de cette sensation, je réagis lentement quand Habiba me toucha l'épaule.

— Venez, dit-elle. Venez avec moi.

Je la suivis hors de la pièce, passai devant les femmes tout de noir vêtues, qui me regardèrent avec curiosité de leurs yeux brillants, dans un long couloir où des portes s'ouvraient sur d'autres petites pièces sombres. Nous arrivâmes dans une cour carrée couverte de roseaux à travers lesquels le soleil filtrait obliquement, formant un violent contraste avec les zones d'ombre. Une fontaine à sec trônait au centre de la cour. Habiba me fit signe de m'en approcher, puis appuya sur un interrupteur au mur, une pompe se mit en marche et un filet d'eau commença à remplir la canalisation menant à la fontaine.

— Je suis désolée que vous ayez fait tant de chemin pour rien, dit-elle. Voilà deux mois que sa vue baisse et sa dernière attaque n'a pas arrangé les choses. Lavez vos mains et l'amulette là-dedans. L'eau courante va apaiser les esprits.

Les esprits ? Que de superstition ! Mais je me lavai les mains comme elle le suggérait, puis passai mes doigts humides sur l'argent gravé et le verre du pendentif en veillant à ce que l'eau n'entre pas dans le compartiment secret. Le côté rituel de cet acte avait quelque chose d'obscurément apaisant, mais peut-être n'était-ce que le contact de l'eau fraîche sur mes mains au sortir de l'atmosphère confinée et sombre de la pièce où reposait la malade. Habiba me tendit une serviette, avec laquelle je séchai soigneusement mes mains et l'amulette.

— C'est un bel objet, dit-elle. Lallaoua en a de semblables. Je me souviens que lorsqu'elle habitait avec nous quand j'étais petite, j'avais trouvé ses bijoux cachés sous sa paillasse; je les avais pris pour les essayer devant la glace. J'avais l'impression d'être une princesse touareg, mais elle m'a surprise et m'a donné une claque, fit-elle avec un sourire qui transforma son visage. J'ai crié et couru me plaindre à ma mère, mais elle m'a dit que Lallaoua avait eu raison de me gifler car les effets personnels d'une femme lui appartiennent en propre, si basse que soit sa condition. Elle est très vieille, Lallaoua. Personne ne connaît son âge, elle moins que quiconque. Elle a eu une vie très longue, et heureuse aussi, compte tenu de ce qui lui est arrivé. Elle adorait le désert. Avant sa dernière attaque, je lui ai promis qu'elle le reverrait…

Sa voix s'étrangla, je m'aperçus qu'elle retenait ses larmes et brusquement mes yeux me brûlèrent. Puis elle reprit:

— Je lui ai promis qu'elle prendrait la route du sel encore une fois avant de mourir. Mais comme vous le voyez, elle est trop malade maintenant.

— La route du sel?

— Les pistes qui mènent aux mines de sel en plein cœur du Sahara, les routes que suivaient les marchands avec leurs caravanes de chameaux. Celles qui conduisaient aux marchés où l'on achetait et vendait des esclaves, échangeait le sel et autres marchandises. Les Touaregs se servent souvent du terme pour signifier « la route de la vie » ou même « la route de la mort ». Et parfois il a tous ces sens en même temps. Cela me contrarie beaucoup de ne pas pouvoir lui faire ce dernier plaisir: il lui sera plus difficile de mourir en paix. Mais votre amulette lui a apporté un peu du désert.

Je sentis soudain des larmes couler sur mes joues. Je ne me souvenais pas de la dernière fois où j'avais pleuré; j'en étais venue à mépriser ces effusions. Une partie de moi était furieuse contre moi-même, mais une autre – une nouvelle facette de ma personnalité ou un de ses aspects qui avait peut-être été depuis longtemps refoulé – n'éprouvait aucune honte.

Habiba s'était détournée pour cueillir de la menthe dans un bac qui en regorgeait près de la porte de la cuisine. Puis elle me fit signe de la suivre à l'intérieur et je la regardai préparer le thé : elle fit bouillir de l'eau sur un réchaud au butane à un seul feu, chauffa la théière en argent, ajouta une bonne pincée de thé noir, une généreuse poignée de menthe fraîche et trois énormes morceaux de sucre. Mettaient-ils autant de sucre à chaque fois ? À la pensée de tous les verres que j'avais bus depuis mon arrivée, je frissonnai. Elle se mit à rire.

— Je n'ai pas eu la main lourde. Vous autres, Européens, n'aimez pas quand c'est trop sucré. J'ai remarqué que même les goûts de Taieb ont changé depuis qu'il est parti à Paris.

Il y avait une certaine aigreur dans le ton de sa voix et je me demandai pourquoi ou si je ne l'avais pas imaginé.

— Tous les jeunes s'en vont ? Travailler, je veux dire.

— Il est difficile de gagner sa vie dans la région. Vous avez vu, c'est pauvre et sec, et ça le devient de plus en plus. Il n'y a pas de travail ici, pas d'argent, pas de superflu. Pour répondre à votre question, oui, les jeunes s'en vont, les hommes et souvent les femmes de nos jours, pour faire des études, trouver un boulot et envoyer de l'argent à ceux qui sont restés à la maison. C'est comme cela que l'on fait au Maroc.

— C'est dur pour ceux qui restent, dis-je en la regardant verser dans la théière le contenu du premier verre qu'elle avait rempli et faire tourner le breuvage. Surtout pour les femmes.

— C'est dur pour tout le monde. Parfois ils ne reviennent pas.

— Comme Taieb ?

Elle me jeta un regard dur.

— Taieb et moi avons été promis l'un à l'autre quand nous étions enfants.

— Cela fait de très longues fiançailles.

— Nous avons remis le mariage jusqu'à ce que nous ayons les moyens de nous installer. Je suis allée à Agadir poursuivre mes études et recevoir une formation d'enseignante. Taieb est allé en France. Et il y est resté. Il aime le… le style de vie, je crois.

Elle avait prononcé ces derniers mots sur un ton si désapprobateur que j'y perçus tout le mépris du monde musulman envers les mœurs volages, relâchées et égoïstes des Occidentaux.

— Maintenant que vous êtes enseignante diplômée et qu'il gagne assez d'argent pour se balader dans une voiture flambant neuve, quand allez-vous vous marier ? demandai-je, piquée au vif.

Elle serra les lèvres comme pour s'empêcher de répliquer et versa, d'un grand geste furieux, le liquide doré bouillonnant dans le premier verre décoré posé sur le plateau.

— Qui croyez-vous être pour nous juger ? fit-elle, cinglante. Ce n'est pas toujours une question d'argent. Je ne revendique aujourd'hui aucun droit sur Taieb en dehors des liens de parenté. Vous êtes parfaitement libre de coucher avec lui si vous voulez.

J'écris « coucher », mais c'est un euphémisme. Le terme « baiser » qu'elle avait en fait utilisé avait été pour moi comme une claque. J'ai perçu un éclair de triomphe dans son œil quand j'ai enregistré le mot, puis elle s'est tournée pour prendre le plateau et est partie d'un pas énergique vers le salon où les femmes noires comme des corbeaux attendaient leur thé. Je la suivis en trébuchant, perplexe, stupéfaite et outrée.

J'avais envie de l'empoigner par l'épaule, de la faire pivoter sur elle-même avec brusquerie pour que ce thé mortellement sucré gicle partout et de lui demander le sens de sa remarque. Je m'en suis évidemment abstenue et ai pris place docilement au bord d'un des divans, puis j'ai siroté cet horrible breuvage à petites gorgées sans croiser son regard ni dire un mot, que ce soit à elle ou à quiconque. Ce n'était pas nécessaire : elles bavardaient dans leur langue infernale sans tenir le moindre compte de ma présence, même si de temps à autre, je surprenais le regard aveugle de la mourante posé sur moi, particulièrement attentif, imperturbable et troublant. Ce fut un soulagement quand nous partîmes après de longues heures.

18

— Vous n'aviez pas l'air à l'aise, me dit Taieb dans la voiture.

Je haussai les épaules.

— J'avais de quoi penser.

Il hocha lentement la tête.

— Je sais ce que c'est. Moi aussi, j'ai de quoi penser.

Il ne précisa pas quoi.

La pique de Habiba m'avait secouée, bien que ma colère se fût depuis longtemps apaisée. C'était une femme jalouse qui voyait en moi une rivale, en avais-je conclu, et je me demandais si elle et Taieb n'étaient pas encore officiellement liés, quoi qu'elle ait dit. Leur attitude chaleureuse l'un envers l'autre semblait sans artifice, mais étant donné mon ignorance des us et coutumes locaux il m'était difficile de juger de la charge affective masquée par leurs embrassades ou contenue en elles. Avait-elle lu dans le comportement de Taieb à mon égard quelque chose qui n'existait tout simplement pas ? Ou son hostilité résultait-elle de l'impression de s'être fait prendre Taieb par la France et les Françaises ? Dans sa situation, enterrée dans ce petit village perdu, dans cette maison sombre avec son contingent de vieilles femmes aux yeux de fouine et son hôte mourante, je comprenais très bien sa frustration. Comme il était facile d'envier une Européenne moderne qui entrait avec désinvolture – si l'on peut dire cela de quelqu'un qui boitillait – au bras de l'homme qu'elle espérait épouser, une femme nu-tête, une Longines à son poignet bronzé et un sac Prada à l'épaule, qui pouvait – si elle le désirait – prendre son plaisir quand bon lui semblait, sans censure sociale ni conséquences malvenues, et passer son chemin. Mais j'étais travaillée par la pensée que ce n'était pas de la jalousie, ou pas seulement de la jalousie, que j'avais perçue lors de son attaque, mais un mépris souverain et profond. Qu'avait vu en moi Habiba qui ait suscité un tel dégoût ? Malgré ma tenue occidentale et l'absence de voile, je m'étais montrée polie et respectueuse, estimais-je. Certes, je ne parlais pas sa langue et il est courant de prendre pour des ignorants les étrangers qui ne peuvent pas vous comprendre et communiquer avec vous. Mais il n'y avait pas que cela : son attitude n'avait pas seulement été dédaigneuse, mais lourde de sous-entendus. Elle avait impliqué un jugement, comme si elle avait deviné en moi quelqu'un qui n'avait pas fait le bon choix, qui s'était écarté du droit chemin pour s'empêtrer dans un bourbier moral.

J'avais l'habitude d'être traitée avec un certain respect, je m'en rendais compte. J'évoluais dans un monde où j'étais considérée dans le cadre d'un échiquier social, d'une hiérarchie profession-nelle. Au travail, j'étais définie par mon rôle au sein du cabinet, l'autorité dont j'étais investie, les clients importants dont je m'occu-pais et le salaire élevé que je touchais. Même en dehors du travail, dans les rues de Londres, les gens déduisaient ma position sociale de mon apparence – ma coiffure soignée, mes mains manucurées, mes vêtements coûteux, mes accessoires discrets mais de grande qualité, mes manières, mon assurance. Même moi, pensai-je, je fondais la confiance que j'avais en moi sur ces signes extérieurs. Mais qui était au juste Isabelle Treslove-Fawcett ? Qui étais-je en réalité ? Lorsque je l'examinais de près, cet édifice, symbole de ma réussite, semblait fragile, et derrière lui, je me sentais dépourvue de substance, comme en rêve. L'argent, c'est très bien, mais en soi l'argent ne signifie rien : il ne représente qu'un engagement sur l'avenir, et quel était mon avenir ? Je n'avais pas de famille, qu'une poignée d'amis, et foi en aucun dieu ou en quoi que ce soit en dehors de ma propre expérience. Je m'étais fermée au monde toute ma vie, j'avais tenu à distance ses aspects pénibles et aléatoires afin de m'en préserver, je m'étais murée dans une indépendance financière et un travail qui n'exigeait aucun investissement affectif. J'avais méticuleusement élevé cette défense pour de bonnes raisons, je le savais, et la stratégie adoptée m'avait permis de rester jusque-là apparemment indemne, mais Habiba avait ébranlé ses fondations.

Et puis il y avait cette vieille femme qui expirait à petit feu, couchée par terre dans la salle de séjour. La bonne grâce avec laquelle Lallaoua acceptait son sort, la façon dont elle serrait chaleureusement les mains de tous les visiteurs, son visage doux et rongé par les soucis illuminé par un sourire de guingois, m'émouvaient beaucoup. Elle l'avait tourné vers moi par intervalles pendant ces longues heures pénibles comme si elle aussi s'interrogeait sur mon identité et même ma valeur. Que ressentait-elle, arrachée à sa patrie, le désert, et laissée en un lieu comme Tiouada ? Étendue là, aspirant à revoir une fois encore la beauté austère du désert avant de mourir, à apaiser son âme dans un vaste espace ouvert pareil à ceux où elle se souvenait avoir passé ses belles années, et se retrouvant privée de ses sens, l'un après l'autre, confinée entre les quatre murs de cette pièce sombre et basse de plafond, sous le regard scrutateur de ces femmes et soignée par la caustique Habiba ?

Tandis que nous suivions des pistes poussiéreuses teintées de violet par le soleil déclinant, Taieb et Azaz, perdus dans leurs pensées, gardaient le silence, ce qui n'était pas leur genre. Dans ce calme, par-dessus le roulement sourd des pneus sur le sol irrégulier, j'entendis le bruit avant même que nous soyons arrivés à destination : le battement grave de percussions qui résonnait rythmiquement dans l'air du crépuscule, accompagné du raclement aigu d'un instrument à cordes ou d'une voix de femme forcée au maximum. Nous nous arrêtâmes devant un haut mur en adobe ; quand Azaz ouvrit la portière, le bruit se fit assourdissant.

— Bienvenue à une vraie fichta berbère ! me dit Taieb en approchant sa bouche de mon oreille, son haleine chaude sur mon cou.

L'instant d'après, il m'avait prise dans ses bras et portée au cœur d'une scène extraordinaire. Les mouvements des danseurs et danseuses faisaient vaciller la flamme de dizaines de lumignons suspendus aux arbres chargés de grenades et d'oranges : des hommes enturbannés aux robes tourbillonnantes, des femmes aux yeux soulignés de khôl, aux boucles d'oreilles étincelantes, qui suivaient le rythme de leurs mains levées au-dessus de la tête. Les enfants couraient parmi l'assistance dans leurs plus beaux atours : les garçons en tunique blanche, chaussés de babouches jaune vif, les filles en caftan de couleur, des tout-petits, brèchedents aux immenses yeux noirs accrochés aux robes noires et aux voiles brodés de leurs mères. Des hommes en robe à rayures, coiffés de turban blanc, dague cérémonielle au côté, marquaient un rythme complexe sur tout un assortiment de percussions, un rythme qui se répandait dans la nuit, qui menaçait d'engloutir toute trace d'individualité dans le voisinage, de tout engloutir. Dépassée par les événements, je regardai autour de moi en quête de quelque point de référence rassurant, mais n'en trouvai pas.

Autour du jardin, des femmes âgées, pareilles à celles qui, chez Habiba, attendaient que la mort vienne chercher la vieille Lallaoua, étaient installées sur des sofas à ras du sol ou perchées sur des tabourets : vêtues de noir de la tête aux pieds, le visage aussi brun et ridé que des coquilles de noix, les mains serrées telles des griffes autour de leur verre de thé.

Taieb me déposa prestement sur un coussin libre près d'un groupe de jeunes filles rieuses qui veillaient sur leurs frères et sœurs cadets et m'abandonna là.

— Restez ici, me dit-il, comme si j'avais pu faire autrement. Je reviens dans un moment.

Alors que je le suivais des yeux à travers la foule, je sentis que les vieilles femmes posaient sur moi le regard perçant et inquisiteur de leurs yeux noirs et vifs. Elles surprirent mon regard, le soutinrent implacablement et se remirent à jacasser comme des pies en agitant le doigt. Je savais ce qu'elles pensaient : j'avais déjà eu un bon aperçu de la mentalité des femmes de la région.

Terriblement mal à l'aise sous leur regard scrutateur, je fouillai dans mon sac à la recherche de mon portable pour essayer encore d'envoyer un texto à Ève – j'aurais donné n'importe quoi pour un contact amical dans ma propre langue –, mais c'est l'amulette qui me tomba sous la main.

Je sentis ses bords carrés et elle se retrouva dans ma paume, solide, familière et réconfortante. Une petite vague de chaleur me parcourut soudain le bras, se répandit sur ma peau et j'eus brusquement le sentiment que ma situation n'était peut-être pas aussi désagréable que cela, que je n'étais pas une intruse dans une fête privée, une étrangère, entourée de gens hostiles, mais une invitée bien accueillie. Non, mieux, que je participais aux réjouissances avec tant d'autres, que le battement des percussions, si fort qu'il pulsait dans mon sternum, faisait partie de moi, les battements de mon cœur faisant contrepoint. Lorsque Taieb revint enfin, j'étais toute gaie, une petite fille assise sur mes genoux tandis qu'une autre se faisait une joie de me tresser les cheveux, et je suivais la musique de la tête en frappant dans mes mains comme si j'avais fait cela toute ma vie.

Il me sourit et s'assit par terre près de moi avec élégance, porteur d'une assiette pleine de nourriture. Azaz le suivait avec une cruche et une aiguière en argent et une serviette blanche sur le bras. Il s'agenouilla à mon côté et versa de l'eau pour que je me lave les mains. Quel raffinement ! Tout en me rinçant et m'essuyant les mains, je lui adressai un sourire qu'il me rendit, redevenu le joyeux luron qu'il était, avant de faire disparaître l'aiguière. Les enfants disparurent eux aussi, mais pas avant que Taieb n'eût tiré une poignée d'amandes de ses oreilles, ce qui les fit rire de plaisir.

— Joli tour, fis-je observer pendant une accalmie de la musique.

— J'ai des tas de nièces et de neveux. Je l'ai fait cent fois.

— Vous-même n'avez jamais voulu avoir d'enfants ?

Il me tendit une assiette d'agneau et de légumes fumants, un gros morceau de pita en équilibre précaire sur le bord. Un parfum d'épices et de fruits montait de l'assiette et j'en avais presque les narines qui frémissaient tant j'avais faim. Il me regarda manger sans répondre. J'étais si absorbée par la délicieuse nourriture, riche et bien équilibrée – l'agneau juteux rehaussé par la douceur des pruneaux, le piment et l'ail mêlés à des saveurs que je n'arrivais pas à définir et rappelant vaguement les pétales de rose et le bois de santal, ou à des épices n'ayant d'autres noms que ceux donnés par les Berbères qui s'en servaient –, j'étais si absorbée que je ne me souvins qu'il n'avait pas répondu qu'après avoir mis à mal la moitié de mon repas. Je levai les yeux d'un air coupable : il me regardait avec un mélange d'amusement et de sérieux. J'avalai ma bouchée.

— Vous ne voulez pas d'enfants ? réitérai-je.

— C'est une question très personnelle, très particulière.

— Vraiment ? J'ai eu une journée très particulière. Votre cousine Habiba s'est montrée plutôt grossière avec moi.

Il haussa les sourcils.

— Ah bon ?

Je ne voulais pas lui répéter exactement ce qu'elle m'avait dit, c'était trop cru, trop gênant ; j'aurais pu lui donner l'impression de chercher à le choquer, à lui faire des avances par une voie détournée.

— Et elle m'a dit que vous étiez fiancés.

Son visage devint parfaitement immobile, distant, se ferma comme si des volets s'étaient abaissés.

— Nous l'étions, répondit-il après un long silence. Il y a longtemps.

— Que s'est-il passé ?

— C'est une question qui ne regarde qu'elle, moi et notre famille, pas un sujet de discussion avec des étrangers.

Bon, je savais à quoi m'en tenir. Offensée, je me redressai pendant que Taieb finissait son repas. Au bout d'un moment, il se leva, emporta l'assiette vide et, sans un mot, disparut dans la foule. Quelques minutes plus tard, il revint avec une sorte d'énorme tambourin sous le bras et à la main un autre instrument de percussion consistant en deux pots d'argile tendus d'une peau.

Il donna le tambourin à Azaz puis s'assit en tailleur sur les nattes installées au milieu de l'enceinte et commença à marquer un rythme syncopé rapide. Au moins une dizaine d'hommes firent bientôt cercle autour d'eux en soutenant le rythme et brodant dessus avec leurs propres instruments ou simplement en tapant dans leurs mains. Un jeune homme de haute taille s'assit avec eux et ajouta les accents jazzy de ce qui ressemblait fort à un banjo à la mélodie. Celle-ci se propagea dans l'assistance.

Je regardais Taieb chanter et jouer les yeux fermés, perdu dans la musique. Il avait une voix de ténor agréable et légère, expressive et envoûtante, et il chantait avec une telle passion et une telle absence d'inhibition que ses tendons saillaient sur son cou. Pour je ne sais quelle raison, cela me surprit : jusque-là il ne m'avait pas fait l'effet d'être un homme passionné ni d'avoir assez de charisme pour entraîner les foules. Les gens dansaient maintenant, les hommes faisaient un pas ou deux de côté en tapant des mains, puis revenaient en arrière. Les femmes les plus jeunes se déhanchaient en une sorte de danse du ventre chaste et habillée, les mains animées de mouvements rapides, tandis que les plus âgées se balançaient, agitaient la tête, riaient et avaient beaucoup moins l'air de corbeaux qu'avant. Le chant se poursuivit, se fondit en un autre puis un autre encore. Quelqu'un apporta des verres de thé à la menthe, des petits gâteaux aux amandes, des dattes et quelque chose qui avait l'apparence du caramel, dans lequel je piochai avec enthousiasme. Malheureusement, il s'avéra que cela ressemblait surtout à du balsa ; cette chose assécha instantanément ma bouche et me tira brusquement de ma plaisante rêverie. Je jetai un coup d'œil à ma montre. Bon sang ! Il était près de minuit. Je profitai d'une pause pour accrocher le regard de Taieb, qui vint à moi.

— À quelle heure pensez-vous rentrer ? lui demandai-je. Il faudrait que j'avertisse Ève.

Il paraissait distant, préoccupé.

— Naturellement, dit-il. Écoutez, je dois aller voir quelqu'un. Accordez-moi quelques minutes. Appelez votre amie, dites-lui que tout va bien et que vous serez bientôt de retour. Il devrait y avoir un bon signal ici.

Ça alors ! Au milieu de nulle part, cela paraissait peu probable, mais quand je pris mon portable, les barres de réception étaient presque pleines. Je cherchai le numéro d'Ève dans ma liste de contacts, lançai l'appel et attendis pendant que ça sonnait à n'en plus finir. Oh, Ève, où es-tu, bon Dieu ? soupirai-je par-devers moi. Elle répondit l'instant d'après, comme si elle m'avait entendue la semoncer.

— Allô !

— Ève ? C'est moi.

Bruissement tandis qu'elle changeait sans doute son portable d'oreille.

— Ah, salut, Iz.

Elle avait l'air un peu dans les vapes de quelqu'un qui a dormi.

— Désolée, je ne voulais pas te réveiller. Juste te dire de ne pas fermer la porte à clé. Je vais rentrer, mais sûrement très tard.

Je l'entendis dire quelque chose à l'arrière-plan, mais le son était étouffé, comme si elle avait posé la main sur le téléphone. Je tendis l'oreille, il y avait trop de bruits de voix et de rires autour de moi.

— Ça va, Ève ? Tout va bien ? Tu as passé une bonne journée ?

— Quoi ? Oh, oui. Super, merci, vraiment très bonne.

Puis, comme tombée dans un piège, elle poussa un cri perçant qui se mua en un rire sans équivoque. Elle fit une nouvelle tentative, ratée, pour assourdir le téléphone, puis je l'entendis très distinctement dire :

— Arrête, Jez. Non, arrête ! Chut, tais-toi, c'est Izzy.

Je regardai sombrement mon portable comme si j'avais pu voir projetée sur son petit écran opaque notre chambre d'hôtel quelconque, avec ses carreaux marron mat et ses rideaux d'un brun grisâtre. Avaient-ils allumé une des bougies parfumées qu'elle avait apportées avec elle pour ne pas se livrer à l'impitoyable ampoule nue de soixante watts qui pendait au plafond ? Avaient-ils rapproché les deux lits jumeaux ou s'étaient-ils tassés sur l'étroit matelas d'Ève, membres nus enlacés, le corps luisant de sueur ?

— Oh, Ève.

Je me sentais tout à coup épuisée, vidée.

— Qu'y a-t-il ? Ça va ? Où es-tu ?

— Ce n'est rien, tout va bien. Je suis avec Taieb à une sorte de fête dans un village du Sud. Je ne sais pas trop combien de temps ça va prendre pour revenir d'ici, mais ne t'inquiète pas pour moi, d'accord ?

Je coupai la communication, soudain très seule, et je jetai un regard circulaire sur cette mer humaine dans laquelle j'étais une petite île immobile. Certains des percussionnistes chauffaient le cuir de leurs tambours sur les feux et un groupe de femmes jouait maintenant d'instruments à cordes ressemblant à de petites violes de forme bizarre ; à leurs pieds, les enfants grignotaient des dattes. Taieb revint main dans la main avec un homme plus âgé à cheveux grisonnants et grosse moustache.

— Moustafa va vous ramener à Tafraout, annonça-t-il sans préambule.

Il semblait las, comme s'il avait eu du mal à convaincre Moustafa de faire ce qu'il lui demandait. Je le regardai, avec le sentiment d'être encore plus isolée.

— Vous plaisantez ? Je ne le connais pas. Je ne sais rien de lui.

— C'est mon oncle. Vous serez en de bonnes mains. De plus, ma tante et ses trois filles effectueront le trajet avec vous.

— Et vous allez rester là à faire la fête jusqu'à l'aube ?

Il prit une profonde inspiration.

— Je vais conduire Lallaoua dans le désert. C'est son dernier vœu et j'ai à la fois le temps et le véhicule approprié pour lui faire cette faveur.

J'ai dû rester bouche bée.

— Ah !

Il s'assit sur les talons près de moi.

— J'allais vous demander si cela vous plairait de voir le
Sahara, puisque nous n'en sommes qu'à quelques heures, ensuite
j'ai réalisé que ce serait une folie. Vous me connaissez à peine et
puis, malgré tout son stoïcisme et son courage, Lallaoua a besoin
qu'on s'occupe d'elle et vous n'êtes pas préparée à cela par votre
culture ; j'ai donc pensé que mieux valait demander à Moustafa
de vous reconduire à votre hôtel. Mais si vous ne voulez pas
aller avec lui… dit-il avec un soupir, mains écartées en un geste
d'impuissance. J'ai promis de vous ramener à Tafraout et je tien-
drai parole. Nous partirons tout de suite et je reviendrai demain
pour Lallaoua…

— Non.

C'était comme si quelqu'un d'autre agissait à travers moi,
quelqu'un de téméraire. Mon bras se tendit de lui-même et je
touchai sa bouche pour l'interrompre.

— Non, je veux aller avec vous. Moi aussi, je veux voir
le désert. Avec vous et Lallaoua. Emmenez-moi avec vous au
Sahara.

C'était la même impression que de prendre la tête d'une
cordée ou de faire le premier pas dans le vide en rappel. Cela
fut décidé dans l'instant et ma vie allait en être à jamais changée.

19

Au fil des jours et des semaines, les pensées de Mariata tournaient constamment autour de son initiation à la sensualité par Amastan. Elle y songeait si souvent qu'elle se demandait parfois si son démon personnel n'en profitait pas pour la hanter de manière inédite et inventive. Elle se rappelait dans le moindre détail, de façon hallucinatoire, le temps passé ensemble, comme si elle le revivait de l'intérieur et de l'extérieur. Elle se souvenait, lorsqu'ils étaient couchés sous les lauriers-roses dont le parfum capiteux emplissait l'air autour d'eux, qu'Amastan avait dénoué son taguelmoust avec une lenteur et un calme délibérés, avec quelle avidité elle avait contemplé les aplats de son visage qu'elle ne voyait que pour la deuxième fois et dans des circonstances si différentes de la première. Elle se souvenait qu'il avait posé sa joue nue contre la sienne et qu'elle avait retenu sa respiration au point de presque défaillir. De son souffle tiède sur son cou, sur ses seins. De l'avoir senti en elle, chaud et viril; ce souvenir suffisait à la faire frissonner de ravissement, toute à l'attente de la prochaine fois qu'il la toucherait.

Elle se surprit à regarder les membres de la tribu d'un autre œil. Avaient-ils eux aussi connu une telle extase? Plus elle les observait vaquer à leurs tâches quotidiennes, plus cela lui semblait improbable. Le vieux Taieb, assis sur le roc, occupé à coudre un bout d'étoffe colorée, son cœur avait-il battu la chamade à la vue de quelqu'un? Ou Nadia, au visage ridé à force de soleil et de rire, dont le mari était toujours parti commercer, lorsqu'elle était couchée dans sa tente la nuit, pensait-elle à lui la main entre les cuisses ? Ou encore l'irascible Noura : elle qui avait six enfants, elle avait bien dû éprouver quelque chose pour Abdelrahman, bien qu'on eût peine à le croire maintenant à les voir se réprimander mutuellement à propos des mites qui s'étaient mises dans la laine ou d'un manque de sucre dans leurs provisions. Elle n'arrivait pas à imaginer qu'ils avaient pu naguère se manger des yeux comme elle et Amastan le faisaient maintenant. Et lorsque dans le camp des femmes, la conversation tournait autour de Kheddou et Laïla, le couple de nouveaux mariés, le ton des filles n'était pas celui de l'envie ou du regret, mais celui de la grivoiserie et de la vulgarité. Pourtant, lorsque Laïla sortit enfin de la tente nuptiale, elle avait les joues rouges et les yeux pétillants ; et les jours suivants, Mariata vit qu'elle avait parfois le regard perdu au loin ou dans les flammes du feu de camp et qu'elle souriait par-devers elle ; elle sut alors qu'elle n'était pas la seule au monde à éprouver ce qu'elle ressentait maintenant. Le monde entier baignait dans une brume magnifique ; elle voyait à peine les jours passer. Quand elle accomplissait ses travaux, elle avait l'esprit ailleurs. Elle laissait brûler le pain, donnait trop à manger aux poules, ne se réveillait pas à temps lorsque son tour venait de traire les chèvres. Elle aurait aimé que les heures du jour s'écoulent plus vite ; tout ce qu'elle voulait, c'était se retrouver couchée dans l'obscurité avec Amastan et sentir leur pouls battre à l'unisson. Parfois, elle se rendait compte que Tana la regardait avec attention, mais l'enad ne parla plus de son départ de la tribu – en fait, elle ne disait rien du tout – et il semblait à Mariata que rien ne pouvait entamer la sphère de bonheur dans laquelle elle passait ses journées, protégée comme elle l'était par le pouvoir de sa propre sensualité. Même la vue d'Amastan et des autres hommes, en train de parler aux deux personnages vêtus de robes sombres qui avaient chevauché jusqu'en lisière du camp un jour au coucher du soleil, ne l'alarma pas comme elle aurait pu le faire, bien qu'elle ait entraperçu les cartouchières croisées sur leur poitrine et les fusils en bandoulière. Lorsqu'il vint la rejoindre ce soir-là, plus tard que d'habitude, emportée par le désir, elle ne pensa plus du tout à lui demander qui étaient ces hommes. Mais quand il se mit à renouer son turban avant de retourner discrètement au camp des hommes, elle posa la main sur son bras.

— Qui étaient ces hommes avec qui tu parlais ?

Le visage d'Amastan se ferma.

— Des amis. Simplement des amis. Tu n'as pas à t'en occuper.

Mariata se hérissa.

— Parce que je suis une femme ?

— Parce que ça ne te concerne pas.

— Ne dis pas cela ! Tout ce qui te concerne me concerne !

— Il est certaines choses qu'on ne peut partager.

Elle fut prise d'un accès de jalousie.

— Tu veux dire comme Manta ?

— J'honorerai toujours sa mémoire.

— Je te la ferai oublier !

Elle attira son visage vers le sien et l'embrassa sauvagement. Au bout d'un moment, Amastan la repoussa doucement et prit son visage dans sa paume.

— Je n'oublierai jamais Manta, même si mon cœur t'appartient maintenant.

— Quand va-t-on se marier alors ?

Elle le fixa du regard, les yeux étincelants de défi. Le mot résonna dans l'air entre eux. L'expression d'Amastan était indéchiffrable. Après de longues secondes, il lui demanda à voix basse :

— Tu me prendrais vraiment pour époux, toi, une femme de si haut rang ? Tu sais que je n'ai ni fortune ni lignée honorable à t'offrir.

— Nous ferons ensemble notre fortune et formerons une nouvelle lignée.

Il hocha lentement la tête. Puis il se dégagea et se redressa.

— J'ai besoin d'y réfléchir.

Évitant son regard, il continua à nouer maladroitement son turban comme s'il avait hâte de s'éloigner. Mariata se leva d'un bond, les poings fermés comme pour le frapper ; au lieu de quoi, elle battit violemment sa robe pour en chasser la poussière, les feuilles mortes et les pétales écrasés qui s'y étaient accrochés. Elle sentit le liquide chaud qu'il avait laissé en elle couler lentement le long de ses cuisses.

— Tu n'as pas à réfléchir à quoi que ce soit, dit-elle entre ses dents. Avons-nous joué comme des enfants à coucher ensemble ces dernières semaines ? Pensais-tu que je faisais cela à la légère, prenant mon plaisir où je voulais ? Ou que j'avais décidé de me perfectionner – d'apprendre à danser, comme disent avec tant de délicatesse les femmes de ta tribu – avant de choisir l'époux convenable ailleurs ? Que pensais-tu ? demanda-t-elle en le foudroyant du regard.

Amastan leva la main, paume dressée, en un geste d'apaisement.

— Je t'en prie, Mariata. À la vérité, je n'ai pensé à rien. Les moments que nous avons passés ensemble ont été un baume versé sur mes vieilles blessures, mais je n'aurais pas dû songer seulement à mes besoins égoïstes. Il y a trop de choses en jeu pour que nous nous mariions maintenant. Pour ton bien, pour notre bien à tous.

Mariata le regarda avec hauteur, se sentant investie du pouvoir de son ancêtre, du pouvoir de toutes les femmes sur les hommes.

— Je t'en prie, n'essaie pas de me dire ce qui est le mieux pour moi. D'autres hommes ont tenté de le faire au cours de ma vie, à tort. Quand j'étais petite, mes frères m'ont dit que lorsqu'on est piqué par un scorpion le mieux est de se frotter avec du sable chaud : mon doigt a enflé, gros comme un œuf. Quand ma mère est morte, mon père m'a emmenée loin de ma tribu et m'a laissée à la merci des Kel Bagzan, ce qui a été la pire des erreurs. C'est moi qui ai pris la décision de traverser le Tamesna avec ta mère, moi qui ai choisi de coucher avec toi et pas un autre, parce que je savais que nous allions nous marier. Je suis la seule à savoir ce qui est le mieux pour moi et puisque tu m'aimes comme je t'aime, je ne vois pas quel obstacle nous empêche de le faire ni à quoi tu as besoin de réfléchir, dit-elle en saisissant l'amulette qu'elle avait autour du cou pour déclarer : Amastan ag Moussa, je te prends pour époux à vie et porte ton talisman en signe de notre union.

Puis elle se baissa, ramassa son foulard, le secoua vigoureusement et s'en couvrit la tête à la manière des femmes mariées avant de poursuivre :

— Tu vois ? C'est facile. Demain nous irons voir ta mère et ferons notre déclaration de fiançailles, elle organisera notre mariage et donnera la consigne de retrouver mon père et mes frères pour les inviter à participer à la noce. Il n'y a pas à réfléchir à quoi que ce soit d'autre.

Amastan la prit par les épaules, mais ce n'était pas un geste tendre. Ses doigts, raidis sous l'effet d'une colère rentrée, s'enfoncèrent dans sa chair. Il n'avait pas fini de nouer son taguelmoust, dont l'extrémité pendait, laissant à découvert ses lèvres, qui quelques minutes plus tôt l'avaient baisée avec tant de passion. Les coins de sa bouche tournés vers le bas lui donnaient l'air malheureux.

— Mariata, le temps n'est pas aux noces et aux fêtes. Une guerre se prépare, une guerre que nous devons faire si nous voulons que notre peuple survive. Si nous nous dérobons, si nous échouons, nous ne serons plus les Gens Libres, car il ne restera rien de nous. Ces hommes qui étaient là ce soir appartiennent à un groupe que le gouvernement qualifie de rebelle ; ils participent à un mouvement de résistance voué à la formation d'un État touareg indépendant, l'Azaouad, qui s'étendra de l'Aïr et de l'Adagh jusqu'à ton Hoggar natal. Ils cherchent à recruter des combattants parmi les groupes de percussionnistes de la région. Nous allons tous partir : Kheddou, Ibrahim, Bazou, Amoud, Azélouane, Illi, Makhammad, Gibril, Abdallah, Hamid et les autres. Nous sommes tous valides et en état de prendre du service. Nous devons le faire, car si nous ne résistons pas, si nous ne nous battons pas, ce qui s'est passé au village de Manta se reproduira ici et dans tout l'Adagh. Ce qui est arrivé à Manta —

viol, meurtre, profanation – arrivera à ma mère, à mes cousines, mes amies. À toi, Mariata, et ça, je ne le supporterais pas. Ils nous haïssent. Ils veulent nous anéantir, nous faire disparaître du sol sur lequel nous marchons. Ils nous refusent l'air que nous respirons et l'eau que nous buvons. Notre existence même les défie, eux et tout ce en quoi ils croient. Nous devons donc les combattre aussi cruellement qu'ils nous combattent, car seul le feu peut lutter contre le feu. La résistance par la violence est tout ce qu'il nous reste, mais il nous faut faire appel à toute notre force, notre ruse et à la baraka de nos ancêtres si nous voulons tenir face à leurs armes à feu, à leur gaz et à leur cruauté. Tu dois me laisser partir, Mariata, et lorsque nous aurons gagné la bataille et assuré la sécurité de notre peuple, nous pourrons tourner nos pensées vers le mariage. Alors seulement y aura-t-il une chance de bonheur et d'espoir pour notre avenir et l'avenir des enfants que nous aurons ensemble.

Ses yeux brillaient de colère et de ferveur, comme s'il avait vu cet avenir s'étendre devant eux.

— Et Kheddou et Laïla ? Il y a quelques semaines seulement tu dansais à leur noce et ne disais pas un mot de la guerre.

— Je ne peux pas prendre de décision à leur place.

— Alors ne cherche pas à prendre de décision pour moi ! Je ne suis pas une faible créature que l'on doit protéger du monde et de ses maux. Ma mère m'a toujours dit que tout ce qui importait dans la vie partait du cœur… fit-elle en traçant au sol un cercle avec un point central… et que nous allons toujours plus loin dans le Cercle de la Vie, exactement comme les cercles de l'horizon autour de nous et du troupeau de notre tribu. Nous faisons partie de toute chose et toute chose fait partie de nous. S'il doit y avoir une guerre, soit, dit-elle d'un ton farouche, mais nous l'affronterons ensemble, mariés aux yeux du monde. Et si tu combats, je combattrai aussi. Mets une lance dans ma main et un glaive à ma ceinture, et je me battrai comme un homme. Et si tout doit se terminer dans une mer de sang, moi aussi je serai emportée par elle, mais si nous vainquons, nous partagerons le triomphe.

Dans l'obscurité, les yeux de Mariata luisaient au clair de lune comme si elle brûlait d'un feu froid et, pour Amastan, elle semblait en cet instant un esprit élémentaire plus qu'une femme de chair et de sang. Beaucoup d'hommes auraient tremblé en la voyant ainsi, alors qu'Amastan fut brusquement envahi par une bouffée de fierté en sentant la force de sa détermination et de son amour pour lui. Son désir s'enflamma une fois de plus. Qu'est-ce qui pouvait résister à une telle force ? Le faire eût été s'immoler et une partie de lui-même acceptait l'immolation. Il la serra contre lui et l'embrassa avec ardeur.

— Tu es une lionne.

Elle secoua la tête et se mit à rire.

— Une lionne ? Non. Mon esprit animal n'est que l'humble lièvre.

— Humble ? Je ne le crois pas. Le lièvre est la plus noble des créatures, comme l'est la femme qui sera mon épouse.

Le lendemain matin, ils allèrent voir Rahma et déclarèrent leurs intentions.

Rahma baisa la main de son fils et la pressa contre son cœur. Puis elle prit Mariata dans ses bras.

— Ah, ma fille, tu ne pouvais m'apporter meilleure nouvelle.

En les voyant l'une en face de l'autre, Amastan songea combien elles se ressemblaient, avec leur profil énergique et leurs yeux noirs brillants : deux lionnes qui n'avaient peur de rien, prêtes à affronter le monde entier pour défendre le leur. Je ne suis pas digne d'elles, pensa-t-il intérieurement.

La nouvelle des fiançailles se répandit dans la région aussi vite que les sauterelles envahissent un champ. Tout le monde en parlait. Les opinions étaient partagées : bien que Mariata eût en général fait bonne impression sur la tribu, certains estimaient que sa position était trop élevée pour épouser un Kel Teggart, même si le père de celui-ci était un amenokal des groupes de percussionnistes de l'Aïr. Les plus âgés se rappelaient les doutes

qu'avait suscités en eux le mariage de Rahma avec Moussa ag
Iba. Ils avaient hoché la tête d'un air entendu lorsqu'elle était
revenue dans la tribu, penaude, avec pour tout bagage, après
douze années difficiles auprès d'un homme connu pour son
outrecuidance et sa cruauté, la tente avec laquelle elle était partie,
un âne sur le retour et un enfant maussade, petit pour son âge,
enclin à des crises de rage et la langue acérée. Le temps passant,
ils avaient quelque peu révisé leur opinion sur Amastan, car il
était devenu grand et fort, excellent poète et danseur, apprécié en
outre pour ses talents de chasseur, mais ils se méfiaient toujours
de son caractère et de son jugement, et il était un peu considéré
comme un malchanceux, qui attirait trop souvent le mauvais œil.
La pensée qu'il allait s'installer ici avec sa jeune épouse les rendait nerveux : dans combien de temps les bons djenoun allaient-ils
l'abandonner de nouveau et les Kel Assouf reprendre possession
de lui et de ceux qui étaient trop près de lui ? se demandaient-ils.
Ils se montraient aussi polis que d'habitude avec lui et lui pré-
sentaient leurs félicitations, lui souhaitaient baraka, longue vie et
beaucoup d'enfants tout en priant avec ferveur qu'il fasse ce qu'il
fallait et ramène Mariata oult Yemma au campement de sa mère
dans les lointaines montagnes du Hoggar, comme il convenait à
quelqu'un de si haute lignée.

Mais les jeunes filles n'avaient pas les doutes de leurs parents
et grands-parents et elles traitaient Mariata comme n'importe
laquelle d'entre elles sur le point d'épouser un beau jeune homme.
Elles dessinaient les lunes et les fleurs symbolisant les fiançailles
sur les paumes de ses mains avec la pâte sombre du henné. Au
bout d'une journée, la pâte s'écaillait et tombait, découvrant les
ramages brun rouge foncé imprimés sur la peau qu'Amastan
baisait de ses lèvres lors de leurs rendez-vous nocturnes. Dans
l'intimité de leurs tentes, elles lui apprenaient des chansons et des
poèmes paillards qui la faisaient rire si fort que la vieille Nadia
venait voir ce qui se passait, craignant qu'une des brebis se soit
égarée là. Laïla, dans le rôle de la jeune épouse expérimentée,
prit Mariata à part pour lui livrer les secrets du lit nuptial. « La

première nuit des noces, tu dois résister à ses avances : il doit se comporter avec toi comme un frère. C'est la manière correcte. La deuxième nuit, il peut t'embrasser comme un ami et te tenir dans ses bras pendant que tu dors, pas plus. C'est seulement la troisième nuit qu'il peut se comporter avec toi en époux. » Elle lui exposa ensuite avec un luxe de détails ce que cela impliquait, surprise par l'impassibilité avec laquelle sa cadette accueillait des explications aussi truculentes. Pour sa part, Mariata remercia solennellement Laïla et glissa l'un de ses jolis bracelets en argent à son fin poignet comme symbole de leur amitié. Laïla rapporta ensuite à Nofa et Yéhali que Mariata lui avait semblé aussi effrayée qu'une jeune gazelle à l'idée même de tout cela.

La seule chose qui gâtait le bonheur de Mariata était l'absence de parents avec qui le partager. Des messagers furent envoyés sur toutes les routes du sud et de l'est en direction de Bilma dans l'espoir de retrouver son père et ses frères. On interrogeait les voyageurs pour savoir s'ils les avaient rencontrés au cours de leur périple. D'après des marchands de passage venus de Zinder et en route pour Tombouctou, on racontait dans les *fondouks*, où les voyageurs s'arrêtaient pour la nuit, qu'une caravane revenant des mines de sel de Bilma avait eu des ennuis dans le Ténéré, une caravane dont faisaient partie un père et ses deux fils, mais personne ne se souvenait de leurs noms et comme la description pouvait s'appliquer à la grande majorité des expéditions commerciales, nul ne prit la nouvelle trop à cœur. Cependant, Mariata, en s'efforçant de cacher son inquiétude, finit par rassembler son courage pour aller voir l'enad afin qu'elle lise les présages concernant cette rumeur.

Elle trouva Tana en train de coudre du cuir à l'ombre d'un énorme tamaris en lisière du camp. Les couleurs de l'objet orné de motifs complexes et de franges qu'elle cousait étaient aussi vives que celles des fruits. Mariata s'interrogeait sur ce que cela pouvait être. Elle avait rarement vu quelque chose d'aussi beau et elle avait du mal à en détacher son regard. Tana la dévisagea gravement. Elles n'avaient pas échangé un seul mot depuis le soir des noces de Kheddou et Laïla.

— C'est un sac de voyage, dit-elle sans préambule en le tenant en l'air, si bien que les franges se balancèrent. Tu vas en avoir besoin.

— Ah bon ?

— Tu vas partir pour un long voyage.

Mariata s'interrogea sur le sens de ces paroles. L'enad essayait-elle encore de l'éloigner ? De son côté, elle avait proposé à Amastan de partir pour le Hoggar après leur mariage afin d'apprendre la nouvelle à ses cousins et cousines, derniers vestiges de la famille de sa mère vénérée, et de rester auprès d'eux pour l'hiver, en sécurité dans le bastion des collines au-delà d'Abalessa. Elle avait grande envie de lui montrer les montagnes bien-aimées de son enfance, les hautes cimes qui viraient au pourpre lorsque le soleil se couchait, les gueltas fraîches et ombreuses, en eau toute l'année. Amastan s'était montré poli mais réservé sur le sujet. Il n'exprimait pas le fond de sa pensée ; elle savait cependant qu'il songeait de plus en plus au conflit imminent. Elle était pourtant certaine qu'elle pourrait le persuader d'effectuer le voyage une fois mariés ; aussi ne poussa-t-elle pas Tana à s'expliquer et lui posa-t-elle la question qui l'avait amenée là.

— Veux-tu pratiquer la divination pour moi et me dire si tu vois mon père et mes frères toujours parmi les vivants ?

Le regard aiguisé de Tana se riva sur elle avec une telle intensité que Mariata eut l'impression d'être transpercée par une lance. Et puis l'enad soupira et posa son ouvrage.

— Viens avec moi.

Dans la pénombre de la forge, elle prépara une infusion de *tehergelé* et de *tinhert* et une autre à base d'une plante que Mariata ne reconnut pas. Elle fit sauter à coups de marteau quelques morceaux d'un pain de sucre candi et remua le contenu de la théière pour les faire fondre. Puis elle se leva et versa le liquide doré à la manière des hommes, de très haut, si bien qu'il écuma dans le verre.

— Tu dois boire un verre de chacun, dit-elle à Mariata d'un ton comminatoire. La première infusion est forte comme la vie.

Elle s'assit face à la jeune fille et poussa le verre dans sa direction. Mariata le vida, savourant le goût complexe des herbes aromatiques. Tana le remplit à nouveau.

— La deuxième est douce comme l'amour.

En prononçant ces paroles, elle regarda Mariata avec une expression proche de la haine.

— Et un dernier verre…

Elle le poussa vers elle et attendit. Mariata le prit, contempla les petits morceaux de plante qui tournoyaient dans le liquide ambré. Il semblait plus frais et sombre que les deux breuvages précédents ; elle supposa qu'il avait infusé plus longtemps, mais quand elle le but elle faillit s'étrangler.

— Quel goût horrible ! s'exclama-t-elle en reposant le verre.

— Tu dois le finir.

L'enad se renversa en arrière sur ses talons et fixa sur Mariata un regard implacable jusqu'à ce qu'elle ait vidé son verre. Puis, satisfaite, elle sourit et dit :

— Le troisième est amer comme la mort.

Mariata sentait l'amertume sur sa langue et elle se demanda dans un instant d'effroi si l'enad ne l'avait pas empoisonnée. Voir Tana fermer l'entrée avec un long rideau de cuir et disposer une série de gris-gris dans le sable sur le seuil ne contribua pas à la rassurer. La forge se retrouva plongée dans l'obscurité. Mariata resta immobile, n'osant pas bouger, osant à peine respirer. Le feu flamboya, transformant le visage aux traits énergiques de l'enad en un masque sinistre et démoniaque. Celle-ci délimita ensuite un carré au sol en aplanissant le sable et plaça une amulette aux quatre coins. Puis elle s'approcha du pilier qui soutenait le toit et leva les yeux. Un jour pâle filtrait par le trou d'où s'échappait la fumée et éclairait un petit sac en cuir suspendu à un crochet tout en haut. De la poussière et des cendres dansaient dans les courants d'air chatoyants qui montaient en tourbillonnant autour du sac et s'échappaient à l'extérieur. Ils frémissaient et tournoyaient comme des derviches, si bien que Mariata pensa un instant voir des esprits tremblants sur le point de s'incarner et prendre vie. L'infusion lui avait fait tourner la tête. L'enad leva le bras pour prendre le sac et le soupesa. Quelque chose tinta à l'intérieur.

— Qu'y a-t-il dedans ? demanda Mariata.

Tana versa une partie du contenu dans sa grosse main brune et promena son pouce dessus, songeuse. Puis elle tendit la main pour que Mariata puisse voir ce que c'était : des galets arrondis comme on en trouve dans le lit d'une rivière. Mais sortis de l'eau, ils étaient ternes et tout ce qu'il y a d'ordinaire, et Mariata en fut déçue. L'enad les laissa retomber dans le sac.

— Chacun renferme un esprit, dit-elle, et elle observa avec satisfaction le mouvement de recul de Mariata. C'est comme ça que je les ai choisis : l'esprit contenu dans chacun d'eux m'a appelée quand j'étais à leur recherche le long de l'oued à la saison sèche. Il est trop dangereux de ramasser des galets lorsque la rivière coule ; tout le monde sait que les esprits se rassemblent dans l'eau. Ils ne sont plus aussi forts quand les galets sont secs et je peux alors les maîtriser. Je vais déchiffrer pour toi les Routes de la Vie et les Routes de la Mort et nous verrons bien.

Elle tapota trois fois l'amulette de Mariata, puis se toucha le front, les épaules, les pieds et les mains. Apparemment satisfaite de la protection que cela lui procurait, elle tira du sac une poignée de galets et se mit à les lancer en l'air de la main gauche, rattrapant certains d'entre eux de la droite. Elle en rattrapait parfois deux, parfois un seul. Elle les disposait au fur et à mesure suivant une ligne verticale, pareille à celles gravées de signes tifinagh sur les rochers voisins du camp : un, une paire, une deuxième paire, un. Puis elle lança en l'air une autre poignée de galets et les rattrapa de la même façon, les examina à chaque fois en remuant les lèvres comme si elle comptait. De temps en temps, elle écarquillait les yeux, surprise, faisait la moue ou fronçait les sourcils.

Deux paires et deux galets isolés formèrent une configuration différente. Le processus semblait aléatoire, mais à en juger par la concentration avec laquelle l'enad étudiait les tirages, Mariata voyait bien que le choix et l'arrangement des galets impliquaient un système qu'elle ne comprenait pas.

L'enad continuait à lancer les pierres et celles qui restaient s'alignèrent le long des deux premières rangées : trois paires et un galet rouge solitaire. L'enad émit un petit sifflement et fit la grimace : elle ne paraissait pas très satisfaite.

— Que vois-tu ? la pressa Mariata, incapable de supporter plus longtemps la tension.

Tana secoua la tête.

— N'interromps pas les esprits pendant qu'ils font leur travail, dit-elle avec brusquerie.

La dernière ligne prit forme : deux paires, un galet isolé, noir cette fois, et une autre paire. L'enad se redressa et contempla pensivement son œuvre. Elle ramassa la pierre rouge, la retourna, la remit en place. L'autre côté, marron foncé, semblait de moins mauvais augure. À moins qu'il le fût davantage.

— Ton père et tes frères sont toujours sur la Route de la Vie, mais la mort traîne dans leur sillage, annonça-t-elle enfin. Le sang va couler.

Mariata ne savait que penser de cette déclaration sibylline.

— Ils sont en vie ?

— Oui.

L'enad passa la main au-dessus de la figure formée par les quatre rangées en faisant des marques du bout des doigts dans le sable, déplaçant les galets à toute allure comme dans le frénétique jeu de stratégie auquel jouaient parfois les vieillards, capturant une ligne ennemie avec deux sauts de galet.

— Voyages, voyages, voyages. Ça, on le savait déjà, lâcha-t-elle avec humeur, se parlant apparemment à elle-même. De l'inconnu au connu, du connu à l'inconnu. Un sacrifice, une trahison, un enchaînement inéluctable d'événements.

Elle ramassa un caillou blanc et l'examina de près.

— Que fais-tu ici, sur la Route de la Mort, si tu représentes la vie nouvelle ? demanda-t-elle avec colère avant de remettre la pierre à sa place et d'en prendre une noire, les sourcils froncés. L'esprit qui habite ce galet est contrariant, déclara-t-elle. Il se plaît à tenter de fausser ma divination.

Mariata attendit, finit par demander :

— Que représente le noir ?

Tana soupira.

— Le hasard. Il perturbe toute la lecture.

— Peut-être sont-ils morts alors ? Mon père et mes frères ?

— Non, non, je ne vois aucun membre de ta famille mort, répondit Tana qui serra les lèvres et ajouta tout bas : Seulement un grand nombre d'autres gens.

— Comment ? fit Mariata en se penchant pour mieux entendre. Qu'as-tu dit ?

L'enad se remit debout, écarta le rideau de cuir et laissa entrer le soleil.

— Peu importe. C'est écrit et il n'y a rien à faire pour l'empêcher. Je ne peux voir ni le moment ni le lieu, mais seulement le sang et les yeux. La mort est la porte que nous devons tous franchir ; nous prions seulement pour ne pas y arriver trop tôt, *inch'Allah*.

20

Personne ne sembla trouver bizarre que nous venions chercher Lallaoua chez Habiba à trois heures du matin pour l'emmener dans le désert. Au contraire, tout sourire, les corbeaux de service reconnurent que partir tôt était une bonne idée. Après avoir appris la nouvelle, la vieille femme n'en pouvait plus de joie. Elle prit les mains de Taieb et les baisa encore et encore tout en marmonnant. Je l'entendis répéter plusieurs fois le mot « baraka ».

— Elle veut dire « Sois béni », m'expliqua Habiba.

Notre brouille antérieure paraissait oubliée. Elle avait l'air contente que nous emmenions Lallaoua dans le désert, mais la pensée peu charitable me traversa l'esprit qu'elle était soulagée que Taieb et moi ne soyons pas seuls, que la vieille dame joue en quelque sorte le rôle de chaperon, de fantôme présent à nos réjouissances. Ou peut-être était-elle seulement heureuse à la perspective de ne plus avoir à s'occuper d'elle pendant quelques heures.

Accompagnés de Taieb, les corbeaux allèrent préparer un petit déjeuner et les choses indispensables pour le trajet. Comme je m'apprêtais à suivre le mouvement, Habiba me saisit par le bras.

— Venez m'aider à habiller Lallaoua, dit-elle.

Cela prit une éternité, et pas seulement parce que je n'étais pas habituée à ce genre de tâche. Lallaoua tenait coûte que coûte à être sur son trente et un pour le voyage et c'est sa détermination qui fut cause du retard. Je pensais qu'elle allait mettre la sempiternelle robe noire portée par les corbeaux, mais non. Elle envoya Habiba chercher toute une liste de vêtements et d'accessoires, et, accrochée à son bras, ponctua chacune de ses exigences d'un geste emphatique du doigt. La perspective de se rendre dans le désert semblait l'avoir remplie d'énergie comme par magie.

Restée seule avec Lallaoua, je ne sus que lui dire. Nous ne parlions pas la même langue. Je souriais bêtement car elle me troublait. Soudain animée, elle me tapota la main, me parla avec volubilité et se toucha le cou en mimant un carré. L'amulette. Je la tirai de mon sac, la lui mis dans la main et la regardai la tenir tout près de ses yeux et la retourner pour l'examiner sous toutes les coutures. Que pouvait-elle voir ? Je me le demandais. Distinguait-elle la forme du collier et les signes gravés ? Ou se contentait-elle d'en sentir les dimensions, les disques de verre et le bossage central ? Ça n'avait d'ailleurs aucune importance, car elle me sourit avec une joie sans mélange et quand elle me rendit l'amulette, elle plaqua une main sur ma joue en un geste d'une telle affection, que rien ne justifiait, que je faillis craquer.

Habiba revint avec une brassée d'étoffe et un sac plein et Lallaoua s'abandonna à nos soins comme une enfant. Après lui avoir enlevé sa chemise de nuit, Habiba prit un gros paquet de tissu bleu foncé légèrement lustré.

— C'est du *tamelhaft*, m'expliqua-t-elle en pliant l'étoffe dans le sens de la longueur et la drapant autour de la vieille femme pendant que je l'aidais à se tenir debout. Très traditionnel, mais passé de mode de nos jours.

Elle maintint le tout avec deux grosses épingles ornementales en argent aux épaules, lissa le tissu et se recula pour contempler son œuvre.

— Superbe.

Lallaoua sourit béatement et tapota fièrement l'une des deux épingles.

— Elles sont très anciennes, me dit Habiba. Il est difficile aujourd'hui de s'en procurer d'une telle qualité.

Il fallut ensuite lui mettre d'autres bijoux : de grosses boucles d'oreilles en argent, des dizaines de bracelets, certains fins comme des traits de lumière, d'autres, massifs, ornés de motifs géométriques de grande dimension, deux lourds colliers de cauris et trois petites amulettes qu'Habiba épingla à divers endroits de la robe. Enfin, elle couvrit la tête de la vieille femme d'un châle brodé.

— Que de triangles, fis-je remarquer, ma curiosité éveillée par les motifs reproduits sur tous ces accessoires.

Habiba se mit à rire.

— Les pointes acérées écartent le mauvais œil, elles le crèvent même peut-être.

— C'est horrible !

Elle haussa les épaules.

— Les vieux ne jurent que par ça : d'après eux, il y a des influences néfastes partout, et pas seulement le mauvais œil, mais aussi des esprits mauvais, les djenoun.

Je dus sembler désorientée, car elle se pencha vers moi.

— Vous n'avez pas entendu parler du djinn ?

Je secouai la tête, puis une pensée me vint.

— À moins que vous ne vouliez parler du « génie », comme celui d'Aladin ?

Je lui fis un rapide résumé de l'histoire que j'avais lue, enfant, dans *Les Mille et Une Nuits*.

Elle fronça les sourcils, puis rit.

— Ah, vous voulez dire Ala al-Din et la lampe que le sorcier maure l'avait envoyé récupérer dans *Alf Laïla Wa-Laïla*. Oui, votre « génie » est un djinn, un esprit puissant, mais plus docile que les créatures malfaisantes auxquelles croient les vieilles gens, qui mentent constamment en attendant de dévoyer les faibles et les sots, de confondre les projets, de gâter la nourriture et de brouiller l'esprit des hommes. Presque tout ce que porte Lallaoua vise à écarter ces esprits : la teinture de sa robe, le khôl autour de ses yeux et même le henné sur ses doigts.

Elle dit quelques mots à la vieille femme, qui hocha vigoureusement la tête et répondit longuement.

— Elle dit qu'elle va avoir besoin d'une telle protection pour aller dans le désert, car le désert n'est pas seulement sa patrie, mais aussi celle d'une légion d'esprits mauvais. Elle est très contente que vous ayez votre amulette pour vous protéger. Mais elle tient à ce que vous la portiez.

— Vraiment ?

Je la sortis de mon sac et la soupesai.

— Ça lui ferait plaisir.

À contrecœur, je la passai autour de mon cou.

— Très bien, commenta Habiba en la regardant d'un air grave.

Ce regard scrutateur me mit mal à l'aise et je m'empressai de changer de sujet.

— Et en ce qui concerne sa médication ?

Habiba rit.

— Elle ne veut rien prendre de ce que lui donne le docteur, uniquement les remèdes à base d'herbes que préparent les vieilles femmes. Mais ces derniers temps, elle refuse de prendre quoi que ce soit.

— Il ne va rien lui arriver, j'espère ? demandai-je, nerveuse.

Il me vint à l'esprit, soudain et un peu tard, qu'emmener une vieille femme malade dans le plus grand désert du globe n'était peut-être pas une si bonne idée. Habiba vit mon expression.

— Tout va bien se passer, *inch'Allah*. Et dans le cas contraire… dit-elle en écartant les mains, Taieb s'occupera de tout : il est très capable. Vous, vous n'avez pas à vous inquiéter.

Elle me remettait à ma place, à juste titre, et je devinais qu'elle m'avait pris une fois encore en flagrant délit d'égoïsme occidental. Pour dire la vérité, j'étais terrifiée à l'idée de me trouver à proximité de la mort. Mais pour ces gens elle était omniprésente, faisait partie de la vie, contrairement à nous autres Occidentaux, qui la cachions, la tenions à distance, en quarantaine, plus taboue qu'elle ne l'avait jamais été, comme si la simple idée que nous ne maîtrisions pas tout en ce monde allait faire s'écrouler toute cette façade branlante.

Taieb passa la tête. Il semblait s'être douché : il avait les cheveux mouillés, son turban autour du cou, sur le tee-shirt et le jean qu'il avait dû porter sous sa djellaba, maintenant en boule sous son bras. En voyant Lallaoua dans ses plus beaux atours, son visage s'épanouit en un large sourire. « *T'foulkit* », dit-il. Lallaoua en rayonna. Puis il se tourna vers moi, son regard effleura l'amulette et revint à mon visage. « Belle », murmura-t-il en soutenant mon regard jusqu'à ce que je le détourne. Il se baissa alors et prit la vieille femme dans ses bras, comme il l'avait fait avec moi pour me porter jusque dans l'hôtel, mais alors que j'avais été toute raide et rétive, Lallaoua arborait un sourire jusqu'aux oreilles.

Nous l'installâmes sur la banquette arrière de la voiture, douillettement enveloppée dans des couvertures et maintenue par la ceinture de sécurité. Je repartis chercher le sac de victuailles et de boissons que les corbeaux avaient préparé pour le voyage. Sur le seuil, Habiba me serra fort dans ses bras un court instant.

— Merci, dit-elle, ses yeux sombres rivés aux miens. Merci de faire ça. Je suis désolée de m'être montrée dure avec vous hier. C'est bien ce que vous faites, vous et Taieb.

Sur ce, elle tourna les talons, fit au revoir et disparut dans la maison.

— Vous allez bien, madame ? demandai-je en français à Lallaoua tout en sachant qu'elle ne comprendrait pas.

Elle me regarda, son petit visage ridé enchâssé dans son foulard et ses bijoux : elle ressemblait à une diseuse de bonne aventure dans un mauvais spectacle de rue. Les couvertures bougèrent, elle en sortit une main toute brune et leva le pouce, geste universel pour signifier que tout va bien.

Nous quittâmes Tiouada au moment où le soleil se levait au-dessus des collines, baignant la voiture de ses rayons. Tout était immobile dans l'aube calme en dehors d'un vol de moineaux qui s'ébattaient dans la poussière au bord de la route et prirent brusquement leur essor, leurs ailes brun foncé dorées par le soleil, rais de feu magiques sur le fond d'azur.

Je me tournai pour les montrer à Lallaoua, mais elle dodelinait déjà de la tête, mains croisées sur la poitrine soulevées au rythme de sa respiration.

— Elle dort, dis-je tout bas à Taieb, qui jeta un coup d'œil dans le rétroviseur.

— Inutile de parler doucement, elle est sourde comme un pot.

— La pauvre. Et les yeux aussi. Elle a un glaucome, n'est-ce pas ?

— La cataracte certainement. Une vie passée dans le désert ne fait pas de bien aux yeux. Mais elle voit encore.

— Je croyais qu'elle était presque aveugle. J'espère qu'elle ne fera pas tout ce trajet pour rien.

Aveugle ou pas, elle verra le désert, répondit-il énigmatiquement. C'est un don qu'elle partage avec tous les Gens du Voile.

— Les Gens du Voile ?

— Les Kel Taguelmoust : ceux qui portent le voile. C'est ainsi que se nomment eux-mêmes les habitants du désert. Le terme « Touareg » n'est pas très usité.

Je le regardai d'un air interrogateur.

— Mais n'est-ce pas celui que vous avez employé en me parlant des origines de votre famille ? Vous avez dit que vous étiez des Touaregs.

Il haussa imperceptiblement les épaules.

— C'est une façon de dire commode. En fait, le terme a été forgé par les Arabes. Certains affirment qu'il vient de la région du Targa en Libye – un des singuliers de Touaregs est « Targui » ; d'autres estiment qu'il signifie « chassés par Dieu » ou « ceux que Dieu a maudits », mais c'est sans doute parce qu'ils ont résisté aux tribus de Bédouins qui ont envahi le pays par l'est au huitième siècle et colporté l'islam avec tant d'acharnement.

— Et les Hommes Bleus ? Je les ai entendu appeler comme ça aussi.

— Ils attachent plus de prix aux robes et aux turbans indigo qu'à quoi que ce soit d'autre, hormis leurs chameaux. Un tissu indigo de bonne qualité est difficile à se procurer et très cher. Il a joué le rôle d'une sorte de monnaie d'échange dans toute l'Afrique pendant des siècles et obtenir une étoffe vraiment belle exige beaucoup de travail : les maîtres teinturiers haoussas plongent le tissu dans la teinture dix fois, puis le battent jusqu'à ce qu'il ait acquis le lustre d'une aile de pie. Et meilleure est la qualité, plus il y a de teinture dans l'étoffe, plus elle déteint sur la peau, marquant celui qui la porte de manière indélébile comme étant un Kel Taguelmoust. Chose étrange, l'indigo protège efficacement la peau : il empêche l'humidité de s'échapper du corps et les femmes ne jurent que par ses vertus cosmétiques. C'est donc lui qui fait d'eux des Hommes Bleus.

— Ou des Femmes Bleues, dis-je avec un sourire. Mais Lallaoua… excusez-moi… Lallaoua est beaucoup plus foncée de peau que tous les autres membres de la famille. Elle ne leur ressemble guère.

Même de profil, il paraissait embarrassé.

— Elle n'est pas vraiment… de la famille, pas à l'origine. C'est une iklan.

— Une iklan ?

— Une esclave.

— Une esclave ? répétai-je, entendant ma voix monter d'une octave.

Taieb soupira.

— Lallaoua a été ramenée par l'arrière-grand-père de Habiba, qui l'avait échangée contre des cônes de sel à des marchands du sud de l'Algérie. Personne ne sait exactement d'où elle vient, Lallaoua moins que quiconque ; elle n'était qu'une enfant quand elle a été capturée. Elle a sans doute été victime d'une guerre tribale en Guinée ou en Côte d'Ivoire, faite prisonnière avec d'autres membres de sa tribu par les vainqueurs et vendue à des marchands de passage. Cela se passait à l'époque où toute notre famille menait encore la vie du désert, bien sûr. Depuis, elle est restée au sein de la famille ; les iklan n'étaient pas traités comme des esclaves tels que vous les imaginez, mais comme des membres ordinaires

244

de la tribu. Ils partageaient le même camp, la même nourriture, suivaient les mêmes routes difficiles ; ils choisissaient leur conjoint et élevaient leurs enfants ; et quand ils se faisaient vieux et ne pouvaient plus travailler, on s'occupait d'eux comme des autres personnes âgées de la tribu. Ainsi, lorsque, dans les années 1960, le père de Habiba a pris la décision de renoncer à la vie nomade et de s'installer à Tiouada, c'est tout naturellement que Lallaoua a suivi la famille. Elle disait qu'elle avait toujours voulu avoir une maison, des bêtes à elle ; ce sont les frères de Habiba qui la lui ont construite et ont monté sa petite ferme avant de partir travailler à Casablanca. Ça l'a attristée de la quitter, mais Habiba disait qu'elle était trop malade pour qu'on la laisse vivre là seule.

Je le regardai fixement, digérant tout cela. C'était inimaginable d'avoir été une esclave à notre époque, d'avoir été arrachée de force à son pays et à sa famille, d'avoir été enlevée et vendue comme une marchandise. Il était difficile de croire qu'une femme qui avait connu un tel sort soit encore de ce monde au vingt et unième siècle, qu'elle dorme à poings fermés à l'arrière de la voiture dans laquelle je me trouvais. L'idée était impossible à assimiler, sans parler de la justifier, quelle que fût l'aisance avec laquelle Taieb en parlait.

— Et quand l'esclavage a-t-il pris fin ? demandai-je en essayant vainement de ne pas laisser percer mon indignation.

— Ça dépend, répondit Taieb après un long silence. Les Touaregs ne connaissent pas de frontière et, par conséquent, traditionnellement ils n'ont été soumis à aucune forme de gouvernement central ou de loi, seulement à leurs chefs tribaux, à ceux d'un groupe régional de percussionnistes. Et il ne faut pas oublier que la majeure partie de l'Afrique du Nord et de l'Ouest a été jusqu'il y a peu sous la coupe d'une autorité coloniale, principalement celle des Français. Ils ont fermé les yeux sur l'esclavage et ont purement et simplement ignoré la question. C'est seulement lorsque les pays de la région ont acquis leur indépendance dans les années 1960 que l'esclavage a été officiellement interdit et que le mode de vie des Touaregs a été anéanti, souvent par la violence.

— Quel effet vous fait cette partie de votre héritage ?
m'enquis-je, curieuse.

Il me fusilla du regard.

— Quel effet vous fait votre héritage à vous ? Avec une mère
française et un père britannique, j'imagine que vous avez dû
avoir votre lot d'ancêtres propriétaires d'esclaves.

La remarque ne me parut pas tout à fait juste, mais je ne
trouvai rien pour la réfuter et nous roulâmes donc en silence un
moment à travers le paysage poussiéreux, dépassant des éperons
rocheux à moitié éboulés et des rivières à sec bordées par une
végétation rabougrie avec de temps à autre un laurier-rose ou
un palmier, surprenante tache de verdure. Les quelques villages
traversés paraissaient manquer d'âme : des constructions trapues
de plain-pied en adobe, du même brun-rouge terne que le sol
dont elles semblaient issues. Plus nous progressions vers le sud,
plus ces hameaux devenaient rudimentaires, plus le parpaing nu
dominait, comme si personne n'avait trouvé assez d'énergie ou
d'optimisme pour parachever les constructions avec un enduit et
de la peinture. Ici, l'homme perdait la bataille contre l'environnement naturel, son influence s'essoufflait, faisait machine arrière.
Sur plusieurs kilomètres nous n'avons pas croisé un seul véhicule.

Des nuages de poussière tourbillonnaient dehors ; je sentais
même son odeur d'épice et de moisi dans l'air conditionné à l'intérieur de la voiture ; elle se collait aux poils de mes narines, tapissait l'intérieur de ma bouche et se déposait dans mes poumons.
La plaine poussiéreuse fit place à un paysage lunaire accidenté
composé de sommets dénudés et d'affleurements d'ardoise déchiquetés, qui jaillissaient du sol obliquement comme des navires
en train de sombrer dans une mer de roche. Malgré les couleurs
et l'environnement différents, cela me rappelait la côte nord du
Devon à Hartland et Sharpnose, où j'avais grimpé un été et avais
refusé de retourner par superstition. L'atmosphère de la région
était sinistre et inhospitalière, même par une journée ensoleillée.
C'était une côte hantée par des naufrages et des noyades, un lieu
depuis longtemps marqué par la mort et les catastrophes. J'avais

éprouvé là-bas la même sensation qu'ici : les êtres humains y étaient des intrus, la nature ne voulait pas de nous ; elle s'était enlaidie et rendue inhospitalière avec détermination pour nous tenir à distance. J'étais encore en train de retourner ces pensées horrifiques, quand Taieb dit brusquement :

— Regardez !

Il arrêta la voiture juste à temps pour que je puisse voir un renard à queue touffue se propulser vers le sommet d'une paroi rocheuse presque verticale, terrifié par le bruit du 4 × 4.

Je regardai avec admiration sa queue flamboyante et son pelage lustré roux et noir, stupéfiée par la présence d'un animal aussi beau et plein d'énergie en un tel lieu. Cela semblait être un petit miracle de la vie dans un milieu aussi mortifère et je le dis à Taieb. Il poussa un grognement.

— Bien sûr qu'il y a des animaux ici ! Ce n'est pas parce que vous n'en voyez pas qu'il n'y en a pas ou parce qu'on ne voit pas âme qui vive que personne n'habite ici. Ce renard vit là parce qu'il y a des lapins à chasser ; les lapins sont là parce qu'ils trouvent des plantes tendres et peuvent creuser de bons terriers parmi les rochers. Regardez bien et vous verrez aussi des faucons et des chouettes. Et quand le soleil se couche, vous entendrez des chacals et des sangliers. Des troupeaux de gazelles traversent ces vallées en route pour leurs pâturages au nord. La vie est omniprésente, comme vous le verrez, même en plein désert.

— Et quelle espèce de renard était-ce ? Je n'en avais jamais vu avec une queue aussi touffue et un pelage aussi foncé.

Il me regarda bizarrement.

— C'était simplement un renard.

Quelques minutes plus tard, un oiseau noir à queue blanche rasa le sol en zigzaguant devant la voiture et disparut dans les branches d'un arbre épineux.

— Qu'est-ce que c'était ? demandai-je.

— L'arbre, un acacia. L'oiseau ? Je n'en ai pas la moindre idée.

— Je croyais que vous saviez tout de la nature, le taquinai-je.

Il prit la mouche.

— Les gens d'ici n'ont pas la manie des Européens de tout étiqueter et classer, me réprimanda-t-il. Vous croyez qu'en donnant simplement un nom à quelque chose vous en savez davantage sur elle, mais si je vous dis son nom, que saurez-vous de plus ? Rien d'essentiel sur sa nature, rien d'important, seulement un mot artificiel que quelqu'un a attribué au hasard à l'animal et ce n'est pas cela qui le fera mieux voler ou avoir plus de petits. C'est une autre forme de colonialisme, cette façon de nommer le monde.

— Écoutez, ce n'est pas moi qui ai colonisé votre malheureux pays ! rétorquai-je, piquée au vif. Je n'aimais même pas ma famille française.

Je vis ses lèvres se contracter et je me rendis compte que j'avais mordu à l'hameçon.

— Alors, Isabelle, parlez-moi de votre famille, de votre enfance.

— Je préfère pas, dis-je d'un ton guindé.

— Vous me punissez d'avoir été mordant avec vous ?

— Ce n'est pas ça. C'est seulement… qu'il n'y a pas grand-chose à raconter.

— Voilà bien la chose la plus triste à dire à propos de l'enfance. Vous pouvez vraiment la congédier aussi facilement ?

— J'étais quelqu'un d'autre à l'époque.

— Comment est-ce possible ? Lorsque je me revois à quatre ans, puis à neuf ou à quinze, je vois bien que j'étais la même personne que maintenant… que je sois en train d'arpenter les rues de Paris ou le souk de Tafraout. Rien ne m'a beaucoup changé. J'en ai seulement appris davantage sur la vie, les autres et moi-même. Mais j'espère ne pas avoir perdu l'innocence fondamentale ou la joie du gamin que j'étais alors.

Je gardai le silence et réfléchis à ses paroles, lui enviant cette vie simple et claire. Étais-je capable de me rappeler qui j'étais à quatre ans ? Je le pouvais assez distinctement si j'essayais : la petite Izzy, toujours dans le jardin, à construire des châteaux, confectionner des colliers de pâquerettes, aménager des mangeoires et des nids dont les oiseaux ne se servaient jamais. Je souris, mais le souvenir était teinté de tristesse, car je n'étais plus Izzy.

— Parlez-moi de votre enfance à vous, dis-je, détournant de moi le sujet délicat.

Ainsi, tandis que nous franchissions des étendues interminables de roche fracturée, des escarpements de faible hauteur et des collines pyramidales noires aux contours flous dans l'air saturé de poussière, tandis que Lallaoua ronflait doucement sur la banquette arrière, Taieb me raconta des histoires de son enfance. Il avait été le chef d'une bande de gamins qui faisaient les quatre cents coups dans la ville, chapardaient des fruits dans les vergers, jouaient à la guerre parmi les rochers, se faufilaient dans l'enclos des ânes les jours de marché, relâchaient les bêtes entravées et les menaient dans les collines, si bien que les malheureux revenant du souk chargés de provisions retrouvaient leur moyen de transport en train de tourner en rond dans les villages voisins. Il me raconta qu'ils s'échappaient dans les montagnes avec les provisions qu'ils réussissaient à se faire offrir ou à dérober. Taieb avait dû un jour relever le défi de rapporter une poule ; il était donc entré furtivement dans le poulailler des voisins et en était ressorti avec une volaille qui se débattait sous sa djellaba. Ils étaient partis dans la montagne pour égorger la pauvre bête, mais la lame de leur seul canif était si émoussée qu'elle n'avait pas fait grand mal à la poule, qui s'était mise à glousser comme une perdue et avait fini par s'enfuir. Elle avait disparu dans la nature en chancelant et abandonnant derrière elle beaucoup de plumes, le cou légèrement de travers. Ils avaient tant ri qu'aucun n'avait songé à lui courir après.

— J'aime à croire qu'elle est encore là-bas, dit Taieb, ses yeux brillant à ce souvenir, et qu'elle a fondé une dynastie de poules sauvages au cou tordu.

Au panneau indiquant Akka, Lallaoua se réveilla brusquement. Elle se pencha vers la portière et regarda dehors de ses yeux de myope, la main contre la vitre où son haleine déposait de la buée. Elle dit quelque chose à Taieb, qui s'arrêta sur le bas-côté et me tendit une boîte de mouchoirs en papier sur laquelle étaient imprimés le mot « Beauté » et un dessin représentant une princesse arabe à l'air faussement timide, les yeux cernés de khôl, coiffée d'une couronne emperlée et blasonnée d'une moustache.

— Elle a besoin de... vous savez.

Lallaoua et moi avons géré cet arrêt-pipi avec une dignité remarquable en dépit de ma cheville foulée, de son âge, de son infirmité et de son embonpoint apparent. En réalité, elle était très frêle sous ses hectares d'étoffe : en l'aidant à retourner à la voiture, je sentis ses os saillants, ses chairs flasques, ses muscles décharnés et mes doutes réapparurent. Je jetai un coup d'œil de côté à Taieb pendant qu'il installait Lallaoua, mais il ne me regardait pas et semblait plaisanter avec elle. En le voyant les yeux baissés, les joues gravées des lignes du sourire, tout à Lallaoua, je me rendis subitement compte à quel point il était séduisant – pas seulement en raison de son physique, de son visage énergique, de sa haute taille et de sa minceur, mais à cause de sa façon chaleureuse et franche de prendre soin de la vieille dame qui faisait apparaître mes préoccupations mesquines et égoïstes.

Après avoir roulé encore une demi-heure, Taieb quitta la route en direction de la crête d'un immense escarpement d'où la vue était à couper le souffle. Juste au-dessous de nous, le vert émeraude d'une série d'oasis se détachait sur le rouge poussiéreux du sol ; au-delà, le paysage de sable et de roc s'aplanissait à l'infini.

— Au sud d'ici se trouve la mine d'or d'Akka, et après commence le Sahara, commenta Taieb en se protégeant les yeux du soleil.

Il ajouta avec désinvolture :

— C'est l'une des mines d'or les plus importantes d'Afrique.

Lallaoua fit la grimace et toucha l'une de ses amulettes.

— Elle m'a entendu prononcer le mot « Akka », dit Taieb en voyant mon expression. Elle n'est pas si sourde que ça finalement. Et elle connaît la légende.

— La légende ?

— Lorsqu'on a trouvé de l'or dans cette partie du Maroc, les gens sont devenus fous. Ils ont abandonné femmes et enfants pour partir à sa recherche et, possédés par l'avidité ou par les djenoun, se sont mis à creuser jour et nuit. Voyant cela, Dieu a fait tomber un déluge sur le pays, suivi d'une sécheresse et d'une invasion de sauterelles, pour leur apprendre la valeur des choses dont la vie dépend. Dans notre culture, l'or attire la malchance. La richesse n'apporte que malheur, exploitation et mort.

— Je croyais que la pauvreté en apportait beaucoup plus qu'un peu d'or, répliquai-je d'un ton acide.

— On ne meurt jamais d'un manque d'or, dit-il à voix basse. Mais beaucoup meurent en le cherchant et beaucoup plus encore sont piétinés. Selon ma propre expérience, les riches ne deviennent jamais riches par des moyens honnêtes.

— Que faites-vous à Paris alors, au lieu de rester ici et d'épouser Habiba ? demandai-je, piquée au vif. À vendre, sans doute à des prix gonflés, des objets fabriqués dans votre pays à de riches clients ?

Le regard dont il me gratifia fut si direct qu'il parut presque palpable.

— L'argent que je gagne en vendant des objets touaregs est réinjecté dans l'économie touareg. Avec le produit des ventes, nous avons fondé une école itinérante afin que les enfants nomades puissent apprendre le nécessaire pour affronter le monde moderne et transmettre leurs connaissances à leurs propres enfants. Ils s'initient à l'histoire de leur culture, racontent les récits qu'ils ont entendus de la bouche de leurs grands-parents et couchent par écrit la tradition orale pour la postérité. Nous finançons également un médecin itinérant qui se rend dans les camps pour soigner les enfants atteints de malaria et de bilharziose ainsi que les personnes âgées qui souffrent d'un glaucome ou du diabète.

— Je suis désolée, dis-je, toute rouge.

— Et vous, Isabelle, que faites-vous quand vous ne passez pas vos vacances à dégringoler des montagnes ?

Tandis que je commençais à exposer en quoi consistait le métier de conseiller fiscal auprès des grosses entreprises, une émotion que je n'avais encore jamais associée à mon travail m'envahit peu à peu : un profond sentiment de honte. Je m'étais enorgueillie d'avoir un portefeuille très enviable de clients en or, de ma connaissance des procédures et des possibilités légales d'échapper à l'impôt, de ma diligence et de mon habileté. À mesure que j'expliquais à Taieb ce qu'avait été mon travail pendant près de vingt ans, je me sentais de plus en plus dégoûtée, de moi-même et du système dans lequel je jouais un rôle.

— Vous voyez, voilà ce que je fais, conclus-je d'un ton las. J'aide les *fat cats* à éviter de payer à l'État les impôts qui permettraient d'améliorer l'existence du reste de la population, de verser des allocations plus substantielles aux pauvres, de chauffer les personnes âgées, de moderniser les hôpitaux et les écoles…

— Les *fat cats* ? me coupa Taieb.

Emportée par mon discours, j'étais passée au franglais et avais usé d'une expression anglaise dont je ne connaissais pas l'équivalent français.

— Les gros chats, traduisis-je, ce qui l'embrouilla encore plus.

Je tentai de m'expliquer davantage jusqu'à ce qu'il m'interrompe :

— Ah, *les rats dans un fromage* ! Les gens âpres au gain qui ne laissent rien aux autres.

J'acquiesçai sombrement. Oui, ça décrivait bien ces grosses entreprises rapaces, exploiteuses et dénuées de toute moralité auxquelles j'avais à faire. Je me rendis compte que je devais depuis un certain temps éprouver un profond ressentiment pour tous ces hommes d'affaires rusés et suffisants en costume de Savile Row, au sourire revu et corrigé par des dentistes hors de prix, que dégorgeaient devant nos bureaux de belles limousines avec chauffeur, pour ces *businessmen* dont l'empreinte écologique était de la taille de l'Arctique, dont les sociétés transnationales sans visage exploitaient et exportaient gaiement les ressources minérales des pays du tiers-monde et dont la conscience sociale avait été excisée à la naissance dans des cliniques privées. Ces capitaines d'industrie qui m'employaient pour un salaire et des primes équivalant à plusieurs centaines de fois le salaire national moyen afin de trouver toutes les failles du droit fiscal, dissimuler leurs profits sous le poste « Recherche et Développement » et chercher les autres combines permettant d'échapper à l'impôt. Je n'étais en dehors de tout ça que depuis quelques semaines et me demandais soudain si je pourrais jamais y revenir... Cette prise de conscience me mit très mal à l'aise.

Nous avons dépassé des camions recouverts d'une bâche poussiéreuse, continué à rouler sur des kilomètres à travers un paysage sec et âpre, franchi l'affreuse petite ville moderne de Tata et le poste de contrôle de Tissint, où Taieb passa plusieurs minutes tendues dans une cahute de la police à prouver qu'il était bien le propriétaire du véhicule, montrer mon passeport, sa carte d'identité et celle de Lallaoua, expliquer où nous allions et répondre à des questions apparemment hors de propos. Juste avant Foum Zguid, il obliqua pour prendre une piste dépourvue de signalisation et d'empierrement. La voiture dut bientôt faire ses preuves quand il passa en propulsion à quatre roues motrices pour négocier les rochers et les cratères. La poussière volait partout. Nous continuâmes ainsi à cahoter dans les ornières au point que mes dents s'entrechoquaient et que je me félicitais d'avoir une petite poitrine et un soutien-gorge à baleines. Je me retournai et pris la main de Lallaoua.

— *Lâ bès* ? lui demandai-je, l'une des seules expressions que j'avais réussi à retenir.

— *Lâ bès*, me répondit-elle en souriant béatement. *Lâ bès, lâ bès.*

Après un tronçon de piste particulièrement accidenté, je regardai Taieb avec une certaine inquiétude.

— Cela va continuer longtemps comme ça ? C'est un raccourci vers une meilleure route ?

Il me lança un rapide coup d'œil.

— Vous vous attendiez à trouver une autoroute dans le désert ?

— Non, mais…

Je me sentis toute bête et me tus.

— Ne vous inquiétez pas, je connais bien la piste, mais il est vrai qu'elle n'est pas faite pour les touristes.

— Il arrive que des gens la prennent et se perdent ou tombent en panne ?

— Oh, oui, répondit-il gaiement. Tout le temps. Ils viennent jouer les aventuriers dans le Sahara. Ça leur fait du bien d'apprendre que ce n'est pas un terrain de jeu.

— Qu'est-ce qui leur arrive ?

Il gardait les yeux rivés sur la piste, mais j'aperçus son sourire carnassier.

— Vous n'avez pas vu les ossements un peu partout ?

Il indiqua sur la gauche un arbre rabougri qui avait poussé à travers la croûte de roche et le sable compact. À son pied, étaient éparpillés des…

— Oh…

Je regardai avec horreur, puis me rendis compte avec retard que c'était du bois mort blanchi par le soleil. Taieb rit dans sa barbe un bon moment. Après avoir essuyé ce camouflet, je l'observai passer alternativement d'une main experte de la surmultipliée au mode normal, remarquai malgré moi le jeu des muscles de son avant-bras, sa peau brune et lisse sous le duvet de poils noirs et sentis un frisson de plaisir totalement inattendu me parcourir. En temps normal, je détestais être conduite, être à la merci de quelqu'un d'autre. Que m'arrivait-il ? Était-ce Taieb qui provoquait en moi ce changement, l'assurance et les capacités naturelles de cet homme que rien ne semblait démonter, surtout pas le fait de trimballer à travers le Sahara une vieille femme agonisante et une touriste éclopée, ou bien quelque chose d'inné en moi était-il en train de changer de nature ?

J'eus soudain l'impression d'être comme le paysage que nous traversions : dans un état de transition entre maîtrise et impuissance, civilisation et nature sauvage, connu et inconnu.

Mais quelques instants plus tard, je fus brutalement tirée de ma méditation en voyant l'aiguille de la jauge d'essence dans le rouge.

— Taieb ! On n'a presque plus d'essence !

Il m'adressa un rapide coup d'œil, indifférent à ma panique.

— Je sais.

— On ne ferait pas mieux de rebrousser chemin pour trouver de l'essence ?

— Inutile.

Inutile ? Le moteur allait-il fonctionner à l'air ou allions-nous continuer à pied ? Je regardai l'affreux désert rocailleux et monotone qui s'étendait maintenant alentour. Derrière nous, le plateau par lequel nous étions arrivés se dressait au loin dans une brume bleutée ; de chaque côté, le terrain jonché de pierres, rompu de temps à autre par un affleurement de roche nue ; devant nous, le sol plat, raboteux, qui se confondait avec le ciel pâle dans le miroitement de la brume de chaleur. Je cherchai dans cette plaine morte un point d'intérêt, une trace de vie, mais mon regard ne rencontra que roche et poussière sans fin. On avait l'impression qu'une mer s'était retirée depuis des millénaires, exposant son fond dénudé au regard brûlant du soleil. Et pendant ce temps-là, l'aiguille de la jauge d'essence continuait à baisser.

Après un temps, Taieb prit son portable dans la pochette latérale de la portière, appela un numéro et se mit à parler. Le monde moderne arrivait partout jusqu'à lui, se gaussant du mot « désert ». Étant moi-même un produit de ce monde, j'aurais dû être rassurée à l'idée qu'il suffisait de donner un coup de téléphone pour recevoir du secours. Je me souvenais avoir entendu dire que des alpinistes avaient appelé les services de sauvetage du sommet de l'Everest et maintenant, semblait-il, même le Sahara n'était pas imprenable : déçue, j'éprouvai une sensation de vide, comme si j'avais été frustrée de mon unique expérience du désert.

Sans qu'il y ait de point de repère apparent, Taieb quitta la piste et amena la Touareg sur une autre, à peine discernable, perpendiculaire à la première. Des zones sableuses commençaient à apparaître parmi les rochers et les pierres, la végétation devenait de plus en plus clairsemée et épineuse, les arbres laissant place à des arbustes et des cactées. Le terrain s'inclina dans le lit d'une rivière asséchée puis se releva. En haut de la berge, j'aperçus au loin une petite tache de vert chatoyant au milieu du paysage brun. Plus je la regardais, plus elle me semblait distante et indistincte, mais Taieb mit le cap dans sa direction et après un temps qui parut interminable, les frondaisons des palmiers dattiers se découpèrent clairement sur le bleu implacable du ciel, leur image inversée parfaitement reflétée par le miroir argenté de l'eau à leur pied. Dans leur ombre miraculeuse, Taieb arrêta le 4 × 4 et aida Lallaoua à en descendre. Elle s'appuya d'une main au métal chaud du flanc de la voiture et huma l'air, les paupières closes comme si même les visions les plus floues risquaient d'émousser ses autres sens.

— Zaïr Foukani, dit-elle enfin en se tournant vers Taieb, qui haussa les sourcils de surprise.

Je souris en hochant la tête. Il n'était pas bien difficile de se rendre compte que nous nous trouvions dans une oasis : nous étions à l'ombre et même moi j'aurais probablement pu sentir la présence de l'eau si j'avais essayé.

— Non, elle sait exactement où nous sommes ; elle connaît le nom de l'oasis et la direction que nous devons prendre pour rejoindre la vieille route commerciale, la route du sel, à partir d'ici.

Un frisson me parcourut malgré la chaleur.

21

Nous fîmes un repas simple mais délicieux, composé de fromage de chèvre, de pain, d'amandes et de dattes, le même genre de repas que des milliers de voyageurs avaient dû faire au fil des siècles à l'ombre de ces palmiers. Je me protégeai les yeux de la réverbération et imaginai facilement une caravane de chameaux se découpant contre le ciel pâle, se frayant péniblement un chemin hors du Sahara, les hommes soulagés par la proximité de la fin du désert, à la perspective de trouver de l'ombre et de l'eau. Cependant ce ne sont pas des chameaux qui apparurent à l'horizon tandis que nous achevions notre pique-nique, mais une jeep de l'armée, semblait-il, de celles qu'on voit dans les films de guerre en noir et blanc, ses flancs kaki cabossés piquetés de rouille et couverts de poussière. Fallait-il s'inquiéter ? J'avais lu dans le guide des histoires alarmantes de touristes attaqués et dévalisés, leurs véhicules volés, les passagers laissés pour morts dans le désert. Je jetai un coup d'œil à Taieb, mais il s'était mis debout, un demi-sourire aux lèvres. Il commença à nouer son turban autour de sa tête.

La jeep s'arrêta près de notre Touareg et trois hommes en descendirent. Ils arboraient la même combinaison de vêtements orientaux et occidentaux que Taieb : jean, chemise et turban, mais alors que lui portait le sien lâche, de ces hommes je ne voyais que les yeux, sombres et brillants, par l'étroite fente de l'étoffe. Cachaient-ils leur identité ? Tendue, je me tournai pour dire quelque chose à Taieb : lui aussi avait maintenant son turban serré. Deux des hommes s'avancèrent et des salutations furent échangées – hochements de tête et poignées de main hésitantes, simples contacts des doigts et des paumes – très différentes de celles, chaleureuses, auxquelles j'avais assisté dans les villages berbères. Le troisième larron était resté en retrait, gardant ses distances. Son regard se posa sur moi, puis sur Lallaoua. Il attendit une pause dans la conversation, et s'adressa alors brusquement à Taieb d'une voix forte. Taieb fit un geste dédaigneux dans ma direction – une simple touriste – et, comme tranquillisé, l'homme hocha la tête et se retourna pour prendre quelque chose à l'arrière de la jeep. Je dressai le cou : elle contenait tout un tas de grands jerricans vert olive. Trois furent débarqués, de l'argent changea de main, le troisième homme le compta soigneusement pendant que les deux autres aidaient Taieb à faire le plein. On échangea des adieux polis, les nouveaux venus remontèrent dans la jeep et repartirent.

— Voilà bien la station-service la plus étonnante que j'aie jamais vue, dis-je à Taieb en riant tandis que nous nous éloignions de l'oasis vers le sud.

— C'est ainsi que l'on procède par ici, répondit-il tranquillement.

Il avait relâché son turban de sorte que je voyais de nouveau son nez et son menton. Il souriait. Je lui lançai un regard soupçonneux.

— Qui étaient ces hommes ?

— Il est sans doute préférable de ne pas le demander.

— J'aimerais le savoir, dis-je, hérissée, avant de hasarder : Des contrebandiers ?

Il détourna les yeux de la route pour les poser un instant sur moi.

— Si vous voulez.

— Mais où se procurent-ils cette essence, bon sang ?

Il haussa légèrement les épaules, comme si la question était idiote et ne méritait guère de réponse.

— L'Algérie est l'un des plus gros producteurs de pétrole du monde. Il y a des pipelines partout et d'immenses raffineries. Il arrive que quelques barils manquent ici et là…

De l'essence de contrebande. La voler était probablement passible de la peine de mort dans cette partie du globe. Si l'on se faisait prendre.

— Nous sommes donc tout près de l'Algérie ? demandai-je au bout d'un moment.

— Nous sommes en Algérie.

— Quoi ?

Je le regardai avec stupéfaction, me souvenant tout à coup du nom d'Abalessa mentionné dans l'article de mon père.

— Je n'ai vu aucune frontière, aucun poste de contrôle, rien.

— On ne peut pas passer légalement du Maroc à l'Algérie. La frontière est fermée depuis 1994. En fait, les relations sont tendues entre nous depuis la guerre des Sables de 1963.

— On dirait du Tolkien.

Il esquissa un sourire.

— Ça avait sans doute beaucoup plus à voir avec le pétrole qu'avec le sable. Mais n'en a-t-il pas toujours été ainsi ? Nous ne sommes plus en guerre maintenant, cependant la situation reste tendue. Des deux côtés, on essaie de contrôler la frontière le mieux possible, mais elle a mille huit cents kilomètres de long : impossible d'y patrouiller sans des effectifs phénoménaux et des dépenses astronomiques. Les deux pays essayent de la surveiller à partir de leurs postes militaires respectifs à l'aide de puissantes longues-vues et tout le bataclan, mais des gens la franchissent tous les jours : des membres du Polisario, des contrebandiers, des réfugiés, des nomades.

— Qu'est-ce qu'ils nous feront s'ils nous trouvent là ? m'enquis-je d'une petite voix, des images de cellules de prison algériennes crasseuses et infestées de rats se formant insidieusement dans mon esprit.

Une bosse nous secoua plus durement que je ne m'y attendais et je poussai un cri.

— Désolé. Mais regardez autour de vous, c'est le désert. Il est ridicule de penser que qui que ce soit puisse contrôler quelque chose d'aussi théorique qu'une ligne de démarcation politique entre un pays et un autre sur un tel terrain. Comment quelqu'un peut-il « posséder » un territoire comme celui-ci ? C'est un lieu sauvage, il appartient à tout le monde. Autant installer des barbelés à travers l'Atlantique et interdire aux poissons de les franchir.

Les sables s'amoncelaient de plus en plus haut autour de nous et je me demandais dans quoi je m'étais fourrée. Pourtant les choses ne tardèrent pas à empirer et la piste disparut presque complètement. Taieb descendit rapidement de la voiture et dégonfla un peu les pneus, mais cela ne nous empêcha pas de continuer à déraper d'un côté et de l'autre comme si nous avions roulé sur de la neige. Nous traversâmes une zone où une croûte d'argile friable recouvrait la surface du sol, percée ici et là par des herbes épineuses, puis nous franchîmes la crête d'une éminence et nous nous retrouvâmes sur une grande mer de dunes immobile, dont les vagues brunes s'étendaient à l'infini.

J'en restai bouche bée tant c'était beau. C'est le mot qui me vint à l'esprit. Ni vide ni effrayant, mais beau. Lorsqu'on vient de la ville, le vide est beau. Et la répétition sans fin de toutes ces courbes, de tous ces plissements avait quelque chose d'élégant. J'en suivais des yeux les lignes gracieuses et, Dieu sait pourquoi, la panique qui s'était emparée de moi diminua, apaisée par ces formes qui se reproduisaient indéfiniment, l'alternance des bandes de lumière et d'ombre, la délimitation nette d'une dune bien dessinée et de la suivante. Ces formes répétitives m'ont distraite un moment de la conscience de ce qu'au milieu de cette splendeur la désolation et la mort attendaient les imprudents, les téméraires et sans doute nous. Il semblait tout à fait extraordinaire qu'en l'espace d'à peine six heures nous soyons passés de la civilisation relative des villages berbères, de leurs maisons et leurs échoppes, de leurs écoles et leurs routes goudronnées, à ça, et je le dis à Taieb.

— Huit heures en 4 × 4, mais plus d'une semaine à dos de chameau ou à pied.

— Non, vraiment ?

J'émis un petit sifflement. Quelle marche cela devait être, quelle endurance, quelle connaissance et quelle détermination il fallait avoir ! Et pourtant nous n'étions encore que sur les marges septentrionales du plus grand désert du monde. Il était impossible de concevoir comment les caravaniers qui avaient traversé tout le désert en transportant or et ivoire, sel et plumes d'autruche, avaient réussi à survivre en un tel lieu. C'était un exploit extraordinaire, accompli par des hommes doués d'une résistance héroïque. Je me rappelai alors que l'or, l'ivoire, le sel et les plumes d'autruche n'étaient pas leurs seules marchandises et qu'ils emmenaient aussi avec eux des milliers d'esclaves originaires des pays subsahariens.

Je me retournai pour regarder Lallaoua, qui me rendit mon regard.

— *Biḍḍ !* dit-elle brusquement.

Taieb freina en douceur jusqu'à ce que nous nous arrêtions dans un dérapage. Inquiet, il se tourna et lui demanda quelque chose, à quoi elle répondit rapidement. Il lui posa une autre question et cette fois-ci la réponse fut prompte et furieuse. Elle semblait avoir besoin d'un arrêt-pipi urgent et je grommelai intérieurement, puis me reprochai mon égoisme, débouclai ma ceinture et ouvris la portière. Après la clim, le changement de température provoquait un choc ; en quelques secondes, je sentis mes narines se dessécher. Le soleil me tapait sur la tête comme sur une enclume. J'aidai Lallaoua à sortir dans la fournaise et grimaçai en m'appuyant sur ma cheville lésée. Elle resta debout là, vacillant légèrement, le visage tourné vers le ciel, les yeux clos. Le soleil scintillait sur ses bijoux et faisait ressortir le lustre huileux du tissu indigo. Puis elle se mit à marcher. Je passai immédiatement un bras autour de sa taille pour la soutenir, mais elle me repoussa d'une bourrade. « *Oho, oho !* »

En traînant les pieds, ses babouches en cuir recouvertes par des vaguelettes de sable, elle continua de s'éloigner, non comme une aveugle, les bras tendus pour sentir les obstacles et faire office de balancier, mais comme quelqu'un qui essuie un grain dans l'Antarctique, à grand-peine, se battant contre les éléments.

Je m'apprêtai à la suivre, mais Taieb m'attrapa par le bras.

— Laissez-la. Elle est décidée à faire ça. Elle ne tombera pas et même si elle tombe, le sol n'est pas dur. Laissez-la faire ça toute seule, c'est ce qu'elle désire.

Nous l'avons donc regardée à bonne distance progresser lentement jusqu'au moment où elle s'affaissa sur les genoux. Je me précipitai vers elle, croyant qu'elle était tombée, mais à ce moment-là elle se mit à chanter, un gazouillis éthéré qui s'élevait dans les airs comme un chant d'oiseau et, sortie de nulle part, me revint l'image des moineaux baignés de soleil, de leurs plumes ternes embrasées de lumière dorée et mes cheveux se dressèrent sur ma nuque.

Les inadan disent que toute chose a son temps,
L'oiseau qui vole, le scarabée rampant
Les fleurs qui éclosent quand il a plu
La chamelle dont la période de vêlage est révolue.
Mes jours sont maintenant aussi sombres que mes nuits ;
Le tinad dit que nous commençons et finissons dans l'obscurité ;
Dans l'obscurité je viens à vous maintenant, esprits de la nature
Qui m'avez attendue patiemment,
Je vous ai entendus m'appeler
Dans la nuit et le vent.
Le temps du beurre et des dattes est depuis longtemps passé
Et mes jours sont devenus aussi sombres que mes nuits ;
Le soleil a baissé comme un feu à l'occident,
Le temps est venu pour moi de partir en azalay,
De suivre la route longue et difficile du sel vers mon repos.

Étaient-ce les paroles de la chanson ou bien celles que j'ai entendues dans ma tête quand elle chantait ? Aujourd'hui encore, je l'ignore : tout ce que je sais, c'est que, lorsque les dernières notes moururent, je me surpris à serrer mon amulette si fort que ses bords creusèrent des marques rouges dans ma paume.

Je regardai Taieb : des larmes coulaient sur ses joues. Il ne cherchait pas à les retenir et elles faisaient des taches sombres en tombant sur son turban sous son menton. Quand je me retournai, Lallaoua s'était couchée dans le sable.

— Que fait-elle ? murmurai-je.

Mais il ne répondit pas.

Il s'approcha d'elle, s'agenouilla à son côté et lui prit la main. Ils échangèrent quelques mots à voix basse, puis il se releva et passa à côté de moi pour aller à la voiture. Lorsqu'il en revint, il portait un monceau de tissu blanc sous le bras. Il me fit signe de m'asseoir sur le sable, puis prit place à mon côté, l'étoffe blanche sur les genoux, et regarda dans le vide, comme s'il attendait quelque chose.

Le soleil tapait dur, le ciel devenait presque blanc de chaleur sur la palette de gris changeante de la mer de sable. Il ne semblait y avoir d'autre bruit au monde que le battement du sang dans mes oreilles. Je ramassai une poignée de sable, si chaud qu'il me brûla aux endroits où l'amulette avait laissé ses marques, et je le laissai filer entre mes doigts. Un million de grains minuscules, chacun produit par l'usure d'un rocher et déposé là par les vents du désert en un processus mystérieux qui avait duré des millénaires. Comme si le temps avait ralenti quasiment au point de s'arrêter, je regardai chaque grain tomber et se mêler aux milliards d'autres, pris une autre poignée et la laissai s'écouler. L'action devenait obsessionnelle, sa répétition en quelque sorte nécessaire pour tenir en échec la panique que je sentais monter en moi.

Après un temps indéfinissable, un mouvement m'attira l'œil à la limite de mon champ de vision. C'était un scarabée noir à longues pattes qui courait avec légèreté à la manière d'un notonecte frôlant la surface d'une mare. Il attaqua l'ascension d'une ride de sable meuble, qui s'éboulait même sous ses pieds de ballerine. Il grimpait, retombait en arrière et recommençait. Je me surpris à tenter de l'aider par la force de ma volonté, comme si ma pensée pouvait changer quelque chose. Il s'attaqua à la pente selon un angle différent et sa persévérance l'amena jusqu'en haut, après quoi il disparut, laissant derrière lui dans le sable une série de hiéroglyphes.

Combien de temps avons-nous attendu et comment Taieb sut-il que l'attente arrivait à son terme, je n'en ai aucune idée, mais il était assis immobile comme une pierre et l'instant d'après il déplia ses longs membres, se leva et s'approcha de la vieille femme. Il resta longtemps debout près d'elle à la regarder sans rien dire et je sus à son immobilité que Lallaoua était morte.

Mon cœur se mit à battre plus fort, mais à quoi m'étais-je attendue ? Depuis que nous étions partis de Tiouada, cela avait été le but évident du voyage, n'est-ce pas ? La femme du vingt et unième siècle que j'étais – l'Isabelle qui travaillait dans la City et obéissait aux règles qui lui étaient imposées là, qui portait l'uniforme de la profession et se détournait de la nature brute du monde – était consternée d'avoir laissé cela arriver, de ne pas avoir exigé que Taieb ramène Lallaoua dans la voiture, même contre sa volonté, et la conduise à l'hôpital le plus proche. Mais la partie ancienne, sauvage, de mon être admirait le courage et la dignité de la vieille femme et enviait la sérénité de son trépas. Je m'approchai de Taieb et regardai le corps sans vie de Lallaoua. Elle avait une expression béate, les yeux clos, la bouche incurvée en un sourire. Ses amulettes, ses colliers, ses bracelets et boucles d'oreilles brillaient au soleil.

— Et voilà, dit Taieb. Aidez-moi à la déshabiller.

— Quoi ? fis-je en le fixant du regard.

— Nous devons laver le corps.

Je jetai un coup d'œil alentour. Oui, comme je le pensais, nous étions bien dans le Sahara.

— Il n'y a pas d'eau, dis-je bêtement.

Il soupira.

— Aidez-moi seulement à la déshabiller.

Je n'avais encore jamais vu, et encore moins touché, un mort, homme ou femme. L'idée même répugnait à une partie de moi-même, délicate et superstitieuse, mais Taieb me lança un regard sévère.

— Je ne peux pas le faire seul et, suivant notre tradition, il faut que ce soit une femme qui le fasse pour Lallaoua. Vous n'êtes plus à Londres, vous savez ; vous devez cesser de penser comme une Londonienne.

J'avalai péniblement ma salive.

— D'accord.

Nous débarrassâmes Lallaoua de sa toilette compliquée et de ses bijoux. Lorsqu'elle fut presque nue, Taieb se releva.

— Il serait inconvenant que je continue. Je vais donc vous dire ce que vous devez faire. Je sais que ça ne vous est pas facile, Isabelle, mais rappelez-vous que vous faites cela pour Lallaoua, que vous honorez sa mémoire et nos traditions. Vous devez d'abord lui rincer l'intérieur de la bouche. Je vais aller vous chercher de l'eau dans la voiture.

Il m'apporta la bouteille en plastique de deux litres d'eau minérale qu'il m'avait donnée à Tafraout, cette ville relativement civilisée où il était possible de faire des emplettes et où personne ne parlait d'enterrer des cadavres d'esclaves dans le désert. Il n'en restait plus beaucoup, mais assez, supposai-je, pour rincer la bouche d'une morte. J'empoignai la bouteille, m'armai de courage et posai doucement la main sur le visage de la vieille femme. Il n'avait pas encore pris sa rigidité cadavérique, elle était encore chaude, bien que ce fût peut-être à cause du soleil. Le fait de la toucher ne provoqua pas immédiatement la réaction de répulsion physique à laquelle je m'attendais, mais elle ne tarda pas à venir. J'ouvris sa bouche et regardai à l'intérieur : une cavité dépourvue de dents, la langue grise tombée en arrière. Tout en m'efforçant de tenir la bride à mon imagination, je versai de l'eau dans sa bouche, puis fermai les yeux et passai les doigts tout autour. La muqueuse était alternativement lisse et légèrement collante, ponctuée de protubérances dures, comme des écueils dans la mer. Pour finir, je penchai sa tête de côté et l'eau s'écoula dans le sable.

— Maintenant, mouillez-vous la main et lavez-lui le visage trois fois.

Je fis ce que Taieb me demandait. La troisième fois fut plus facile. Je lui lavai la tête, sentant ses tresses rêches, sèches et élastiques sous mes doigts.

— Prenez maintenant du sable propre et frottez-lui doucement les mains et les avant-bras, les coudes, les pieds et les genoux, en procédant toujours de gauche à droite.

Cela demanda un certain temps durant lequel une petite voix intérieure ne cessa de me rappeler que j'avais les mains sur la peau d'une morte, peau d'une couleur et d'une texture différentes de toutes celles que j'avais touchées jusque-là. Je récurai avec du sable les jambes de la vieille femme, sentant les muscles bouger comme de la pâte sous mes paumes. Ses seins pendaient contre ses côtes. Je jetai un coup d'œil à Taieb. Il détourna la tête.

— Oui, vous devez le faire. Et le reste aussi.

Je serrai les mâchoires et accomplis ma tâche sans me plaindre, m'efforçant de faire taire la voix indignée de la femme qui touchait rarement quelqu'un si elle pouvait l'éviter et ne comprenait pas ce qui se passait. À un certain moment, Taieb la retourna sur le ventre et je lui « lavai » le derrière et les fesses. Il déclara finalement que cela suffisait et nous lui remîmes ses vêtements et ses bijoux.

Debout près d'elle, je la regardai. De nouveau vêtue, les mains croisées sur la poitrine, elle semblait sereine et imposante ; j'étais soudain fière d'elle et de moi. Taieb alla chercher le tissu blanc.

— C'est son linceul. Elle m'avait demandé de l'apporter.

— Vous saviez depuis le début qu'elle… ?

Il acquiesça.

— Elle savait et moi aussi. Mais si je vous avais dit que c'était la conclusion probable du voyage, je crois que cela n'aurait pas facilité les choses, si ?

Je pouvais difficilement le nier. Je l'aidai à envelopper Lallaoua dans son linceul jusqu'à ce que toutes les parties de son corps soient couvertes. Puis il repartit à la voiture et revint avec une pelle.

— Vous allez l'enterrer ici, toute seule ?

La question était idiote. Que croyais-je qu'il allait arriver d'autre ? Pourquoi, sinon, avais-je accompli les rites funéraires et pourquoi l'avoir enveloppée dans son suaire ? Peut-être avais-je cru quelque part que nous allions la ramener à la civilisation dans la voiture.

— Bien sûr. C'est ce qu'elle voulait.

— Et les autorités ? Vous n'avez pas à déclarer son décès ? À obtenir un certificat ? Ne va-t-il pas y avoir une enquête si elle disparaît purement et simplement ?

Il m'adressa un regard éloquent.

— Isabelle, oubliez Londres et rappelez-vous où vous êtes. Lallaoua est du désert et le désert a repris possession d'elle.

— Mais non, elle n'est pas du désert. Elle vient d'ailleurs. Elle a été enlevée et emmenée dans le désert, dis-je avec entêtement. Pourquoi voulait-elle mourir ici ? Pourquoi voulait-elle être enterrée ici, dans le sable, loin de tous ceux qu'elle connaît ? Je ne comprends pas du tout…

Je déglutis, bien décidée à ne pas craquer. Il posa sur mon épaule une main hésitante.

— Elle savait ce qu'elle voulait, Isabelle. Pourquoi croyez-vous qu'elle s'est vêtue comme une reine ? Si, lorsque mon heure viendra, j'ai une mort à moitié aussi paisible, je considérerai que j'ai de la chance.

Comme une reine… L'expression résonna dans ma tête. Comme une reine revêtue de ses plus beaux atours et de ses bijoux, enterrée dans les sables du désert. J'écartai la main de Taieb.

— Oh mon Dieu… dis-je.

— Quoi ? Qu'y a-t-il, Isabelle ?

— Quelque chose… quelque chose d'étrange. Je ne sais pas. Ne faites pas attention à moi, je suis seulement un peu troublée, c'est tout.

Il me toucha le front du revers de la main.

— Un petit coup de soleil. J'aurais dû y penser. Allez vous installer dans la voiture, Isabelle. Je vais faire le nécessaire.

Assise sur le siège du passager de la Touareg, je le regardai creuser la tombe. Le soleil plongeait maintenant vers l'horizon. Rassemblant mon courage, je descendis de voiture et allai l'aider. À nous deux, nous la déposâmes en terre, la recouvrîmes de sable et Taieb alla chercher des pierres plates pour les mettre sur la tombe. Il en rapporta sept une à une et les disposa avec déférence.

— Puisse la terre être légère sur toi, Lallaoua, murmura-t-il.

J'ôtai solennellement mon amulette et la soupesai dans ma main, puis me penchai pour la déposer sur la tombe.

— Pour plus de sécurité... commençai-je.

Mes paroles furent couvertes par le grondement de véhicules qui arrivaient dans notre direction.

Taieb se protégea les yeux du soleil couchant. Puis il me prit par le bras et me releva si rudement que je poussai un petit cri.

— Retournez à la voiture, dit-il. Immédiatement.

— Pourquoi ? Qui est-ce ?

Le collier pendait de ma main, les disques de verre rouge inondés de soleil.

— Retournez à la voiture, ne discutez pas, insista-t-il d'un ton féroce.

Avant que j'aie eu le temps d'obtempérer, deux gros 4 × 4 s'arrêtèrent dans un nuage de poussière et des hommes en noir, la tête serrée dans des turbans, en descendirent, plusieurs portant des armes à feu.

— Merde, dit Taieb. On est dans le pétrin.

22

Le temps passait. Les jeunes filles répétaient leurs danses et leurs chansons. Les hommes vaquaient à leurs occupations et personne ne parlait d'autre chose que de l'ordinaire. Mariata avait régulièrement ses menstrues. La vie suivait son cours habituel. Malgré ses protestations, on envoya aux Kel Bagzan la nouvelle de son mariage prochain, au cas où son père et ses frères passeraient par chez eux après leur expédition à Bilma. Mais ce n'était pas la seule raison.

— Si quelqu'un comprend ta répugnance, c'est bien moi, lui dit Rahma avec lassitude, mais, Mariata, tu as des tantes et des cousines là-bas. Il est de notre devoir de les informer de ton mariage. Si nous ne le faisons pas, imagine leur colère ; elles se répandront en injures contre nous et nous accuseront de scandale, voire de rapt.

— Et Rhossi ? Il doit être encore furieux de la disparition de ses dromadaires.

Rahma serra les mâchoires.

— Quels dromadaires ? Je ne sais pas de quoi tu parles. Tu vois deux méharis blancs parmi les pauvres bêtes des Kel Teggart ? dit-elle en se protégeant les yeux pour regarder alentour. Moi, je n'en vois pas, conclut-elle avant de reprendre en regardant Mariata : Si tu veux te marier, tu dois le faire comme il faut, sinon tu auras le mauvais œil, et Amastan a déjà eu plus que son lot de malchance. Les Kel Bagzan ne viendront pas : c'est trop loin, le voyage est trop pénible et ils ne s'attendent certainement pas à être accueillis ici par de grands festins ni à y trouver un bon hébergement. Tu imagines ta tante Dassine et les nouvelles épouses de Moussa supporter tout cela ?

Rahma avait raison. Néanmoins, cela la rendait nerveuse et l'absence de nouvelles d'Amastan et de quelques autres jeunes gens partis au marché à trois jours de chameau pour troquer chèvres, lait, fromage, articles en cuir et peaux contre du riz, des épices et du miel pour la noce, n'arrangea pas les choses. Une semaine, puis dix jours passèrent et ils n'étaient toujours pas de retour. Personne ne semblait en faire cas. Les femmes astiquaient leurs bijoux en argent, sortaient leurs plus belles robes et en raccommodaient les broderies, se tressaient mutuellement les cheveux et se massaient la peau avec du beurre. Les motifs dessinés au henné sur les mains de Mariata pour les fiançailles s'estompaient et, fins comme une dentelle, n'étaient plus guère visibles.

Puis certains des hommes revinrent avec des provisions et des cônes de sucre destinés à être offerts au couple. Mais Amastan n'était pas avec eux. Bazou et Azélouane non plus, remarqua Mariata. Bazou n'était pas marié, son père était parti en expédition commerciale et personne ne paraissait s'inquiéter de son absence prolongée.

— Il est sans doute en train de faire la cour à une fille de Kidal, dit Djouma.

Et toutes de rire.

— Nécessité fait loi !

— Mais pourquoi Amastan et Azélouane ne sont-ils pas de retour ?

Toutes se turent. Noura regarda Nofa, nièce d'Azélouane, qui secoua imperceptiblement la tête. Mariata surprit l'échange et son cœur se serra.

— Qu'y a-t-il ? demanda-t-elle. Que me cachez-vous ?

Nofa se pencha pour poser la main sur son bras.

— Ce n'est rien. Ne t'inquiète pas. Azélouane n'est plus tout jeune ; ils prennent probablement leur temps et arriveront un jour ou deux après les autres.

Mariata n'insista pas, mais elle n'était pas convaincue. Azélouane avait beau maintenant avoir un certain âge, il était solide comme un acacia, endurci par le temps, le vent et l'habitude de supporter les pires privations. Non, elle soupçonnait que l'absence d'Amastan n'avait rien à voir avec lui, mais qu'il avait changé d'avis et ne voulait plus l'épouser, que, comme on disait, son foie avait perdu son feu. Ou que quelque chose de terrible lui était arrivé. Elle l'imaginait jeté bas par son chameau dans quelque défilé rocheux, saignant du nez et des oreilles, assassiné par des bandits ou, pire, dans les bras d'une femme d'un autre camp. Elle savait que tout cela était irrationnel, mais elle ne pouvait s'interdire de rouler ces sombres pensées dans sa tête. Elles l'empêchaient de dormir, de faire quoi que ce soit en dehors des tâches les plus simples et même alors, elle les sabotait. Elle invoquait le nom d'Amastan en regardant dans les seaux d'eau tirée à la rivière, mais l'eau ne dévoilait pas ses secrets. Elle envoyait dans la nuit sa forme-esprit à sa recherche sur les sentiers des rêves, en vain. Quand elle n'arrivait pas à fermer l'œil, elle arpentait le camp sous les étoiles silencieuses jusqu'à ce que les chèvres sentent sa présence et se mettent à bêler pour attirer son attention dans l'espoir d'une libération anticipée ou d'un repas inattendu. Une nuit où le croissant de lune était aussi effilé qu'une dague, défiant les djenoun, elle monta dans les collines à l'ouest du camp jusqu'à l'Aigle et au Lièvre, les deux sommets aux formes étranges dressés à l'horizon, et scruta le paysage en quête d'un signe de sa présence. Elle ne s'attendait pas vraiment à trouver Amastan, mais faire quelque chose valait mieux que de ne rien faire. Se trouver dehors pendant que tout le monde dormait, si nombreux qu'aient pu être les Kel Assouf en maraude, était à la fois audacieux et tonifiant. Aussi, lorsque apparurent deux hommes à dos de chameau qui approchaient en silence du col, elle manqua céder à la panique.

Grands et bien droits sur leurs montures, ils menaient par la longe deux autres chameaux chargés de ballots. Ils étaient voilés jusqu'aux yeux et portaient des fusils en bandoulière. Elle les observa longuement. Le premier ressemblait-il à Amastan ? À cette distance, c'était impossible à dire. Se pouvait-il que l'autre soit Bazou ou Azélouane ? Ou étaient-ce des bandits venus dévaliser le camp ? Quoi qu'il en soit, ils allaient rejoindre dans quelques instants l'endroit où elle se trouvait. Elle aurait dû battre en retraite, dévaler la colline et donner l'alarme, mais une curiosité irrépressible l'avait envahie et elle savait qu'elle ne pouvait pas plus s'en aller que voler comme une chouette. Elle se glissa dans l'espace sombre et froid entre deux gros rochers et resta là dans l'obscurité, la poitrine pressée si fort contre la pierre qu'elle sentait son cœur palpiter telle une souris prise au piège.

Quand les nouveaux arrivants atteignirent le sommet, elle vit que le chameau de tête était l'un des leurs, un affreux mauritanien pie qui appartenait à Bazou ag Akli. Derrière venait un grand animal à la robe claire, peut-être celui qu'on appelait Taorka, qui appartenait à Azélouane. Bazou et Azélouane. Ses yeux la piquèrent tant elle était déçue. Où était Amastan ?

L'un des hommes dit quelque chose et elle reconnut la voix de ce vieux caravanier rusé d'Azélouane. Ils s'arrêtèrent, obligèrent leurs montures à s'agenouiller et en descendirent. Ils firent coucher les deux autres chameaux et c'est alors qu'elle se rendit compte que la forme sombre sur le dos du troisième n'était pas celle d'un ballot, mais d'un mort ou d'un blessé grave. Elle laissa échapper un gémissement, mais comme ils parlaient entre eux ils ne l'entendirent pas. L'homme leva la tête. Même à pareille distance et dans ces circonstances, Mariata savait que c'était Amastan. Elle était sur le point de s'élancer hors de sa cachette quand elle l'entendit très distinctement dire : « Bon, je ne suis pas encore mort », ce qui fit rire ses deux compagnons. Il jeta un coup d'œil alentour.

— On est encore loin du camp. Et s'ils venaient…

— Ils ne viendront pas.

— Tu parais bien sûr de toi.

Azélouane haussa les épaules.

— Nous ne pouvons pas garder ça au camp. On ne peut pas faire confiance aux gens. Leurs sympathies sont suspectes ou partagées. Ils ne savent pas ce qu'ils veulent. Ce n'est plus comme dans l'ancien temps.

— On ne peut jamais savoir, dit Bazou, nerveux.

— Et qu'est-ce qu'on va dire à propos de mon bras ? demanda Amastan, qui lui n'était qu'impatient.

— Ne laisse voir ta blessure à personne.

— Pas même à Mariata ?

— Surtout pas à Mariata. C'est une Kel Taïtok, une Kel Ahaggar. Le Hoggar a capitulé ; il capitule toujours. Ce sont des auxiliaires du Hoggar combattant pour les Français qui ont tué Firhoun quand il s'est évadé de la prison de Gao. Mon père me l'a dit.

— Le père d'Azélouane a combattu au côté de Kaocen pendant la grande insurrection, rappela Bazou à Amastan.

Mariata recula dans l'ombre. Elle avait envie de sortir de là et de leur faire face, de défendre le nom des siens contre ces calomnies, mais elle ne pouvait se montrer maintenant, c'était trop dangereux. Elle avait sa petite idée sur ce qui était arrivé à Amastan et ce que contenaient les deux gros ballots qu'ils déchargeaient maintenant du quatrième chameau. Azélouane et Bazou déposèrent en ahanant le premier au sol, où il tinta avec un bruit mat. Azélouane se redressa et regarda autour de lui. Puis il montra la fissure où Mariata était cachée.

— Là, dit-il. Entre l'Aigle et le Lièvre.

Oh non ! Mariata risqua un coup d'œil en direction d'Amastan, qui au moins était maintenant debout, puis elle se blottit dans le fond de l'anfractuosité, où le clair de lune ne pouvait la trahir. Bazou et Azélouane portèrent le premier ballot à l'entrée de la fissure et elle l'entendit heurter le sable pesamment. Avec effort, Bazou le poussa le plus loin possible, jusqu'à ce qu'il soit arrêté par les tibias de Mariata. Ce qu'il renfermait était lourd et dur. Lorsque Bazou lui donna une nouvelle poussée, elle faillit perdre l'équilibre et s'affaler dessus, mais il jugea sans doute que le sac était suffisamment bien caché car il s'éloigna. Quelques minutes plus tard, ils étaient de retour avec le second ballot, qu'ils jetèrent sur le premier, coinçant Marita contre la roche jusqu'à la taille.

— Ça devrait aller, dit Azélouane. Descendons au camp. Avec un peu de chance, nous aurons le temps de nous occuper des dromadaires et de dormir quelques heures avant le lever du soleil.

Le bruit de leurs pas dans le sable s'éloigna. Elle aurait dû se contenter de passer par-dessus ces ballots sombres et de rentrer au camp par un autre chemin que celui emprunté par les trois hommes. Elle aurait dû ne pas regarder, mais elle devait le faire. On racontait parmi les Gens du Voile des tas d'histoires sur des femmes curieuses qui avaient eu à se repentir d'avoir ouvert les paniers, les jarres ou les boîtes d'autrui. Des femmes qui étaient avalées par un djinn, changées en hiboux, aspirées dans un no man's land où l'on n'entendait que le hurlement incessant du sable emporté par le vent. Mais, à l'instar de ces femmes, elle ne put résister. En grimpant sur les sacs pour sortir de l'anfractuosité, elle sentit leur contenu, des objets durs, se déplacer sous son poids. Le clair de lune dans le dos, elle écarta la toile du ballot de dessous. Elle y trouva un tas de lourdes boîtes noires ; elle n'avait aucune idée de ce que c'était. Elle en prit une et des petits objets pesants glissèrent bruyamment à l'intérieur. Les sourcils froncés, elle la remit en place, rabattit la toile et regarda ce que contenait le deuxième : des objets en métal et en bois aux étranges formes sombres, qui semblaient absorber la lumière lunaire. Elle en souleva un et eut un mouvement de recul. Elle sut immédiatement que c'était un fusil, mais différent de tous ceux qu'elle avait vus. Il ne ressemblait pas à ceux dont les hommes se servaient pour chasser et moins encore aux armes à feu antiques très ornées utilisées dans les fantasias rituelles. Celui-ci était plus léger, plus complexe et paraissait bien plus dangereux. Il lui rappelait un scorpion. Il y avait quelque chose d'écrit sur la crosse, des caractères qui s'apparentaient un peu au tifinagh, mais elle ne put le lire. Effrayée, elle reposa l'arme et remit la toile en place.

Des armes à feu. Des armes fabriquées à l'étranger. Et un monceau de munitions.

Elle s'assit sur ses talons. L'insurrection. La grande insurrection. Son esprit fonctionnait à toute vitesse. Rebelles, rébellion. Les Gens Libres – les Amazighs –, libres pour plus bien longtemps. Les mots tournoyaient dans sa tête et elle savait que la guerre dont avait parlé Amastan avait commencé, qu'il n'en était plus un spectateur et, par conséquent, elle non plus.

23

— Où es-tu allé ?

Ils étaient étendus dans leur cachette, parmi les lauriers-roses au bord de la rivière. Les grenouilles s'étaient tues, il n'y avait quasiment plus d'eau, le lit presque asséché par le soleil chaque jour plus chaud à mesure que la Terre poursuivait sa rotation. Dans son pays, sans doute avaient-ils déjà gagné les collines, où l'on trouvait encore de l'eau dans les gueltas ombragées, ou bien les basses terres avec leurs pâturages irrigués par les harratin qui travaillaient pour eux, mais les Kel Teggart étaient trop pauvres pour avoir des harratin, trop faibles pour les empêcher de faire défection et de partir en ville.

Amastan écarta les cheveux du visage de Mariata. La peau collante de sueur, elle le chevauchait dans l'obscurité, le mystère de leur étreinte voilé par leurs robes relevées. Il passa le doigt sur le front de son amante, sentit qu'elle fronçait les sourcils et songea qu'ils tentaient le sort chaque fois qu'ils faisaient cela, se mettant à la merci, sans abri ni protection, des influences néfastes qui pullulaient la nuit.

— Au marché, répondit-il en lui lissant le front. Tu as vu ce qu'on a rapporté. Pense comme tu vas être belle avec le foulard que je t'ai acheté. Les coquillages dont il est orné s'appellent des cauris ; ils viennent des îles au large de la côte du continent indien, loin à l'est. On dit que les marchands en ont importé pour la première fois du temps des grands pharaons ; imagine ça, avant même l'époque de Tin Hinan ! Qui sait, peut-être que quelques-uns de ces coquillages datent d'avant ton ancêtre, d'avant la Mère de Nous Tous. Pendant toutes ces années, ils ont circulé en tant que monnaie d'échange, des Maldives à l'Égypte et à travers le Grand Désert, pour arriver entre les mains de la plus belle fille jamais née. Quel effet ils vont faire, ornant ma jeune épouse le jour de notre mariage ! Ils sont aussi blancs que tes dents, que le blanc de tes yeux qui me regardent en brillant furieusement comme les étoiles dans la nuit. Ils vont luire !

Mariata se mordit la lèvre. Elle adorait l'entendre parler ainsi, filer les mots qui décrivaient un monde exotique qu'elle ne verrait jamais, mais elle ne se laissa pas distraire.

— Où es-tu allé ? répéta-t-elle. En dehors du marché ?

Comme il ne répondait pas immédiatement, elle serra les cuisses au point de le faire grimacer.

— Il te fait mal, ton bras, hein ? Comment t'es-tu fait ça ? Rappelle-le-moi.

Amastan la regarda en plissant les yeux.

— Tu ne devrais pas interroger ton mari ainsi. Cela attente à mon honneur.

— Tu n'es pas encore mon mari, Amastan ag Moussa. Et je ne crois pas un instant que toi qui montes si bien tu sois tombé de chameau.

Coinçant sa main sous son genou, elle remonta la manche de sa djellaba, dévoilant son pansement. Sans bouger, il la laissa le défaire, couche après couche, jusqu'à ce que la plaie à la croûte sombre apparaisse, le sang séché noir au clair de lune.

— Et ça ne ressemble à aucune blessure provoquée par une chute de chameau.

— J'ai donné ma parole de ne rien te dire.

— Parce que les Kel Ahaggar sont des traîtres ?

Le choc le fit réagir. Il se démena pour se redresser sur les coudes et la désarçonna.

— Pourquoi dis-tu cela ?

— Où vous êtes-vous procuré ces armes à feu, Amastan ?

— Tu dois faire partie des Kel Assouf ! T'es-tu transformée en hibou-aigle pour voler au-dessus de nous sans te faire voir ? As-tu envoyé ton esprit grimper au milieu des rochers comme un hyrax ? Es-tu capable de te métamorphoser ? Lorsqu'on entrera dans notre tente la troisième nuit de nos noces, ne trouvera-t-on que mes os rongés ?

Il la regarda avec un respect mêlé de circonspection, à moins que ce ne fût de la peur.

— Ne fais pas attention à ces bêtises, répliqua-t-elle avec impatience. J'ai tout entendu, je sais ce que cela signifie. Si, comme le dit Tana, le danger approche, je veux être prête à l'affronter. Les femmes touaregs ont toujours été aussi féroces et intrépides que leurs compagnons. Apprends-moi à me servir de l'un de ces fusils volés, Amastan, et le moment venu, je prouverai que les Kel Taïtok ne sont ni des collaborateurs ni des lâches !

Amastan la regarda avec stupéfaction. Puis il se mit à rire.

— Les kalachnikovs ne sont pas des armes pour les femmes ! C'est tout juste si moi-même je sais tirer avec ça. Azélouane m'a dit qu'il m'apprendrait quand mon bras sera guéri et, si tu le désires toujours, moi je t'apprendrai à te servir d'un fusil, lui promit-il avant d'ajouter avec gravité : Mais je ne peux pas te dire comment nous nous sommes procuré ces armes, c'est trop dangereux. Si l'information tombait dans de mauvaises mains, ce serait désastreux, pour nous tous. Fais-moi confiance, veux-tu ?

Elle soutint son regard sans sourciller.

— Oui.

À mesure que le jour du mariage approchait, Mariata sentait la tension s'accumuler en elle ainsi que des nuées d'orage. Elle voulait en finir, que son union avec Amastan soit rendue publique et bénie, comme si sa légitimation pourrait écarter les influences nocives qu'elle percevait alentour. Son impatience était presque palpable : ses muscles se contractaient convulsivement et elle ne pouvait rester en place, même quand on drapait sur elle de superbes étoffes pour qu'elle choisisse celle de sa robe de mariée.

— L'indigo vient du marché de Kano et cette belle verte aussi… Vois comme elle est chatoyante !

— Le vert porte la guigne, dit l'une de ses compagnes et toutes se tournèrent vers elle pour avoir son avis.

Son esprit battait la campagne ; un moment passa avant qu'elle ne se rende compte qu'elles la regardaient, attendant sa réaction. Tout cela les amuse beaucoup plus que moi, pensa-t-elle. Qu'est-ce que j'ai ? La plupart des filles se consacreraient corps et âme aux préparatifs et veilleraient au moindre détail, vivraient pleinement chaque seconde passée à choisir le style de broderie, les babouches ornées de perles, les bracelets, les boucles d'oreilles, les arabesques dessinées au henné en sachant qu'elles chériraient ces instants jusqu'à la fin de leurs jours, qu'elles y songeraient lorsque leurs propres filles et petites-filles se marieraient… Mais elle ne pouvait se défaire de ce sentiment de l'imminence d'une période sombre qui s'était emparé d'elle et lui donnait envie de se marier ici et maintenant dans la robe qu'elle portait, sans avoir à supporter toute cette agitation et ces idioties. Puis quand elle regarda autour d'elle les visages pleins d'attente, les yeux brillants de bienveillance et de plaisir, il lui vint à l'esprit que les noces profitaient à la tribu tout entière, que ces festivités réunissaient tout le monde dans la joie et qu'elle ferait mieux d'entrer dans son rôle.

— Pas le vert, dit-elle enfin. L'indigo est superbe.

— Et très traditionnel, ajouta Rahma avec approbation.

Mariata croisa son regard. Pourquoi ne pas faire plaisir à sa future mère ? Il ne lui était pas difficile de lui faire ce petit cadeau.

— Alors, l'indigo.

Il était temps maintenant de choisir les voiles, les babouches, les rubans de broderie soyeuse, les rangées de perles, les ceintures et les broches, prendre tout un tas de décisions minimes mais cruciales. On discutait des plus petits détails ; Mariata avait l'impression de vivre une sorte de rêve, de planer au-dessus de ces femmes telle une vague présence, l'esprit ailleurs.

— Davantage de khôl. Il te faut davantage de khôl.

Mariata se regarda dans la glace. Ses yeux faisaient déjà beaucoup d'effet, le blanc contrastant fortement avec ses iris sombres et la poudre d'antimoine. Ils paraissaient immenses.

— Comment cela ? De ma vie, je n'en ai jamais mis autant.

Nofa secoua la tête d'un air désapprobateur.

— C'est ton mariage, tout le monde va parler de toi. Tu seras la cible du tehot, le mauvais œil sera posé sur toi où que tu ailles et tu dois donc mettre autant de khôl que possible pour détourner les influences pernicieuses.

Elle tourna la baguette d'argent dans le petit pot, la retira et souffla dessus pour éliminer l'excès de poudre.

— Baisse les paupières et laisse-moi faire.

Mariata obtempéra ; inutile d'en faire toute une histoire. La veille, elle avait déjà passé cinq heures immobile pendant qu'on lui tressait les cheveux et lui décorait les mains et les pieds avec du henné pour les protéger et que les autres filles se chamaillaient à propos du choix des motifs. Elle avait depuis longtemps renoncé à dire son mot : elle était trop heureuse d'épouser enfin Amastan, trop absorbée par son rêve. Et l'avant-veille ? Elle éclata presque de rire en y pensant, tant le contraste était grand avec cet univers féminin. Juste après le lever du soleil, elle était allée dans les collines avec Amastan, elle avait posé le long canon d'un fusil de chasse sur un rocher, appris à maîtriser sa respiration afin de maintenir l'arme immobile, à appuyer doucement sur la détente, à prévoir le violent recul au moment du coup de feu. À la fin de la journée, elle avait réussi à atteindre deux bouts de bois et un éclat de poterie qu'Amastan lui avait donnés pour cibles, mais faire mouche sur un objet en mouvement était autrement plus difficile. Elle s'était émerveillée de la rapidité et de l'adresse avec lesquelles Amastan avait abattu un pigeon, puis un sanglier qui avait jailli des broussailles.

« Que vas-tu en faire ? » lui avait-elle demandé en regardant l'étrange animal à poils rêches et sabots fendus.

Elle avait touché son arrière-train du bout du pied ; il lui avait semblé très charnu.

« Il a beaucoup de viande.

— Petite païenne ! Plus de la moitié de la tribu n'y touchera pas. Ne sais-tu pas que l'islam interdit de manger du cochon ?

— C'est un cochon ? »

Mariata n'en avait encore jamais vu. Elle avait regardé avec étonnement sa lèvre retroussée hérissée de poils raides et la défense pointue qui en dépassait.

« Un beau sanglier. Ne t'inquiète pas, avait-il dit en tapotant le côté des naseaux d'un air connaisseur. Il sera mangé.

— Par les chacals ?

— On peut les appeler comme ça », avait répondu Amastan en riant.

Il avait fini par traîner la carcasse à l'abri des rochers et l'avait recouverte d'un tas de pierres pour la protéger des charognards.

« On ne peut laisser perdre une bonne viande comme celle-là. Ne te tracasse pas, elle ne sera pas perdue pour tout le monde », l'avait-il rassurée en gravant une série de symboles tifinagh sur le rocher au-dessus de l'anfractuosité où il avait laissé le sanglier.

« Amastan vous invite à un festin », avait lu Mariata en souriant.

En y songeant maintenant, son sourire s'épanouit à nouveau.

— Regarde, elle pense déjà à la troisième nuit, dit Bicha en faisant du coude à Nofa, dont la main bougea et traça une longue ligne noire de khôl jusqu'au nez de Mariata ou presque.

Toutes rirent et poussèrent des sifflements.

Toute la semaine, les gens étaient arrivés pour les festivités ; certains avec des présents, la plupart sans. Mariata était surprise : elle n'en connaissait aucun. En revanche, Amastan semblait les connaître tous. Elle l'observait les accueillir, un subtil ajustement de son turban en signe de respect, l'effleurement

281

des paumes, la main posée légèrement sur le cœur. C'étaient en majorité des hommes, non pas vêtus de leurs plus beaux atours, mais de leurs robes de tous les jours et ils avaient un air trop solennel pour être des musiciens, même si tous avaient apporté des instruments.

— Qui est-ce ? demanda-t-elle à Rahma, qui haussa les épaules.

— Il dit que ce sont des amis.

Ses *tisaghsar*, ses cadeaux de mariage, s'accumulaient sur un grand tapis bleu déroulé au centre de la piste de danse : une boîte en bois sculpté emplie d'épices offerte par les hommes de la tribu, une robe et un collier aux perles d'ambre aussi grosses que des œufs d'oiseau, un sac de riz et un autre de millet, un mortier et son pilon, un bouquet de thym cueilli le matin même dans les montagnes par les vieilles femmes, une pierre à aiguiser, un couteau à manche en corne, une outre toute neuve, quelques pots, une couverture, une natte en roseaux et deux poules. Tout cela rejoignit le rouleau de cotonnade d'un blanc pur acheté par Amastan au marché de Kidal et le poids en argent ouvragé, long comme la main et aussi lourd qu'un peigne, qu'elle allait porter attaché à son voile.

Elle sortit enfin en plein soleil de midi dans sa robe de mariée d'un bleu chatoyant, le visage peint en ocre, les lèvres et les yeux noirs de khôl, des motifs spiralés au henné sur les mains et les pieds, les lobes étirés par d'énormes boucles d'oreilles triangulaires, des amulettes porte-bonheur en argent épinglées à sa robe et des dizaines de bracelets tintant aux bras. Les femmes de la tribu étaient en train de dresser une tente matrimoniale à bonne distance de celle qu'elle avait partagée avec Rahma. Elle était faite d'au moins quarante peaux de chèvre ; qu'elles aient réussi à réunir et à coudre autant de peaux en se débrouillant pour qu'elle ne les voie pas accomplir ce travail la toucha profondément. Les Kel Teggart n'étaient pas riches et n'avaient pas quarante chèvres en réserve ; ce sacrifice fait pour elle, une étrangère à la tribu, sans famille, était si surprenant qu'elle éclata en sanglots.

Djouma s'approcha d'un air affairé, son visage d'ordinaire sévère transformé par un sourire indulgent. Elle prit chaleureusement Mariata dans ses bras en parvenant, forte d'une expérience de plusieurs décennies, à ne pas déplacer les amulettes ni abîmer le maquillage, fruit de longues heures de travail, plus que ne l'avaient fait les larmes.

— Là, là, ma douce, ne te tracasse pas : c'est ton jour de bonheur et nous sommes heureuses pour toi. Tu apporteras beaucoup de joie et de chance à nous tous ainsi qu'un sang nouveau à la tribu. Et tu fais la fierté et le bonheur de ma chère amie Rahma.

Mariata leva les yeux. Rahma, souriant jusqu'aux oreilles, le front luisant de sueur après le difficile montage de la tente, s'essuyait les mains à sa robe.

— Tu sais que tu ne peux pas y entrer avant d'être mariée, ce serait attirer la malchance. Laisse-nous nous charger de tout. Nous allons la faire belle pour toi ; tu ne manqueras de rien. Nous avons tissé un tapis neuf pour le sol, regarde.

Elle cria quelque chose aux autres femmes, qui partirent en courant et revinrent quelques instants plus tard avec un long rouleau, qu'elles présentèrent fièrement.

— C'est moi qui ai choisi les couleurs ! s'écria Noura. Elles te plaisent ? Le lichen dont on a tiré ce beau vert vient des collines ; il a fallu des heures pour le ramasser, mais vois, c'est la couleur du Prophète. Nous avons utilisé de l'indigo pour le bleu ; nous n'avons pas lésiné ! Et on a obtenu ce superbe rouge avec du colchique d'automne.

— Et j'aime beaucoup les grenouilles de la bordure, dit Laïla en montrant les triangles et les points qui ornaient les côtés.

Elle fit un clin d'œil à Mariata et toutes se mirent à rire sous cape : les grenouilles étaient connues pour leur fertilité et étaient aussi symbole de chance puisqu'elles vivaient dans l'eau.

— Assure-toi que le lit est dans la bonne position sur le tapis et tu donneras beaucoup de beaux garçons à ton mari !

On entendit alors de grands cris, des acclamations et soudain tout le monde se mit à courir. Rahma prit Mariata par le bras.

— C'est le sacrifice, allons voir.

On avait mené un taurillon sur le lieu de la fête et les jeunes gens de la tribu avaient fait cercle autour de l'animal, leur plus belle lance de cérémonie à la main. Les bracelets brillaient au soleil sur leurs avant-bras. Le taurillon recula d'un côté, ne trouva pas d'issue et se mit à tourner follement en rond en roulant des yeux et s'ébrouant de peur, gauche sur ses longues pattes.

On n'avait pas tué de taurillon pour le mariage de Kheddou et Laïla, la dépense était trop grande. Amastan, qui avait voyagé et commercé pendant des années, avait, lui, amassé une jolie somme. La dot qu'il avait payée était également substantielle, bien qu'il n'y ait personne à qui la remettre; aussi l'*amghrar* de la tribu, le veuf Rhissa ag Zeïk, l'avait-il prise en dépôt jusqu'à ce qu'elle puisse être versée à la famille de Mariata. Si quelque chose arrivait à Amastan ou si le mariage venait à être dissous, l'argent aiderait à élever les enfants.

Ce fut Amastan qui sortit du cercle et entra dans l'arène, l'indigo de sa robe luisant comme une aile de pie, le bord de son taguelmoust couronné d'un diadème d'amulettes. La lance qu'il portait datait de plusieurs générations, mais sa pointe avait été aiguisée au point d'en faire une arme mortelle. Le taurillon s'arrêta devant lui, puis se retourna brusquement et s'enfuit comme s'il voyait dans le métal étincelant le sort qui l'attendait. Le cercle s'élargit pour le laisser courir; la bête s'immobilisa de l'autre côté et fixa un œil torve sur l'homme qui se dirigeait vers lui.

— L'enad ne peut-il pas tout simplement emmener l'animal et lui couper la gorge? demanda Mariata à voix basse en serrant le bras de Rahma.

Celle-ci se mit à rire.

— Je ne crois pas qu'un taureau d'un an puisse lui faire grand mal, répondit-elle.

Mais ce n'était pas à cela que pensait Mariata.

Jusque-là, voir abattre un animal, pour le manger ou s'attirer la chance, ne l'avait jamais particulièrement dégoûtée mais un sentiment d'appréhension l'avait saisie et les paroles de l'enad lui revenaient en force : « Le sang sera versé… » D'une façon ou d'une autre, le sang du taurillon allait être versé ce jour-là, et pourtant elle ne voulait pas le voir tué devant elle, même si le spectacle valait la peine d'être vu et si le rituel était traditionnel.

— Non ! s'écria-t-elle.

Les gens se tournèrent vers elle, ébahis.

— Le tuer de cette façon est de mauvais augure. Je le sens ici, ajouta-t-elle, la paume contre son flanc, au-dessus du foie, la région du corps d'où venaient les convictions les plus profondes.

Ils avaient les yeux rivés sur elle et pour la première fois depuis qu'elle avait quitté les Kel Bagzan, Mariata sentit une vague d'hostilité l'envelopper. Amastan vint dans sa direction. À quelques pas d'elle, il s'arrêta et planta la pointe de sa lance dans le sol.

— Si tu ne souhaites pas voir l'animal tué, j'honorerai ton choix, dit-il avant de faire face à la foule : Comme vous le savez, Mariata m'a délivré des Kel Assouf. Elle entend les esprits. Si elle dit qu'abattre le taurillon est de mauvais augure, nous devons respecter son instinct.

Des murmures s'élevèrent, beaucoup portèrent la main à leurs amulettes. C'était une chose de ne pas sacrifier un animal pour un mariage par manque d'argent, c'en était une autre de s'être rassemblés pour le sacrifice et de le voir annulé.

— Il n'en sortira rien de bon, dit l'un.

— Les femmes ne devraient pas se mêler du rituel des hommes, renchérit un autre.

— Je crois que nous savons qui va mener la barque dans ce couple, ajouta un troisième, ce qui fit rire une bonne partie de l'assistance.

Amastan secoua la tête avec regret.

— Taquinez-moi comme bon vous semble, mais j'estime trop ma future épouse pour l'affliger en ce jour propice. Un beau mouton est déjà en train de griller pour le *méchoui* de midi, il y aura à manger en abondance pour tout le monde. Inutile de verser encore le sang. Je fais donc grâce à cette bête.

Il posa sa paume sur son cœur, inclina la tête devant Mariata, récupéra sa lance et s'éloigna pour rejoindre ses compagnons, laissant le soin aux artisans d'attraper le taurillon pour le ramener à l'enclos.

Rahma donna une petite tape sur l'épaule de Mariata.

— Il est temps que la musique commence, tu ne crois pas ?

Elle fit un signe de tête au chef des musiciens, qui rassemblèrent leurs instruments et interprétèrent « Le chasseur et la colombe », ce qui ne tarda pas à faire oublier l'affaire du sacrifice avorté.

Tana traversa l'esplanade de la fête et s'arrêta devant Mariata.

— Voilà qui était courageux, petite, même si en définitive cela ne changera rien.

Elle passa en revue la robe et les bijoux de Mariata, la tête penchée d'un côté à la façon d'un aigle embrassant sa proie du regard.

— Ça ira, déclara-t-elle enfin. Mais je vois que tu persistes à porter cette fichue amulette.

L'amulette d'Amastan avait en effet la place d'honneur au milieu de la poitrine de Mariata. Tana la tapota légèrement, mais avec néanmoins assez de force pour qu'elle fasse pression sur le sternum de la jeune fille et que le mécanisme se déclenche brusquement. Tout en maintenant le petit couvercle ouvert d'un doigt, l'enad fourra un minuscule rouleau de parchemin dans le compartiment intérieur, puis referma le bossage central.

— Pour la chance, dit-elle. Pour la vie. C'est le charme que j'aurais dû confectionner à l'intention d'Amastan quand il me l'a demandé un jour. Peut-être cette fois-ci remplira-t-il sa fonction. Mais ce n'est pas ton cadeau de mariage.

Elle sortit alors de nulle part le magnifique sac en cuir à franges vert émeraude, écarlate et bleu que Mariata l'avait vue coudre sous le tamaris. Elle passa la bandoulière par-dessus la tête et sous le bras de la future mariée, puis le mit en position dans le creux de ses reins, où il allait si bien qu'il semblait faire partie d'elle malgré son poids. Envahie par la curiosité, d'un coup de reins, Mariata ramena le sac devant elle et, tout en s'émerveillant de la vivacité des couleurs, des motifs en forme de soleil et de la petitesse des points, elle s'apprêta à l'ouvrir pour regarder les objets qu'il contenait.

— Il ne faut pas l'ouvrir maintenant, dit Tana d'un ton comminatoire en le remettant dans sa position initiale. Tu le feras quand tu en auras le plus besoin. Tu auras un choix à effectuer, deux vies à sauver. Choisis avec sagesse, aussi difficile que ce soit.

Puis elle sourit, l'expression de ses vieux yeux féroces s'adoucit et elle caressa la joue de Mariata.

— Fais bien attention à toi, petite.

Sur ce, elle s'en alla. Mariata la regarda s'éloigner, s'interrogeant sur le caractère étrangement irrévocable de tout cela.

Le reste de la journée fut occupé par les réjouissances coutumières en une telle occasion. On chanta et joua des percussions ; le mouton qui tournait sur la broche depuis l'aube fut mangé avec bel appétit, accompagné de dattes, d'épices et de pain. Il y eut des courses de dromadaires ; les danseurs à l'épée firent la démonstration de leur agilité et de leur adresse, puis, avec leurs coiffes ornées de cauris, les jeunes filles dansèrent la *guedra* rituelle, la belle danse propitiatoire aux pas mesurés mais précis, jusqu'à ce que le soleil descende sur l'horizon. Alors en transe, les vieilles femmes, bercées par le caractère répétitif des frappements de mains, suivaient le rythme de la tête de plus en plus vite au point que leurs tresses fouettaient l'air comme des serpents. L'air était saturé de baraka – on la sentait alentour –, une vaste nuée électrique de chance et de bienfaisance. Les gens la captaient, se touchaient mutuellement les mains, se touchaient le ventre, le cœur et la tête. On embrassait les amulettes, ainsi que les enfants, pour répandre la baraka. Les femmes poussaient de joyeux youyous. Amastan pressait les mains de Mariata contre son cœur : ils étaient enfin mariés.

Les festivités se poursuivaient. Les hommes chauffaient leurs percussions sur les feux de camp afin de tendre les peaux pour les danses plus rapides. Les plus âgés prenaient un verre de thé fortifiant et une poignée de dattes pour tenir jusqu'au petit matin et papotaient à l'écart, laissant les jeunes flirter et se taquiner sans être gênés par la présence de gens mariés.

La lune était haute quand des silhouettes se profilèrent à l'horizon parmi les rochers à l'est du camp, un groupe important d'hommes montés sur des dromadaires. C'est l'un des musiciens, parti se soulager dans les broussailles, qui donna l'alarme. Les percussionnistes s'arrêtèrent brusquement, les danseurs se dandinèrent anxieusement d'un pied sur l'autre. Amastan dit quelques mots à voix basse à Bazou, qui disparut dans la nuit. Plusieurs autres le suivirent.

— Qui cela peut-il bien être ? s'enquit Mariata, dont les yeux soulignés de khôl semblaient immenses sur l'ocre pâle de son visage.

— Je ne sais pas, répondit Amastan en resserrant son turban. Peut-être des retardataires. Peut-être pas. Va à notre nouvelle tente, Mariata. À l'extérieur, tu trouveras une épée fichée en terre pour écarter les esprits. Apporte-la-moi, veux-tu ?

— Ils ne m'ont pas vraiment l'air d'esprits, dit-elle, dubitative. Mais elle fit ce qu'il lui demandait.

L'antique épée, la poignée et la garde entourées de fil de cuivre et ornées de bandes de cuir coloré, avait été prêtée par Azélouane. Mariata l'arracha du sol et retourna au pas de course vers le lieu de la fête, le sac en cuir de Tana rebondissant contre son dos et l'épée tapant contre sa jambe tout le long du chemin, mais Amastan n'était plus là. Elle s'alarma en le voyant courir vers les rochers, loin de l'autre côté du camp, son fusil de chasse en bandoulière. Elle resta plantée là avec la vieille épée en main, se sentant toute bête, puis elle s'élança à sa suite. D'autres hommes étaient allés chercher des armes à feu et couraient eux aussi, des hommes qu'elle n'avait encore jamais vus ou qu'elle ne reconnaissait pas dans cette attitude guerrière. Les nouveaux venus continuaient d'approcher sans se décourager, puis on entendit un coup de feu.

— Qui êtes-vous ?

C'était l'amghrar qui avait crié, sa voix de vieillard aussi aiguë que celle d'une femme.

Il n'y eut aucune réponse, mais peut-être ne l'avaient-ils pas entendue.

— Ce sont des djenoun, dit quelqu'un. Nous aurions dû abattre le taurillon ; les esprits sont en colère et ils sont venus réclamer le sang qu'ils attendaient.

— Dites qui vous êtes, sinon nous ouvrons le feu ! cria Amastan d'une voix plus forte.

L'un des chameliers s'avança.

— Je m'appelle Ousmane ag Hamid, des Kel Ahaggar, et ma fille est Mariata oult Yemma. Des Kel Bagzan et mes fils, Azaz et Baye, m'accompagnent.

Mariata en eut le souffle coupé. Elle se précipita au côté d'Amastan.

— C'est mon père, mon père et mes frères !

Elle scrutait l'obscurité pour tenter de distinguer les traits des trois hommes qu'elle n'avait pas vus depuis si longtemps. Leurs randonnées sous le soleil du désert les avaient-elles beaucoup changés ? Venaient-ils célébrer leur union dans la joie ou pour sacrifier au devoir familial ? L'inquiétude fit place à une euphorie soudaine : peu importait qu'ils soient venus donner leur bénédiction ou non ; elle et Amastan étaient légalement mariés et personne ne pouvait plus les séparer.

— Bienvenus ! s'écria-t-elle. Bienvenus à nos noces !

La nouvelle ne tarda pas à se répandre ; on se mit à rire, la tension se dissipa, les musiciens se rassemblèrent. On envoya quelqu'un abattre une chèvre et ranimer les feux de cuisson, on prépara du thé ; les nouveaux venus avaient dû faire un long et rude voyage pour arriver si tard et il n'était jamais facile de traverser le Tamesna.

Ils étaient presque sur les lieux de la fête quand l'un d'eux se détacha du groupe et s'avança dans la lueur dansante des feux.

— Avant de continuer la fête, il y a une dette à régler ! lança une voix dure.

Mariata écarquilla les yeux, saisie par l'appréhension. Elle sut avant que la lumière du feu n'éclaire son visage que c'était Rhossi ag Bahédi.

— Cette femme est une voleuse ! cria-t-il. Elle a volé deux de mes dromadaires et, pis, elle m'a volé mon cœur !

Les gens se regardèrent, perplexes. Était-ce une plaisanterie ?

Rhossi se redressa sur sa selle au point de les dominer tous.

— Mariata oult Yemma m'a pris deux beaux dromadaires du Tibesti sans accord préalable et, comme tous les Bagzan le savent, elle était fiancée avec moi. Le mystère de son départ est maintenant éclairci : je vois qu'elle a été volée par un Kel Teggart. Une dette d'honneur doit donc être payée. Je transmets les paroles de Moussa ag Iba, l'amenokal des groupes de percussionnistes de l'Aïr. Il a déclaré que l'affaire était simple ; inutile d'en faire toute une histoire. Rendez-moi les dromadaires ainsi que la fille et je m'en irai sans rancune.

Ousmane intervint alors, amenant son chameau devant Rhossi.

— Tu ne m'as jamais parlé de ces « fiançailles » avant notre départ pour cette fête.

— Si je l'avais fait, m'aurais-tu guidé à travers le Tamesna ?

Le regard que lui jeta le père de Mariata répondit à la question. Rhossi se mit à rire.

— C'est bien ce que je pensais. Disons que j'ai omis ce détail. Mais j'en ai discuté avec mon oncle, qui, comme tu ne l'ignores pas, est à l'article de la mort. Et tu sais ce que cela signifie pour toi, ta sœur, tes nièces et cousines.

Ousmane fixa sur Rhossi un regard dur, jusqu'à ce que celui-ci détourne les yeux. Puis il dit très doucement mais fermement :

— J'ai fait une longue route pour venir voir ma fille en espérant arriver à temps pour la dissuader de conclure ce mariage. Si tu n'étais pas tombé de chameau quand nous avons traversé le Doum, nous serions ici depuis hier. Si tu ne t'étais pas plaint sans cesse des désagréments du voyage et n'avais pas insisté pour t'arrêter continuellement afin de te reposer, passer des onguents inutiles sur ton cul endolori et rembourrer ta selle plus que ne le fait n'importe quelle femme, nous serions arrivés avant-hier. Et voilà que tu me parles maintenant de « fiançailles » dont j'ignore tout. Quant aux dromadaires, la question est facile à résoudre et ne justifie guère une traversée du Tamesna. En émettant cette revendication, peut-être représentes-tu Moussa, et peut-être même seras-tu le prochain chef des Bagzan, mais Mariata est ma fille et si tu te soucies d'elle, tu vas me laisser régler cette affaire comme il convient.

Il donna une tape sur la tête de son chameau, qui s'age-nouilla docilement, mit pied à terre et se dirigea vers Amastan et Mariata. Tous l'attendaient en silence, Amastan, son fusil à la main, Mariata, la vieille épée dans la sienne. À quelques pas, Ousmane inclina la tête.

— Ma fille.

— Mon père.

Ils ne s'embrassèrent pas.

— Je croyais t'avoir laissée en sécurité auprès de ta tante Dassine, mais il semble que tu aies pris les choses en main. La nouvelle de ton mariage imminent n'est parvenue aux Bagzan que la semaine dernière et je dois dire que ta tante est très mécontente.

Mariata redressa le menton.

— Vivre parmi les Kel Bagzan ne procure aucune sécurité, père. J'ai donc décidé de les quitter et de venir ici.

— Pour ce qui est de la sécurité, nous y reviendrons. Il semble que tu te sois enfuie de nuit comme une voleuse sans dire où tu allais et, si j'ai bien compris, deux dromadaires ont disparu au même moment. Qu'as-tu à répondre ?

Mariata serra les lèvres.

— Ce n'est pas le moment de parler de ces choses. J'avais mes raisons et si tu les entends, tu seras en colère, et pas contre moi. Laisse-moi seulement te dire que toi, mes frères et les hommes qui t'accompagnent sont les bienvenus à nos noces, mais Rhossi ag Bahédi ne l'est pas, ni ici ni où que ce soit en ma présence.

À ces mots, Amastan tourna brusquement la tête vers elle en serrant son fusil au point que ses articulations blanchirent.

— Rhossi ?

Mariata posa la main sur son bras.

— Ce n'est pas le moment, l'apaisa-t-elle avant de se tourner vers Ousmane. Père, je te présente Amastan ag Moussa, qui est le fils de l'amenokal et un homme bien et probe. Je ne comprends donc pas pourquoi ma tante devrait être mécontente de mon choix, en dehors du fait que je ne l'ai pas consultée à ce propos. Mais nous avons envoyé des messagers sur les routes commerciales pour essayer de prendre contact avec toi et mes frères, mes plus proches parents. Ne recevant aucune réponse, j'ai pris la décision d'épouser Amastan, comme j'en avais le droit.

Ousmane hocha lentement la tête.

— C'est ainsi que l'on procédait, je le sais. Mais les choses changent trop vite en ce monde pour que les anciennes manières puissent suivre le mouvement. Je vais parler clair, Mariata. Je n'ai rien contre l'homme que tu as choisi, mais j'aimerais que tu remettes à plus tard ton mariage et que tu viennes avec moi. Notre peuple est en danger, ici plus qu'ailleurs, et je suis donc venu te conduire en un lieu où t'installer en sécurité.

Mariata le regarda fixement, yeux plissés.

— M'installer ?

— J'ai pris une nouvelle épouse. Elle habite une ville du Tafilalet, dans le sud-est du Maroc. Je quitte les routes du désert et m'installe là-bas avec elle. Son père et moi avons monté une affaire. Toi et tes frères allez venir avec moi et commencer une vie nouvelle et meilleure.

— Au Maroc ? répéta Mariata en le regardant avec horreur.

Amastan s'avança d'un pas.

— Je comprends que tu t'inquiètes du bien-être de ta fille, mais je puis t'assurer que, maintenant que nous sommes mariés, sa sécurité est ce qui me tient le plus à cœur.

— Ce n'est que la première nuit de vos noces, non ?

Rhossi avait parlé, d'un ton doucereux, mais le blanc de ses yeux était injecté de sang, son regard incendiaire. Amastan reconnut que c'était le cas. Rhossi se tourna vers Ousmane.

— Il n'est donc pas trop tard, car chacun sait que c'est seulement la troisième nuit qu'un mariage convenable peut être consommé ! Confie-moi la sécurité de ta fille et je la protégerai avec toute la puissance de l'Aïr quand j'en serai le chef.

Ousmane secoua la tête.

— C'est une proposition généreuse, Rhossi, mais je suis bien décidé à l'emmener avec moi au Tafilalet.

— Je n'irai nulle part sans mon mari, père.

Un autre homme se joignit à eux, l'amghrar Rhissa ag Zeïk. Il échangea avec Ousmane les salutations d'usage, puis le chef des Kel Teggart dit :

— Ces deux jeunes gens sont mariés dans les règles, par un marabout et aux yeux de toute la tribu. Amastan est un homme bien ; je le connais depuis qu'il est enfant et je réponds de lui.

— J'ai vécu auprès de lui pendant douze ans avant qu'il vienne dans ce trou à rats et je sais qu'il est aussi faible qu'un ver de terre ! s'exclama Rhossi.

— Et toi, tu étais une petite brute et un lâche, comme tout Bagzan qui, enfant, était plus jeune ou plus petit que toi peut en témoigner ! s'écria Amastan.

Rhossi lui donna une violente bourrade dans la poitrine ; Amastan trébucha et faillit tomber. Mariata s'interposa entre eux.

— Arrêtez ! Honte à toi, Rhossi ag Bahédi ! C'est mon mariage et l'heure est à la fête. Quiconque n'est pas disposé à partager notre joie est prié de s'en aller sur-le-champ.

L'amghrar sourit, ses yeux rusés de vieillard brillant à la lueur des feux, et bien qu'il parût s'adresser à elle, il tourna toute son attention vers Rhossi ag Bahédi.

— Nous pouvons difficilement refuser l'hospitalité à des voyageurs fatigués, même si nous sommes moins riches en biens matériels que les puissants Kel Bagzan. Vous constaterez, je pense, que notre campement est un endroit chaleureux et confortable, surtout en ce jour de liesse. Mettez de côté vos différends, je vous en prie. Ousmane ag Hamid, ta fille est légalement mariée à cet homme et de son propre gré : félicite-t'en. Rhossi ag Bahédi, nous parlerons demain de tes dromadaires manquants, mais je crois que tu ne trouveras pas de beaux tibestis dans ce « trou à rats ». Nous vivons pauvrement et nos dromadaires sont des bêtes ordinaires et vigoureuses faites pour le travail. Nous ne pouvons nous offrir des « jouets » de riches.

Rhossi se redressa de toute sa hauteur.

— Mes dromadaires ne sont pas des « jouets ». Je les ai achetés pour la reproduction ; ils sont de la meilleure souche tibestie. La perte de revenus tirés de la vente des petits engendrés par les bêtes volées est incalculable.

Amastan haussa les épaules.

— Ah, si elle est incalculable, il n'y a pas grand-chose à faire pour te dédommager, même s'ils ont été volés, ce dont je doute fort. Il est plus probable que tu ne les aies pas entravés convenablement et qu'ils soient allés chercher un endroit où ils ne reçoivent pas de coups de pied sur un simple caprice.

— Tu sais très bien qu'elle les a volés ! s'exclama Rhossi d'un ton rageur. Peut-être est-elle nommément ta femme, mais elle a d'abord couché avec moi !

Dans le silence horrifié qui succéda à cette déclaration outrageante, il réclama une somme exorbitante pour prix des dromadaires volés, une somme que n'auraient pu verser, il ne l'ignorait pas, que les sultans de l'ancien empire Songhaï, dont les murs des palais brillaient de poudre d'or. Tous en restèrent bouche bée. Rhossi regarda avec satisfaction leur air consterné.

— Et si tu ne peux payer cela, à titre de dédommagement je n'accepterai que la femme, mariée ou non.

Mariata n'en toléra pas davantage.

— Tu es fou ! Tout d'abord, je n'ai jamais couché avec toi, comme tu le sais très bien ; tu as essayé de m'y forcer et cela a été une bonne raison pour que je quitte les Kel Bagzan aussi rapidement et secrètement que possible. Deuxièmement, quand je me suis débattue, je t'ai donné un coup au visage et tu t'es mis à pleurer comme un bébé. Troisièmement, venons-en aux dromadaires. Il est vrai que je me suis servie de deux bêtes que je savais t'appartenir, mais je les ai prises en dédommagement de l'injure que tu as faite à mon honneur. D'après mes calculs, pour celle-là et celle que tu viens de me faire en public, tu me dois trois dromadaires de plus ! Ceux que j'ai pris ne sont plus ici ; ils ont été vendus au marché de Goulimine. J'ai encore l'argent ; ils n'ont pas rapporté grand-chose, à l'aune de tes prix exagérés. Je crois que ce n'étaient peut-être même pas des mâles ou bien qu'ils avaient été castrés ; à tout le moins ne se comportaient-ils pas comme il se doit pour des mâles entiers. Il y a au monde bon nombre de créatures qui ont fière allure et une belle ascendance, mais qui se révèlent pitoyablement déficientes en matière d'accouplement !

Une foule s'était maintenant rassemblée autour d'eux, quelqu'un éclata de rire et bientôt tous les hommes des Kel Teggart se mirent à huer Rhossi. Leur antipathie pour les Kel Bagzan avait rapidement refait surface ; les mauvais traitements infligés à Rahma par le chef de l'Aïr avaient été jugés insultants pour toute la tribu.

Furieux, Rhossi prit Mariata par le bras et le tordit brutalement.

— Dis la vérité, petite garce. Tu as écarté les cuisses et tu as tant aimé que tu es revenue tous les soirs !

L'instant d'après, Mariata sentit qu'on lui arrachait l'épée d'Azélouane. Rhossi se retrouva par terre, cloué au sol par Amastan, l'antique lame appuyée contre sa gorge.

Il s'ensuivit une grande confusion. Un coup de feu éclata dans la nuit. Tout le monde se figea comme si le temps s'était arrêté. Une deuxième balle fendit l'air en sifflant et un homme poussa un cri, puis le fracas terrifiant des armes automatiques remplaça les coups de fusil. Comme dans un cauchemar, Mariata vit Amastan projeté en arrière, brusquement désarçonné de la poitrine de Rhossi. La belle étoffe indigo de sa robe chatoyait toujours au clair de lune, mais c'était maintenant à cause de la tache noire et humide qui s'élargissait lentement sur le devant. Il était étendu immobile derrière Rhossi ag Bahédi, les mains ouvertes, et il avait lâché la vieille épée. Sur le sol sombre et dur, les paumes de ses mains paraissaient pâles et tendres, aussi légères et douces que des fleurs de laurier-rose.

Une femme cria son nom à n'en plus finir – Amastan, Amastan, Amastan! – et le son résonna dans la tête de Mariata jusqu'à ressembler à ces mots dénués de sens des comptines. Elle se rendit compte enfin que c'était sa propre voix qu'elle entendait, démentielle et désespérée.

Ses appels furent ensuite couverts par un vacarme assourdissant – des cris, des gémissements, la plainte stridente et le *clac* rapide des coups de feu. Les gens poussaient des hurlements de douleur et d'horreur, s'écroulaient en s'étreignant le buste ou perdaient l'équilibre en battant l'air des bras, comme balayés par une bourrasque.

Les chameaux blatéraient, quelqu'un passa, les vêtements en flammes. Horrifiée, Mariata vit que c'était Laïla. Puis des dizaines d'hommes, peut-être des centaines, envahirent le camp comme des fourmis, le visage nu. Elle se précipita vers Amastan et le prit par le bras. Rhossi avait disparu. Où était-il passé? Elle l'ignorait et n'en avait cure.

— Lève-toi! Lève-toi! Nous sommes attaqués! cria-t-elle.

Mais le bras d'Amastan était mou entre ses mains, aussi mou que l'agneau mort-né de la brebis mourante qu'elle avait aidée à mettre bas ce printemps. Elle le secoua hystériquement en criant son nom.

Il avait seulement perdu conscience, elle le savait. Il reposait là, les yeux fermés, endormi.

— Amastan! Lève-toi!

Elle réussit à passer un bras autour de ses épaules et essaya de le relever, mais il était très lourd. Pourquoi était-il si difficile de faire bouger un homme aussi légèrement charpenté, maigre et nerveux, et si prompt d'ordinaire à se mettre debout?

— Amastan ! hurla-t-elle avec une fureur maintenant mêlée de terreur.

Quelqu'un l'agrippa et la tira violemment en arrière.

— Tu ne peux rien pour lui !

Elle s'arc-bouta au sol et s'accrocha à la manche de la robe de son mari, sachant que si elle la lâchait, elle ne le reverrait plus.

— Non ! gémit-elle. Non !

La coûteuse étoffe indigo résista, puis elle se déchira soudain avec un bruit audible même au milieu du chaos et Mariata se retrouva avec un bout sanglant à la main. Elle fut soulevée à bras-le-corps, jetée sur une épaule et emportée au loin.

La tête en bas, elle vit Rhossi ag Bahédi tirer son frère Azaz à bas de son dromadaire si bien que le jeune garçon tomba sur le sol dur, puis son ennemi monta rapidement en selle, roua la bête de coups de pied jusqu'à ce qu'elle s'élance au galop. Baye se pencha de sa selle, hissa Azaz sur sa monture. Mais Mariata ne se souciait pas du sort des autres, fussent-ils ses frères, comme elle aurait dû le faire. Rien de tout cela ne semblait réel. Seule lui paraissait réelle la silhouette étendue par terre derrière elle, qui rapetissait à chaque pas et finit par disparaître au loin.

Les dernières choses qu'elle vit, ce furent Tana jetée au sol par un homme pendant qu'un autre lui arrachait sa robe, l'amghrar abattu avec désinvolture par deux jeunes gens au visage sombre. Elle vit aussi Azélouane chevaucher à travers la mêlée, une kalachnikov à la main, son visage féroce illuminé par les éclairs crachés par la gueule de l'arme. Elle vit la bienveillante Djouma crier comme un démon après un homme en uniforme qui essayait d'abattre l'enfant caché derrière elle, elle vit Rahma brandir courageusement une branche enflammée face à l'assaillant, qui, négligemment, appuya son fusil noir pareil à un scorpion contre sa hanche et lui tira en plein visage une volée de coups de feu qui éclairèrent la nuit ; puis, quand elle s'écroula, un autre la rattrapa par ses longues nattes et la décapita d'un seul coup de sa machette luisant au clair de lune en un geste triomphal.

24

— Qui êtes-vous et que faites-vous ici ?

C'était la deuxième fois que la question était posée, en français cette fois.

Taieb avait les mains en l'air. Les hommes descendus des 4 x 4 étaient enturbannés, les yeux cachés par des lunettes de soleil, et armés jusqu'aux dents. Ils étaient sept. Celui qui avait parlé, grand et mince, la peau brune tannée, dirigeait un fusil semi-automatique sur Taieb. Un autre pointait son arme vers moi. Je n'avais encore jamais vu de fusil, un vrai, meurtrier, tenu par quelqu'un qui semblait savoir exactement comment s'en servir et n'aurait eu aucun scrupule à tirer sur moi une dizaine de balles et à me laisser me vider de mon sang dans le sable. Bizarrement, cette perspective n'éveillait en moi aucun sentiment, ni peur ni colère ; elle provoquait seulement une sorte de torpeur et de détachement, comme si mon cerveau, faute de mieux, s'était mis au point mort.

— Nous sommes juste venus voir le désert, répondit Taieb. Mon amie est une touriste anglaise.

— Personne ne vient jamais par ici ! Vous avez franchi la frontière illégalement ; ce n'est pas ce que font les guides. Qui êtes-vous ? Montre-moi son passeport et ta carte d'identité.

Même sans le renfort tangible de son arme, il émanait de lui une autorité indiscutable. Taieb s'exécuta promptement : il prit mon sac à main dans la voiture et le tendit avec sa propre pièce d'identité. L'homme retourna le sac : stylos, maquillage, brosse à cheveux, calepin, pommade pour les lèvres, portefeuille, papiers pliés, passeport tombèrent par terre en soulevant des petits nuages de poussière.

L'homme se baissa pour ramasser le passeport, le feuilleta rapidement et le fourra dans sa poche de chemise. Il prit aussi mon portefeuille, l'ouvrit et sourit à ses compagnons.

— Plein d'euros et quelques dirhams.

Il lança le portefeuille à l'un d'eux, qui le fit disparaître dans sa poche. J'ouvris la bouche pour me plaindre et me ravisai. Qui étaient ces hommes ? Les policiers volaient-ils l'argent aussi ouvertement ? J'avais entendu dire maintes fois que la police recevait des pots-de-vin, mais j'avais cru que c'étaient de simples bakchichs, une corruption insignifiante. Ces hommes ne me paraissaient guère avoir l'air de policiers ou de fonctionnaires. En fait, avec leurs treillis et leurs chaussures montantes, sans parler de leur anonymat soigneusement préservé, ils ressemblaient plutôt aux types auxquels Taieb avait acheté de l'essence de contrebande.

Un troisième homme se dirigea vers moi. Il marchait avec décontraction et assurance, comme s'il était le maître des lieux, si tant est que quelqu'un ait pu être propriétaire du désert. S'il avait une arme, je ne la voyais pas.

— Qu'est-ce que c'est que ça ? demanda-t-il en montrant le monticule de sable recouvert des sept pierres plates. Qu'est-ce que vous avez enterré là ?

Je jetai un coup d'œil à Taieb, ne sachant que répondre. L'homme tâta le sol et déplaça l'une des pierres avec le pied. C'est ce geste qui, je ne sais pour quelle raison, ranima mes émotions.

— Non ! m'écriai-je.

Taieb cria lui aussi, dans sa langue maternelle, et l'un des hommes lui asséna un coup de crosse si violent qu'il tomba en arrière en s'agrippant la tête. Si j'avais eu quelque espoir que ces hommes nous laissent tranquilles et passent leur chemin, il s'évanouit à cet instant. Celui qui paraissait être le chef s'approcha de moi. Mon pouls s'accéléra.

— Qu'est-ce que vous avez caché là ? De la drogue ? Des armes ? demanda-t-il d'un ton dur. Dites-le-moi, sinon j'abats votre guide.

J'étais si bouleversée que je me mis à rire.

— Ni l'un ni l'autre !

Derrière moi, Taieb cria :

— Dites-le-lui, Isabelle, dites-lui que c'est Lallaoua !

Je levai les yeux vers l'homme qui me dominait de toute sa hauteur, étrange et mystérieux dans son mélange de vêtements traditionnels et modernes.

— Il y a là le corps d'une vieille femme, répondis-je d'un ton morne. Elle s'appelait Lallaoua, une… parente de mon ami Taieb. Elle voulait voir le désert une dernière fois avant de mourir ; nous l'avons emmenée ici, elle est morte et nous l'avons enterrée. Il n'y a rien à dire de plus.

L'homme fixa sur moi un long regard que le reflet de ses lunettes noires rendait troublant et pareil à celui d'un insecte.

— Je n'ai jamais rien entendu d'aussi absurde, cracha-t-il finalement avec mépris.

— C'est pourtant la vérité !

Il dit quelque chose à son compagnon, qui s'agenouilla et entreprit d'enlever les pierres.

— Vous n'avez donc aucun respect pour les morts ? dis-je avec colère.

Aucun ne daigna répondre. Ils allèrent chercher des pelles dans leurs véhicules et commencèrent posément, méthodiquement, à ouvrir la tombe de Lallaoua.

— Arrêtez ! m'écriai-je.

Je jetai un coup d'œil à Taieb, toujours assis par terre, la tête entre les mains, près du 4 × 4 pendant qu'un autre homme farfouillait dans la Touareg et jetait couvertures, CD et percussions dans le sable.

— Vous ne pouvez pas les arrêter ?

Il leva lentement la tête et me regarda dans les yeux.

— Ai-je l'air de pouvoir les arrêter ?

Son attitude et le ton de sa voix reflétaient une sorte d'acceptation passive d'une situation que seul Dieu pouvait changer. J'en étais arrivée à appeler cela l'« attitude inch' Allah » des gens de la région.

Il ne leur fallut pas longtemps pour trouver le corps enveloppé de son linceul blanc. Je pensais qu'ils s'arrêteraient en le voyant, mais non. Le chef du groupe se baissa et chassa le sable de l'étoffe qui cachait la tête ; la preuve ne lui parut pas encore suffisante : il tira sur la cotonnade pour découvrir le visage de la morte. Constatant peut-être la richesse de ses bijoux, il abaissa davantage le linceul, dévoilant les amulettes, les bracelets et les bagues de ses mains croisées. Il resta agenouillé là si longtemps à regarder les bijoux de Lallaoua que je crus qu'il allait les voler. Mais les autres se reculèrent d'un pas ou deux et marmonnèrent nerveusement, touchant les colliers cachés sous leurs turbans ou faisant de curieux gestes comme pour parer à quelque danger. Dans le jour déclinant, la scène était sinistre. Finalement, sans toucher aux bijoux, le chef recouvrit la vieille femme de son linceul, puis aboya un ordre à ses hommes, qui se mirent à genoux et, avec une répugnance évidente, soulevèrent Lallaoua du lieu de repos qu'elle avait occupé si peu de temps et la déposèrent à côté.

Je n'arrivais pas à détacher mon regard du corps de Lallaoua, ramené à l'air libre avec un tel sans-gêne, le linceul d'un blanc immaculé maintenant sali par le sable, l'étoffe que Taieb avait arrangée si soigneusement pour que la vieille femme conserve sa dignité désormais froissée et profanée par cette manipulation. J'avais à peine eu le temps de m'habituer à l'idée de sa mort, sans mentionner ma participation à ces funérailles en plein air d'une étrangeté bouleversante, mais la voir déterrée ainsi, d'une manière à la fois désinvolte et respectueuse, brisa quelque chose en moi. Je pleurai et pleurai, courbée sur mon amulette, étouffée par des sanglots qui semblaient venir des profondeurs de mon être, de lieux obscurs que j'avais délibérément gardés secrets et inexplorés, hermétiquement clos avec leur lot de trésors morbides, comme une pyramide antique. Le flot de mes larmes se déversait telle une crue dans le désert, violent, bruyant et inattendu. Je semblais incapable de l'endiguer et j'avais fini selon toute apparence par perdre toute maîtrise de moi. Je ne savais même pas pourquoi je pleurais, si c'était à cause du manque de respect témoigné envers le cadavre de la vieille femme, parce que j'étais aux mains de ces hommes armés et brutaux, bouleversée d'avoir vu Taieb jeté à terre à coups de crosse ou arrivée non seulement au summum du tourbillon d'émotions de la journée mais aussi à celui où les vannes depuis longtemps rafistolées avaient finalement lâché une fois pour toutes.

Personne ne m'accordait la moindre attention et c'était sans doute préférable. Absorbés par leur recherche de ce qu'ils croyaient encore trouver dans la tombe, ils creusaient toujours. Taieb avait le menton sur la poitrine, comme en prière ; celui qui le gardait fumait une cigarette et la fumée montait en une fine volute grise dans le soleil couchant.

Le chef dit finalement quelque chose et ses hommes posèrent leurs pelles.

— Il semble que vous ayez dit la vérité, me dit-il à contrecœur en français, avec un rude accent africain très marqué qui signalait des origines beaucoup plus méridionales, dépourvu de l'élégance que procurent l'éducation marocaine et les visites aux parents établis en France. Levez-vous et retournez à la voiture.

Je me remis debout en chancelant.

— Et Lallaoua ? Vous allez la laisser là, à la merci des chacals ?

— Nous ne sommes pas des sauvages, rétorqua-t-il avant de donner à ses hommes l'ordre d'enterrer de nouveau la vieille femme.

Je marchai lentement jusqu'à la Touareg et m'assis à côté de Taieb. Le garde qui se tenait au-dessus de lui me regarda en plissant les yeux. Il ne devait pas avoir plus de vingt ans ; il avait une belle peau, presque soyeuse, mais une ride verticale profonde entre les sourcils et une autre aux coins de la bouche ; lorsqu'il tirait sur sa cigarette, ces rides devenaient plus marquées. Il vit que je le regardais et ramena son turban sur sa bouche, comme s'il avait été surpris en train de faire quelque chose de honteux.

Taieb prit ma main dans la sienne et y trouva l'amulette. Il fronça les sourcils.

— Si j'étais vous, je me mettrais ça autour du cou et je le cacherais, me dit-il à voix basse.

Je suivis son conseil.

— N'ayez pas peur, ajouta-t-il.

— Qui sont-ils ? Que nous veulent-ils ?

Il haussa imperceptiblement les épaules.

— Des contrebandiers, peut-être autre chose. J'imagine que nous allons le savoir très bientôt.

Pour un homme qui venait de recevoir un coup de crosse en pleine tête, il me semblait remarquablement détendu, bien qu'il eût au front une égratignure et une bosse, comme si une corne était sur le point de lui pousser. Je la touchai doucement.

— Ça va ?

Il hocha la tête.

— *Alhamdoulillah.*

Il passa la main sur son visage, porta les doigts à ses lèvres, puis se toucha la poitrine.

— *Salama*, dit le jeune homme au fusil.

Je ne comprenais rien à tout cela. De ce fait, j'aurais dû me sentir encore plus exclue, l'intruse européenne dans un drame entièrement nord-africain, et pourtant je trouvai cet échange de paroles curieusement réconfortant. Je tournai la tête pour regarder les autres hommes enterrer une nouvelle fois la pauvre Lallaoua et fus surprise de constater qu'ils le faisaient avec le plus grand soin, aplanissant le fond de la tombe à la pelle, lissant le sable à la main, puis soulevant et déposant le corps comme si la vieille femme respirait encore. C'est le chef lui-même qui remit en place la cotonnade à peu près comme l'avait fait Taieb, de sorte que le linceul se retrouva bien tendu autour de Lallaoua, tous les coins fermement bordés. Il inclina la tête, se toucha le front, puis le cœur. Une brise fraîche qui s'était levée brusquement porta jusqu'à moi un murmure de mots et agita les turbans des hommes, puis ils comblèrent la tombe et remirent en place les pierres plates, laissant Lallaoua enterrée plus proprement et plus profondément que Taieb et moi n'avions été capables de le faire. Pendant quelques instants, ils restèrent debout en silence autour de la sépulture, comme plongés dans leurs pensées ou en prière. Je me pris à songer qu'ils formaient une garde d'honneur étrangement digne et que peut-être, après tout, ce second enterrement n'avait pas autant déplu à Lallaoua que je l'imaginais.

Il faisait presque nuit quand les hommes retournèrent aux voitures. À leur approche, Taieb se releva et je remarquai avec surprise qu'il avait entre-temps renoué son turban de sorte que seuls ses yeux restaient visibles. Le chef des contrebandiers le regarda d'un air interrogateur, puis dit quelques mots qui firent rire les autres. Taieb se redressa de toute sa hauteur et répondit, son attitude donnant à penser qu'il se rebiffait. D'autres paroles furent échangées, apparemment moins agressives. Je remarquai aussi que les fusils avaient tous été remis en bandoulière et qu'aucun n'était plus dirigé contre nous. Allaient-ils nous laisser partir ? J'osais à peine respirer de crainte de rompre le délicat équilibre qu'il y avait dans l'air. Puis l'un des hommes dit quelque chose et Taieb répondit avec colère en criant. Je posai la main sur son bras, pensant le calmer, mais il se dégagea comme si je n'étais pas là.

— Qu'est-ce qui se passe ? demandai-je avec appréhension. Que disent-ils ?

Ce n'est pas Taieb qui répondit mais le contrebandier.

— Vous venez avec nous.

— Où ça ?

— À notre camp.

— Mais pourquoi ? Vous ne pouvez pas nous laisser simplement nous en aller ? Et puis qui êtes-vous ?

Taieb me fit une grimace, m'intimant clairement l'ordre de me taire. Le regard du contrebandier était énigmatique, aussi impénétrable et serein qu'une mare abritée de la lumière.

— Ça ne vous regarde pas. Ce qui nous regarde en revanche, c'est qui vous êtes, mademoiselle Isabelle Treslove-Fawcett, rétorqua-t-il.

Sa façon de le dire rendit mon nom presque méconnaissable.

— Montez.

Il ouvrit la portière arrière de la Touareg. J'hésitai.

— Où est mon passeport ?

La question était ridicule, très britannique et tout à fait inadaptée à la situation. Mais personne ne rit.

Le contrebandier tapota la poche de sa chemise. Puis il fit un signe à Taieb et aboya un ordre. Sans un mot, Taieb lui remit les clés du véhicule.

— Montez dans la voiture, Izzy, me dit-il à voix basse. Nous n'avons pas le choix.

25

Quatre mois avaient passé depuis l'attaque du camp. Mariata ne se rappelait pas grand-chose du trajet entre l'Adagh et Imteghren : elle n'avait fait attention à rien ou presque, tant elle était obnubilée par la douleur qui la brûlait intérieurement. Durant la traversée de la vallée de l'Azaouagh et du Tamesna vers le nord, elle refusa toute nourriture. La nuit, elle restait étendue les yeux ouverts sur une couverture à même le sol à regarder les étoiles, un petit bout d'étoffe indigo couvert de sang séché contre son cœur. Le matin, ses frères la retrouvaient dans la même attitude et cela les effrayait. Ils invoquaient des charmes contre le mauvais œil lorsqu'ils croyaient que leur père ne les voyait pas et il les calottait. « Si votre belle-mère vous prend à vous comporter comme des baggara ignorants, elle va tous nous chasser de la maison. Nous devons être des gens modernes maintenant et vous feriez bien de commencer à vous y habituer. » Mais lorsqu'ils traversèrent le Grand Erg et qu'une tempête de sable menaça de les engloutir, ils l'entendirent murmurer toutes sortes de formules magiques pour apaiser les djenoun.

Mariata ne fit pas bonne impression auprès de sa nouvelle famille. Le visage blême, sans énergie, ses yeux noirs aussi ternes que du charbon brûlé, elle semblait sur le point de passer de vie à trépas et, de fait, elle aurait volontiers accueilli la mort. Tout ce qui faisait d'elle Mariata lui avait été enlevé : elle traversait les jours comme un cadavre ambulant, pleurait Amastan et cherchait un répit dans ses rêves.

— Que va-t-on faire d'elle, Ousmane ? le harcelait sa nouvelle épouse. Tu m'avais dit qu'elle m'aiderait dans la maison et qu'elle s'occuperait de Mama Erquia, mais elle passe son temps dans la cour, le visage tourné vers le mur ; je n'arrive pas à la faire entrer à l'intérieur. Elle semble avoir peur des escaliers. Quelle sottise ! Imagines-tu combien il va m'être difficile de lui trouver un bon mari si le bruit court qu'elle est folle et malade ?

— Je te l'ai déjà dit, ma fille est de noble ascendance, c'est une princesse des Kel Taïtok. Je ne l'ai pas amenée ici pour la marier mais pour qu'elle soit en sûreté.

Aïcha lui lança un regard sardonique, un sourcil arqué, élégamment souligné au crayon. Elle était encore en train de s'habituer à son nouveau mari et ne savait toujours pas jusqu'où elle pouvait aller. Mais finirait bien par l'apprendre.

Une fois qu'il était parti au travail – il montait un nouveau magasin avec ses fils et le père d'Aïcha –, celle-ci, sa grand-mère Mama Erquia et sa sœur cadette, Hafida, allaient trouver Mariata dans la cour et la tourmentaient, princesse ou pas.

— Debout, espèce de paysanne fainéante ! criait la grand-mère, sans provoquer de réaction.

— Elle est pareille à ces corniauds mangés par les puces qui restent vautrés sur la place du marché et dorment toute la journée, disait Aïcha avec une moue dédaigneuse.

— Ceux qu'on ramasse de temps en temps et empoisonne derrière l'abattoir pour éviter d'être envahis par leur abominable progéniture, renchérissait Hafida.

N'ayant encore jamais pu s'offrir le luxe d'avoir un autre être humain à persécuter, elle lançait ses noyaux de dattes sur Mariata assise par terre et riait quand ils restaient collés à sa robe bleue poussiéreuse.

— J'aimerais bien que quelqu'un emmène celle-là derrière l'abattoir. Regardez cette souillon comme elle salit ma cour ! se plaignait Mama Erquia, dont le visage brun flétri, ratatiné et édenté faisait immanquablement songer aux vieilles guenons tenues en cage sur la place du marché. Ces nomades sont tous des barbares !

— Mais certains nomades sont très bien, ils ont beaucoup de noblesse et fière allure, vêtus de leur robe et de leur turban indigo, objecta Hafida, jalouse de sa sœur car Ousmane était beau et peu ordinaire avec sa tenue touareg et ses manières d'homme du désert, alors que son fiancé était un gros rustre deux fois plus âgé qu'elle.

— C'est vrai, je n'ai guère à me plaindre d'Ousmane, dit Aïcha. Il a un style désuet et me traite comme une reine. Il pourrait se laver plus souvent, c'est tout. Mais les femmes ! Elles se promènent en ville sans gêne, tête nue à la vue de tous les hommes et de leurs fils, l'air effrontées. J'en ai même vu accoster des hommes et leur parler ouvertement !

— Elles ne valent pas mieux que des chiennes en chaleur, fit Mama Erquia en crachant par terre. Elles sont prêtes à relever leur robe dans une ruelle pour n'importe qui. Et les hommes courent après elles, la bite dressée comme des cabots. Elles n'ont aucune moralité. Je n'en ai pas vu une seule à la mosquée.

— Cela va changer avec celle-là, je peux te l'assurer, lui dit Aïcha en lorgnant Mariata d'un air entendu. J'ai demandé à Lalla Zohra de venir la semaine prochaine.

— La *ma'allema* ? s'enquit Hafida, impressionnée, en faisant des yeux ronds.

— Cette fille a besoin d'instruction. Il faut lui apprendre à se comporter comme une jeune fille convenable si l'on ne veut pas qu'elle nous fasse honte.

Lalla Zohra était une énorme femme vêtue de noir de la tête aux pieds. Elle arriva avec son coran dans la main droite et dans la gauche la longue baguette dont elle se servait pour taper sur les mains des filles pas assez attentives à ses leçons, qu'il s'agît de broderie, de morale ou des textes sacrés. Les filles d'Imteghren portaient les marques de ses châtiments, cicatrices en forme de croissant de lune pâle sur le dos des mains ou, invisibles, au fond de leur âme.

Un reste de peur de la ma'allema incita Hafida à s'inventer une course de l'autre côté de la ville et elle laissa Aïcha seule, de plus mauvaise humeur que d'habitude, humeur qui n'allait pas s'améliorer.

— *Salam aleikoum.*

La ma'allema attendit mais Mariata ne répondit pas. Elle regarda Aïcha.

— Elle ne peut pas parler ?

— Pas de manière civilisée, dit Aïcha d'un ton guindé.

La ma'allema traversa la cour.

— Bon, Mariata, je m'appelle Lalla Zohra et je suis venue t'apporter les paroles du Prophète et la lumière d'Allah afin que tu sois en paix avec lui et ta famille et que tu te comportes comme il faut. La paix soit avec toi.

Mariata leva ses yeux noirs et lança un regard farouche, plein de défi et de désespoir, à la vieille femme. La ma'allema avait tout vu dans sa longue vie et cette démonstration d'insolence silencieuse ne l'impressionna pas.

— Lorsque ceux et celles qui sont plus âgés et valent mieux que toi te saluent, tu dois te rappeler les bonnes manières, ma fille, dit-elle d'un ton sévère. Réessayons. *Salam aleikoum*, Mariata. Répète après moi : *wahaï aleikoum es salam.*

Elle attendit de nouveau et eut droit pour toute réponse à un silence chargé d'hostilité. Il y eut soudain un mouvement confus accompagné d'un sifflement et la baguette atterrit dans un claquement sonore. Un grondement semblable à celui d'une louve aux abois s'échappa du fond de la gorge de Mariata. Et comme une louve, elle montra les dents à la ma'allema. Lalla Zohra empoigna la main de Mariata et la tourna vers Aïcha.

— Tu as vu dans quel état elle est ? Honte à toi, Aïcha Saari. Ta sœur et toi ne lui avez donc pas fait comprendre la nécessité d'être propre dans un foyer musulman convenable ?

— Comment pourrais-je l'amener à se laver ? Elle ne veut même pas entrer dans la maison, répondit Aïcha avec humeur. Elle a toujours vécu sous la tente et a peur du toit et de l'escalier.

— Ce n'est pas parce que quelqu'un se comporte comme un sauvage que tu dois le laisser faire. Il t'incombe, en tant que bonne musulmane et nouvelle mère de cette pauvre fille, de lui apprendre la politesse et les manières de ceux qui craignent Dieu.

— Nouvelle mère ! Elle est à peine plus jeune que ma sœur ! Si elle est décidée à vivre comme une bête, je la traiterai comme telle, voilà ce que je dis.

La ma'allema, bien campée sur ses pieds, les mains sur ses hanches opulentes, la fusilla du regard.

— Qui est bon avec les créatures de Dieu est bon envers lui-même et une bonne action faite à une bête vaut celle faite à un être humain, alors que se montrer cruel avec les animaux est aussi répréhensible qu'avec les humains, enseigne le Prophète. Je me souviens t'avoir moi-même appris ces hadiths. Mais à part cela, j'insiste sans cesse auprès de mes élèves sur l'importance de la propreté. *Tahara*, Aïcha. *Tahara !* Honte à toi. Allah aime ceux qui se tournent constamment vers Lui et qui restent purs et propres. Comment as-tu pu la laisser se mettre dans un tel état ? Va chercher des serviettes, des gants de crin et du savon. Nous allons l'emmener au hammam !

Mariata fit le trajet de la maison au hammam entre ses deux ravisseuses, renfrognée mais soulagée d'être enfin dehors. Imteghren était une ville sans intérêt, terne et poussiéreuse. Le sable envahissait les rues et alourdissait l'air. Il était impossible d'imaginer aujourd'hui qu'elle avait jadis fait partie de l'importante ville commerçante médiévale de Sijilmassa, sur les marchés de laquelle avaient transité l'ébène, l'ivoire, les épices, les huiles, les parfums, les esclaves et tous les trésors de l'empire Songhaï à destination de Marrakech, Meknès, Fez, des ports de la Méditerranée et des royaumes du Nord. Ça puait le crottin de chèvre, l'huile de friture et les vapeurs de gasoil. Des véhicules comme

Mariata n'en avait jamais vu se frayaient un chemin à travers les rues bondées dans un grondement de moteur en crachant une fumée noire et elle toucha son amulette. Des moutons et des chèvres décharnés erraient entre les détritus entassés aux coins des rues, des chats sauvages se risquaient à chaparder dans les poubelles lorsque les chiens vautrés à l'ombre avaient la tête ailleurs. Il y avait des gens partout : des femmes énormes emmitouflées dans leurs robes et leurs voiles de la tête aux pieds malgré la chaleur étouffante, des hommes minces en djellabas rayées et babouches jaunes, le visage découvert. Aux yeux de Mariata, ils avaient l'air stupides et faibles, plus semblables à des gamins qu'à des adultes. Même ceux dont la barbe leur cachait le visage lui paraissaient bizarres, comme s'ils avaient été surpris en train de manger un mouton noir. Elle les dévisageait avec insolence et ils lui renvoyaient un regard concupiscent en souriant de leur grande bouche humide jusqu'à ce qu'elle se détourne en frissonnant.

Les guerres avaient piqueté de marques de projectiles les murailles de l'ancienne forteresse qui entouraient l'agglomération, mais Mariata ne pouvait imaginer qu'on ait pu vouloir prendre la ville ni même la défendre. Qu'on laisse le désert l'engloutir, pensa-t-elle. Que le désert les engloutisse tous. Elle n'avait pas envie de vivre.

Les bains publics se trouvaient dans le centre-ville, au-delà du souk et des échoppes des artisans, à l'ombre du grand minaret de la mosquée.

— Ôte tes vêtements ! ordonna Lalla Zohra dès qu'elles furent entrées dans les vestiaires. Jusqu'au dernier, allez !

Mariata croisa les bras sur la poitrine et lui adressa un regard noir. Sans y prendre garde, la ma'allema fit signe à la gérante des bains de venir lui donner un coup de main. Si Lalla Zohra était une femme forte, Khadija Chafni était une véritable montagne : deux fois plus large de hanches et de poitrine, ses cheveux rêches confinés sous un tissu de couleur, les dents déchaussées. À elles deux, prenant la fille du désert par surprise, elles réussirent à tirer par-dessus la tête de Mariata le sac en cuir que Tana lui avait confectionné et à lui enlever sa robe de force tandis qu'Aïcha, en retrait, les regardait faire avec un étrange demi-sourire. Lui retirer l'amulette fut plus difficile. Lorsqu'elles y parvinrent enfin, toutes les trois étaient rouges et en nage.

— Petite païenne ! déclara Lalla Zohra en examinant une longue déchirure à sa djellaba.

Aïcha fit osciller le talisman au bout de son collier de perles. Même dans la pénombre des vestiaires, la cornaline rouge de l'amulette clignotait d'une lueur mauvaise.

— Je me demande combien Ali m'en donnerait, dit-elle d'un air songeur. J'ai bien l'impression que c'est de l'argent massif.

Zohra agita le doigt.

— Le collier appartient à la fille, malgré son comportement bestial. Et tu sais ce que dit le Coran à propos du vol et des voleurs.

Aïcha fit la moue, fourra le bijou dans la poche de sa robe avec les siens, « pour plus de sûreté », puis retira calmement son vêtement et le suspendit à sa patère habituelle tandis que Zohra et Khadija Chafni tenaient Mariata par les bras à tour de rôle pendant que l'autre la déshabillait. Mariata regardait les trois autres femmes avec incrédulité. Jamais encore elle n'avait vu de femme entièrement nue.

— Viens avec moi, ma petite chérie, dit Khadija Chafni. On va te faire si propre que tu vas faire peau neuve. Qu'est-ce qu'elle sent mauvais ! ajouta-t-elle à l'adresse de Zohra. Où l'avez-vous trouvée ? Endormie dans le fondouk avec les chameaux ?

— Pas bien loin. Elle vient d'une tribu du désert, dit Aïcha d'un ton méprisant. C'est une princesse touareg, paraît-il.

Khadija secoua la tête et claqua la langue.

— Ah, ces filles du désert ! Elles ne se lavent jamais. Certaines ont même peur de l'eau. Elles disent qu'il y a des djenoun dans les seaux, vous imaginez ? Le bruit qu'elles font, c'est affreux. On croirait que se laver est une torture et non un plaisir.

— Et un devoir, rappela Lalla Zohra, sévère. Un devoir sacré.

Elles la traînèrent contre son gré, freinant des quatre fers, dans la salle chaude. Il y avait là beaucoup de bruit, piégé par les carreaux de faïence et le sol en pierre. Mariata jeta un coup d'œil autour d'elle, horrifiée. Où que se posât son regard, elle ne voyait que chair nue, luisante de sueur et d'eau, cheveux noirs flottant dans le dos et sur les seins. Il était curieux de penser que c'étaient ces mêmes femmes qu'elle avait croisées en ville, drapées de la tête aux pieds, et dont pour certaines on n'apercevait que les yeux, qu'elle voyait maintenant dénudées en présence les unes des autres, exhibant de façon éhontée leurs parties intimes, lesquelles, elle ne put s'empêcher de le remarquer, étaient épilées. Chez elle, quoique les femmes aillent tête nue et ne portent pas le voile, une telle impudeur eût été jugée scandaleuse.

Elle en était encore bouche bée quand Aïcha lui versa sans crier gare un seau d'eau fumante sur la tête. Cherchant sa respiration, Mariata lui donna une claque puis poussa un cri horrifié de toute la force de ses poumons. Lorsque la gérante du hammam entreprit de la savonner avec le gros savon noir à base de pulpe d'olive et d'argile, elle tapa sur ses énormes mains envahissantes pour les repousser.

— Cesse de te comporter comme une enfant ! gronda Lalla Zohra en lui immobilisant les poignets.

— Je suis une adulte, laissez-moi tranquille ! s'exclama Mariata, les yeux flamboyant de fureur.

C'étaient les premiers mots qu'elles l'entendaient prononcer. Stupéfaites, elles la laissèrent en paix un moment, puis Lalla Zohra lui tendit un morceau de savon en disant :

— Si tu veux que l'on te traite en adulte, tu dois te comporter comme telle. Tiens, prends ça et lave-toi toute seule. À fond.

Mariata se savonna le bras avec cette chose noire d'un air dubitatif. C'était dégoûtant, aussi visqueux qu'une patte de grenouille. Comment quelque chose d'aussi noir et infect pouvait-il vous rendre propre ? Cela défiait toute logique.

— Allez, frotte bien !

Zohra lui donna un carré d'étoffe formé de ficelle nouée et regarda Mariata le passer avec précaution sur les surfaces savonnées.

— Plus fort !

— Comme ça, dit Khadija en posant sa grosse main sur celle de Mariata et en frottant énergiquement jusqu'à ce que la peau rougisse. Vous voyez ! s'exclama-t-elle rayonnante. La crasse s'en va. Regardez !

Elle se tourna et fit signe aux femmes d'Imteghren.

— Regardez ! Avez-vous jamais vu une saleté pareille ? Elle s'en va en gros bourrelets noirs. Dessous, la petite est aussi blanche qu'une Arabe !

Toutes se mirent à rire et l'examinèrent, heureuses qu'on leur permette enfin de satisfaire leur curiosité. Mariata leur décocha un regard furibond.

— Qu'est-ce que vous avez à bayer aux corneilles ? Ne me regardez pas comme ça ; vous ne vous êtes pas vues, molles, pâles et grasses comme des vers de terre !

Elle repoussa une femme ventrue qui s'était trop approchée, montra les dents aux autres et rit en les voyant battre en retraite.

— Qu'est-ce qu'il y a ? Vous avez peur que je vous morde ? C'est ce que font ceux du désert, les Kel Assouf, non ? Oui, je fais partie du Peuple du Désert et j'en suis fière.

Sur ce, elle sortit en coup de vent de la salle, empoigna au passage sa robe et son sac à franges, récupéra son amulette dans la poche d'Aïcha et, sans prendre la peine de se sécher, s'enfuit du hammam au pas de course, ses longues tresses noires battant dans son dos comme des anguilles humides.

C'est Ousmane qui la trouva au soleil couchant sur la route du Sud, en direction d'Erfoud et du Sahara. Il s'arrêta près de son dromadaire dans une vieille jeep et abaissa sa vitre poussiéreuse.

— Qu'est-ce que tu fais là ?

— Je ne veux pas rester parmi ces gens.

— Et où penses-tu aller comme ça ?

— Dans le désert.

— Sans provisions ?

— J'ai de l'eau et de quoi manger, répondit-elle avec entêtement en montrant une vieille outre en peau de chèvre qu'elle portait en bandoulière et un sac de pain rassis. Et puis peu m'importe maintenant de vivre ou de mourir, mais, quoi qu'il advienne, ce ne sera pas dans cet endroit abject, ajouta-t-elle en secouant la tête, l'amulette étincelante dans le jour déclinant.

Ousmane descendit de voiture et fit lentement le tour du dromadaire. C'était un grand mauritanien brun galeux. Il donna un coup de poing dans sa bosse toute molle et lui tâta les côtes, puis le prit par le licou et lui tripota la lèvre pour découvrir ses grandes dents sales. Ce traitement fit pousser au dromadaire un beuglement désapprobateur. Ousmane le regarda dans les yeux. La bête se calma, mais quand il la contourna pour examiner la peau à l'arrière du cou, elle tourna la tête d'un air menaçant, lèvres retroussées pour mordre. Sans un regard, Ousmane lui donna une bonne claque sur le museau qui fit gargouiller l'animal de surprise et leva la tête vers Mariata.

— Si tu veux t'enfuir dans le désert, ma fille, que ce soit au moins avec une bête qui ne fasse pas honte aux Gens du Voile ni ne nuise à leur réputation. Ses dents sont gâtées, ses réserves de graisse réduites, son encolure pelée à force d'être chevauché. Il a au bas mot neuf ans. Qui t'a vendu ce sac d'os ambulant ?

Mariata le regarda d'un air presque aussi maussade que le dromadaire.

— Le borgne.

— Ce charlatan ! fit Ousmane en secouant la tête. Tout le monde sait que les dromadaires invendus à la fin du marché ne sont bons que pour la marmite. Combien l'as-tu payé ?

Elle ne répondit pas. Ousmane donna des claques à l'animal jusqu'à ce qu'il s'agenouille, puis il porta dans la jeep sa fille qui se débattait et criait. Il attacha ensuite le licou du dromadaire au pare-chocs arrière et retourna à Imteghren en roulant très lentement, les vitres de la voiture remontées afin que Mariata ne puisse s'échapper.

Arrivée à la maison, elle fut enfermée contre son gré dans une chambre dotée d'une petite fenêtre protégée par une grille en fer. Lorsqu'elle entendit la clé tourner dans la serrure, elle se précipita au fenestron : son père s'éloignait de la maison d'un pas décidé, le dromadaire en remorque. Il ne revint qu'au moment où le muezzin appelait les fidèles pour la cinquième prière, seul.

Elle entendit une conversation à voix basse dans la pièce voisine, puis le ton monta. Mariata colla son oreille à la porte.

— Cette dévergondée ! disait Aïcha, indignée, d'une voix perçante. Elle a fait ça pour me vexer. Tu m'avais offert ces bijoux comme cadeau de mariage et elle le savait. Et elle m'a laissée au hammam sans rien à me mettre, en dehors de mes sous-vêtements. Quelle honte ! J'ai dû emprunter la djellaba de Khadija Chafni et je dois à cette grosse truie une faveur qu'elle va prendre plaisir à me soutirer. Pouah ! La petite garce, elle maudira le jour…

Ousmane répondit d'un ton égal à voix basse, trop basse pour que Mariata saisisse ses paroles. Malgré tout, elle sourit pour la première fois depuis la mort d'Amastan.

26

Pour avoir dérobé les bijoux de sa belle-mère, dont Ousmane ne réussit qu'à récupérer la moitié auprès du marchand borgne, Mariata fut en butte à des petites sanctions quotidiennes. Lalla Zohra venait chaque matin lui lire le Coran ; après une résistance initiale, Mariata se surprit à apprécier les histoires qui y étaient contées. Certaines lui faisaient même penser à autre chose qu'au massacre perpétré dans son village et à l'abîme de solitude qui était en elle. Comme si Aïcha avait deviné que ce châtiment n'était pas assez pénible pour Mariata, elle l'accabla de tâches diverses : elle exigea qu'elle nettoie, lave et époussette tous les vêtements et les tissus qui se trouvaient dans la maison, au point d'en avoir les articulations à vif et un terrible mal au dos. Elle lavait même des vêtements qui n'avaient pas encore été portés. Lorsqu'elle avait fini, Aïcha lui apportait une brassée de carpettes et de couvertures, de housses de divan et de coussins, de lavettes, torchons et chiffons à poussière, et Mariata lavait et battait tout cela, accomplissant son travail sans y penser, dans une sorte de brouillard mental. Le mouvement, n'importe lequel, la libérait en quelque sorte de ses ténèbres intérieures et mettait fin au harcèlement d'Aïcha.

Son frère Azaz la trouva un jour dans la cour, penchée sur une lessiveuse de linge sale, crachant avec fureur sur le détergent caustique. Il la regarda rincer, essorer et mettre à sécher sur le fil un immense sous-vêtement blanc.

— Qu'est-ce que c'est que ça ? demanda-t-il en le prenant et le tenant contre lui : il était deux fois trop grand.

— La culotte bouffante de Mama Erquia, lui répondit Mariata en soupirant. Elle la porte sous sa robe. C'est ce qui se fait ici.

Azaz n'avait pas encore eu la possibilité de découvrir cela par lui-même : les filles d'Imteghren ne voulaient rien avoir à faire avec lui ; elles avaient poussé des clameurs et l'avaient battu quand il avait essayé de les courtiser. Elles n'étaient pas du tout comme les filles du désert. Il fit la grimace et s'empressa de suspendre à nouveau la culotte.

— Quelle vieille sorcière ! Pourquoi laves-tu ses sous-vêtements sales ? Tu es Kel Taïtok, c'est insultant !

Mariata lui adressa un petit sourire fatigué.

— Tu crois que je ne le sais pas ?

— Je vais le dire à père ; elles ne peuvent pas te traiter de cette façon !

Elle détourna le regard.

— Ça n'avancera à rien.

Mais un jour qu'Aïcha et Hafida étaient sorties et que leur poison de grand-mère ronflait dans sa chambre, Mariata alla trouver son père.

— Elles me traitent comme une esclave, dit-elle avec lassitude en lui montrant ses mains gercées et rougies par les lessives.

Ousmane détourna le regard, gêné.

— La manière de vivre marocaine est différente de la nôtre : il n'y a pas d'esclaves dans ce pays. Ici, chacun a son « travail ».

Pour exprimer cette idée, il employa un mot que ne connaissait pas Mariata, sans équivalent en tamazight.

— Aïcha et Hafida ne font rien ! rétorqua Mariata.

— Elles cuisinent. Et puis… tu t'es un peu remplumée.

Elles avaient également essayé de faire faire la cuisine à Mariata. L'expérience n'avait duré qu'une journée.

— Je les déteste et je déteste leur nourriture ! s'écria Mariata avant de prendre son père par le bras : Laisse-moi rentrer chez nous, père, retourner dans le Hoggar. Je partirai avec la première caravane qui passe par Imteghren ; je ne ferai pas la fière.

On pourra me mettre avec la marchandise, ça m'est égal. Laisse-moi seulement partir.

Mais il se montra inflexible.

— Tu ne bougeras pas d'ici. L'ancienne façon de vivre est en train de disparaître et nous devons nous adapter au changement. Par ailleurs, en raison du conflit entre le Maroc et l'Algérie, plus aucune caravane ne passe par Imteghren ; des soldats gardent la frontière.

— Qu'ai-je à faire de leurs frontières ? Nous sommes les Gens du Voile. Nous ne connaissons pas de frontières : notre pays se trouve là où nous souhaitons qu'il soit, nous portons notre territoire en nous.

Combien de fois avait-elle entendu Amastan lui dire cela ? Ses yeux s'emplirent de larmes.

— Comment peux-tu supporter cette vie sédentaire et morne, parmi ces gens affreux ? reprit-elle.

Son père serra la mâchoire : elle voyait bien qu'il ne se laisserait pas fléchir. Et elle savait pourquoi. Toutes les nuits, bien que sa chambre fût de l'autre côté de la maison, elle entendait ses gémissements de plaisir et les cris perçants de sa nouvelle épouse. Cela lui rappelait fâcheusement les souvenirs de sa vie auprès d'Amastan, cette vie qui lui avait été si brutalement arrachée. Nuit après nuit, elle rêvait qu'elle était couchée avec lui au bord de la rivière, sa peau chaude et douce sous ses mains, ses muscles qui bougeaient sous ses doigts, et elle se réveillait, le visage couvert de larmes séchées, une douleur sourde au ventre.

Lorsque son père et ses frères allèrent à Marrakech acheter des marchandises pour le nouveau magasin, Mariata se retrouva entièrement à la merci d'Aïcha. Personne n'étant là pour intervenir, celle-ci la traitait avec dédain et mépris, l'observait pendant qu'elle accomplissait ses tâches quotidiennes tout en faisant des commentaires à sa sœur.

— Vois comme elle est maladroite avec les assiettes, Hafida. Dans le désert, ils mangent sur des pierres. Celles-là au moins elle ne pouvait pas les casser.

— Tu crois que ces queues de rat lui poussent hors de la tête ? Elle a peut-être un trou à rats à la place du cerveau.

— En tout cas, ça ne m'a pas vraiment l'air de cheveux, ma sœur. Et ce gros morceau de fer-blanc qu'elle porte autour du cou ! Je n'ai jamais vu un collier aussi mal fait. La pauvre, elle s'imagine sans doute que ça vaut quelque chose.

— Elle pense qu'un esprit vit à l'intérieur, je suppose. Un afrit ou un djinn !

— Ces nomades sont des gens arriérés, vieux jeu et barbares ! Que savent-ils du monde moderne ? Ils n'ont même pas de maisons, Hafida, tu te rends compte ? Ils vivent sous des tentes en peaux de chèvre, avec les chèvres.

— C'est pour ça qu'elle pue autant.

— Ne te fais pas de souci, ma sœur. Demain, c'est son jour de bain.

— Imagine vivre sans électricité ni eau courante !

Les deux sœurs étaient très fières d'habiter l'une des premières maisons de la ville à disposer d'un tel confort.

— Sans douche.

— Sans voiture.

— Ni marché et avec une seule robe qui sent mauvais.

— Tu crois que son père a couché avec une chèvre pour l'avoir ?

Une gifle et un cri suivirent un instant de silence, puis Aïcha dit d'un ton glacial :

— Ne parle pas ainsi de mon mari.

Le lendemain au hammam, Aïcha examina Mariata d'un œil critique pendant qu'elle se déshabillait.

— Tu as pris du poids, ma fille. Ça te va bien.

— Ma mère était une princesse touareg et elle est morte, répliqua Mariata d'un air renfrogné. Ne m'appelle pas « ma fille ».

Aïcha haussa les épaules.

— Que tu le veuilles ou non, je te tiens lieu de mère maintenant.

Elle pencha la tête de côté et regarda Mariata de la tête aux pieds, puis une ride se creusa entre ses sourcils. Elle se tourna alors vers sa sœur.

— Tiens-la, Hafida.

— Pourquoi ?

— Ne pose pas de question, fais ce que je te dis.

Hafida prit docilement Mariata par les bras. Aïcha fit le tour de cette dernière. Lorsqu'elle constata que ses seins étaient plus pleins et que ses formes s'étaient arrondies, elle plissa les yeux.

— Quand as-tu eu tes dernières règles ? demanda-t-elle avec brusquerie.

Mariata fixa sur elle un œil morne.

— Quoi ?

— Tes règles. Ton saignement mensuel.

Mariata rougit jusqu'à la racine des cheveux.

— Ça ne te regarde pas.

Aïcha ne se découragea pas pour autant.

— Je suis ta belle-mère et tu vas me répondre. Alors, réfléchis : quand était-ce ?

Silence. Mariata réfléchit à la question pour son propre bénéfice. Elle n'arrivait pas à se souvenir de la dernière fois qu'elle avait eu ses menstrues. Pas depuis son départ de l'Adagh, de cela au moins elle était certaine. Elle n'y avait pas pris garde tant elle avait eu d'autres choses à penser, de pertes à pleurer. Mais maintenant qu'Aïcha attirait son attention sur le sujet, elle regarda en elle comme elle ne l'avait pas fait depuis bien longtemps et elle sut. Tout simplement. Cette prise de conscience changea son monde. Une étincelle de chaleur s'alluma dans les profondeurs de son être, monta de son ventre à sa poitrine et à son cœur : elle se sentit enflammée, enflammée d'espoir. *Amastan, oh, Amastan…*

Elle avait dû sourire, car lorsqu'elle leva de nouveau les yeux sur Aïcha, celle-ci la regardait avec une fureur croissante.

— Je n'en ai aucune idée, répondit-elle en se reprenant.

— Petite insolente ! s'exclama Aïcha en la secouant violemment par le bras. Réfléchis, bon sang ! Réfléchis. Quand as-tu saigné ? Tu es ici depuis trois mois : as-tu saigné durant cette période ? Tu es malade ? Tu n'as pas l'air malade. Aurais-tu réussi à sortir furtivement de la maison et à te vendre à des hommes ? ajouta-t-elle avec agressivité.

Mariata écarquilla les yeux. Incapable de se libérer de Hafida, elle cracha à la figure de sa belle-mère, qui la gifla en retour à toute volée, si fort que le claquement se répercuta sur les carreaux. Le cri de rage de Mariata attira Khadija Chafni.

— Qu'est-ce qui se passe ? Tu as encore des ennuis avec la Touareg ? Les gens vont jaser !

— C'est sûr, lâcha Aïcha en jetant sa robe à Mariata : Mets ça. Nous rentrons à la maison avant que quelqu'un ne devine dans quel état honteux tu t'es mise.

Mais Mariata n'éprouvait aucune honte, seulement un sentiment de triomphe croissant.

De retour dans le secret de la maison, Aïcha se montra inexorable. Elle consulta fiévreusement Mama Erquia, l'experte en la matière, et la vieille femme envoya un gamin avec un âne chercher une guérisseuse dans un village voisin. Celle-ci n'arriva qu'après de longues heures ; Aïcha bouillait alors de rage et Mariata s'était habituée avec aisance à son nouvel état.

La guérisseuse n'était pas d'Imteghren, mais appartenait à l'Aït Khabbash, une tribu semi-nomade qui vivait en lisière du désert. Elle portait une robe bleue maintenue en place par de grosses épingles en argent et elle avait un sigil[4] tatoué en plein milieu du front : deux lignes obliques croisées à leur extrémité supérieure et un triangle formé de trois points au-dessus de l'intersection. Un immense foulard de couleur lui enveloppait la tête et retombait dans le dos. Introduite dans la pièce où Mariata avait été confinée, elle le retira avec un grand geste.

---

4. Un sigil est un glyphe ou un symbole qui possède une signification mystique ou magique. Les sigils, ou sceaux, sont construits sur la base de lettres d'alphabets vulgaires, sacrés ou personnels, lettres qui sont combinées en un glyphe simplifié destiné à exprimer la volonté magique que l'on désire mettre en branle. (N.d.T.)

Après l'avoir auscultée quelques minutes, la guérisseuse déclara que la jeune Touareg était enceinte de quatre mois, peut-être davantage. Aïcha pâlit et porta ses mains à sa bouche.

— Oh, mon Dieu, murmura-t-elle. Mon Dieu, qu'allons-nous faire ? Quelle honte ça va être pour nous tous ! Cela va ruiner notre réputation. Que peut-on y faire ?

La tête penchée, l'œil aussi vif que celui d'une pie, l'Aït Khabbash considéra Mariata.

— Je pourrai m'occuper de l'accouchement le moment venu.

Aïcha lui adressa un regard noir.

— Non, non, tu as mal compris. Je veux que tu l'élimines.

— Personne n'éliminera mon bébé, objecta tranquillement Mariata.

Mais aucune des deux femmes ne lui prêta attention.

— La grossesse est trop avancée pour que j'intervienne, déclara avec fermeté la guérisseuse.

À l'insu d'Aïcha, elle regarda un instant Mariata dans les yeux, lui fit un rapide clin d'œil, puis se retourna vers Aïcha.

— Je crains de ne pouvoir t'aider.

Aïcha poussa un gémissement.

— Tu en es sûre ?

— Tout à fait sûre. Désolée.

— Eh bien, tu te poses là comme guérisseuse ! Espèce de charlatan !

L'Aït Khabbash secoua la tête d'un air faussement contrit.

— Qu'est-ce que les gens vont dire quand je leur apprendrai la nouvelle ? Bonté divine ! Ils vont être surpris d'apprendre que la jeune Touareg a été plus rapide que toi et va être la première à enfanter dans cette maison.

Elle se frotta les mains avec jubilation. Aïcha pinça les lèvres, puis elle ôta l'un de ses bracelets en or et le jeta à la femme.

— Prends ça et tiens ta langue. Si j'entends un seul murmure à ce propos, je t'enverrai quelqu'un. De nuit. Tu m'entends ?

La guérisseuse la regarda avec dégoût. Puis elle se tourna vers Mariata et lui dit quelques mots dans la langue ancienne.

Mariata lui prit les mains et les baisa, souriante, baisa ses propres mains et les porta à son cœur.

— Merci, répondit-elle dans la même langue. Merci.

— Hors d'ici !

Aïcha saisit la guérisseuse par le bras, plantant ses ongles dans la chair, et la propulsa vers la sortie. La femme ne broncha pas. À la porte, elle dégagea son bras et fit un geste compliqué dans l'air tout en psalmodiant.

— Tu ne mérites pas mieux ! dit-elle en s'éloignant.

Le lendemain, on trouva d'étranges symboles tracés à la craie sur la porte. Lorsqu'elle les vit, Mama Erquia, horrifiée, faillit tomber en pâmoison. Elle s'affaissa contre la porte, la tête dans les mains. « *Séhoura, séhoura, séhoura*… répétait-elle sans relâche. C'est de ma faute, je savais que c'était une sorcière. J'ai apporté le malheur dans notre maison ! » Et personne ne put lui arracher un autre mot de la matinée. Lorsqu'elles allèrent acheter des légumes au souk, Mariata remarqua que les gens qui avaient dû passer devant leur porte les regardaient avec curiosité et qu'aucun ne salua Aïcha avec la chaleur habituelle, tous gardant leurs distances comme si elle avait été porteuse d'une maladie contagieuse.

Une fois rentrée, Aïcha était d'une humeur massacrante. Elle entra dans la chambre de sa grand-mère et appuya sur l'interrupteur, emplissant la pièce d'une lumière aveuglante. « Éteins, éteins ! » gémit Mama Erquia en se couvrant la tête des mains et affirmant que les djenoun allaient venir la chercher.

Mariata souriait intérieurement. Aujourd'hui, elle avait du mal à s'empêcher de sourire. Elle avait l'impression de porter en elle un four, comme si le monde était en train de se régénérer dans son ventre. Ce qu'elle avait soupçonné se confirmait : la guérisseuse avait jeté un mauvais sort sur la maison et laissé un signe sur la porte d'entrée pour attirer tout djinn de passage. Mais avant de quitter la maison, elle avait béni Mariata et le bébé qu'elle portait pour les préserver de cette malédiction. « Puisses-tu avoir un beau garçon, avait-elle dit à Mariata. Aussi beau et fort que son père. » C'est pour ces mots que Mariata lui avait baisé les mains.

Ousmane n'avait pas plus tôt posé le pied dans la maison à son retour de Marrakech qu'Aïcha lui tomba dessus.

— Elle est enceinte !

— Qui est enceinte ?

— Ta fille ! Ton idiote de fille !

Lorsqu'il leva les mains comme pour repousser ces paroles, elle s'en prit à lui d'un ton accusateur.

— Tu le savais ?

Ousmane soupira, puis dit :

— Il n'y a pas de honte pour une femme à porter l'enfant de son mari.

— Quel mari ? Il n'y a pas de mari ! fulmina Aïcha, les mains sur les hanches.

— Non, plus maintenant. Il est mort.

— Personne ne croira un seul instant à cette histoire. Mieux vaudrait qu'elle ait pour de bon un mari, et vite. Je ne tiens pas à ce qu'elle salisse la réputation de ma famille en se promenant dans la rue.

— Elle porte encore son deuil. Et nos femmes ont toujours décidé elles-mêmes qui épouser et si elles veulent se marier ou non. Je ne peux obliger Mariata à le faire si elle ne le souhaite pas.

— Quelle absurdité ! Quelle sorte d'homme es-tu si tu ne peux même pas imposer ta volonté à ta propre fille ?

— C'est notre façon de faire.

— Tu ne vis plus sous la tente comme un animal et ta fille ne peut pas écarter les cuisses quand ça lui chante. Nous avons des normes et je ne veux pas de bâtard sous mon toit !

Un autre homme l'aurait sans doute giflée, mais Ousmane était un Touareg, à qui l'on avait appris à respecter les femmes, si empoisonnantes fussent-elles. Il tourna les talons, sortit dans la nuit à grandes enjambées et ne revint pas avant que tout le monde dorme. Lorsque Mariata se leva de bonne heure le lendemain pour avoir un peu de temps à elle avant que ne commencent ses corvées, elle le trouva roulé dans une couverture au salon. Elle crut d'abord qu'un inconnu, un vagabond, était entré dormir là, car elle n'avait encore jamais vu son père sans son turban. Et il avait une barbe ! C'était chose rare parmi les siens. Mais dès qu'il ouvrit les yeux, elle le reconnut. Elle croisa les bras, mal à l'aise.

— Alors ? Elle te l'a dit ?

Ousmane se releva, récupéra son taguelmoust et le noua avec un soin méticuleux jusqu'à avoir le visage décemment couvert. Alors seulement, il parut à même d'aborder la question.

— Félicitations, ma fille, dit-il en inclinant la tête.

— Tu ne sembles pas très content.

— Je ne suis ni content ni mécontent. Mais je m'inquiète pour toi.

— Tu peux en effet, car ta nouvelle femme cherche une faiseuse d'anges !

Ousmane eut l'air peiné.

— Mieux vaudrait que tu prennes un époux, Mariata. Un homme de la région, qui s'occupe de toi et de l'enfant quand il sera né.

Mariata eut un mouvement de recul.

— Jamais ! Comment peux-tu seulement y songer ?

— Aïcha ne te laissera pas vivre sous son toit avec un enfant illégitime.

— Il n'est pas illégitime !

— Quand bien même : tu n'as pas de mari pour le revendiquer comme sien. Pas de mari pour te protéger. Et ce n'est pas moi qui dirige la maison, elle n'est pas mienne. Je suis en affaire avec le père d'Aïcha et je dois aussi songer à mes fils. Le mieux pour toi est de prendre un mari, qui te protège aux yeux de la société.

— Peu m'importe ce que ces gens pensent de moi… Je les méprise tous ! Crois-tu vraiment que je prendrais pour époux l'un de ces hommes au visage découvert, qui n'ont ni respect, ni traditions, ni asshak ?

— Tais-toi. Peut-être ces gens ont-ils maintenant une manière de vivre différente de la nôtre, mais à une époque, il y a long-temps, nous formions un seul et même peuple. Notre fondatrice, ton ancêtre, Tin Hinan, est venue de cette région du temps des Romains. Ta lignée prend ses racines ici même.

Mariata fixa sur lui un regard incrédule.

— Tin Hinan venait d'ici ? Pas étonnant qu'elle soit partie ! Je ferais volontiers mille kilomètres à pied dans le désert pour échapper à Imteghren.

Son père soupira.

— Il n'est pas déshonorant d'épouser un habitant d'Imte-ghren, Mariata.

— Je ne ferai pas passer cet enfant pour celui d'un autre. Je préférerais vivre dans la rue.

Ousmane fit le signe qui protégeait du mauvais œil.

— Prends garde aux souhaits que tu émets, ma fille.

Ousmane et sa nouvelle femme étaient réconciliés. La nuit, la paix de la maison était de nouveau rompue par leurs cris d'extase et on était parvenu à une sorte de compromis. Aïcha allait faire savoir que sa bru était mise sur le marché des filles à marier, mais conformément à la tradition touareg, Mariata aurait le dernier mot dans le choix de son mari parmi les jeunes gens qui se pré-senteraient. Aïcha ne lambina pas pour se mettre en quête de prétendants.

— Il n'y a pas de temps à perdre, dit-elle à Hafida avec détermination. Si ça commence à se voir, comment un homme acceptera-t-il de reconnaître le bébé s'il arrive trop tôt ?

— Mieux vaut en choisir un qui ne sache pas compter, se borna à conseiller Hafida.

Dieu sait pourquoi, il y avait beaucoup plus d'hommes que de femmes célibataires à Imteghren. Personne ne connaissait exactement la raison de cette pénurie de filles en âge de se marier, mais c'était ainsi. De plus, le bruit avait vraisemblablement couru que Mariata, quoique quelque peu fauteuse de troubles, était une beauté, et les hommes étaient intrigués à l'idée de prendre pour femme une jeune et fougueuse Touareg. Ils avaient entendu dire que les nomades étaient sauvages à bien des égards, pas aussi timides et coincées que les filles du cru. La réputation de Mariata – que lui avaient value sans aucun doute ses scènes au hammam – le confirmait, si bien que les jeunes chargeaient leur mère ou leur tante de faire leur demande en mariage. À son grand dam, Mariata constata qu'elle était passablement sollicitée. Vêtue d'une des robes de tous les jours d'Aïcha, dont les teintes pastel lui flattaient le teint, et coiffée d'un foulard qui cachait ses nattes tribales, elle se regarda dans le grand miroir de la chambre de Hafida. Avec le khôl autour des yeux et le rouge crémeux que Hafida avait passé sur ses joues pâles, elle trouvait qu'elle ressemblait à l'une de ces affreuses poupées en plastique qu'elle avait vues au souk. Face à un tel traitement, son esprit se rebella mais elle se réprimanda. Ce n'est pas toi qu'ils voient, se dit-elle farouchement, mais un masque.

De toute façon, elle allait s'empresser de faire fuir tous les prétendants et leurs corbeaux de mères. Elle n'avait aucun doute là-dessus. Et tant qu'elle entrait dans le jeu ridicule d'Aïcha, son bébé ne risquait rien.

Ses frères jugèrent choquante et dégradante l'idée qu'on fasse parader leur sœur pour la mettre à l'encan et elle espéra un moment qu'Azaz et Baye persuaderaient leur père de changer d'avis, mais ils ne tardèrent pas à constater qu'Aïcha avait plus d'emprise sur lui qu'eux, ses propres fils.

Les mères, les tantes, les cousines de certains jeunes de la ville ne tardèrent pas à venir en visite. Elles restaient au salon avec Aïcha et sa grand-mère environ une heure, qu'elles passaient à boire à petites gorgées du thé à la menthe et à chanter les louanges de leur fils ou neveu – si beau, si travailleur, l'aîné de sept, huit ou dix enfants, si bon, si pieux, si gentil avec les petits, si adroit de ses mains et à même de payer trois mille dirhams et quelques chèvres pour une bonne épouse. On faisait ensuite entrer et asseoir Mariata dans son étrange accoutrement, cernée par sa nouvelle famille tant détestée. Elle hochait la tête, souriait et bouillait intérieurement en entendant les femmes interroger Aïcha sur ses talents : Mariata faisait-elle du bon pain ? Savait-elle tenir une maison propre ? Se levait-elle avant le chant du coq, était-elle dure à la tâche ? Était-elle capable de faire du fromage de chèvre et de carder la laine ? De broder et de coudre ? De préparer le couscous dans les règles de l'art ? Connaissait-elle le secret de la harissa ? Pouvait-elle réciter le Coran, observait-elle le ramadan et faisait-elle ses prières comme toute bonne musulmane ? Et, à voix plus basse, comme si elle n'avait pas eu d'oreilles ou n'avait pas été là, elles demandaient si elle était pure et son hymen intact. À toutes ces questions, Aïcha répondait oui en les regardant droit dans les yeux, tandis que Mariata rougissait jusqu'à la racine des cheveux, rêvait de se débarrasser de sa robe d'emprunt et de les flanquer toutes dehors à coups de bâton en poussant des cris de guerre touaregs. Mais pour le bien de son enfant, elle supportait la honte et réprimait sa fureur. Aux jeunes gens de venir, maintenant.

Quelques jours plus tard arriva le premier prétendant – Hassan Boufouss –, attifé de sa robe et de sa calotte blanches d'ordinaire réservées pour la mosquée, accompagné de ses deux grands-mères, de son père et de ses trois sœurs. Les grands yeux de Hassan, lugubre et paniqué, erraient sur les murs plâtrés du salon, les étagères couvertes d'assiettes et de bibelots, le tapis de couleurs, les moucharabiehs des fenêtres, et revenaient constamment à la porte ouverte comme s'il allait partir en courant dans la seconde.

Aïcha fit passer Mariata devant elle. Le foulard de la jeune Touareg était de travers et elle avait les joues rouges, comme si elles en étaient venues aux mains avant d'entrer. Elle jeta un regard méprisant sur la petite assemblée et se tourna vers Aïcha.

— Qui sont tous ces gens ? dit-elle en croisant les bras sur la poitrine. Je ne ferai pas ça avec tout ce monde qui me fixe des yeux.

Les plus âgées échangèrent un regard.

— Excusez-la, elle est timide et n'a pas l'habitude de nos façons de faire, expliqua Aïcha en la poussant dans le dos.

— Je ne suis pas timide ! s'exclama Mariata, qui arracha le foulard et découvrit ses nattes tribales.

Choquée, l'assistance l'observa en silence un moment. Puis l'une des grands-mères empoigna Hassan par le bras.

— Elle n'a aucune pudeur, celle-là, déclara-t-elle en le faisant se relever.

Mariata sourit et s'écarta pour les laisser passer. Hassan sortit de la maison en suivant sa grand-mère comme un veau, bien que son regard se posât un instant avec étonnement sur la jeune Touareg, comme si elle lui avait donné un aperçu d'un monde interdit dont il serait à jamais exclu.

Le lendemain, nullement découragés par les rumeurs concernant l'attitude fâcheuse de Mariata, arrivèrent Bachir Ben Hamdou et ses parents. Bachir n'avait rien à voir avec son cousin Hassan. Mariata fut choquée par l'indécence de sa tenue. Non seulement il avait le visage découvert comme tous les hommes d'ici, mais son pantalon, qui, parmi les siens, aurait normalement été porté sous la djellaba, était moulant au point de révéler tous les détails de son anatomie. Pendant que, sous le portrait du roi Hassan II, il la saluait, elle dardait sur lui un regard impassible, soigneusement dirigé vers un point situé entre son menton et sa ceinture. Il se présenta, lui dit qu'il était enchanté de faire sa connaissance et espérait bientôt apprendre à la connaître. Aucun clin d'œil ni autre geste salace n'accompagna ces dernières paroles, mais quand il lui toucha la main, elle sentit sa paume chaude et humide de sueur et se figea, dégoûtée.

Aïcha se montra enchantée.

— Ça s'est très bien passé, déclara-t-elle après son départ. Je crois qu'il va faire une offre.

— Une offre ? Pour moi ? Je suis une chamelle à vendre ou quoi ?

Aïcha lâcha un rire sans joie.

— Malheureusement pas aussi utile.

Un jour, un homme frappa à la porte. Il n'y avait personne à la maison en dehors de Mariata et de Mama Erquia, qui dormait. Mariata jeta un coup d'œil par la grille de la fenêtre près de la porte d'entrée. Un petit râblé vêtu d'une djellaba marron râpée, d'un tablier taché de sang et coiffé d'un chapeau en tricot enfoncé sur les oreilles attendait dehors. Ses manches, trop courtes d'une dizaine de centimètres, laissaient à découvert de gros avant-bras velus ; ses mains étaient sales. Mariata lança à travers la grille :

— Qui êtes-vous et que voulez-vous ?

— Je m'appelle Mbarek Aït Ali et j'ai une affaire à traiter avec la dame de la maison, répondit l'individu d'un ton bourru.

— Aïcha Saari n'est pas là pour l'instant, mais elle va revenir, lui dit Mariata avec brusquerie, espérant qu'il s'en aille.

L'inconnu dégageait une forte odeur animale. Elle fronça le nez.

— Je vais l'attendre.

— Faites ce que vous voulez, rétorqua sèchement Mariata.

L'homme pencha la tête.

— À qui ai-je le plaisir de parler ? demanda-t-il avec un accent grossier qui rendait sarcastique la politesse de l'expression.

— Je suis Mariata oult Yemma des Kel Taïtok, répondit celle-ci en se redressant.

L'individu s'approcha et colla son œil à la grille. Outragée, Mariata recula d'un pas.

— Je vois qu'ils ne mentent pas, dit-il au bout d'un moment avant de s'en aller en riant.

Au retour d'Aïcha, Mariata lui annonça :

— Quelqu'un est venu te voir, un certain Mbarek Aït Ali.

Aïcha eut l'air surprise.

331

— Mais il savait que je n'étais pas là : je suis passée devant son échoppe en bordure du souk il y a une heure et il m'a demandé comment allait Mama Erquia. Tu l'as laissé entrer ? demanda-t-elle d'un ton inquisiteur.

— Il sentait mauvais et il portait un tablier couvert de sang. Bien sûr que non, je ne l'ai pas laissé entrer.

Un peu plus tard, on frappa de nouveau à la porte et Aïcha s'empressa d'aller voir de quoi il s'agissait. Curieuse, Mariata se glissa dans la pièce voisine pour voir qui cela pouvait être. C'était un homme dont elle crut reconnaître la voix grave.

— Mariata m'a dit que vous étiez passé, dit Aïcha après l'échange des salutations d'usage.

— Oui. Je suis venu vous faire une proposition, répondit le visiteur, apparemment très content de lui.

— Une proposition ?

— Une proposition importante.

— Vous êtes sûr que ce n'est pas mon mari que vous voulez voir ?

— Je crois que ce sont les femmes de la maison qui négocient en général ce genre d'affaires. Malheureusement, je n'ai pas d'intermédiaire féminin à qui je puisse demander d'agir en mon nom puisque ma mère est morte.

— Bon, en ce cas, mieux vaut peut-être que vous entriez, dit Aïcha, perplexe.

Mais après avoir jeté un coup d'œil à ses chaussures sales et à sa djellaba élimée, elle le fit entrer dans la réserve et non dans le salon, Mariata suivant à bonne distance. Mbarek promena un regard sardonique autour de la pièce miteuse.

— C'est toujours ici que vous discutez de mariage, madame Saari ? demanda-t-il, amusé.

— De mariage ? répéta Aïcha, surprise. Je pensais que vous étiez venu me vendre de la viande.

À son poste d'écoute, Mariata en eut le souffle coupé. Un boucher ? Un boucher avait le culot de venir demander en mariage une princesse descendant de Tin Hinan ? L'image de l'homme à cou de taureau en tablier souillé lui revint à l'esprit et elle éclata de rire. Le bruit alerta Aïcha.

— Un instant, dit-elle au boucher. Passez au salon, je vais vous apporter du thé.

Dans la cuisine, elle surprit Mariata en train d'essayer de s'échapper dans la cour.

— Viens avec moi, lui ordonna-t-elle avec sévérité. Et sois aimable.

— Tu crois que je vais me montrer aimable avec un tel homme ? Un vulgaire boucher, avec du sang d'animaux sur les mains et du sang d'esclaves dans les veines ?

L'indignation excitait sa fierté aristocratique touareg.

— Nécessité fait loi ! rétorqua Aïcha d'un ton tranchant. Va chercher un foulard pour cacher tes satanées queues de rat !

— Je me rends compte que cela ne se fait pas pour un homme de venir dans une maison de femmes et de faire lui-même sa demande en mariage, dit le boucher en vidant d'un trait et à grand bruit son verre de thé à la menthe, mais je n'ai pas de parentes à qui demander de traiter des affaires si délicates. Vous devez excuser la simplicité de ma mise et de mes paroles. J'aime mener moi-même toutes mes affaires et de manière aussi directe.

Il reposa le verre à thé sur le plateau et se pencha en avant, les mains jointes. Mariata ne put s'empêcher de remarquer le sang séché sous ses ongles. Du moins a-t-il retiré son tablier taché avant d'entrer, se dit-elle avec mépris en le voyant roulé en boule entre ses pieds nus couverts de poussière – pieds qui paraissaient énormes, monstrueux, les ongles jaunes, sur les couleurs délicates du beau tapis.

— Dans l'esprit d'une affaire honorable, je suis venu te faire une belle offre pour la fille, reprit-il en montrant Mariata de la tête, mais sans quitter Aïcha des yeux. C'est une nomade, je sais, mais ça ne me dérange pas. Je suis sûr que je peux la civiliser. Même si je suis certain que tu as déjà fait du bon travail, ajouta-t-il avec un geste d'excuse.

— Une offre pour la fille ? répéta Aïcha, un peu effrayée.

— J'ai besoin d'une deuxième épouse.

— Une deuxième épouse ?

— La première est malade et elle est devenue trop grosse pour courir après les enfants...

— Tu ferais peut-être mieux d'engager une domestique que de chercher une autre épouse, remarqua Aïcha d'un ton acide.

— Oh, je le ferais si un homme n'avait pas certains... besoins. De plus, nous n'avons que des filles et il va me falloir des garçons pour tenir la boucherie.

Mbarek regarda franchement Mariata et passa la langue sur ses lèvres.

— Je ne voudrais pas être la seconde épouse d'un roi, sans parler d'un boucher ! s'exclama celle-ci, répugnée par ces épaisses lèvres, qui luisaient maintenant comme des boyaux.

Aïcha lui lança un regard furieux, mais le boucher se contenta de rire.

— Inutile de la réprimander. J'aime les femmes d'esprit. Je paierai une belle somme pour celle-là.

Et, ouvertement, sans vergogne, il mentionna un chiffre qui laissa Aïcha bouche bée.

— Bonté divine, murmura-t-elle enfin, à court de mots.

Mariata en profita.

— Vous ne pouvez épouser une princesse des Kel Taïtok, dit-elle d'un ton cinglant. Je vous suggère d'aller au marché aux bestiaux et d'acheter une belle brebis bien grasse pour satisfaire vos... besoins.

Avant de s'emparer prestement du plateau à thé et de sortir de la pièce d'un pas énergique, elle eut la satisfaction de voir sa trogne passer du brun à une teinte rouge malsaine.

La semaine suivante amena Omar Agueram et ses sœurs. Omar était un homme agréable, grand et suffisamment bien fait de sa personne pour rappeler un peu Amastan à Mariata. Lorsqu'il lui sourit, elle éclata en sanglots, surprenant tout le monde, elle y compris. Les sœurs s'empressèrent autour d'elle, lui tamponnèrent les yeux délicatement en lui tapotant l'épaule. Quand le calme fut revenu, Omar reprit la parole :

— J'ai une petite menuiserie, expliqua-t-il. Près du mur de la kasbah. J'en ai hérité de mon père, qui est mort l'an dernier. Depuis, j'ai travaillé dur pour récupérer les clients ; il était malade depuis longtemps et avait pris du retard dans ses commandes. Je n'ai donc pas eu le temps de penser à moi. Mais maintenant, l'affaire tourne bien, très bien même. J'ai plus de travail que je n'en puis accomplir et je viens d'engager deux compagnons. Je suis prêt à avoir une vie stable et à prendre femme. Et j'aimerais avoir des enfants, beaucoup d'enfants.

Mariata sentit ses yeux s'emplir de larmes à nouveau. Dans sa situation, une autre aurait très bien pu fixer son choix sur cet homme gentil et la vie qu'il avait à lui offrir, mais ses rêves en lambeaux la hantaient toujours. Ravalant ses larmes, elle se rappela son héritage Kel Taïtok et prit son attitude la plus hautaine.

— Je préfère élever des chèvres, dit-elle froidement.

Omar parut décontenancé, mais c'était une nomade et la manière de vivre des nomades n'était pas la même, et il fit donc une nouvelle tentative. L'air sérieux, il se pencha en avant et dit :

— Nous pourrons avoir des chèvres, si tu veux, et nous penserons aux enfants plus tard.

Il était trop gentil. Craignant de céder et d'accepter son offre, Mariata se précipita hors de la pièce.

Les semaines passaient et, alors même que les bruits qui couraient sur la « princesse touareg » étaient rien moins qu'engageants, un à un, les prétendants continuaient de se rendre chez les Saari. Il y eut un petit mécano rondouillard aux doigts tachés de nicotine, un maître d'école âgé dont la femme était morte, un conducteur de car aux joues creuses et à la moustache grisonnante. On faisait défiler Mariata devant eux comme une jument de concours, mais même si elle réussissait à garder sa langue et à rester polie, son œil était insolent et les accompagnatrices qui avaient le regard le plus aiguisé ne tardèrent pas à distinguer un renflement même sous la robe la plus ample. Aïcha fut bientôt hors d'elle. Un matin, elle coinça Mariata dans la cour.

— Il faut que tu te maries ! Tu ne peux porter un enfant sans avoir un mari dans cette ville !

— J'ai un mari, répondit Mariata d'un ton morne.

— Il est mort ! Mort, mort, mort ! dit Aïcha en ponctuant chacun de ses mots d'une poussée de son ongle verni dans la poitrine de plus en plus généreuse de sa bru. Il est mort et enterré, et il ne reviendra pas ! Mets-toi bien ça dans ta petite tête.

Mariata revoyait sans cesse Amastan tomber sans vie dans la poussière, la tache noire qui s'élargissait sur le devant de sa robe de marié. Sa perte et celle de leur avenir commun la fouettaient comme le vent du désert le plus glacial.

— Il est peut-être mort, reconnut-elle sombrement, mortifiée de l'admettre devant Aïcha, mais c'est son enfant et je ne laisserai aucun autre homme le revendiquer comme sien.

— Si tu donnes naissance à un bâtard, cela fera honte à tout le quartier ! s'écria Aïcha d'une voix perçante.

— On en parlera jusqu'à Ouarzazate ! ajouta Mama Erquia en grimaçant horriblement.

— Laisse-moi te dire que si tu ne prends pas un mari, je serai obligée de te jeter à la rue et de proclamer que n'importe quel homme de la ville pourra faire de toi sa putain, renchérit Aïcha en agitant un doigt menaçant sous le nez de Mariata.

— Mon père ne te laissera pas me traiter ainsi.

— Ousmane ? Il fera ce qu'il y a de mieux pour sa famille. Comment son affaire prospérerait-elle ou ses fils trouveraient-ils des épouses convenables si chacun sait que tu es une putain ? Écoute-moi bien : si tu as ce bébé, je te l'enlèverai quand tu seras encore toute faible dans ton lit d'accouchée et je le tuerai de mes propres mains. Je lui tordrai le cou aussi facilement que celui d'un poulet et je porterai son petit corps puant à l'abattoir, où les chiens errants attendent des os à ronger.

Si grotesque qu'elle fût, de toutes les menaces proférées par Aïcha, celle-ci semblait la plus sérieuse à Mariata. Elle ferma les yeux.

— Je prendrai Omar, s'entendit-elle dire faiblement. Je prendrai le menuisier, Omar Agueram.

La vieille grand-mère lui jeta un regard en coin, puis caqueta :

— Tu peux mettre tes souhaits dans une main et ta merde dans l'autre. Voyons laquelle se remplit le plus vite.

La nouvelle qui leur parvint n'était pas bonne : Omar, sur les instances de sa famille, qui avait entendu les rumeurs sur l'état dans lequel se trouvait Mariata, s'était rétracté. Il envoya son oncle présenter des excuses à Ousmane. « Omar regrette beaucoup d'avoir placé la jeune demoiselle dans une fausse position, mais il semble finalement qu'il ne soit pas à même de se marier en ce moment. » Sans plus de manières, il serra la main d'Ousmane, tourna les talons et s'en alla.

Aïcha, qui avait écouté à la porte, écumait de rage. Pour finir, incapable de supporter ses larmes, sa colère et sa voix perçante, Ousmane renonça au droit de choisir qu'avait sa fille. Le lendemain, Aïcha la vendit au boucher.

27

Cette nuit-là, Mariata rêva.

Elle rêva d'une autre femme, qui vivait à une autre époque. Même de profil, elle était grande et imposante, avec son nez aquilin et son air impérieux. Elle était vêtue d'une grande robe sombre, mais avait la tête nue ; ses longues nattes noires tombaient dans son dos jusqu'à la taille. Des boucles d'oreilles en émeraude pendaient à ses lobes. Neuf bracelets en or ornaient l'un de ses bras minces, huit en argent, l'autre. Elle portait autour du cou et de la taille de longs rangs de perles de cornaline, d'agate et d'amazonite. Quand elle se tourna, le regard vif de ses yeux noirs, saisissant sur la pâleur lumineuse de sa peau, transperça Mariata.

« On a tenté de me vendre moi aussi, dit-elle en tamazight avec un drôle d'accent mélodieux, mais clairement reconnaissable : c'était bien la langue des Gens du Voile. On a essayé de me marier contre mon gré. À un fils du gouverneur romain, tu te rends compte ? On voulait que j'accueille un étranger dans mon lit : ce serait un honneur pour notre famille de s'allier avec les Romains, disaient-ils. S'allier avec les oppresseurs ! »

Elle releva le menton et ses cheveux noirs ondoyèrent comme des serpents.

« J'ai refusé, ils m'ont punie. Ils m'ont enfermée jusqu'à ce que je cède. J'ai donné l'impression qu'ils m'avaient eue à l'usure, qu'ils avaient gagné la bataille.

— Qu'as-tu fait ? » demanda Mariata.

Mais elle connaissait déjà la réponse.

Le visage de l'inconnue s'estompait par moments avant de redevenir distinct. Le front était soudain plus prononcé et les traits de sa mère se superposaient à ceux de la femme, puis le nez et le menton s'allongeaient, des rides creusaient la peau et c'était sa grand-mère, avec son nez en bec d'aigle et ses yeux perçants, qui apparaissait. Les traits d'autres femmes venaient successivement se fondre au visage de l'inconnue, de plus en plus vite, des jeunes et des vieilles, pourtant certaines constantes demeuraient : les yeux au regard impérieux, le front volontaire, le nez aquilin, qui caractérisaient aussi Mariata.

« Je suis partie d'Imteghren, dit Tin Hinan. J'ai marché dans des régions sauvages. J'ai traversé les champs, la savane et le désert jusqu'à arriver aux montagnes. Il m'a fallu des mois, mais j'y suis arrivée, et sur les contreforts du grand Hoggar, j'ai dressé ma tente. Et là où je me suis arrêtée, j'ai fondé un peuple : les Amazighs, les Gens Libres, ton peuple. Notre peuple. Reste libre, Mariata : ne les laisse pas te vendre et conclure un mariage honteux, ne mets pas ton enfant entre leurs mains. Sois fière, sois forte. Tu es ma parente, tu es de mon sang. Je vis en toi, tu me portes en toi, comme toutes les femmes de notre lignée, tu as en toi mes paroles, ma force. Il est temps pour toi de suivre mes traces, d'effectuer le voyage que j'ai fait jadis. Ce sera plus difficile pour toi, maintenant. Le désert a amplement déployé sa robe et l'enfant que tu portes sera souvent plus un fardeau qu'une bénédiction. Mais je serai avec toi à chaque pas. »

Les paroles de Tin Hinan hantaient Mariata, ne lui laissant aucun répit. Comme si elle avait eu sur le dos une grand-mère lui rappelant constamment sa situation désastreuse et la poussant à agir. En vérité, Mariata n'avait pas besoin d'aiguillon. Elle savait qu'il lui fallait quitter la maison Saari, Imteghren et le monde civilisé, et cela avant qu'on ne la marie au boucher. Son instinct la poussait à plier son maigre bagage et à s'en aller de bon matin avant que la famille ne se réveille, mais elle savait que c'était voué à l'échec. Elle avait déjà commis cette erreur une fois et elle ne la répéterait pas. Cette fois-ci, elle aurait recours à la ruse, elle se préparerait avec soin.

Sa décision, ferme et rassurante, telle une jumelle invisible de l'amulette d'Amastan, la protégeait de l'horreur de l'avenir qui l'attendait avec le boucher, de même que l'amulette écartait les influences néfastes de l'univers.

La date du mariage fut fixée et là, Mariata eut droit à une petite faveur du destin, car les cousines du boucher devaient venir de Casablanca et sa tante, de Marseille. Elle ne voulait pas prendre l'avion – ce n'était pas un moyen de transport naturel – et la traversée en bateau était longue. Furieuse, Aïcha tenta de convaincre le boucher de célébrer d'abord le mariage proprement dit, puis de le fêter avec les familles, mais il fut surpris et outré par cette suggestion.

— Pourquoi proposes-tu cela ? demanda-t-il en la perçant du regard. Y a-t-il une raison à cette hâte ?

Aïcha lui assura que non, si ce n'est qu'il faisait beau en cette période de l'année et que cela conviendrait mieux à ses parentes, surtout la plus âgée, dont l'organisme risquait de mal supporter la chute brutale des températures nocturnes le mois suivant. Elle alla ensuite au souk d'un pas énergique pour tenter de trouver du coton mexicain[5]. Le vieil herboriste fit semblant de ne pas comprendre et essaya de lui vendre des peaux de serpent pour prévenir les maladies, du caméléon séché et des pattes de lézard pour écarter le mauvais œil, de la bardane et du colchique d'automne. Quand elle insista pour avoir du coton mexicain, il l'envoya promener avec colère en disant :

— De telles choses sont contraires à la volonté divine !

Pour sa part, chaque fois qu'elle avait la possibilité de se rendre au souk, Mariata allait voir des voyageurs au fondouk et leur expliquait que ses frères s'apprêtaient à traverser le désert, qu'elle s'inquiétait pour eux, et elle écoutait attentivement leurs

---

5. Un abortif. (N.d.T.)

histoires de puits ensablés et de chameaux malades, de tempêtes et de sables mouvants. Une autre qu'elle se serait laissé démonter par ces récits dramatiques, mais Mariata était farouchement déterminée, persuadée que bon sang ne pouvait mentir, et ne cessait de poser des questions. De l'un, elle apprenait où chercher un chameau de monte, d'un autre, le prix à payer pour un animal de qualité. Cette somme dépassait de beaucoup celle sur laquelle elle pouvait mettre la main, mais elle ne renonça pas pour autant. La chance finirait bien par lui sourire. Elle passait d'un chameau à un autre, les inspectait sous toutes les coutures, les comparait et, un jour, un homme s'approcha d'elle pendant qu'elle en examinait un.

— Elle te plaît ? demanda-t-il.

— Elle semble... bien.

— Elle a un sale caractère et déteste les humains. Elle a un blatèrement abominable, une morsure terrible et elle n'obéit pas ou presque. Bref, elle est pareille à toutes les femmes que j'ai connues.

Mariata éclata de rire.

— Elle me fait l'effet d'être un bel animal indépendant.

Il y eut un silence, puis le marchand dit :

— Je t'ai déjà vue au fondouk. Pourquoi viens-tu ici ?

Mariata débita son explication habituelle mais son interlocuteur parut sceptique.

— Tu dois les aimer profondément.

— Oui, répondit Mariata.

Se sentant rougir, elle s'empressa de broder sur son histoire, ajoutant que ses frères auraient peut-être besoin d'un autre chameau de monte, mais elle se rendit bien compte au milieu de son interminable récit que le vieux marchand n'était pas dupe. Il la transperça du regard.

— Ne fais pas cela, dit-il.

Mariata recula d'un pas.

— Ne fais pas quoi ?

— Ce que je vois dans tes yeux.

— Que vois-tu dans mes yeux ?

— Le désert.

— Je... oh...

Elle voulut s'en aller, mais il lui toucha le bras.

— Pardonne-moi, dit-il. Trop de temps passé dans des espaces vides ont aiguisé mes sens. Avec ce teint et ces yeux, tu dois être une Kel Taïtok, non ? Il est rare de voir quelqu'un d'une telle lignée par ici.

Mariata eut la surprise de le voir remonter davantage son turban sur son visage. C'était un geste de grand respect, comme elle n'en avait pas vu depuis longtemps.

— Je pars vers le nord et je n'ai plus besoin de cette chamelle ni de mon harnachement pour le désert. Prends-les avec ma bénédiction.

Elle le regarda, à court de mots.

— Je ne peux pas simplement... les prendre, dit-elle enfin.

— Réfléchis jusqu'à demain. Je serai encore ici.

Mariata rentra à la hâte chez les Saari, en proie à une terreur qui n'avait d'égal que son excitation. Était-ce le miracle qu'elle avait espéré ou bien était-ce trop beau pour être vrai ? Mais à son arrivée, elle constata que la main du destin était de nouveau intervenue. Mama Erquia était subitement tombée gravement malade et devait être emmenée à l'hôpital de Meknès. Aïcha courait en tous sens dans la maison.

— Ah, te voilà ! s'exclama avec colère sa belle-mère. Prépare tes affaires et en vitesse !

Mariata la regarda fixement.

— Moi ?

— Nous en profiterons pour choisir ta robe de mariage.

C'était bien la dernière chose que voulait Mariata, mais elle s'efforça de ne pas trop trahir son affolement.

— Non, non, dit-elle. Meknès est une grande ville, j'ai peur d'aller là-bas. Et pour ma robe, vous saurez mieux vous y prendre, Hafida et toi.

Elle attendit sa réaction, le cœur battant.

— Tu as raison, déclara finalement Aïcha. Il faut que tu restes ici et fasses la cuisine pour les hommes : le déjeuner et le repas du soir quand ils ferment le magasin. Nous serons de retour dans une semaine, *inch'Allah*. Mama Erquia ne serait pas contente de ne pas assister au mariage.

Elles partirent le lendemain matin avec le premier car pour Meknès, la vieille Mama Erquia emmitouflée dans des couvertures, et les hommes s'en allèrent peu après ouvrir leur épicerie, laissant Mariata seule à la maison pour la première fois. Le silence semblait étrangement oppressant, comme si quelque chose attendait son heure pour jaillir des pièces vides afin d'empêcher sa fuite. Elle s'empressa de rassembler les affaires dont elle avait besoin, en particulier une liasse de billets qu'elle avait trouvée un jour roulée dans un vase en époussetant une étagère du salon. La liasse avait diminué depuis et elle en conclut qu'Aïcha avait pris de l'argent pour aller en ville, mais la somme qui restait était encore assez importante. Elle fourra les billets dans le sac à franges que lui avait fait Tana ; il contenait une petite dague, dont le manche était gravé de symboles tifinagh, une pierre à aiguiser, deux silex, une pelote de ficelle, trois bougies, plusieurs petits sachets d'herbes médicinales, une croix d'Agadez, un cylindre métallique brillant dont elle ne connaissait pas l'usage et le petit bout de la robe de mariage indigo d'Amastan, couvert de son sang.

Elle arriva à l'épicerie juste avant midi, vêtue comme à son habitude. Azaz et Baye jouaient aux cartes, assis sur le trottoir. À l'intérieur, sous l'œil de trois ou quatre clients manifestement pas pressés de ressortir dans la canicule, Ousmane et Brahim, son beau-père, étaient en train de verser le riz d'un sac dans un tonneau à l'épreuve des rats. Tous la regardèrent avec curiosité lorsqu'elle apparut à brûle-pourpoint, un tajine entre les mains et un sachet de tigelliouin sous le bras. Elle leur fit un sourire, déposa le pain non levé et le tajine sur le comptoir, puis en ôta le couvercle avec un grand geste. Un fumet d'agneau et d'épices enveloppa immédiatement ceux qui se trouvaient à portée ; tous les clients tendirent le cou et le humèrent avec un plaisir évident. Ousmane regarda sa fille avec étonnement.

— Il semble que tu aies gardé tes lumières sous le boisseau, Mariata. À moins que tu ne te sois jusqu'ici jouée de ta belle-mère ? ajouta-t-il.

Mariata ouvrit de grands yeux innocents, image de la piété filiale, puis rentra à la maison en courant, assurée que personne n'allait avoir besoin d'elle pendant un certain temps. Elle se changea, prit son attirail de voyage et s'enveloppa la tête d'un voile pour dissimuler son identité. Le cœur battant, elle traversa le dédale de ruelles qui menaient au fondouk. Et si le marchand et sa chamelle étaient partis ? S'il avait dit des paroles en l'air ?

De fait, quand elle arriva au caravansérail à toit de roseaux, il n'y avait aucun signe de la présence de son interlocuteur de la veille. Elle parcourut les lieux, hébétée, et examina tour à tour tous ces hommes qui faisaient la sieste, couchés par terre, cherchant à se rappeler ce qui rendait l'apparence du marchand si caractéristique. Elle ne connaissait même pas son nom…

— Fille du Hoggar, tu es à ma recherche ?

Elle était si soulagée que ses jambes manquèrent se dérober sous elle. Il était là, grand et droit malgré son âge, embrassant d'un regard entendu son épaisse robe de voyage, ses sandales solides et le sac à franges qu'elle portait en bandoulière.

— Je suis venue te prendre au mot, dit-elle.

Sans tenir compte de sa hâte à partir, l'homme la fit asseoir dans un coin tranquille du fondouk où ils ne risquaient pas d'être entendus. Il fit bouillir de l'eau sur un petit brasero et prépara lentement, méticuleusement, avec tout le cérémonial touareg, une petite théière en argent de thé terghele, tandis que Mariata trépignait d'impatience. Enfin, arrivé au deuxième verre, il dit solennellement :

344

— Si je te laisse ma Moushi, ce sera un prêt.

— Tu as dit que c'était un cadeau ! s'insurgea Mariata, outrée.

— As-tu pensé au trajet que tu vas suivre en partant d'ici ? Sais-tu où sont les puits cachés et où tu trouveras assez de pâturages pour maintenir ma chamelle en vie ? La route est longue jusqu'à ta patrie ancestrale, plus de mille cinq cents kilomètres à vol d'oiseau, et tu n'es pas un oiseau. Le territoire que tu vas traverser est l'un des plus inhospitaliers au monde. Moushi n'est pas jeune et elle a déjà supporté beaucoup d'épreuves ; je ne voudrais pas qu'elle meure en chemin.

— Tu sembles plus préoccupé du bien-être de ta chamelle que du mien.

Le vieux marchand parut froissé.

— Elle et moi avons vécu cinq bonnes années ensemble et je l'aime beaucoup ; j'ai passé plus de temps en sa compagnie qu'avec ma femme. Et puis, elle ne réplique pas, ajouta-t-il après un silence.

Mariata lui rappela la description peu favorable qu'il lui avait faite la veille de sa chamelle. Il réfléchit un bon moment.

— C'est vrai que j'ai dit cela. Nous venons d'achever un voyage éprouvant et elle s'est montrée… récalcitrante. Je crois pourtant m'être mal exprimé. Maintenant que je crains de la perdre, cela me rappelle ses bonnes qualités…

Mariata lui lança un regard furieux.

— Je sais ce que tu es en train de faire ! s'exclama-t-elle. Tu m'incites à croire une chose, puis tu imagines un problème de façon à augmenter le prix, exactement comme tous les gens perfides d'ici.

Mariata venait d'en faire l'expérience : en effet, le voisin qui avait préparé le tajine à sa place avait fini par en doubler le prix. Le marchand ne sembla pas s'offusquer et se borna à continuer avec douceur :

— En outre, depuis que nous sommes ici, elle semble avoir conçu un tendre attachement pour deux autres chameaux du fondouk et ce serait cruel de les séparer.

Cela défiait l'entendement. Mariata se releva précipitamment en passant la main sous sa robe. L'instant d'après, elle avait posé entre eux la liasse de billets.

— Tiens ! Prends ça pour ton affreuse bête mangée aux mites et mal lunée !

Le vieil homme secoua les épaules et un soupir s'échappa de son taguelmoust.

— Attends-moi ici, dit-il sans esquisser le moindre geste pour prendre l'argent.

Une demi-heure passa. Mariata faisait les cent pas. Quarante minutes s'étaient maintenant écoulées. Elle regarda le soleil descendre peu à peu à travers le toit de roseaux, les bandes d'ombre s'allonger dans la cour comme des chats tigrés qui s'étirent. Elle sortit du fondouk et jeta un coup d'œil dans les rues avoisinantes, mais ni le marchand ni les chameaux n'étaient en vue. Elle retourna à l'intérieur, s'assit de nouveau et attendit, soucieuse. Sans doute était-il parti, gêné d'avoir changé d'avis et honteux de ne pas avoir tenu parole. Ou, ce qui était plus probable, il n'avait jamais parlé sérieusement. La tristesse s'empara d'elle, sapa sa détermination. La perspective de retourner passer encore une nuit dans la maison en faisant comme si de rien n'était lui répugnait, mais bientôt elle n'aurait plus d'autre choix que de reconnaître son échec, retourner chez les Saari, cacher ses affaires de voyage et, incapable de préparer un dîner à la hauteur de son tour de force de midi, croiser les regards soupçonneux des siens. Puis le lendemain il lui faudrait rassembler à nouveau tout son courage, retourner au souk pour trouver, marchander et acheter un autre dromadaire, s'équiper à nouveau pour le voyage et repartir encore une fois. Elle soupira et se releva. À cet instant précis, l'homme apparut à l'entrée du caravansérail. Sans se soucier d'attirer l'attention sur elle, Mariata traversa le fondouk en courant pour aller à sa rencontre.

— Je croyais que tu étais parti… commença-t-elle.

Le marchand posa le doigt sur l'étoffe qui lui couvrait la bouche et lui fit signe de le suivre.

Elle ne trouva pas un, ni même deux, mais trois dromadaires : Moushi, un autre animal de belle apparence et un mauritanien d'allure miteuse. D'un claquement de langue, le marchand fit agenouiller les deux dromadaires de tête, monta sur celui qu'il appelait Moushi et attendit, dans l'expectative. Mariata le fixa du regard.

— Que fais-tu ? demanda-t-elle.

— Moushi refusera d'aller dans le désert sans moi et ses deux amoureux. Il semble donc que tu vas avoir de la compagnie au cours de ton voyage.

Ce n'était pas du tout ce qu'elle avait prévu et elle ne comprenait pas pour quelle raison il s'offrait à l'accompagner. Ce ne pouvait être pour la dévaliser, puisqu'il avait dédaigné l'argent qu'elle lui donnait. Allait-il la vendre à des négriers ou, pire, à des Français ? Il était facile d'imaginer les possibilités les plus affreuses.

— Pourquoi fais-tu cela ? demanda-t-elle en le regardant avec attention.

— Si tu passes le reste de la journée à poser des questions, peut-être vais-je reconsidérer ma décision.

Mais Mariata ne désarma pas, le menton levé avec pugnacité.

— J'ai besoin de connaître tes raisons.

Le marchand ne répondit pas, mais ses yeux se baissèrent éloquemment vers le ventre de Mariata.

— Je ne suis pas expert en questions féminines, mais traverser seule le désert dans ton… état… aurait sans aucun doute pour résultat de faire non pas une, mais deux victimes.

Mariata rougit.

— Je vois que tu as un regard d'aigle.

Elle se mordit la lèvre, tiraillée entre sa fierté et la nécessité. Elle dit enfin :

— Mon père s'est remarié avec une femme sédentaire ; depuis, elle essaie de se débarrasser d'une bru enceinte gênante. Elle a finalement réussi à me vendre à un boucher.

Le vieux marchand fit la moue.

— Et ton père permet cela ?

— Il est l'esclave de sa nouvelle femme.

— Ils vont se lancer à ta poursuite ?

Mariata n'avait même pas envisagé cette possibilité. Aïcha serait enchantée de sa disparition, aussi son père ne partirait sans doute pas à sa recherche. Mais le boucher ? La fuite de sa future épouse allait le faire passer pour un imbécile et elle ne pouvait imaginer qu'il prendrait ça à la légère.

— Il se peut que quelqu'un le fasse.

L'homme réfléchit un moment, puis hocha la tête.

— Les femmes de notre peuple sont fières et intrépides, mais même pour Tin Hinan, le voyage serait pénible et présenterait de multiples dangers. Une mauvaise querelle frontalière a éclaté entre le Maroc et l'Algérie ; ils appellent ça la guerre des Sables. Il va te falloir connaître le meilleur point de passage entre les deux territoires si tu veux éviter les soldats et, à mon avis, mieux vaut toujours les éviter, surtout si on est une femme qui voyage seule. Malheureusement, ils ne sont pas simplement cantonnés dans la région frontalière ; on rencontre leurs véhicules sur toutes les principales routes menant à Tindouf. Il est nécessaire de connaître les routes les moins fréquentées et les puits cachés si l'on veut se déplacer sans trop d'encombres.

Mariata digéra sans mot dire ces informations et se souvint d'avoir entendu parler du conflit ces dernières semaines sans y prêter attention.

— C'est beaucoup demander à quelqu'un qui vient d'achever une longue traversée du désert, de repartir là-bas accompagner une femme qu'il ne connaît pas.

— Te laisser partir seule dans le Sah'ra pèserait sur ma conscience jusqu'à ce qu'Allah me rappelle à lui.

— Mais pourquoi fais-tu cela pour une inconnue ? insista Mariata.

Le vieil homme sourit.

— Les Gens du Voile ne forment qu'un seul peuple en dépit de leurs rivalités tribales séculaires. Et puis, si tu me disais ton nom et si je te disais le mien, nous ne serions plus des inconnus l'un pour l'autre. Je m'appelle Atisi ag Baye, des Kel Rela.

Les Kel Rela. D'aucuns les appelaient les Gens des Chèvres et les regardaient de haut à cause de leur modeste extraction. Mariata posa la paume sur son cœur.

— Je suis Mariata oult Yemma, fille de Tofenat, fille à la millième génération de la Mère de Nous Tous. Dans l'une des versions de l'histoire de mon ancêtre que j'ai entendues, Tin Hinan a effectué le trajet jusqu'au Hoggar avec sa servante Takama, dont descendent les Kel Rela. J'ai aussi entendu dire que l'histoire peut se répéter de manière inattendue. Et que la main du destin est aussi habile à faire des tours de passe-passe que n'importe quel magicien.

L'œil d'Atisi pétilla un instant. Puis il hocha la tête avec lenteur comme s'il méditait sur les mystères insondables de l'univers.

La nuit tombe vite dans le sud du Maroc. Une lumière écarlate chatoyante baigne chaque rocher, buisson et ondulation; l'instant d'après, l'œil torve du soleil cligne et le voilà parti, laissant un paysage morne et gris, lessivé de toutes ses couleurs.

Mariata se balançait doucement sur le dos de sa monture docile et ce mouvement inhabituel lui faisait mal aux reins; son coccyx était malmené par le ballot dur sur lequel elle était perchée, ses articulations blanches à force de s'agripper à la traverse de la selle en bois à l'ancienne mode. Devant elle, le grand Atisi ag Baye chevauchait bien droit et ne faisait qu'un avec son dromadaire et le reste du monde. Mais chaque fois que l'inconfort la gênait, elle se rappelait le triste sort auquel elle avait échappé à Imteghren et comme par miracle sa colonne vertébrale se redressait et la douleur disparaissait.

Ils avaient chevauché ainsi sans s'arrêter pendant cinq heures à travers les collines basses et sablonneuses, les palmeraies poussiéreuses et la maigre végétation du sud du plateau du Tafilalet. Puis ils étaient entrés dans une vallée par laquelle les caravanes étaient passées pendant mille ans sur leur chemin du désert à la mer. Le défilé creusé dans le calcaire était large et profond ; le clair de lune miroitait sur les poches d'eau au fond de la vallée. Ils passèrent devant des myriades de hameaux dont les lumières dorées ponctuaient les ténèbres et virent blottis sous les murs d'une kasbah en ruine un groupe d'hommes qui avaient allumé un petit brasero et préparaient leur repas. Le fumet en parvint à Mariata, lui rappelant qu'elle avait faim. Atisi salua à voix basse les inconnus, qui lui rendirent son salut et les regardèrent passer, scrutant avec intérêt l'ovale pâle du visage à découvert de Mariata, avant de se retourner vers leur tajine.

Elle entendit sa propre voix, plaintive comme l'appel d'une chouette :

— On ne pourrait pas se reposer un moment ?

Il y eut un long et lourd silence. Puis Atisi déclara :

— Les informations ont le chic de trouver ceux qui les cherchent et si tu ne veux pas qu'on te repère et retourner à Imteghren, tu dois mettre le plus de distance possible entre toi et le Tafilalet.

Lorsqu'ils dressèrent enfin le camp pour la nuit, Mariata eut du mal à s'endormir malgré son épuisement. Couchée sur le dos sur une couverture en poil de chameau grossière, elle contemplait le ciel. De là-haut, quelque part, Amastan la regardait et son esprit errait au loin dans le ciel noir. Elle scruta chaque amas d'étoiles pour tenter d'y découvrir un signe de sa présence, mais elles ne lui renvoyaient qu'un regard froid et impitoyable. Elle dut dormir un peu, car lorsqu'elle fut à nouveau consciente d'elle-même, les étoiles avaient changé de position et une partie du ciel pâlissait déjà. Non loin, les dromadaires s'ébrouaient et bougeaient ; comme s'il savait que le repos était fini et que le voyage devait continuer, l'un d'eux se leva pesamment à l'instant où le soleil montrait sa bordure dorée au-dessus de l'horizon.

Atisi la surprit en préparant une bouillie de flocons d'avoine sur un petit feu ; il lui en apporta un bol et s'éloigna. Même en voyage, il n'était pas convenable que les hommes et les femmes partagent un repas et se voient mutuellement en train de manger.

C'était bien meilleur qu'elle ne l'espérait, chaud et savoureux, fleurant bon le poivre, et elle mangea rapidement, l'appétit aiguisé par la fraîcheur de l'aube.

Des véhicules les dépassèrent de bon matin sur la route de Merzouga. C'étaient des camions peints en rouge et bleu, surchargés et ornés de gris-gris, fleurs en plastique et amulettes ainsi que de versets du Coran suspendus aux rétroviseurs, mais les chauffeurs regardaient le couple avec une curiosité inhabituelle et après que le troisième fut passé, Atisi dirigea les dromadaires hors de la route.

— Nous devons maintenant nous écarter du chemin classique. Il y a une oasis à Tahani. Nous allons y faire une halte jusqu'au coucher du soleil. Ce sera plus facile de franchir la frontière de nuit. Puis nous prendrons la direction de la *hamada* du Guir et laisserons les dromadaires paître jusqu'à demain. Et après… dit-il les mains écartées en un geste fataliste, nos vies seront entre les mains de Dieu.

Dans la chaleur de midi, Mariata oscillait au rythme du pas de son dromadaire, oublieuse de la monotonie des cours d'eau asséchés et des collines brûlées par le soleil à travers lesquels ils cheminaient. Le soleil lui tapait sans arrêt sur la tête, battait ses tempes. Sa nuque et son dos ruisselaient de sueur. Le poids croissant de son ventre tirait sur sa colonne vertébrale, mais malgré la douleur elle n'avait pas l'énergie nécessaire pour changer de position, comme si elle était enivrée, hypnotisée par le mouvement de l'animal. Ils ne virent personne, en dehors d'un berger qui surveillait des chèvres noires et maigres furetant à la recherche des derniers vestiges de végétation dans cet âpre paysage. Le bouc était efflanqué, l'air sauvage ; à leur passage, il fixa sur eux un regard torve, comme s'il savait que son troupeau était condamné à mourir de faim. Elle ne put s'empêcher de se demander si eux aussi ne l'étaient pas.

Courage, se dit-elle. Ce n'était que le début de leur périple, quelques petites heures sur les semaines qui les attendaient.

Serait-elle capable de survivre à un tel voyage, sur un terrain qui n'allait pas tarder à devenir bien plus difficile et hostile que les mornes étendues semées de pierres qu'ils avaient traversées jusque-là ? N'était-il pas dangereusement égoïste ne serait-ce que d'essayer ? Déjà le doute la tenaillait. Mariata toucha son amulette pour chasser ces pensées défaitistes ; au même moment, ils arrivèrent sur la crête d'une éminence rocheuse et les palmiers de Tahani apparurent au loin.

À l'ombre des arbres de l'oasis tandis qu'Atisi ag Baye, assis sur une butte, faisait le guet au cas où seraient apparus des bandits ou des soldats, Mariata somnolait. Et elle rêvait. Elle était de nouveau dans l'Adagh, le souffle rythmique de la brise qui agitait les feuilles des palmiers au-dessus d'elle se muait magiquement en un lointain battement de tambours et en chansons de noces. Elle n'était pas couchée sur le sol dur, roulée dans une couverture en poil de chameau qui sentait mauvais, mais sur un lit moelleux, sous sa tente nuptiale, où brûlait de l'encens parfumé, dans les bras de son mari ; elle respirait son odeur chaude, alors qu'ils étaient étendus, nus, l'un contre l'autre sous une couverture brodée de files de chameaux rouges d'aspect géométrique qui marchaient sur un fond d'or. À la lumière de la lanterne, elle voyait par-dessus l'épaule dorée d'Amastan que les fleurs stylisées cousues sur les bords du couvre-lit étaient semblables aux étoiles qu'elle avait entraperçues sur les carreaux de la mosquée de Tamanrasset et elle soupira de contentement. Était-il possible d'être plus heureux ? Elle ne le pensait pas. Ils étaient enfin mariés et, désormais, personne ne pourrait jamais les séparer : ils ne formaient qu'une seule chair, un homme et une femme réunis pour être chacun les yeux, les oreilles et le cœur de l'autre. Ils resteraient ensemble pour toujours, auraient une dizaine d'enfants et fonderaient une nouvelle dynastie, honorant ainsi le nom de Tin Hinan. Et avec leurs troupeaux et leurs chameaux, ils suivraient la route du sel jusqu'à la fin de leurs jours, d'une oasis à l'autre, libres de toute contrainte, laissant une empreinte légère sur la terre et ne faisant qu'un avec les esprits. La chaleur l'enveloppait et embrumait ses pensées. Elle se laissait aller avec bonheur, à demi consciente du battement des percussions au loin et de la régularité de la respiration d'Amastan, dont la poitrine se soulevait et s'abaissait en cadence avec la sienne.

Très longtemps après, elle perçut une voix. Amastan lui parlait, lui murmurait à l'oreille. Elle s'efforça de remonter à la surface de la conscience, traversant les lourdes vagues de sommeil qui l'avaient engloutie. Que disait-il ? Quelque chose d'important, d'essentiel… Elle s'évertua à mieux entendre, tendit l'oreille.

— Madame…

Une main sur son épaule. De la fraîcheur sur son visage.

Elle se redressa dans un sursaut. La main qui l'avait touchée n'était pas celle d'Amastan, mais celle d'un vieil homme au visage ridé et tanné par les ans et la fraîcheur qu'elle avait sentie venait de son ombre. Qui était-il ? Pendant de longues secondes, elle ne put répondre à cette question, la pensée brouillée par ses battements de cœur paniqués. Lorsque l'homme s'écarta, le chaud soleil tomba à nouveau sur elle à travers les branches de palmier. Elle cligna des yeux puis, déconcertée, les ferma et tenta de retrouver son rêve, les détails matériels qui le feraient revenir pour la réconforter. Les images enchanteresses se dissipaient comme brume au soleil levant. Le dessus-de-lit, pensa-t-elle frénétiquement, en serrant contre elle la file de chameaux en marche et les fleurs en forme d'étoile. L'espace d'un instant, elle sentit sous ses doigts la fraîche cotonnade et le relief des coutures. Et puis elle se souvint quand elle avait vu pour la dernière fois la somptueuse broderie : sous la tente de Dassine, la sœur de son père, dans les monts de l'Aïr, la nuit où Rhossi ag Bahédi avait tenté d'abuser d'elle. Elle devait encore y être. Elle ne l'avait pas prise avec elle en quittant l'Adagh, elle n'avait emporté quasiment aucune de ses affaires dans sa fuite à travers le Tamesna avec Rahma, la mère d'Amastan.

Amastan…

Sa disparition la frappa de nouveau. Elle poussa un cri saccadé et se mit à verser des larmes amères, brisée une fois encore par la perte de tout espoir.

Atisi ag Baye se recula. Malgré les longues années de sa vie, sa connaissance des femmes restait limitée. Il trouvait leurs émotions volcaniques beaucoup plus étranges et troublantes que les exigences simples du désert. Il s'éloigna donc discrètement et installa son petit brasero pour préparer du thé. Comme l'expérience le lui avait enseigné, un verre de thé sucré avait un effet réconfortant ; c'était l'un des cadeaux qu'Allah avait faits à l'homme.

Lorsqu'il revint auprès de Mariata, elle s'était calmée, mais ses joues portaient encore les traces de ses larmes. Il lui tendit le verre sans un mot et elle le prit en inclinant légèrement la tête pour lui montrer qu'elle appréciait son geste, puis elle but en fixant le sol d'un air morose.

— J'ai quelque chose à te dire, déclara-t-elle d'une voix rauque après un long silence. Ce n'est ni joli ni agréable à entendre, et ma situation est telle que tu reconsidéreras peut-être ton offre de me guider à travers le désert.

Elle s'interrompit pour rassembler ses pensées. Atisi attendait assis en silence. Son contact prolongé avec les chameaux lui avait appris la patience, car, après les femmes, c'étaient certainement les créatures les plus intraitables que Dieu eût jamais conçues. Par ailleurs, il sentait venir une histoire et savait que toutes les histoires doivent être racontées à leur façon et à leur rythme.

Ainsi, Mariata conta la sienne au vieux marchand. Lorsqu'elle qualifia la détresse d'Amastan de maladie apportée par les Kel Assouf, les sourcils grisonnants d'Atisi ag Baye se levèrent sous son turban et il toucha à la dérobée les amulettes de cuir qu'il portait à un cordon autour du cou. Et quand elle en arriva au rituel qui avait permis de chasser les esprits, elle prit soin de lui assurer qu'à son avis ce n'était pas son intervention, mais plus probablement celle, magique, de l'enad du village qui avait produit ce résultat.

— Un enad ? Ah, les inadan sont des hommes de grand pouvoir, commenta Atisi en hochant la tête pensivement. Il est vrai qu'ils peuvent manipuler les esprits.

— L'enad n'était pas un homme, dit Mariata.

— Une femme enad ?

Il semblait incrédule. Les femmes ne pouvaient travailler le fer, c'était proscrit. Travailler le fer, c'était dominer les esprits qui vivaient dans le feu et cela risquait de nuire de manière irréversible à la capacité d'une femme à enfanter. De plus, tout ce qu'elles touchaient ne manquerait pas de se détraquer : une clé refuserait de tourner dans la serrure ou y resterait coincée, un outil se casserait en deux, la tête d'une herminette se détacherait et irait blesser un animal ou un enfant, une épée ou un fer de lance se briserait au moment le plus crucial. Tout le monde savait ça.

— Pas… vraiment, répondit Mariata, mal à l'aise.

— Ni un homme ni une femme ? s'étonna-t-il avant de se redresser brusquement, commençant à comprendre. Je me souviens d'un enad dont la femme a eu un jour un enfant qui n'était ni garçon ni fille, mais les deux à la fois. Ils suivaient les Kel Tédélé. Serait-ce possible, je me demande…

— Elle – je disais toujours « elle » – s'appelait Tana et c'était l'une des personnes les plus remarquables que j'aie jamais rencontrées. Mais elle vivait avec les Kel Teggart.

Le vieux marchand la regarda.

— Tu vivais avec les Kel Teggart ?

Elle acquiesça.

— J'ai entendu dire que quelque chose de… terrible est arrivé à la tribu.

Mariata ouvrit la bouche pour répondre, mais le flot de mots s'était tari, comme si une grosse pierre dans la gorge l'empêchait d'exprimer ses sentiments. Ses yeux s'emplirent à nouveau de larmes. Atisi détourna le regard.

— Je vais aller voir les chameaux, dit-il d'un ton bourru.

Lorsque le crépuscule eut plongé le visage de Mariata dans la pénombre, elle alla le trouver.

— Tu n'es pas bavard, dit-elle, et je suis fière. Ne m'en demande donc pas plus que je ne t'en ai dit. L'enfant que je porte n'est pas un enfant de la honte mais celui de mon mari, fils de l'amenokal de l'Aïr et, plus tard, membre de la tribu des Kel Teggart. Il s'appelait Amastan et il était ma lune et mes étoiles.

Sa voix s'étrangla; c'était la première fois qu'elle prononçait son nom depuis qu'elle l'avait vu mourir et le dire à haute voix rendait tout ce qui s'était passé d'autant plus réel.

— Je ne veux pas que son enfant soit élevé ignominieusement par un boucher. Voilà, je t'ai dit tout ce qu'il y avait à dire.

Atisi resta silencieux un bon moment, puis il soupira.

— Tu as dû vraiment exciter beaucoup de jalousie pour que le mauvais œil soit ainsi jeté sur toi. J'espère qu'à chaque pas que tu feras dans le désert, la distance entre toi et tes malheurs s'allongera. *Inch' Allah.*

Pendant qu'ils attendaient que la nuit tombe complètement, Mariata ouvrit l'amulette d'Amastan pour la première fois depuis leur mariage et elle laissa tomber le petit rouleau de papier qu'elle contenait dans le creux de sa main. Au clair de la lune montante, elle essaya de déchiffrer le sortilège que Tana y avait inscrit, mais les pleins étaient difficiles à lire et elle ne put distinguer que son nom et celui d'Amastan. Elle finit par renoncer : le pouvoir magique qu'il était censé posséder n'avait pas réussi à sauver la vie d'Amastan et ne servait donc à rien. Plus affligée que jamais, elle faillit jeter le parchemin inutile. Puis elle referma le poing : faire cela ici, dans le domaine et à l'heure des Kel Assouf, risquait d'attirer encore plus la malchance. Elle l'enroula donc, le remit dans le compartiment secret et referma le bossage.

Tandis qu'un fin croissant de lune montait lentement dans le ciel, ils se remirent en marche à travers le désert rocailleux en direction de la route qui franchissait le territoire contesté.

Aux yeux de Mariata, ce n'était guère qu'une bande de néant, légèrement plus claire que le terrain environnant, artificiellement aplanie et égalisée, plaquée sur la nature. Pour autant qu'elle le vît, il n'y avait pas le moindre mouvement, mais quand ils arrivèrent au dernier amoncellement de rochers avant la route, des phares apparurent au loin. La lumière soudaine souligna le profil d'Atisi et elle entraperçut quelque chose d'indéchiffrable passer fugitivement dans ses yeux. Puis il fit tourner la tête de son chameau vers elle.

— Allez vous cacher derrière les rochers. Un animal peut y être à couvert, mais pas trois. S'ils s'arrêtent, je leur parlerai. Empêche Moushi de faire du bruit et, quoi qu'il arrive, ne vous montrez pas.

Moushi ne voulait pas quitter son maître ; Mariata dut user de toute sa force pour l'amener à couvert. Juste à temps, car au même moment les véhicules arrivaient en vrombissant en haut de l'éminence et fonçaient dans leur direction à une vitesse terrifiante. Mariata jeta un coup d'œil : le vieux marchand mettait pied à terre et desserrait son turban. Faisait-il cela par manque de respect pour les soldats ou bien pour ne pas les effrayer ?

Il sembla un moment qu'ils n'avaient pas vu Atisi et les deux chameaux ou que leur présence leur importait peu. Puis la jeep de tête s'arrêta dans un grincement de freins.

— Qui es-tu et qu'est-ce que tu fais là ? cria l'un de ses occupants en braquant son fusil sur le marchand. Montre-moi tes papiers.

Atisi resta bouche bée.

— Mes papiers ? répéta-t-il avec un fort accent du bled.

L'homme fit signe à ses deux compagnons de descendre de voiture.

— Allez chercher ses papiers.

Les deux soldats s'approchèrent en riant.

— Ce n'est qu'un vieux, perdu dans le désert.

— Personne ne passe sans papiers. Comment savoir si ce n'est pas un espion marocain ? Et pendant que vous y êtes, fouillez ses bagages. Il ne s'agirait pas que le désastre de la semaine dernière se reproduise.

Les soldats sondèrent consciencieusement les bagages.

— Pas d'armes à feu, déclara finalement l'un d'eux.

— Idiot, dit l'autre en décrochant le fusil suspendu sur le flanc du dromadaire d'Atisi. En voilà une, d'arme à feu.

Le clair de lune fit briller le fût et la crosse de l'antique arme, l'argent ciselé et les formules magiques qu'un forgeron y avait gravées jadis. Le deuxième soldat la tendit au premier.

— Cette vieillerie ne mérite pas vraiment le nom de fusil, dit l'autre. Essaie de tirer avec, et il t'explosera probablement à la figure.

Un muscle de la mâchoire d'Atisi tressauta, mais il ne souffla mot et garda les yeux baissés.

— Alors, le vieux ? Où sont tes papiers d'identité ?

— Je n'en ai pas, répondit le marchand en butant délibéré-ment sur les mots.

— Tout le monde en a.

Atisi haussa les épaules.

— Pas moi. Je ne suis qu'un pauvre vieux séparé de sa cara-vane. L'un de mes chameaux est tombé malade et ils m'ont laissé là.

— Seul ?

Atisi soutint son regard.

— Seul.

— Tu parles d'amis ! s'exclama l'un des soldats en riant.

— Laisse-le partir, Ibrahim. Sinon, il va falloir qu'on fasse un rapport ; ça va prendre toute la nuit.

Dans la jeep, Ibrahim plissa les yeux.

— Qu'est-ce qu'il a dans ses bagages ? Quelque chose… d'utile ?

L'autre soldat fit la grimace.

— De l'orge, un peu de viande séchée, des dattes et quelques babioles. Des rations misérables.

— Pas de bière ?

— Pas de bière, répondit Atisi avec mépris.

Ibrahim lui jeta un coup d'œil furibond.

— Tu as de la chance. On n'a pas de temps à perdre avec des vieux nomades loqueteux. Prenez quand même son fusil, ordonna-t-il à ses subordonnés.

— Non ! s'écria farouchement Atisi. C'était celui de mon grand-père.

Comme il essayait de saisir le fusil, le soldat qui le tenait fit un moulinet d'un geste désinvolte mais avec une force délibérée. Il heurta violemment la tempe du vieux marchand, qui s'écroula dans un gémissement.

Au même instant, Moushi laissa échapper un mugissement qui fendit l'air de la nuit. Le dromadaire s'élança et Mariata fut soudain jetée au sol ; elle se prit le pied dans le tapis de selle, lâcha les rênes et atterrit dans un enchevêtrement d'étoffes. Ainsi libérée, Moushi partit ventre à terre vers son maître, tandis que le troisième dromadaire, perturbé, donnait un brusque coup de tête en arrière et réussissait à se défaire du licou. Il s'échappa sur la route dans la lumière crue des phares en projetant ses pattes en tous sens.

Des coups de feu éclatèrent.

Pendant un moment, Mariata, abasourdie, resta à l'abri derrière les rochers, puis elle fut prise de panique. Des images de l'attaque de son village, qu'elle avait réussi à écarter une fois ce soir-là, l'assaillirent. Elle revit soudain l'invasion des hommes en uniforme, les éclairs des coups de feu qui déchiraient la nuit, la robe en feu de Laïla, les soldats jetant Tana à terre, la luxure et la haine sur leurs visages sombres éclairés par les flammes. Elle revit encore et encore la tache sombre qui s'élargissait sur la belle robe de marié d'Amastan et les mystérieuses marques foncées et humides sur ses propres mains tandis que son père l'entraînait loin du corps de son mari. La terreur la galvanisa. Elle se faufila entre deux rochers en se faisant toute petite et écouta les cris des soldats, les blatèrements des dromadaires d'Atisi, tous ces bruits se mêlant en une cacophonie incompréhensible qui n'exprimait que violence et brutalité. Un cri monta en elle. Une partie d'elle-même, la partie rationnelle qui la poussait à survivre à tout prix, savait qu'elle ne pouvait le laisser échapper, mais une autre, plus sauvage, s'efforçait de prendre le dessus. Les yeux exorbités tant elle s'efforçait de ne pas hurler, elle se fourra le coin de son foulard dans la bouche pour retenir son cri. Qu'arrivait-il au vieux marchand ? L'avaient-ils abattu ? Elle n'osait pas regarder de crainte d'être vue. S'ils étaient capables de faire cela à un vieil homme sans défense, que ne lui feraient-ils pas à elle ?

Un bruit de pas, de pierres qui roulaient sous des bottes, s'approcha ; des voix s'élevèrent à quelques mètres d'elle.

— Qu'est-ce que c'est que ça, là ?

Mariata ferma les yeux. Mais elle ne trouva pas d'échappatoire dans son for intérieur. Elle revit les soldats arracher la robe de Tana, leurs mains qui empoignaient ses seins… Peut-être la tueraient-ils, si elle avait de la chance. L'amulette palpitait entre ses doigts, chaude dans sa paume, comme si les petits disques rouges lui avaient brûlé la peau. Pourvu qu'ils ne me voient pas…

Une jambe apparut dans son champ de vision, puis une main et une tête coiffée d'un calot. L'homme se baissa et une main se tendit pour ramasser quelque chose.

— Un vieux sac en cuir. Il a dû tomber quand le dromadaire est parti en courant.

Le bruit d'objets tombant à terre. L'homme les poussa de son pied botté.

— Qu'est-ce qu'il y a dedans ?

— Les saloperies habituelles que ces gens trimbalent avec eux. Quelques bougies, un bout de ficelle, deux ou trois cailloux, un chiffon crasseux, un briquet et un vieux couteau.

— Un couteau ? Peut pas nous être utile ?

— Il est couvert de symboles magiques.

— Comme tu es superstitieux ! Ce ne sont que des mots, imbécile. Les mots ne sont pas magiques.

— N'empêche, je n'y touche pas. J'ai entendu parler de malédictions gravées sur des couteaux touaregs. Des couteaux qui se sont animés dans la main d'un ennemi et lui ont coupé la gorge avant qu'il ait eu le temps de dire ouf.

— Bon Dieu, laisse-moi voir.

Un deuxième homme apparut. Il se baissa, le dos tourné à Mariata. Il y eut un silence pendant qu'il examinait le butin.

— Il est émoussé. C'est une merde, dit-il en lâchant le couteau qui cliqueta en tombant par terre. Le vieux semblait effectivement seul.

— Pourquoi alors le deuxième dromadaire était-il sellé? Dis-le-moi puisque t'es si malin.

Bref silence.

— Tu as vu comment se comportent ces chameaux. T'aurais envie de rester planté dans le désert sans un autre chameau sellé si le tien prenait peur et fichait le camp?

Son compagnon reconnut à contrecœur la logique du raisonnement.

— Retournons à la voiture. Cet endroit me flanque la trouille. J'aurais juré avoir entendu respirer il y a une minute.

Mariata retint son souffle.

— Tout le monde sait qu'il y a des bruits bizarres dans le désert. La roche se réchauffe dans la journée et se refroidit la nuit. Ça la fait éclater. C'est probablement ce que tu as entendu.

L'autre contesta cet argument, mais leurs voix s'amenuisaient et elle fut bientôt incapable de comprendre ce qu'ils disaient. Quelques minutes plus tard, les jeeps redémarrèrent, les faisceaux de leurs phares s'éloignèrent et un silence sinistre retomba sur le désert. Après un bon moment, Mariata sortit de sa cachette, redoutant ce qu'elle allait trouver.

Moushi était étendue, couverte de sang et immobile, sur le côté de la route, mais il n'y avait pas trace d'Atisi ag Baye ni du dromadaire de bât. C'était comme si les djenoun les avaient engloutis. Mariata regarda autour d'elle, mais il n'y avait partout que le vide. Le vide et l'obscurité à peine atténués par la lune que cachait un nuage.

Pourquoi n'était-elle pas venue en aide au vieux marchand ? Maintenant, il avait disparu, peut-être était-il mort, et elle s'était contentée de rester cachée comme une lâche. Il t'avait dit de ne pas te montrer, lui rappela une voix intérieure, mais elle ne se sentait pas moins honteuse. Hébétée, elle ramassa son sac en cuir, le dernier vestige de sa vie passée. Il était vide, son contenu inconsidérément éparpillé par les soldats, mais après quelques instants de recherche frénétique, elle récupéra les pierres à aiguiser, la pelote de ficelle, les trois bougies et le couteau qui avait éveillé une telle crainte dans le cœur du soldat. Un peu plus loin, un reflet du clair de lune lui indiqua la croix d'Agadez. Elle retrouva les petits sachets d'herbes médicinales dispersés ici et là et, enfin, ce qu'elle crut être les silex, mais comment en être certaine parmi un million d'autres pierres à bords tranchants ? Elle fut un peu surprise de remettre la main sur l'objet que les soldats avaient appelé un briquet. Elle le laissa tomber dans le sac, où il atterrit avec un bruit sourd anormalement fort dans le silence de la nuit. Mais où était le bout de tissu indigo ? Elle devait à tout prix le retrouver. Elle passa les doigts par terre, entre les cailloux, sans se soucier des scorpions qui rôdaient, comme si sa vie entière et celle qui grandissait en elle avaient dépendu de ce morceau d'étoffe. Il lui fallut de longues minutes, mais elle le retrouva enfin accroché à un épineux. Elle le pressa contre son visage en humant sa légère odeur de moisi, puis elle le baisa et le mit soigneusement de côté.

Puis, assise sur ses talons, elle regarda sombrement la route du Sud. Là-bas se trouvaient les Tinariouen, les nombreux déserts, mille cinq cents kilomètres d'inconnu, un désert de roche et de poussière qui n'offrait ni abri ni nourriture, des sables ponctués d'ossements, ceux de légions perdues, d'ancêtres, d'envahisseurs imprudents morts depuis longtemps, les vagues sans fin de ces mers de sable, de ces ergs imposants, les puits connus seulement des *madougous* qui conduisaient les caravanes en experts, les rivières qui coulaient si profondément sous la surface que les hommes n'apercevaient aucune trace de leurs eaux. Et tout cela n'appartenait à personne, si ce n'est aux démons du désert, les Kel Assouf. Désormais, il n'y avait plus rien pour la protéger de cette désolation : ni guide, ni chameau, ni provisions. Seuls la folie et le désespoir l'attendaient là-bas.

Derrière elle se trouvait le connu. Même à pied et seule, il serait relativement aisé de faire en sens inverse le trajet parcouru avec Atisi depuis Imteghren. De nouveau entre les mains de sa belle-mère, elle serait contrainte d'épouser ce satané boucher, d'être sa deuxième épouse et son esclave, mais elle vivrait et son enfant aussi. Il n'y avait pas le choix.

Mariata se leva et mit son sac en bandoulière. Puis elle se tourna résolument vers le sud et se mit en marche vers l'inconnu.

28

À l'extérieur du véhicule tout terrain, le monde défilait dans un bruit de ferraille à une vitesse que je n'aurais jamais cru possible sur un sol aussi accidenté. Le visage collé à la vitre côté passager, je laissais mon regard errer dans l'obscurité. Seuls les faisceaux des phares de la voiture fendaient la nuit et éclairaient les silhouettes de mamelons et de collines de sable, les étranges plantes géantes, les rochers disséminés à proximité. Les roues partaient parfois en dérapage comme sur de la neige et, décontracté, le conducteur contrebraquait, mais la plupart du temps il allait tout droit, le pied au plancher comme s'il avait connu parfaitement chaque mètre carré de désert, ce qui était sans doute le cas. C'était le chef des contrebandiers qui conduisait ; deux de ses hommes occupaient la banquette arrière ; ils avaient pris Taieb dans le second véhicule, qui suivait à quelque distance.

Sans ses lunettes de soleil, je me fis une idée plus précise de l'âge de cet homme. Sous les sourcils poivre et sel, des rides profondes entouraient ses yeux. Il devait avoir entre cinquante-cinq et soixante-cinq ans, auquel cas il les portait bien. Malgré tout, il paraissait en forme et robuste, un homme qui ne faisait qu'un avec son milieu, pareil à un morceau de bois depuis longtemps séché par le désert, sa sève absorbée par le soleil jusqu'à la dernière goutte, forgé par la chaleur au point d'être dur comme du fer. Il semblait également redoutable : le regard qu'il tourna vers moi était aussi perçant et direct que celui d'un oiseau de proie.

— Êtes-vous riche, Isabelle ? s'enquit-il.

Je le dévisageai, décontenancée par une question aussi abrupte.

— Pourquoi me demandez-vous ça ?

Il réprima un sourire sans joie.

— Je souhaite savoir si votre famille est en mesure de verser une somme importante pour vous récupérer.

— Me récupérer ? répétai-je bêtement. Que voulez-vous dire ?

— Si vos parents veulent vous retrouver sans encombre, peut-être leur faudra-t-il verser une rançon.

Une rançon ? L'idée même me parut absurde, digne d'un conte de fées. Qui pourrait bien être disposé à payer une rançon pour moi ? Mais qu'avais-je pu croire qu'il m'arrivait, embarquée dans une voiture au milieu de nulle part par des hommes armés, qui m'emmenaient à toute allure encore plus loin dans le désert vers un camp dont j'ignorais le nom ? Évidemment, tu as été enlevée, admit mon cerveau avec lassitude. Kidnappée. Détenue pour obtenir une rançon.

— Vous voulez dire que nous sommes retenus en otages ?

Le contrebandier esquissa un sourire.

— Vous pouvez le dire comme ça. Je n'ai pas encore pris de décision. Et vous n'avez pas encore répondu à ma question. Isabelle Treslove-Fawcett. Excusez-moi, je ne suis pas entièrement au fait des nuances de la hiérarchie sociale britannique, mais un nom de famille double comme le vôtre n'indique-t-il pas que vous venez d'un... disons, un échelon élevé ? Que vous appartenez à la couche la plus riche de la société ?

Ce fut à mon tour de rire, amèrement.

— Je crains que vous n'ayez pas de chance. Tous les membres de ma famille sont morts.

— Tous ?

Il tourna son visage vers moi avec curiosité ; j'eus un instant l'impression bizarre d'avoir déjà vu ces yeux quelque part et je dus détourner le regard. Quelque chose en eux était pour moi d'une saisissante familiarité. Je fus parcourue d'un frisson.

Était-ce de la peur ? Compte tenu des circonstances, une telle réaction ne semblait pas surprenante, mais si c'était de la peur, elle était différente de celle que j'avais déjà éprouvée au cours de ma vie, à l'endroit le plus dangereux d'une escalade difficile, avant un examen ou, plus jeune, quand j'entendais des pas dans l'escalier... Je chassai rapidement cette pensée ; même dans le péril dans lequel je me trouvais maintenant, c'est au souvenir de ces moments que j'avais les mains moites.

— Personne ne paiera pour me récupérer.

— Je ne peux pas le croire, Isabelle. Pas un instant.

— Ma mère est morte d'un cancer quand j'avais quatorze ans. Mon père, il y a quelques semaines. Je n'ai ni frères ni sœurs.

— Perdre sa mère à un âge si tendre est toujours difficile et je vous présente mes condoléances pour la perte de votre père.

Il se tut ; juste au moment où je croyais qu'il allait en rester là, il ajouta :

— Mais il y a toujours quelqu'un disposé à payer. Vous n'êtes pas mariée ?

Je me détournai pour regarder par la portière. Ce vaste espace vide hors de la voiture me perturbait moins que l'atmosphère lourde qui régnait à l'intérieur. Peut-être devrais-je me mettre à mentir si je veux sauver ma peau, pensai-je frénétiquement. S'il n'y avait vraiment personne qu'on puisse contraindre à payer ma rançon, ils allaient tout simplement me flanquer une balle dans la tête et balancer mon corps dans le désert comme on largue du lest. Mais je semblais incapable de mentir.

— Non, répondis-je catégoriquement au bout d'un moment. Je ne suis pas mariée.

— Votre mari est mort lui aussi ? insista-t-il.

— Je n'ai jamais eu de mari.

Il leva un sourcil.

— Une si belle femme encore célibataire ? C'est surprenant.

Belle ? C'est un qualificatif que je n'avais jamais appliqué à moi-même.

— Je n'ai jamais saisi l'occasion.

— Une rose non cueillie, fit-il d'un ton songeur.

J'espérai avec ferveur qu'il ne pensait pas à ce que je pensais qu'il pensait.

— Je ne l'exprimerais pas exactement ainsi, dis-je en avalant les mots avec mon accent le plus britannique.

— Ça ne fait rien. Le gouvernement britannique paiera, j'en suis sûr.

— Ma mère était française : j'ai la double nationalité et les deux pays vont probablement s'en laver les mains. De plus, les gouvernements européens font généralement preuve d'une grande fermeté envers les kidnappeurs et les criminels. Ils ne veulent pas qu'on les voie céder au chantage.

Un muscle tressauta sur sa joue, mais je ne sais si ce réflexe fut un mouvement de mauvaise humeur ou provoqué par un sourire.

— Mademoiselle Fawcett, vous constaterez, je crois, qu'il y a une grande différence entre ce que les gouvernements professent en public et ce qu'ils font en secret, dit-il, apparemment amusé. Je dois cependant reconnaître que les Britanniques sont plus durs à la détente que, disons, les Français. Officiellement, ils déclarent qu'ils ne traiteront jamais avec des terroristes, comme ils aiment à nous appeler, mais il y a généralement un accord à trouver, sous le manteau, comme on dit. Un petit bakchich qui change de main.

Des terroristes ? Le mot me fit froid dans le dos. Ces hommes ne me faisaient pas l'effet d'être des intégristes, mais je me rendais bien compte que le point de vue occidental sur les événements survenus depuis le 11 septembre avait dû nécessairement déteindre sur ma compréhension du terme ; il évoquait pour moi des talibans barbus armés d'AK-47 ou de jeunes Pakistanais britanniques auxquels des imams rebelles avaient lavé le cerveau et donné des leçons peu conformes à l'islam. Ou bien étaient-ce des terroristes politiques, comme les FARC de Colombie, qui avaient retenu Ingrid Betancourt prisonnière pendant six longues années et l'avaient soumise, avec les autres otages, à de terribles cruautés ? Le battement de mon cœur s'accéléra.

— Et si aucun accord ne peut être conclu ? dis-je d'un ton léger.

Mais trahie par le tremblement de ma voix.

Il me regarda de côté.

— Ce serait… très fâcheux pour vous.

Si personne ne crachait au bassinet, ils allaient donc me tuer, pensai-je prosaïquement. Cela paraissait si surréaliste que je faillis en rire.

— On dirait que vous avez pour habitude d'enlever les gens.

— L'argent compte beaucoup pour notre cause.

— Votre cause ? dis-je avant de rire malgré moi. Vous donnez l'impression que c'est une action humanitaire et non un crime !

— Vous pouvez employer les mots que vous voulez pour décrire ce que nous faisons, ce que nous sommes, peu m'importe. Nous avons souvent été traités de pirates du désert. Soulager les riches de leur richesse imméritée est depuis longtemps une de nos occupations favorites.

Je m'apprêtais à répondre à cette curieuse déclaration lorsqu'un des hommes derrière moi dit quelque chose et le conducteur lui répliqua sèchement, tendu et agressif, sa courtoisie et sa décontraction un instant oubliées. Un appel téléphonique fut donné, puis plus personne ne souffla mot pendant un bon bout de temps, plongeant la voiture dans un silence pénible. Bien plus tard, les phares éclairèrent les formes de plusieurs tentes basses réunies dans une dépression entre les dunes et la voiture s'arrêta en dérapage.

Immédiatement, des hommes vêtus de noir sortirent en masse du camp. Le « contrebandier » lança une série d'ordres brefs et deux d'entre eux me conduisirent à une tente. Je dus presque me plier en deux pour entrer ; à l'intérieur, je ne pus que m'asseoir sur une natte en roseau et regarder mes ravisseurs.

— Vous pouvez au moins m'apporter mon sac et de l'eau ? demandai-je, mais ils me rendirent mon regard sans comprendre.

J'avais honte du tremblement de ma voix, honte de la terreur que je sentais m'envahir peu à peu à mesure que la situation m'apparaissait dans toute sa réalité.

Pendant l'heure qui suivit, je m'évertuai à tenir cette terreur en respect. Je m'occupai dans ma petite prison, rassemblai les tapis et les couvertures que je trouvai entassés dans un coin et me confectionnai un nid en guise de lit pour me protéger du froid de la nuit. Je contemplai les innombrables étoiles qui brillaient, blanches et froides, dans la tranche de ciel velouté encadrée par l'ouverture de la tente et essayai d'identifier les constellations parmi leur multitude inhabituelle, mais en vain. Je n'ai jamais été capable de reconnaître que la ceinture formée de trois étoiles, caractéristique d'Orion, la ligne sinueuse de la Charrue et les clignotantes Pléiades, mais il y avait là des myriades de points lumineux, des milliers, peut-être des millions, plus que je n'avais l'habitude d'en voir et je me sentais d'autant plus égarée, étrangère au monde. Tout n'était qu'immensité et moi une chose insignifiante, une parcelle de vie minuscule et inutile dans le vaste univers éternel et indifférent. Plus rien ne définissait mon identité : j'étais à la dérive dans le continent noir, à des années-lumière de tout ce qui avait fait de moi Isabelle Treslove-Fawcett : ma ravissante maison tranquille avec ses meubles de prix et ses tableaux soigneusement choisis, mes tailleurs élégants et mes hauts talons, mon travail au sein de la forteresse financière, l'argent et le respect qu'il me procurait. Il ne me restait plus que les vêtements que j'avais sur le dos et ils puaient la sueur.

J'essayai de dormir, mais les couvertures sentaient la chèvre et me grattaient la peau, le sol était dur sous ma hanche. Les pensées se bousculaient dans ma tête, un fouillis d'images des derniers jours : la rue principale de Tafraout pleine d'hommes en djellaba qui se promenaient main dans la main, les femmes portant leur gros fardeau de fourrage, Lallaoua qui se mourait à petit feu étendue par terre dans la maison de Tiouada, sous les yeux sombres des femmes-corbeaux, les enfants en train de danser au cours de la fête, la façon dont Taieb m'avait tenue, la sensation de ses muscles qui se tendaient sous mes doigts… Je commençais tout juste à somnoler lorsque je me rappelai ma chute de la Tête de Lion et revis le sol rouge se précipiter vers moi ; j'étais de nouveau pleinement réveillée, le cœur battant dans ma poitrine comme une balle en caoutchouc rebondissant sur des marches en béton.

C'est alors que la peur me prit pour de bon, s'empara de moi avant que je n'aie eu le temps de m'isoler de la réalité. J'étais complètement seule dans un coin sans nom du plus grand désert du monde, prisonnière d'hommes qui parlaient la langue la plus incompréhensible que j'avais jamais entendue, cachaient leur identité sous des épaisseurs d'étoffe, portaient des armes semi-automatiques avec autant de désinvolture que des bâtons, se qualifiaient eux-mêmes de pirates et n'ergotaient pas quand on les traitait de terroristes. Personne ne savait où j'étais et en vérité personne ne s'en souciait, à l'exception possible de Taieb, lui aussi retenu captif. Pour me libérer, ils allaient exiger de l'argent du gouvernement britannique, qui refuserait de payer, et dans quelques semaines ou quelques mois, les tentatives diplomatiques n'ayant pas abouti – si tant est qu'il y en ait –, je serais certainement violée, puis tuée, et personne ne m'accorderait une sépulture, même aussi rudimentaire que celle que nous avions donnée à Lallaoua. Comment tout cela avait-il pu m'arriver ? J'avais toujours vécu à l'intérieur de frontières bien définies et suivi dans ma vie le chemin le plus sûr et le plus conventionnel, ne prenant que les risques les mieux acceptés dans mon milieu social ou circonscrits par des règles et un code de conduite bien établis. Si seulement je n'avais pas mordu à l'hameçon tendu par mon père ! pensai-je amèrement. Si je n'avais pas ouvert cette satanée boîte de Pandore au grenier, rien de tout cela ne se serait passé. Je serais toujours l'Isabelle que j'avais été depuis vingt ans : indépendante, réputée et assurée, ne comptant sur personne d'autre que moi afin de n'être déçue par personne.

Sauf qu'une petite voix me rappelait que pendant tout ce temps-là je m'étais bornée à fuir mes souvenirs, à refouler tout ce qui avait fait de moi Izzy. Tu t'es transformée en un automate à la solde des entreprises, tu as mis sous le boisseau ton individualité, ton intelligence et ta conscience. Tu as perdu ton caractère sauvage, tu n'es pas devenue celle que tu aurais dû être. Et maintenant, au moment même où tu avais trouvé un homme qui aurait pu t'aider à redevenir Izzy, tu vas te faire zigouiller et lui aussi probablement.

Des larmes coulèrent sur mes joues : des larmes d'autoapitoiement et des larmes de peur, pour moi et Taieb, des larmes de regret pour tout ce qui aurait pu être. Je fus surprise de voir que je ne voulais pas mourir, que soudain je tenais tant à la vie et, je ne sais pourquoi, cela me fit pleurer de plus belle. Je sortis l'amulette de dessous ma chemise, la collai contre ma joue et chialai comme un môme égaré. J'étais encore en train de renifler pitoyablement dans la couverture malodorante lorsque quelqu'un posa la main sur mon épaule et me fit sursauter.

— Izzy.

Je levai les yeux. C'était Taieb, le visage indistinct dans la pénombre de la tente. Le soulagement m'envahit.

— Vous êtes vivant ! m'exclamai-je.

Ses dents brillèrent dans l'obscurité.

— Vous pensiez que j'étais mort ?

Je m'essuyai le nez avec le dos de la main, que je retirai couverte de morve. De ma vie, je ne m'étais jamais autant laissé aller. Où était passée l'impassible Isabelle Treslove-Fawcett au moment où j'avais le plus besoin d'elle ?

— Oui… non. Je… je ne sais pas ce que je pensais, bafouillai-je avant de me redresser et de passer la main dans mes cheveux en bataille. Ça va ? Ils ne vous ont pas fait de mal ?

— Ils m'ont malmené un peu, rien de terrible. Je crois qu'ils ont accepté l'idée que nous sommes ce que nous leur avons dit. Je suis désolé, Isabelle, c'est de ma faute. Je n'aurais jamais dû vous emmener avec moi, c'était idiot, inconséquent.

— Je voulais venir, murmurai-je. J'ai pris le risque.

— Sans savoir ce qui vous attendait. J'aurais dû vous mettre en garde, au lieu de faire du cinéma.

— Faire du cinéma ?

— L'essence à l'oasis. C'était un peu jouer les malins : vous laisser croire que nous partions dans le désert sans essence, puis faire apparaître brusquement les contrebandiers comme un magicien sort un lapin de son chapeau. Quand on traite avec des contrebandiers, on oublie que leur réseau est très étendu.

— Je ne vois pas ce que vous voulez dire.

Il soupira.

— Malgré l'apparente facilité, l'essence volée ne sort pas comme ça de nulle part. Pour se la procurer, la passer en fraude et la vendre, il faut être extrêmement bien organisé et faire preuve d'esprit de décision. Je connais vaguement les types qui sont venus à l'oasis, j'avais déjà eu affaire à eux, mais ils ont manifestement des liens avec ceux qui nous ont enlevés. Ils ont dû leur donner des détails et leur dire dans quelle direction nous allions. Si vous n'aviez pas été là, ça ne serait pas arrivé. Vous êtes une bonne prise, Izzy, une riche Européenne, une femme représentée par un riche gouvernement européen. Vous êtes un pion utile sur l'échiquier.

Quelle ironie ! Je ne m'étais jamais sentie moins utile, moins européenne.

La flamme d'une allumette jaillit dans l'obscurité. Je me détournai pour me calmer, mais il me prit par le menton et tourna mon visage vers le sien. À la lueur de la bougie d'une petite lanterne qu'il posa sur la natte entre nous, Taieb se pencha vers moi et, sans un mot, essuya les traces de mes larmes. Puis il passa le doigt horizontalement sur mon front.

— D'où vient cette ride, Izzy ? demanda-t-il doucement.

Son doigt refit le même mouvement, contact pareil à du feu sur ma peau.

— Et celle-ci ?

Léger comme une plume, son index suivit le profond sillon qui allait de mon nez au coin de ma bouche.

— Ou celle-là ? Elle reflète une grande tristesse. Voyons si je peux l'effacer.

Il approcha son visage pour m'embrasser. Je me dérobai malgré moi. Taieb se renversa sur ses talons, confus.

— Je suis désolé, dit-il à voix basse. Je me suis oublié. Je n'aurais pas dû faire ça. Vous me connaissez à peine, nous sommes dans de beaux draps et je manque d'égards, je me comporte bêtement...

— Non, c'est moi qui devrais être désolée. C'est que... dis-je en secouant la tête, je suis incapable de m'oublier. Voilà le problème. J'aimerais pouvoir le faire. Mais je ne peux pas. Je ne peux pas...

Je me remis à larmoyer et m'essuyai férocement les yeux, comme si j'avais pu contraindre ces larmes ridicules, chaudes et insistantes, à retourner d'où elles venaient. Pour m'empêcher de m'infliger cette violence, Taieb emprisonna ma main dans la sienne.

— Tout va bien se passer, Izzy. C'est sûr. Ils ne sont pas méchants, même s'ils en ont l'air. Ce sont des gens rudes, durs et portés par leurs convictions, mais ils ne vous feront pas de mal, j'en suis certain. Ne pleurez pas, je vous en prie, ne pleurez pas. Je ne supporte pas de vous voir dans cet état. Vous êtes une lionne, vous êtes forte. Je vous ai vue escalader la montagne, je vous ai vue tomber, passer à deux doigts de la mort et vous n'avez pas pleuré. Vous avez enterré une vieille femme et vous n'avez pas reculé devant la tâche. Vous êtes forte et vous ne le savez pas.

Il retourna ma main et effleura la paume de ses lèvres. À un autre moment de ma vie, à tout autre moment de ma vie, je me serais empressée de la retirer comme s'il avait cherché à me brûler, mais peut-être parce que je culpabilisais à cause de ma précédente dérobade, je le laissai faire. Personne n'avait jamais baisé la paume de ma main, personne ne m'avait jamais touchée avec une telle tendresse. J'avais passé ma vie d'adulte à éviter toute intimité avec les hommes ; pour être honnête avec moi-même, ils me faisaient peur. Je baissai les yeux vers la tête de Taieb, ses cheveux courts si noirs sur sa peau café au lait et j'éprouvai... quoi ? Ce n'était pas exactement de la peur, mais

373

ce n'était pas non plus une sensation agréable. Je voulus retirer ma main.

— Non, dit-il en la retenant. Regardez, vous avez une main de sourcière.

Je le fixai des yeux comme s'il avait été fou.

— Quoi ?

— Vous voyez cette ligne ici ?

Il passa le doigt sur la ligne qui traversait ma paume horizontalement et la coupait nettement en deux.

— Et alors ? fis-je, les sourcils froncés.

— Avez-vous déjà vu une ligne semblable sur la main de quelqu'un d'autre ?

— Je n'ai pas l'habitude d'empoigner la main des gens et d'examiner leur paume.

La conversation prenait un tour surréaliste.

— La ligne du sourcier est presque toujours héréditaire. Elle est extrêmement appréciée dans notre culture, on estime que c'est un signe de chance extraordinaire.

— De chance ?

Je ris amèrement. Je pensai aux mains de ma mère, si petites et soignées. Les miennes, brunes et larges comme des pelles, ne leur ressemblaient pas du tout. Celles de mon père... La vision de sa main pâle sur mon ventre, descendant peu à peu, me revint sans prévenir. Je faillis vomir tant l'évocation était nette. Je la chassai, comme toujours quand de tels souvenirs refaisaient surface, mais celle-là était plus tenace que la plupart, à moins que je n'aie été dans un état de faiblesse particulier. Je fermai les yeux : j'avais de nouveau quatorze ans. Je portais un short et un tee-shirt que j'avais remonté et noué sous la poitrine, comme sur la photo d'une pop star vue dans le magazine *Jackie*. J'avais pris un bain de soleil et j'étais rentrée dans la maison, tout en sueur et collante de crème solaire, pour me faire une orangeade et me mettre un peu à l'ombre. Là, dans la cuisine, mon père était venu se coller à moi par-derrière, me coinçant contre l'évier, tandis que l'eau coulait dans le verre au point de le faire déborder et de diluer complètement le concentré de jus d'orange. Une partie de son anatomie, dure comme de la pierre, se pressait avec insistance contre mes fesses pendant qu'il posait la main sur mon ventre et la glissait dans mon short. « Oh, Izzy, m'avait-il murmuré à l'oreille, tu es si belle ! » Puis il m'avait emmenée au grenier…

Luttant contre mes haut-le-cœur, je m'écartai de Taieb. Mais il ne me laissa pas faire.

— Que se passe-t-il ? me demanda-t-il. On dirait que je vous terrorise.

Je secouai la tête, rendue muette par l'affreux souvenir.

— Pas vous, réussis-je finalement à articuler. Ce n'est pas vous, jamais vous.

— Qu'y a-t-il alors ?

— Je ne peux pas vous le dire, fis-je en m'écartant de nouveau. Ne me regardez pas, s'il vous plaît.

— J'aime vous regarder, Isabelle. Vous êtes si belle !

Le cri qui s'échappa de moi était celui d'un animal blessé. Et comme un animal blessé, j'avais envie de m'enfuir dans le désert avec mes plaies béantes, de me coucher par terre, de me vider de mon sang dans le sable et simplement de… cesser… d'exister. Mais Taieb ne l'entendait pas de cette oreille.

— Dites-moi, Isabelle. Qu'est-ce qui vous fait si mal ? Je ne supporte pas de vous voir comme ça.

— Je ne peux pas vous le dire. Je ne l'ai jamais dit à personne. Je n'ai jamais eu personne à qui le dire, ajoutai-je avec un petit rire amer. Il n'y a jamais personne quand on a le plus besoin de quelqu'un : j'ai appris ça toute jeune. Et puis j'avais trop honte.

— Rien de ce que vous pouvez dire ne me choquera ou ne vous fera baisser dans mon estime.

— Vous ne me connaissez pas. Vous ne savez rien de moi. Si vous me connaissiez, si vous connaissiez ma vraie personnalité, vous ne diriez pas cela. Vous me mépriseriez. Vous ne voudriez pas rester près de moi.

Les mots se bousculaient en un flot tumultueux, dangereux. J'essayai de les retenir, mais ils ne cessaient de monter à mes lèvres, chassés des profondeurs de moi-même par quelque force inconnue et terrible.

Et je finis par lui raconter ce que je n'avais jamais dit à personne d'autre, je lui livrai l'obscur secret que j'avais enfoui si profondément depuis cet affreux été de mes quatorze ans où ma vie s'était cassée en deux. Avant cet été-là, je n'avais été qu'Izzy, la petite sauvage innocente qui riait, criait et parlait sans réfléchir, qui grimpait aux arbres et sautait du haut des murs, se jetait dans la vie avec abandon et plaisir, sachant qu'elle était indestructible. Après ce triste été, il n'y avait plus eu qu'Isabelle, une Isabelle brisée, terrifiée, abandonnée par l'un de ses parents, laissée à la merci de l'autre, privée de tendresse, l'Isabelle qui était incapable de parler, même avec sa meilleure amie, de ce qui se passait dans sa vie, qui avait appris à présenter au monde un masque impassible, sans expression, celui de quelqu'un d'industrieux, un masque qui avait fusionné avec le visage de la femme que tous connaissaient. Dégoûtée de moi-même, j'avais extirpé de ma vie tout ce qui avait fait de moi une petite sauvageonne et qui avait poussé mon père à adopter un comportement contre nature puis à s'en aller pour toujours, horrifié par son forfait. J'étais devenue la moitié de celle que j'aurais pu être, conformiste, refoulée affectivement, effrayée par l'intimité et le risque, fermée à toute joie, incapable de se laisser aller, et je ne savais pas comment concilier les deux moitiés.

Pendant tout le temps que dura mon récit, le regard sombre et solennel de Taieb ne quitta pas un instant mon visage. Il ne broncha pas ni ne montra de dégoût. Il ne m'interrompit pas ni n'essaya de me toucher. Il m'écouta seulement, comme personne ne m'avait encore écoutée.

Le flot de mots se tarit finalement, me laissant aussi vide qu'une gourde, ma peau tendue comme celle d'un tambour. Taieb détourna la tête et garda le silence, les yeux baissés, si longtemps que j'eus la certitude que mon infâme confession lui avait fait aussi honte qu'à moi. Puis il dit d'une voix douce :

— Pauvre Isabelle, pauvre Izzy. Comment peut-on trahir à ce point la confiance et l'innocence, abuser autant de son pouvoir ? Comment faire une chose pareille à une enfant, surtout la sienne ?

Son regard croisa le mien et je vis la flamme de la bougie dans ses prunelles.

— Et vous vous êtes blâmée et détestée à cause de ce qu'il vous avait fait.

— Oh, je l'ai blâmé aussi, croyez-moi, dis-je avec aigreur. Je l'en ai blâmé et détesté.

— Mais vous vous êtes blâmée et détestée en même temps.

Au moment même où il prononçait ces mots, je savais que c'était vrai. Pendant tout ce temps-là, je m'étais punie, j'avais encagé la facette sauvage de ma personnalité, je m'en étais défaite. Je m'étais conformée à la norme, j'avais laissé l'univers des classes moyennes me passer la camisole de force — en l'occurrence son uniforme et sa structure économique —, j'avais cherché à normaliser sous tous ses aspects le monde qui m'entourait et j'y avais remarquablement réussi. J'avais eu une peur terrible de tout ce que je ne parvenais pas à maîtriser et, surtout, j'avais eu peur de moi-même. Je hochai doucement la tête.

— Vous avez raison, reconnus-je. Mais je ne sais pas comment y remédier.

— Nous avons un dicton : le temps va toujours de l'avant, hier est mort. Tournez-vous vers l'avenir, Izzy : le passé est derrière vous.

Je lui adressai un sourire fragile.

— J'aimerais que ce soit aussi facile.

— Les choses ne sont difficiles que si on les rend telles.

— Elles vous arrivent parfois et vous n'y pouvez rien.

— Voilà que vous vous mettez à parler comme ma tante ! Quand elle tombait malade, elle affirmait que Dieu l'avait voulu, *inch'Allah*, qu'elle devait l'accepter et en conséquence sa maladie ne faisait qu'empirer. Cette attitude « *inch'Allah* », comme elle disait, de sa sœur rendait folle ma grand-mère, que vous avez rencontrée. Elle s'écriait : « Nous ne sommes pas des marionnettes !

Lève-toi et marche au lieu de te plaindre d'avoir les intestins bloqués. Bois de l'eau, mange des figues ! »

Je ne pus m'empêcher d'éclater de rire. Je venais de me décharger de mon secret le plus obscur, qui avait empoisonné toute ma vie d'adulte, et il s'était mis à parler de la constipation de sa tante. Je me retournai vers lui : il avait l'œil pétillant et je devinai qu'il avait allégé l'atmosphère de propos délibéré.

Il hocha imperceptiblement la tête et reprit son air solennel.

— Dans l'islam on nous apprend certes que le cours de notre vie est tracé par Dieu, qui est omniscient et tout-puissant. Cela ne veut pas dire que nous n'avons pas la liberté d'agir et de réagir. Chacun de nous est responsable de sa façon de vivre et de faire face aux circonstances telles qu'elles se présentent à lui. En pratique, nous sommes libres et évoquer le destin n'excuse pas les mauvais choix que nous faisons dans notre existence ; nous devons toujours nous efforcer de tirer le meilleur de nous-mêmes, dans cette vie et la suivante. Qui sait ce qui est écrit dans votre avenir, Isabelle ? L'avenir peut être merveilleux.

— Ou très bref, répliquai-je en souriant en dépit du côté lugubre de ma remarque.

Taieb me rendit mon sourire et je sentis que j'étais soulagée d'un énorme poids.

Je jetai un coup d'œil par-dessus son épaule. Le soleil se levait : une bande pâle de lumière glorieuse sur le désert que j'entrevoyais par une brèche dans le cercle de tentes sombres. Je rampai à l'extérieur sur le sable frais et me levai pour voir le bord rougeoyant de l'astre du jour apparaître au loin au-dessus des dunes et transformer leur grisaille en une palette de teintes chaudes crème et or, colorant les creux à mesure qu'il s'élevait dans le ciel. Je n'avais jamais rien vu d'aussi beau. J'avais l'impression que mon esprit se vidait, que toutes mes vieilles peurs et mes vieux souvenirs s'envolaient ; je me sentis bientôt aussi légère que l'air embrasé et il n'y eut plus rien entre le ciel, le sable et moi.

29

Mariata marcha toute la nuit. La lune lui fut clémente, mais il lui arrivait de trébucher et elle tomba une fois, s'écorchant les genoux même à travers l'étoffe épaisse de sa robe tant les cailloux épars étaient pointus. Elle marchait comme dans un rêve, comme si elle n'avait eu d'autre idée en tête que de marcher. En fait, elle s'efforçait de ne penser à rien et chaque fois qu'un doute l'assaillait, elle le chassait en laissant son corps prendre le commandement et continuer à avancer. Il aurait cependant été faux de dire qu'elle n'avait aucune idée de l'endroit où elle se trouvait et de la direction qu'elle empruntait, car, à mesure que les constellations dérivaient au-dessus d'elle, une voix intérieure lui notifiait de ne pas perdre de vue l'alignement de la Queue du Scorpion. Alors, instinctivement, elle corrigeait son itinéraire pour la suivre tandis que l'animal semblait abaisser inexorablement son aiguillon vers le sud et l'est.

Tout en marchant, elle reprenait en silence les chansons folkloriques de son enfance que sa grand-mère et ses tantes lui avaient apprises, celles entendues autour du feu lorsque les caravaniers revenaient de voyage ou les guerriers de leurs raids, fragments de chansons idiotes qui remontaient des profondeurs de sa mémoire :

Deux petits oiseaux perchés sur un arbre
L'un pareil à toi et l'autre pareil à moi
Noire son aile et noir son œil
Lance une pierre et regarde-le s'envoler...

Les pierres étaient affreusement coupantes sous ses pieds. Les sandales rapportées de l'Adagh ne lui offraient pas de protection suffisante et elle regrettait de ne pas avoir acheté les solides bottines en cuir rouge appréciées des femmes Aït Khabbash, à semelles en caoutchouc, des bottines couvrant la cheville et lacées serré sur le tibia. C'était le genre de chaussures convenant à une marche difficile comme celle-là, où, à chaque pas, le sol inégal craquait sous le pied comme des scories. Elle grimpait péniblement une pente et redescendait de l'autre côté du pas glissé des coureurs du désert, le gravier s'éboulant sous son poids.

Oh, mon dromadaire, si puissant et fort
À la belle bosse si lourde de graisse,
Continue ta course, mon beau, continue…

Non, pas ça. Il ne fallait pas qu'elle pense aux dromadaires, car alors elle était prise de panique et le souvenir d'Atisi battu par les soldats lui revenait. Que lui était-il arrivé ? L'avaient-ils assommé et fait prisonnier ? Avaient-ils emporté son corps après l'avoir tué ? Le spectacle de Moushi morte sur le bas-côté de la route et du dromadaire de bât disparaissant au galop dans la nuit repassa devant ses yeux, lui rappelant à quel point il était insensé d'être seule ici sans rien, pas même un peu d'eau, pour se sustenter. Cette idée la taraudait. Elle s'insinuait dans son esprit entre les chansons et les comptines avec lesquelles elle tentait de l'étouffer. Entre les paroles, elle lui chuchotait : Tu vas mourir. Tu vas mourir et personne ne creusera ta tombe.

Mariata grinça des dents.

— La ferme, dit-elle. Nous venons de nous mettre en marche et la route est encore longue. Si tu me menaces de mort dès le premier soir, que te restera-t-il pour me faire peur dans trois, cinq ou douze jours ?

Les heures passaient, les étoiles tournaient lentement dans le ciel noir et elle marchait toujours, une marche pénible à travers une région d'une platitude infinie, les chevilles et les mollets mis à mal. Le Scorpion disparut à l'horizon, les étoiles perdirent une à une leur luminosité, puis la lune renonça à son empire. Le soleil effectua enfin son apparition dans un monde gris et las. Le désert s'étendait à perte de vue devant Mariata, incolore, morne et hostile. Indistinctes jusque-là, les choses révélaient la monotonie de leur forme : des kilomètres et des kilomètres d'un plateau semé de pierres, qui passa d'abord du gris au brun grisâtre puis, à mesure que le soleil s'élevait, à un marron terne. Le découragement s'empara de la jeune femme. Ce devait être la hamada du Guir, cette immense plaine nue qui s'étendait sur des centaines de kilomètres entre les grands ergs, les mers de sable situées à l'est et à l'ouest. Tout ce qu'elle voyait était aussi sec que du pain rassis. Rien n'indiquait la présence des oasis dont avaient parlé les caravaniers, il n'y avait pas la moindre tache de verdure.

Elle ferma les yeux et essaya de se remémorer ce qu'elle avait entendu dire au fondouk, passant au crible les informations qu'elle avait glanées en vue de son périple. Les paroles des marchands lui revenaient par bribes, tels des courants souterrains qui refaisaient surface dans le désert de son esprit. *Le désert de pierre est celui qui tue. Si tu manques un point d'eau, tu es morte. Igli, Mazzer et Tamtert sont de bons endroits pour les chameaux. Le soleil se lèvera sur ton épaule gauche. Cherche la cime à deux cornes et passe entre les cornes. On dit qu'un homme peut survivre une semaine sans nourriture ni eau. Mais seulement si le temps est froid et si Dieu lui sourit.*

Ce fut cependant une lointaine voix féminine qui lui rappela : *Dans la hamada du Guir, les lits des rivières à sec vont du nord-ouest au sud-est : suis-les et tu arriveras enfin à la vallée des Oasis.*

Mariata rouvrit les yeux, tourna son visage vers le soleil et se mit en route.

Après des heures de marche, le paysage n'avait toujours guère changé. Alors qu'elle progressait, péniblement mais avec détermination, l'horizon restait aussi distant et immuable qu'il l'avait été au point du jour. Les oueds qu'elle suivait n'étaient

que des empreintes déchiquetées et éboulées dans le sol poussiéreux, tapissées de pierres polies par un cours d'eau tari depuis
longtemps, et même ces rivières mortes disparaissaient après
deux ou trois kilomètres de marche éprouvante. À un moment
donné, elle aperçut une zone de plantes vertes épineuses et elle
accéléra le pas dans sa direction, mais le sol alentour était aussi
sec qu'ailleurs et elle s'égratigna les mains en essayant d'arracher
quelques feuilles. Le dos endolori, son ventre plus lourd à chaque
pas, elle avançait toujours en s'évertuant à ne pas penser au pire.
Cela ne faisait qu'une demi-journée qu'elle n'avait pas mangé, se
disait-elle, une demi-journée qu'elle n'avait pas bu. Elle pouvait
survivre : elle était fille du désert. Un homme peut survivre une
semaine sans nourriture ni eau, se répétait-elle, son esprit éludant
opportunément les hypothèses les plus terribles pour se rappeler
les histoires stupéfiantes racontées autour des feux de camp par
des hommes qui avaient survécu à force de persévérance alors
que leurs chameaux étaient morts sous eux ou leur avaient été
volés et qu'ils s'étaient retrouvés sans rien. Elle voulait croire
de toutes ses forces qu'elle était aussi déterminée que n'importe
quel homme et que cette détermination lui donnerait la vigueur
nécessaire bien qu'elle portât un enfant. Une lionne pleine est
le plus dangereux de tous les animaux, se rappela-t-elle avoir
entendu affirmer par l'un des chasseurs. Puis elle se souvint
qu'ils avaient ajouté que c'était parce que la femelle préférait
attaquer son poursuivant, quitte à en mourir, plutôt que de se
sauver avec son petit encore à naître. Encore quelques pas et il
lui revint en mémoire que les hommes avaient dit cela en riant et
plaisantant à propos de la femme enceinte d'Ali, Ana, qui s'était
montrée dernièrement de si mauvaise humeur qu'elle lui avait
tapé sur la tête avec une chaussure quand il était entré dans sa
tente un soir. Démoralisée, elle se glissa à l'ombre d'un rocher et
s'assoupit un moment, mais son sommeil était agité et ses rêves
inquiétants. Elle se releva donc et se remit à marcher, alors que
le soleil de l'après-midi brûlait comme du feu.

Elle ne savait même pas ce qui lui avait attiré l'œil – un vague mouvement au loin ou une nouvelle nuance dans la palette des bruns et des gris – mais quand elle vit le dromadaire, ce fut comme si elle avait été frappée par la foudre. Elle eut beau regarder, elle n'en crut pas ses yeux : c'était un mirage, un jeu trompeur de lumière et d'ombre. Pourtant, c'était bien là, quelque chose couleur poil de chameau, qui se déplaçait lentement, la tête basse comme cherchant en vain de quoi paître. À mesure qu'elle s'en approchait, elle distinguait d'autres détails : une couverture à rayures rouges et bleues typique, des outres noires, des sacs blancs de farine et de riz, des bottes de paille. C'était l'animal de bât qui appartenait à Atisi ag Baye. Sous le choc, elle faillit pousser un cri, car faire tout ce chemin à travers la hamada dénudée et trouver au milieu de nulle part le dromadaire échappé la veille tenait du miracle. Elle porta son amulette à ses lèvres. Merci, murmura-t-elle, sans trop savoir qui elle remerciait, Tin Hinan ou les esprits du Sah'ra, ni si elle avait suivi jusque-là sans s'en douter les traces de l'animal ou si tous les deux avaient été inexorablement poussés à faire le même trajet. Quelle qu'en fût la raison, peu importait : elle était fille du désert et le désert l'avait reconnue.

Soudain pleine d'énergie, Mariata remonta le bas de sa robe et se mit à marcher d'un pas rapide vers l'animal en restant toujours hors de son champ de vision. Elle n'était plus qu'à une centaine de mètres de lui quand elle s'aperçut qu'un homme, un jeune garçon, était à côté du dromadaire. Sa peau fut parcourue d'un frisson malgré la chaleur. Elle se dirigea vers eux avec détermination.

— Hé, toi !

Le gamin était maigre, ses yeux lui mangeaient le visage. Il parut affolé en la voyant. Elle apercevait le blanc autour de ses pupilles. Il avait la peau aussi sombre que les rochers.

— C'est mon dromadaire que tu as là !

Rapide comme l'éclair, le gamin grimpa sur l'encolure du dromadaire, s'installa au milieu des provisions et talonna l'animal.

— Non ! s'écria-t-elle.

Elle s'élança à sa poursuite, mais son gros ventre la ralentissait et elle se tordait les chevilles sur les cailloux.

— Reviens !

Le dromadaire filait comme s'il avait été pourchassé par des afrits, balançant le cou d'un côté et de l'autre et projetant ses grands pieds en tous sens.

Mariata cria jusqu'à en avoir la gorge irritée, en vain. Bientôt, le dromadaire et le jeune garçon ne furent plus qu'un point au loin. Un soupir de frustration lui échappa. Elle avait l'impression de se mouvoir aussi lentement et pesamment qu'un éléphant et voilà qu'ils étaient partis. Furieuse contre elle-même autant que contre le voleur, elle entreprit de suivre leur trace. Il faudrait bien qu'ils s'arrêtent quelque part, il devait y avoir un camp. Le gamin avait l'air d'un harratin ou d'un jeune iklan qui se dérobait à ses corvées. Si le camp n'était pas trop loin, elle se montrerait magnanime, elle ne demanderait pas réparation pour le vol et le désagrément d'avoir marché deux ou trois kilomètres en plus. Elle pourrait faire preuve de générosité car un accueil hospitalier l'attendait certainement : du thé et un bon repas. Lorsqu'ils sauraient à qui appartenait le dromadaire, de quelle lignée prestigieuse elle était issue, ils tueraient à n'en pas douter une chèvre ou un mouton pour lui faire honneur. De meilleure humeur, elle avançait à longues enjambées, la tête droite. Chaque fois qu'une crête rocheuse coupait l'horizon, elle y grimpait, s'attendant à trouver un camp de l'autre côté, une oasis et de l'eau fraîche, des femmes souriantes, des hommes voilés, respectueux. Peut-être même allaient-ils vers le sud, dans le Hoggar, et pourrait-elle se joindre à eux.

Les heures passaient tandis qu'elle retournait ces agréables pensées dans son esprit et il n'y avait toujours aucun signe de la présence du jeune garçon et du dromadaire en dehors des traces qu'ils avaient laissées au sol : cailloux déplacés, empreintes de sabots fendus. Le terrain ne semblait plus aussi hostile ; elle trouvait même une certaine beauté austère à ce paysage creusé de cratères et jonché de pierres et s'émerveillait des changements opérés par le soleil déclinant : de brun pâle et poussiéreux, le sol passa à l'ocre du pelage des gazelles puis au rouge sang. Lorsque les ombres s'allongèrent entre les rochers, Mariata était épuisée et complètement déshydratée ; aussi, quand elle arriva au sommet d'une butte et vit en contrebas trois tentes basses en cuir noir, elle faillit pousser un cri de joie. Elle commença à descendre la pente au pas de course avant de se rendre compte qu'il n'y avait rien d'autre que les trois tentes. Où était le reste de la tribu ? En scrutant l'obscurité naissante, elle ne distingua que quelques chèvres au lieu du troupeau nécessaire à la subsistance d'un vrai camp. Quelques chèvres et un unique dromadaire. Ces gens étaient-ils des francs-tireurs ou des parias ? Elle ralentit l'allure, hésitante.

Les chiens se mirent à aboyer. Ils étaient une demi-douzaine, des corniauds sans une once de graisse, aux côtes apparentes. Les croisements entre races et une piètre alimentation n'avaient amélioré ni leur caractère ni l'accueil qu'ils réservaient aux visiteurs. Mariata recula, nerveuse. Sa tribu possédait des chiens de chasse, des bêtes racées au poil lustré, qui couraient docilement sur les talons de leurs maîtres ; quant aux Kel Teggart, ils avaient bien assez de mal à se nourrir eux-mêmes. Les chiens arrivaient ventre à terre. Mariata resta clouée sur place, puis elle se baissa, ramassa une pierre et la lança sur le plus proche. Elle l'atteignit à l'épaule et l'animal battit en retraite avec un jappement aigu. Mariata ramassa encore des cailloux et en jeta à la meute. Les chiens trépignaient et sautillaient en tous sens. Ils aboyaient de plus belle, mais n'avançaient plus.

Un homme sortit enfin de l'une des tentes. Il était grand et maigre, aussi noir que la nuit. Un iklan, se dit Mariata, soulagée.

— Rappelle tes chiens ! cria-t-elle d'une voix impérieuse, car là où il y avait des esclaves, il y avait des maîtres.

L'homme fixait sur elle un regard soupçonneux. Il appela et les chiens revinrent vers lui en se retournant avec méfiance comme s'ils s'attendaient à être encore bombardés de cailloux. Leur vacarme avait attiré hors des tentes leurs occupants : ils formaient un groupe disparate, aucun n'était voilé. C'étaient des baggara, des vagabonds, des nomades qui vivotaient en marge de la société. Elle reconnut parmi eux le gamin qu'elle avait vu avec le dromadaire de bât. L'homme qui avait rappelé les chiens se baissa pour rentrer dans la tente et quelques instants plus tard, un autre en sortit, suivi d'une femme qui portait un petit enfant dans ses bras. Tous observaient Mariata, dont la silhouette se découpait contre la roche. L'espace d'un instant, son regard croisa celui de la femme et elle ressentit pour elle un élan de pure sympathie, comme si son âme était allée droit à elle. C'est alors que la femme se mit à crier.

— C'est un esprit ! C'est l'esprit qui m'a pris mon petit garçon !

Elle se précipita hors de l'enceinte, son visage transformé en un masque de fureur et de douleur. À chacun de ses pas, les membres de l'enfant ballottaient mollement. Mariata réalisa soudain qu'il était mort et que, surgie de nulle part au crépuscule comme elle l'avait fait, la femme l'avait prise pour un djinn.

Les hommes rattrapèrent la mère éplorée avant qu'elle ne s'approche de Mariata. L'un d'eux lui enleva des mains le corps de l'enfant et repartit vers les tentes à grandes enjambées; elle le suivit, les bras tendus, comme si elle ne pouvait supporter d'être séparée du petit cadavre. Le deuxième homme restait là, immobile, à regarder Mariata.

— Je ne suis pas un djinn ! cria-t-elle.

Elle avait la gorge sèche et les mots sortirent en un murmure si râpeux et lugubre que l'homme toucha son amulette.

Elle déglutit, passa sa langue sèche sur ses lèvres et essaya de nouveau.

— Je ne suis pas un djinn, répéta-t-elle. Je suis une femme en chair et en os, une Kel Taïtok. N'ayez pas peur. Mon dromadaire s'est échappé hier soir. Je l'ai suivi toute la journée. Ce garçon l'a pris, dit-elle en le montrant du doigt. Peut-être a-t-il cru que c'était un animal égaré ou que son propriétaire était mort, peut-être l'a-t-il pris pour s'en occuper. Quoi qu'il en soit, je suis venue le récupérer, ainsi que les provisions qu'il portait, et je vous serais reconnaissante de me donner un peu d'eau et un abri pour la nuit. Et demain, je prendrai mon dromadaire et m'en irai.

L'homme ne répondit pas, s'accroupit. C'était un geste étrange et elle n'en comprit le sens que lorsqu'il se releva et lui jeta la première pierre. Elle passa à côté de son épaule et tomba sur la roche derrière elle. La deuxième lui effleura le bras et elle poussa un cri, moins de douleur que de surprise.

— Qu'est-ce qui te prend ? Je ne t'ai rien fait !

L'homme s'apprêta à lui lancer un autre caillou.

— Le dromadaire nous appartient maintenant. Va-t'en.

— Vous êtes des voleurs !

— Va-t'en ou je te tue.

— Vous n'avez donc aucun honneur ? Aucun respect pour le code du désert ?

— Le seul code du désert est la mort.

— Maudit sois-tu par les esprits si tu me tues ! fit Mariata en brandissant son amulette. Je vais appeler le mauvais œil sur vous : vous mourrez tous.

— Nous mourrons de toute façon, rétorqua l'homme, les yeux éteints. Va-t'en.

Les plis de sa robe amortirent l'impact de la troisième pierre, mais il en ramassait déjà d'autres et les chiens aboyaient et faisaient des bonds, les pattes raides, avec une agressivité contenue. Mariata leur tourna le dos et s'éloigna.

Elle resta de longues heures à l'ombre de rochers, se demandant que faire. Que son dromadaire soit si près et pourtant hors d'atteinte la faisait bouillir de rage. Elle ne pouvait tout simplement pas l'abandonner à la famille de baggara, mais elle ignorait comment s'y prendre pour le récupérer. Elle y pensa toute la nuit, imagina une dizaine de stratégies absurdes qu'elle élimina tour à tour. Elle aurait pu profiter de la fraîcheur de la nuit pour tenter sa chance ailleurs, mais elle savait au fond d'elle-même que si elle laissait passer l'occasion de récupérer son dromadaire et ses provisions de nourriture et d'eau, elle mourrait et l'aurait bien mérité. Les Gens du Voile accordaient autant de prix à la ruse et à l'ingéniosité qu'à leur honneur ; se montrer faible au point de laisser ces vagabonds de basse extraction lui damer le pion reviendrait à reconnaître sa défaite et la honte s'abattrait sur elle. La Mère de Tous avait-elle jamais subi un tel outrage ? Elle avait peine à le croire. Qu'aurait fait son estimable ancêtre ?

— Tin Hinan, murmura-t-elle dans l'obscurité, guide-moi de ta sagesse et de ta force.

Elle porta l'amulette à son front et sentit le métal froid contre sa peau.

Combien de temps était-elle restée dans cette attitude, elle l'ignorait, mais au bout d'un moment elle perçut un bruit léger parmi les rochers sur sa gauche. Elle retint son souffle, terrifiée. L'avaient-ils suivie à la trace, allaient-ils mettre à exécution leur menace de la tuer ? Elle plongea la main dans son sac en cuir, en sortit le petit couteau et attendit.

Le son était à peine audible, comme si quelque chose effleurait les rochers. Il se rapprochait. Mariata serra les dents, prête à se défendre. Elle ne mourrait pas sans avoir versé le sang ; ils n'auraient pas raison d'elle facilement.

Lorsque le lièvre apparut, elle le regarda avec perplexité. Il lui rendit son regard, figé par la surprise, les oreilles dressées, muscles tendus, prêt à fuir. Elle l'attrapa sans même en avoir conscience, tandis qu'il décochait des ruades de ses puissantes pattes arrière. Il était si chaud, si résolu, si plein de vie, qu'elle faillit lui rendre la liberté, mais son instinct primaire prit le dessus. Quelques instants plus tard, il gisait inerte et elle avait son sang noir sur les mains.

C'était un gros animal, solidement bâti et bien musclé. En examinant son corps au clair de lune, ses yeux s'emplirent de larmes, émue par sa beauté, son pelage soyeux et frais, ses longs membres, ses immenses oreilles. Puis elle se maîtrisa et fit ce qu'elle avait à faire.

À des kilomètres et des kilomètres du camp des nomades, installée sur le dos du dromadaire, Mariata vit le soleil se lever. L'animal était en sueur malgré la fraîcheur de l'aube, et elle aussi. Elle avait risqué le tout pour le tout et elle avait eu gain de cause. Elle frissonna en se rappelant comment les chiens avaient taillé en pièces le lièvre qu'elle leur avait jeté de loin, broyé ses os fragiles entre leurs mâchoires et s'étaient disputé le dernier et meilleur morceau, la tête. Les hommes étaient alors sortis des tentes et les avaient fait taire à coups de bâton. Au milieu de cette confusion, elle s'était glissée dans l'enclos et avait eu la surprise de trouver le dromadaire maladroitement entravé et ses provisions à côté avec la selle et la couverture. Seuls manquaient le sac de farine et le pain rassis, avait-elle constaté, stupéfaite d'avoir tant de chance. Le sac de riz était sur le flanc, un peu de son contenu s'était répandu dans le sable, les petits grains blancs nacrés et luminescents au clair de lune. Mariata avait bouché le trou du sac avec de la paille, s'était assurée que les outres étaient pleines et les avait passées en bandoulière.

Le dromadaire l'avait regardée d'un air boudeur et quand elle s'en était approchée, il avait rejeté la tête en arrière et roulé des yeux. J'ai assez marché comme ça, lui disait son regard ; n'espère pas me faire aller plus loin. Mariata savait que c'étaient des animaux entêtés, mais elle savait aussi qu'une main ferme et une attitude déterminée permettaient finalement de l'emporter. Elle était allée à lui d'un pas décidé et, se rappelant comment Rahma avait muselé les dromadaires lorsque les soldats étaient arrivés à l'oasis, elle l'avait bâillonné avec son voile avant qu'il n'ait eu le temps de pousser un mugissement de protestation. L'animal avait été tellement pris au dépourvu qu'elle avait pu attacher les provisions sur son dos et monter en selle. Il avait tourné la tête pour lui lancer un coup d'œil chagriné, auquel elle avait répondu par un regard noir résolu, puis elle l'avait fait se lever par la seule force de sa volonté et poussé au galop.

Mariata se tapota le ventre en riant.

— Tu es le fils de Touaregs, ne l'oublie jamais ! Quel aventurier tu vas être en héritant du meilleur de ton père et de ta mère ! Aucun baggara en haillons ne t'attrapera ni ne te dévalisera, car, grâce au bon vouloir des esprits et à tes propres ressources, tu vaincras toujours.

Elle donna une tape péremptoire sur la tête du dromadaire. Il plia les genoux en grommelant et la laissa descendre. Dans la lumière rosée du désert, elle dénoua le voile qui bâillonnait l'animal et l'entrava soigneusement afin qu'il ne puisse s'échapper, puis ils festoyèrent et se redonnèrent des forces avant de prendre un repos bien mérité à l'ombre des branches déployées d'un acacia solitaire.

30

L'optimisme de Mariata ne dura guère. Pendant des jours, son instinct l'avait poussée à se diriger vers l'est, mais elle n'en avait pas tenu compte car elle aurait eu l'impression de se fourvoyer en ne continuant pas vers le sud. C'est ainsi qu'elle passa entre les oasis d'Ougarta et d'Aguedal sans même s'en rendre compte. En recherchant l'ombre du djebel El-Kabla, elle avait franchi par erreur un col qui menait seulement à un prolongement de la hamada du Guir, cette plaine rocailleuse complètement aride. Elle traversait alternativement des zones où des flèches de roche rouge s'éboulaient et d'autres où une étrange patine sombre recouvrait le sol, une glaçure friable qui luisait faiblement au soleil et se craquelait sous les larges pieds du dromadaire. Pas une seule plante n'y poussait, pas même les plus rustiques des cactus ou des euphorbes, et le dromadaire beuglait de mécontentement chaque fois qu'ils s'arrêtaient, se tordant le cou pour chiper du fourrage dont la botte ne cessait de s'amenuiser. Il était affamé, elle le savait : sa bosse, d'ordinaire ferme, était affaissée et molle, ses réserves de graisse presque épuisées.

— Non, Acacia ! le grondait-elle.

Elle n'avait pas eu l'intention de former un lien avec le dromadaire – c'était un animal de bât, fait pour porter comme la portaient ses propres pieds –, mais après des jours et des nuits en sa compagnie et après avoir partagé les mêmes épreuves, elle s'était laissé prendre au piège et avait conçu une affection inattendue pour cette bête récalcitrante qui sentait mauvais. Le nom lui était facilement venu à l'esprit : l'animal était aussi résistant et rude que l'arbre éponyme. Si l'un de ces robustes épineux avait été capable de s'exprimer, elle était certaine qu'il aurait grondé, grommelé, gargouillé et craché comme son dromadaire.

— Si tu manges tout maintenant, il ne restera plus rien et tu regretteras ta goinfrerie. Sois fort et patient, subis tes tribulations sans te plaindre et tu seras récompensé.

Force, patience et obstination, telles étaient les valeurs que les siens prisaient par-dessus tout. Aucun homme ne se plaignait jamais des privations qu'il avait endurées dans le désert, sa fierté l'en empêchait ; se plaindre aurait fait de lui moins qu'un homme. Au contraire, c'était à celui qui raconterait les pires épreuves : les scarabées des sables qu'il avait mâchés en une pâte amère, les vipères mangées toutes crues, l'urine bue dans les moments les plus difficiles. Elle se souvenait de l'histoire quasi légendaire du marchand isolé de sa caravane en route pour Sijilmassa, qui avait erré sans nourriture et en était à sa dernière gorgée d'eau lorsqu'il avait croisé une caravane de commerçants d'une tribu rivale. Comme cela se fait dans le désert, ils lui avaient offert l'hospitalité, de la viande de chameau séchée et de l'eau, mais il s'était contenté de sourire et, tapotant la charge de son chameau, il leur avait répondu qu'il avait tout ce qu'il fallait et s'était proposé de préparer du thé pour tout le monde. Personne n'avait été dupe, mais aucun n'avait voulu lui faire honte en le prenant au mot. La caravane avait donc passé son chemin et le marchand était mort le lendemain. Cinq cents ans avaient passé mais l'épisode n'avait pas été oublié. Ne valait-il pas mieux laisser en héritage le souvenir d'un homme mort noblement, sa fierté sans tache, que de survivre en acceptant la nourriture offerte par son ennemi ? disaient les Kel Ahaggar.

Mariata n'était pas certaine d'être aussi ferme dans ses convictions : même si Rhossi ag Bahédi en personne était brusquement apparu avec un plat d'agneau odorant et des abricots, elle se serait probablement jetée dessus et aurait tout dévoré jusqu'au dernier morceau avant de se rappeler qu'elle avait sa fierté. Il lui était donc difficile de reprocher au dromadaire sa tentative de chapardage. Elle sentit ses glandes salivaires se contracter, mais elle était si déshydratée qu'elle ne pouvait même pas avoir l'eau à la bouche. Elle n'avait rien bu depuis le coucher du soleil. L'une des outres en peau de bouc noire pendait, inutile, peu à peu desséchée par le soleil ; ce qui restait dans l'autre était tiède et saumâtre. Et comme si lui aussi se plaignait d'être insuffisamment nourri, son bébé décocha un ou deux bons coups de pied. Elle posa la main sur son ventre.

— Du calme là-dedans, petit homme. Donner des coups de pied à ta maman n'arrangera rien.

Le treizième jour, il ne restait plus du tout de fourrage et si peu d'eau qu'elle put seulement mouiller le museau d'Acacia, qui, ingrat, fit de son mieux pour la mordre. Il flaira ses sandales, mais celles-ci étaient trop précieuses pour que Mariata le laisse les manger ; elle lui donna donc en pâture la natte en roseau sur laquelle elle dormait ; il la mâcha péniblement et, dans un va-et-vient résolu de sa longue mâchoire, la réduisit à l'état d'étoupe. Quant à elle, elle tenta de manger le riz cru et faillit s'y casser les dents ; même en le broyant entre des pierres, elle n'obtint qu'une poudre farineuse qui tapissait l'intérieur de sa bouche, impossible à avaler sans être mélangée à de l'eau. Elle comprenait maintenant pourquoi Atisi avait emmené deux dromadaires femelles avec lui : leur lait les aurait sustentés dans les mauvaises passes comme celle-là ; elle se souvint de la pauvre Moushi étendue morte sur le bord de la route et maudit sa malchance de n'avoir plus qu'un mâle comme seule monture. Elle avait entendu parler de marchands réduits à percer le cou de leur chameau pour en boire le sang, mais quand elle s'approcha d'Acacia avec le petit couteau tiré du sac de Tana, il montra ses longues dents jaunes et déclara qu'il lui arracherait le bras si elle faisait un pas de plus ; du moins est-ce ainsi qu'elle interpréta son blatèrement de rage. Elle se persuada donc que la situation n'était pas aussi désespérée qu'il y paraissait.

Pourtant, lorsqu'ils firent halte ce jour-là, elle renversa son sac pour la centième fois et en examina le contenu dans le vain espoir que quelque chose d'utile lui aurait échappé. Pendant que le dromadaire mâchouillait une poignée de fourrage, elle éparpilla les objets et ne vit rien de nouveau. Au moment où elle s'apprêtait à tout remettre dans le sac, un galet lui attira l'œil. Il était d'un vert bleuâtre, traversé en son milieu d'une bande horizontale blanche, très différent des rouges et bruns habituels. Elle le ramassa. Dans le creux de sa main, il était aussi petit et lisse qu'un œuf d'oiseau chanteur. Elle chassa les grains de sable à sa surface, puis, sans y penser, le glissa sous sa langue. Quelques instants après, elle avait la bouche pleine de salive, qu'elle avala avec gratitude. Elle continua de sucer le galet, ce qui lui garda la bouche humide le reste de la journée et émoussa sa soif – un soulagement minime et, au mieux, une mesure temporaire.

Ils évitaient le soleil quand ils le pouvaient en se déplaçant à l'ombre des flèches rocheuses jusqu'au crépuscule, puis ils cheminaient au clair de la lune montante. Ils progressèrent vers le sud-est à travers le plateau aride semé de pierres et ne trouvèrent qu'un cours d'eau asséché et pratiquement aucune feuille ou plante qui ne soit fanée et presque réduite à l'état de poussière. La tête basse, Acacia marchait de plus en plus lentement. Il finit par s'asseoir sur son arrière-train et refusa purement et simplement de se relever. Mariata attendit mais il ne la regarda même pas. Elle tenta de le cajoler avec un reste de fourrage ; il lui lança un bref coup d'œil plein de reproches et détourna la tête comme pour dire : « Trop tard ! Tu te repentiras de ta méchanceté. » Elle tira sur son licou, mais l'obstination le rendait fort. Elle s'assit à côté de lui et soupira. Elle lui chanta une ritournelle que sa grand-mère lui chantait quand elle était petite : il s'ébroua, se racla la gorge et resta où il était en frappant le sable de sa queue avec malveillance.

Mariata se releva et se posta devant lui, les mains sur les hanches. Acacia fit comme si elle n'était pas là. Elle se déplaça pour entrer dans son champ de vision de façon qu'il ne puisse l'ignorer. Le dromadaire fixa sur elle un regard morne.

— Tu dois te reposer, je le comprends. J'ai moi aussi besoin de repos. Mais nous ne pouvons pas nous arrêter ici ; nous devons continuer jusqu'à ce que nous trouvions une oasis ou un puits. Alors, nous nous reposerons et tu pourras plonger la tête dans l'eau fraîche, boire tout ton content et te goberger de feuilles de palmier et de dattes. Mais il faut que tu te relèves. Sinon, tu vas mourir. Et si tu meurs, je mourrai… Et mon enfant aussi.

Finalement, incapable d'éviter son regard pénétrant, Acacia se remit péniblement debout une fois de plus et Mariata marcha à côté de lui en traînant un pied devant l'autre. Il était impossible d'échapper à la pensée de la mort. Son esprit ne cessait de tourner autour de cette idée tel un faucon au-dessus de sa proie. Ils descendirent dans une vallée où le sable, soufflé par le vent, formait un tapis lisse et pâle, mais quelque chose en dépassait. Le dromadaire fit un bond de côté et se mit à blatérer pitoyablement. Le cœur battant, Mariata regarda les ossements blanchis par le soleil et polis par le sable. Était-ce tout ce qu'il restait du dernier voyageur passé par là ? Elle et Acacia allaient-ils connaître le même sort ? Une image terrible lui traversa alors l'esprit, celle d'un squelette léché par les vagues de sable, les genoux remontés contre la poitrine pour protéger l'autre petit squelette niché sous ses côtes. Cette vision affermit sa détermination.

— Va au diable ! dit-elle au dromadaire. Allez, debout ! On s'en sortira !

L'injonction s'adressait autant à elle-même qu'à l'animal épuisé. La mâchoire volontaire, Mariata l'entraîna malgré son immense fatigue et partit plein est. Pourquoi avait-elle changé de direction, elle l'ignorait, mais sa main la démangeait et des connaissances cachées bourdonnaient dans son crâne. Quelque part, là-bas, se trouvait la vallée des Oasis dont avaient parlé les marchands au fondouk, la longue vallée nord-sud ponctuée d'antiques puits et oasis à travers laquelle passait la route commerciale suivie depuis des milliers d'années. Elle la trouverait ou elle mourrait.

La hamada fit place à l'erg – une immense mer de dunes en forme de faucille aux courbes majestueuses, aux longues crêtes aiguisées par le vent. Debout sur le sol rocailleux, elle promena son regard sur ces vagues de sable qui roulaient au loin ; leurs crêtes ensoleillées alternaient avec leurs creux ombreux et striaient le sol comme une aile de faucon. Elle savait qu'ils étaient à la lisière du Grand Erg Occidental et que, s'ils ne trouvaient pas un puits rapidement, ils n'avaient aucune chance de survie.

Acacia s'effondra le lendemain. Ses genoux se dérobèrent sous lui et il tomba comme une masse en laissant échapper une grande bouffée d'air nauséabond par la bouche et le rectum. Après quoi, il resta assis sur son arrière-train à regarder dans le vide comme s'il avait contemplé sa propre mort, point minuscule à l'horizon qui avançait inexorablement, pas à pas.

— Lève-toi ! lui ordonna-t-elle. Mets-toi debout !

La panique la rendait dure. Elle roua le dromadaire de coups de poing, mais il supporta l'assaut sans broncher. Elle lui donna des coups de pied en sanglotant, mais il ne bougea pas. Elle finit par se coucher contre lui dans son ombre et attendit qu'il cesse de respirer. Même alors, il ne tomba pas et resta assis là, aussi immobile qu'un sphinx, vivant, mort l'instant d'après. Mariata n'aurait su dire le moment exact de sa mort car rien d'essentiel ne semblait avoir changé en lui. Elle posa la main sur son museau et ne sentit aucun souffle. Elle colla sa joue contre ses côtes et ne perçut nul battement. Elle tira sur ses longs cils : il ne cligna même pas des yeux. Elle dut enfin accepter la terrible vérité : il était mort et elle était seule, trop loin maintenant d'où que ce soit pour rebrousser chemin et chercher de l'aide. Survivre dans un tel lieu, sans rien d'autre que ses pieds pour la porter, lui semblait inconcevable. Adossée au cadavre du dromadaire, elle fixa les sables des yeux. C'était donc ainsi que ça allait se terminer pour elle et son enfant à naître. Ce serait une triste fin, mais du moins mourraient-ils comme des Gens du Voile, en vrais natifs du désert.

Cette nuit-là, les djenoun vinrent chercher son âme. Elle les entendit dans le vent qui s'était levé à la tombée de la nuit et faisait danser des volutes de sable à la crête des dunes. Au début, leur chant était à peine audible, une sorte de bourdonnement monotone qui résonnait dans ses os, faisait vibrer ses côtes, puis il devint omniprésent autour d'elle, dans l'air, dans le sol sous ses pieds, lent battement de tambour qui avait toujours existé, avant même la formation des dunes, avant les prairies antérieures aux sables, lorsque gazelles et girafes couraient ici, lorsque le monde était luxuriant et vert, lorsque Dieu avait créé les djenoun à partir d'un feu sans fumée. Le chant se mua en grondement, puis en hurlement. Mariata laissa le son la parcourir, tour à tour terrifiée et fascinée. Les Kel Assouf, le Peuple du Désert: ils chantaient pour elle parce qu'ils la considéraient comme une des leurs, de ceux qui ne parlent à personne et traversent les espaces vides. Ils étaient venus la chercher. En un sens, c'était un soulagement: elle n'aurait plus à batailler jusqu'à la fin, sa mort lui serait retirée des mains. Elle se leva et se laissa fouetter par le vent et le sable.

À son réveil le lendemain matin, elle avait le visage enfoui contre le ventre du dromadaire mort. Une chape de sable les enrobait tous les deux et retenait une grande poche d'air vicié mais respirable. Il ne faisait aucun doute qu'en mourant Acacia lui avait sauvé la vie. Mariata se mit debout et regarda autour d'elle, émerveillée par le bleu pâle du ciel immaculé, l'or chatoyant des dunes. Le vent de la nuit avait été si fort qu'elle ne reconnut pas le paysage virginal dans lequel elle se réveillait, comme si creux et courbes avaient été remodelés par une main de géant. L'espace d'un instant, elle regretta amèrement que ses épreuves en ce monde n'aient pas pris fin, mais alors le bébé dans son ventre lui donna un grand coup de pied. En dépit de sa situation désespérée, elle se mit à rire.

— Bonjour, petit homme ! Crois-tu que j'avais besoin que tu me rappelles ta présence ?

Animée d'une énergie nouvelle, Mariata prit le petit couteau de Tana dans le sac à franges accroché sur son dos, en affûta la lame sur la pierre à aiguiser et entreprit de débiter le dromadaire en morceaux. Elle recueillit son sang dans l'une des outres, écorcha la peau, préleva les réserves de graisse restantes, mit à sécher de longues bandes de viande découpées dans les flancs et les épaules. Du pauvre Acacia, il ne resta bientôt plus que les os, les sabots et la tête. Beaucoup l'auraient réprimandée de laisser la tête intacte, sans toucher à la cervelle, très nutritive, et aux yeux, pleins de liquide, mais elle était habitée par une sensiblerie inhabituelle et il lui semblait que ce n'était pas bien de profaner la tête d'un ami, surtout d'un ami dont les immenses efforts lui avaient sauvé la vie. Elle lui tapota donc la tête avec une certaine gêne, lissa le sable à côté et y inscrivit une prière avec la pointe de son couteau. *Puisse ton esprit errer à travers de fraîches gueltas et de riches pâturages, puisse l'ombre rafraîchissante apaiser ton âme. Mariata oult Yemma te remercie. L'enfant d'Amastan ag Moussa te remercie.* Aucun souffle de vent ne vint effacer les symboles tifinagh bien nets.

Elle se servit des poils rêches de la queue du dromadaire et de son crottin séché en guise d'amadou et de combustible pour allumer un petit feu et faire cuire le cœur et le foie, qu'elle mangea. Elle s'était si peu nourrie pendant tant de jours que cette tâche lui prit beaucoup de temps. Cela lui faisait un drôle d'effet d'ingurgiter ainsi autant de nourriture, mais elle savait que plus elle mangerait, mieux elle serait parée pour reprendre son long voyage. La couverture avait depuis longtemps disparu, emportée par les vents du désert ; cette nuit-là, elle dormit sous une capote faite de la peau sanglante du dromadaire. Le sens pratique dont elle avait fait preuve la surprit : elle n'avait pas la réputation d'être particulièrement débrouillarde, mais il faut dire qu'elle n'avait encore jamais eu à compter uniquement sur elle-même.

Elle resta encore deux jours auprès du cadavre d'Acacia à faire cuire et manger toute la viande qu'elle pouvait et à boire le sang avant qu'il ne coagule. Les herbes que Tana avait mises dans le sac offert à son mariage lui permirent de continuer à manger quand elle croyait ne plus pouvoir avaler quoi que ce soit et d'éviter les malaises qu'aurait pu provoquer l'ingestion d'une telle quantité de nourriture. Au coucher du soleil le troisième jour, elle plaça les lanières de viande séchée dans un sac confectionné avec l'estomac du dromadaire, qu'elle accrocha dans son dos avec des bandes de peau. Il était lourd et mal pratique, mais il représentait la survie. Maintenant, c'est moi qui vais porter la bosse d'Acacia et il me prêtera sa force, se dit-elle avec détermination en suspendant les outres à ses épaules.

Elle partit vers le sud-est dans la nuit, suivant le mouvement des étoiles. Elle traversa une région de sable plat et compact que le vent avait strié de milliers de minuscules vaguelettes. Les motifs ainsi formés, si élégants dans leur régularité parfaite, distrayaient son esprit et lui apaisaient l'œil; elle regretta que les sables se soulèvent de nouveau mais les dunes ne tardèrent pas à s'aplanir encore et elle se retrouva bientôt dans une zone qui, aussi loin que le regard pouvait porter, était exactement de la couleur du poil de chameau, d'un brun immaculé, ponctué seulement par des pierres sombres de la taille d'un poing d'enfant. Lorsqu'elle s'arrêta pour manger, elle en ramassa une et sentit combien elle donnait du poids et du sens à sa main. Elle paraissait bien plus lourde qu'une pierre ordinaire. Elle l'examina avec curiosité. Tachetée de brun et comme piquetée par le feu, elle ressemblait davantage à du métal qu'à de la roche et c'est alors qu'elle se souvint qu'Amastan lui avait parlé des pierres de foudre qui tombaient du ciel. Cette nuit-là ils étaient sur l'une de ces hautes formations rocheuses dressées en sentinelles à l'entrée du territoire de sa tribu en venant du Tamesna et ils regardaient les étoiles filantes fendre la nuit d'une traînée argentée.

« Je suis passé par un endroit où les cœurs de telles étoiles sont tombés par centaines », lui avait-il dit.

Elle avait fait la moue, incrédule.

« Encore une de tes histoires farfelues ! s'était-elle exclamée sur le ton de la réprimande, bien qu'elle aimât écouter la cadence de sa voix, aussi absurde qu'ait été le sujet.

— Allah fasse que tu ne te trouves jamais dans un pareil endroit. Beaucoup ont tenté de traverser cette plaine, mais Al

Djumsjab, le souffle lugubre de l'erg, qui sépare les compagnons et dévaste les caravanes, les a dévorés. Il ne reste plus d'eux que leurs ossements blanchis par le soleil tandis que leur esprit erre dans le désert avec les Kel Assouf et joue à la balle avec les cœurs de fer tombés du ciel. »

Elle avait pris cela pour une de ses fantaisies poétiques, mais elle se rappelait maintenant qu'une autre fois il lui avait demandé si elle croyait que les étoiles qui brillent dans le ciel pouvaient être les âmes des morts. Du coup, elle jeta le caillou au loin, se releva et se hâta à travers le champ de pierres, tenaillée par l'appréhension.

Le lendemain, en franchissant une dune escarpée, elle glissa, dévala jusqu'en bas de la pente et resta étendue là, haletante. Sa main gauche lui faisait mal et la brûlait. Au milieu de sa paume, en plein sur la ligne qui la divisait en deux, une épine s'était logée si profondément qu'on ne la voyait pas. Du sang sombre s'était accumulé autour. En grimaçant, Mariata pressa la chair pour tenter de la faire sortir, en vain. Elle essaya de l'extraire avec la lame du petit couteau, l'épine s'enfonça davantage. Si elle avait pu, elle en aurait pleuré de douleur et de contrariété, mais ses yeux secs n'avaient plus de larmes.

Le jour d'après, sa main avait enflé et la chair rougie avait formé un bourrelet autour de la plaie. Elle l'élançait à chaque pas et paraissait aussi lourde que si elle avait porté une pierre de foudre. Elle eut bientôt l'impression que la plaie était le centre de son être, un autre cœur à vif palpitant, que le reste d'elle-même était aussi dénué de substance qu'un feu sans fumée, enfermé comme par magie dans une forme humaine mais prêt à s'échapper dans les airs si l'enchantement était rompu. Lorsque l'oasis lui apparut, elle délirait presque ; elle se dirigea vers elle en trébuchant, persuadée que c'était un mirage, un mauvais tour que lui jouait la brume de chaleur alors que le jour venait juste de se lever. Cependant, plus elle approchait, plus l'oasis prenait forme, le vert des palmiers lui agressant l'œil après les bruns et les rouges sans fin. L'eau réfléchissait le ciel comme un miroir, si immobile qu'elle semblait être solide. Soudain, avec une telle clarté que cela ressemblait à une hallucination, elle se vit y plonger sa main brûlante, elle vit l'eau se refermer sur elle comme s'il ne lui restait plus que le poignet, elle sentit sa fraîcheur avec une volupté qui égalait celle éprouvée dans les bras d'Amastan au moment le plus doux. Elle l'imagina avec tant de netteté que rêve et réalité se fondirent en une longue pâmoison. Elle reprit conscience quand elle commença à boire, car ce n'était pas de la volupté qu'elle éprouvait, mais une sensation cuisante. Elle avait la gorge si sèche et resserrée qu'elle s'étrangla et eut un haut-le-cœur. Elle réussit enfin à avaler un peu d'eau, puis, à moitié morte de fatigue, elle se traîna au milieu des racines ombragées et s'endormit dans la pénombre fraîche.

Elle fut réveillée par un bruit de voix et se dressa brusquement sur son séant, terrifiée. Trois dromadaires buvaient au point d'eau, pattes écartées, le cou tendu ; de l'autre côté de l'oasis, trois hommes remplissaient leurs outres. Ils ne semblaient pas l'avoir vue. Ses vêtements sombres poussiéreux et ses outres noires la camouflaient efficacement dans l'ombre. Elle fut tentée de les appeler pour leur demander de l'aide, mais un autre instinct plus guerrier prévalut. Elle s'adossa au palmier, observa et attendit. Deux des hommes s'installèrent par terre sous les palmiers pour se reposer, alors que le troisième trépignait d'impatience et essayait en vain de les faire relever. Il finit lui aussi par s'asseoir le dos à un arbre et parut s'endormir, mais Mariata n'osait toujours pas bouger.

À la tombée de la nuit, les trois hommes allumèrent un feu de camp et se rassemblèrent autour pour préparer le thé et le repas. L'odeur lui parvint par bouffées à travers la mare et son estomac se mit à gargouiller. Elle tira hors du sac un morceau de viande séchée et le mâcha tout en mourant d'envie de boire du thé vert bien sucré. La lueur du feu de camp éclairait leurs silhouettes : deux des hommes portaient un turban à la manière du Hoggar, ce qui lui donna le courage dont elle avait besoin pour s'approcher davantage. En marchant à pas feutrés sur les branches mortes aux feuilles sèches, elle arriva à la limite du couvert des arbres, s'accroupit et tendit l'oreille.

Le troisième homme, qui ne portait qu'un turban noué avec négligence, ne paraissait pas content. Il ne pouvait rester en place et semblait exaspéré par le calme de ses compagnons.

— Je ne comprends pas pourquoi nous nous arrêtons ici ! répéta-t-il. Après tout, c'est moi qui vous paie ; vous devriez faire ce que je dis !

Le plus grand des deux hommes le dévisagea calmement.

— Les dromadaires sont épuisés et nous aussi, dit-il.

Le cœur de Mariata s'arrêta de battre. Elle connaissait cette voix, c'était celle de son frère Azaz.

— Il se peut qu'elle ait de l'avance sur nous, qu'elle ait pris une voie plus rapide !

Azaz soupira.

— Il n'y a pas de voie plus rapide. Tous les voyageurs savent que seule la vallée des Oasis permet de traverser cette partie du désert sans courir de risques. Si tu t'en écartes, une mort prompte t'attend.

Le boucher, Mbarek Aït Ali, leva brusquement les mains en l'air comme pour écarter le mal.

— Je prie Allah qu'elle ne l'ait pas fait ; perdre une pêche aussi juteuse, quel gaspillage ce serait !

À ces mots, le deuxième personnage enturbanné se releva d'un bond et jeta du sable sur le feu à coups de pied rageurs.

— Ce n'est qu'une chasse au lièvre, dit-il.

Mariata entendit sa voix cassée sur le point de muer. C'était celle de son jeune frère, Baye.

— La tempête a dû recouvrir ses traces ou bien elle a fait appel à la magie pour les cacher, dit le boucher.

— Ma sœur n'est pas une sorcière. Tu ne devrais pas écouter la femme de mon père.

— Où est-elle alors ? Elle a disparu dans la nature ou des ailes lui ont poussé ? Personne ne l'a vue depuis Douira, en compagnie du vieux marchand loqueteux.

— Ils se sont peut-être séparés.

— Ou ils sont allés plus vite que nous, insista le boucher. De toute façon, je suis bien décidé à la retrouver. Je ne peux pas rentrer sans elle, je serais la risée de tout le monde. Nous continuerons notre route dans le désert encore un jour ou deux, un point c'est tout.

Azaz et Baye échangèrent un coup d'œil mais ne soufflèrent mot. Baye claqua finalement la langue.

— Ma sœur a été dorlotée toute sa vie, elle n'est pas faite pour parcourir les déserts. À l'heure qu'il est, elle est sans doute de retour à Imteghren en train de se goberger de couscous et de rire sous cape. Nous devrions renoncer, c'est perdu d'avance.

— Nous sommes allés plus loin que prévu et plus loin que ce pour quoi tu nous as payés. Si nous nous faisons prendre par l'armée algérienne, ça va mal aller pour nous, ajouta Azaz.

— Je croyais que vous autres, nomades, vous vous fichiez des frontières ! rétorqua le boucher en ricanant.

— Je tiens à la vie, répliqua posément Azaz.

Le boucher tapa de son poing massif dans la paume de sa main.

— Peut-être que si je vous paie cent dirhams de plus vous trouverez un peu plus de courage.

Azaz secoua la tête.

— Il ne s'agit pas seulement d'argent. Nous n'avons pas les provisions nécessaires pour aller plus loin.

Mariata reconnut l'air avec lequel il regarda le boucher. Même à trois ans, Azaz avait de la volonté ; on entendait ses cris de fureur loin de leur camp quand on l'obligeait à mettre le moindre vêtement.

Les deux hommes se regardèrent, mais c'est le boucher qui détourna les yeux le premier.

— J'aurais pensé que tu souhaitais épargner à ta sœur un dur voyage et probablement la mort, dit-il.

Azaz lui tourna le dos.

— Il y a pire que de mourir dans le désert, dit-il doucement. Mais seule Mariata l'entendit.

Cette nuit-là, pendant que les hommes dormaient, elle passa près d'eux furtivement et ramassa une des *tassoufras*, fouilla dedans et y trouva une outre pleine de dattes. Elles étaient incroyablement sucrées ; à la première bouchée, elle fut parcourue d'une vague de plaisir. Elle ne put s'empêcher de les manger toutes et rassembla les noyaux dans sa robe pour les cacher parmi les racines des palmiers. Elle envisagea un moment de voler un des dromadaires, mais ses frères s'y entendaient à suivre les pistes et ils ne tarderaient pas à la retrouver ; quelle que fût la sympathie qu'ils éprouvaient pour sa cause, ils étaient tenus d'honorer leur contrat avec le boucher. Ils ne feraient pas davantage honte à leur père en allant contre sa volonté. Cependant, au souvenir des traits bovins et du comportement dominateur de son prétendant, Mariata sentit croître sa détermination : elle les laisserait partir sans elle. Elle avait beau être près de la mort, cela valait mieux que la proximité du boucher.

Le lendemain matin, le jour filtra lentement au-dessus de l'horizon comme de l'eau en ébullition sur un feu capricieux : un bleu-gris terne pour commencer, suivi d'un rougeoiement orangé qui inonda peu à peu le ciel nocturne, éteignant les étoiles une à une. Azaz fut le premier à se lever. Il se débarrassa de sa couverture et alla droit aux sacs à provisions. Il souleva la tassoufra qui avait contenu les dattes et la soupesa d'un air songeur. Baye s'approcha de lui. Il se baissa et examina le sable à ses pieds, leva les yeux vers son frère aîné. Azaz hocha la tête, porta un doigt à ses lèvres. Tous deux jetèrent un coup d'œil en direction de Mbarek, qui ronflait toujours. Puis Azaz lissa le sable de la main. Il prit une des autres tassoufras, entra dans l'ombre des palmiers les plus proches et la suspendit à l'un d'eux, hors de vue, tout en regardant autour de lui. Ensuite il alla jusqu'à l'endroit où les dromadaires étaient couchés et désentrava le plus petit.

— Lorsque Mbarek se réveillera, dis-lui que l'un des dromadaires s'est échappé pendant la nuit, que je suis parti à sa recherche et que je vous rejoindrai quand je l'aurai trouvé, murmura-t-il à son frère. Attendez-moi dans les collines proches de l'oued dont le lit est jonché de pierres bleues ; j'y serai vers midi.

Il obligea le dromadaire à tourner la tête en lui tirant sur la lèvre, monta sur son dos et le fit se lever.

— Si je n'y suis pas, continuez sans moi.

Quelques instants plus tard, l'homme et le dromadaire avaient disparu. Baye se gratta la tête et alla préparer le thé.

Le boucher maugréa beaucoup à la perspective de rebrousser chemin, avec un dromadaire en moins, de surcroît, mais une heure plus tard, Baye et lui étaient partis, et Mariata se retrouva seule dans l'oasis. Elle ne le resta pas longtemps. Un homme monté sur un dromadaire apparut au loin.

Il l'appela par son nom. Elle ne répondit pas ni ne se montra.

Azaz chevaucha jusqu'au bord de l'eau et laissa boire sa monture. Il remplit son outre et but une longue gorgée.

— Mariata, je sais que tu es là, dit-il d'une voix douce. J'ai vu les empreintes de tes pieds près de nos provisions ce matin et les dattes avaient disparu ; à moins qu'un singe ait volé les sandales à la cambrure ciselée de ma sœur...

Mariata se leva et sortit de l'ombre.

— Je ne repartirai pas avec toi, alors n'essaie pas de m'y obliger.

Sa voix, qui avait été si mélodieuse que les hommes en pleuraient quand elle se mettait à chanter, était maintenant aussi rauque que celle d'un corbeau. Azaz regarda ses haillons.

— Le désert ne t'a pas gâtée, ma sœur.

— Il m'a plus gâtée que ne pourrait le faire un boucher.

— Et le bébé ?

C'était la première fois que l'un de ses frères faisait allusion à son état ; à Imteghren, ils avaient détourné les yeux et n'avaient pas dit un mot sur le sujet.

Mariata posa les mains sur son ventre et, comme à un signal, le bébé donna deux coups de pied. Elle sourit et baissa le regard, tout de suite frappée par la maigreur de ses poignets, les os apparents sur le dessus de ses mains. Elle savait que, sous sa robe, ses côtes et son pubis devaient saillir tout autant. Qu'aurait dit Amastan s'il l'avait vue maintenant, lui qui la déshabillait sous l'œil indulgent de la lune et caressait ses courbes opulentes ? Le désert la rognait couche par couche comme on pèle un oignon. Il n'en resterait bientôt plus que le cœur.

— Nous allons bien tous les deux.

— Et où vas-tu aller ?

— Chez nous. Pour donner naissance à mon enfant dans le pays des Kel Ahaggar.

— La route est longue jusqu'au Hoggar, ma sœur, et tu es seule. Peut-être qu'à deux tu aurais plus de chances d'y arriver.

— Nous sommes déjà deux, lui répondit-elle en souriant, touchée par cette offre indirecte. Retourne auprès des autres et ne leur parle pas de moi.

Azaz prit la longe du dromadaire et la lui tendit.

— Pour toi. Et il y a des provisions là sous le palmier. Notre père l'aurait voulu s'il avait été ici. Nul ne peut forcer une femme du Voile à se marier contre son gré.

Les yeux de Mariata s'emplirent de larmes. Elle baissa la tête pour qu'il ne la voie pas pleurer.

— Ne seras-tu pas puni pour la perte du dromadaire ?

Elle perçut de la gaieté dans sa voix quand il répondit.

— Ce n'est pas cher payé. À l'est d'ici, il y a une route. Ne l'emprunte pas : des véhicules militaires patrouillent jusqu'à Timimoun et Tindouf, mais essaie de garder à l'esprit sa position. Traverse-la de nuit dans la plaine de Tidikelt à l'endroit où tu verras la colline à trois cornes, puis continue vers l'est pendant trois jours. Lorsque le vent se lève au coucher du soleil, fais-lui face et poursuis ton chemin. La Grande Ourse apparaîtra au-dessus de ton épaule gauche et continuera sa course devant toi. Dans les heures qui suivent sa disparition sous le bord de la terre, garde l'étoile Polaire dans ton dos et les Pléiades devant toi. Il y a des points d'eau tout le long du chemin, mais ils sont peu nombreux et espacés. Le terrain monte régulièrement : suis les contours du relief, ils te mèneront à Abalessa. Le dromadaire s'appelle Takama, c'est une femelle. En général elle a bon caractère, mais il lui arrive d'être têtue. Elle devrait bien te convenir.

Takama était le nom de la servante qui avait accompagné son ancêtre dans le désert. Mariata leva les yeux, surprise par l'ironie de cette coïncidence ou l'invention soudaine de son frère, et des larmes coulèrent sur ses joues.

— Tin Hinan serait fière des hommes de sa lignée, dit-elle.

Elle prit le licou comme s'il l'attachait à la vie même ; la corde tressée lui semblait à la fois massive et agréable contre sa peau.

— Et des femmes aussi, ajouta son frère.

Ils se touchèrent la main, puis Azaz tourna les talons et s'éloigna d'un pas vif, le dos bien droit, en laissant ses bras se balancer librement. Quelques instants après, il avait presque disparu.

31

Nous sommes restés trois jours au camp pendant qu'une tempête de sable sifflait autour de nous et nous empêchait de sortir. Chose curieuse, ils comptèrent parmi les meilleurs jours que j'avais jamais vécus. On nous avait laissés seuls, Taieb et moi, situation que j'aurais jugée étouffante et importune à tout autre moment de mon existence, mais je m'étais délestée de la peur et de la réserve qui avaient pesé sur moi durant toute ma vie d'adulte. Peut-être la pénombre qui régnait dans la tente y avait-elle contribué : c'était l'idéal pour se livrer à des confessions et se découvrir mutuellement. Couchés sur le dos, le regard perdu dans l'obscurité, nous nous posions l'un à l'autre toutes sortes de questions, mélange sublime de profondeur et d'absurdité, de ces questions qu'on a envie de poser à quelqu'un qu'on sait devoir jouer un rôle important dans sa vie. Je demandai à Taieb pourquoi il ne s'était jamais marié, combien de fois il avait été amoureux et ce qui était allé de travers, s'il croyait à la vie après la mort, ce que lui avaient appris les erreurs qu'il avait commises au cours de sa vie, la musique qu'il aimait, quels étaient son plat favori, ses meilleurs souvenirs, la blague la plus drôle qu'il se rappelait. Nous étions étendus côte à côte mais sans nous toucher et passions le temps à rire, chuchoter et somnoler. Il m'interrogea enfin sur ma vie à Londres et mon enfance ; je lui parlai de ma tente au fond du jardin et lui racontai que nous jouions à la guerre, mes amis et moi, en courant à moitié nus et nous tapant dessus avec des bâtons.

— Vous étiez une sauvageonne, dit-il en souriant.

— Oui, répondis-je à voix basse. C'était il y a longtemps.

— Mais la nature appelle la nature, Izzy. Je le vois dans vos yeux quand vous regardez le désert : la partie sauvage de vous-même aime les lieux sauvages. N'est-ce pas pour cela que vous faites de l'escalade et êtes venue au Maroc ?

Je n'y avais jamais pensé exactement de cette façon, mais il avait raison, à sa manière.

— C'est la boîte qui m'a amenée ici.

— La boîte ?

Je lui expliquai ce que m'avait laissé mon père, la boîte en carton au grenier et ce qu'elle contenait quand Ève et moi l'avions ouverte. Je me dressai brusquement sur mon séant.

— Ève !

Il se tourna vers moi en ouvrant de grands yeux.

— Quoi ? Qu'y a-t-il ?

— Ève doit se faire un sang d'encre. Elle va lancer toute la police marocaine à ma recherche !

Je fouillai dans mon sac, en sortis mon portable et appuyai frénétiquement sur les touches.

— Merde !

Il n'y avait plus de batterie. Je le jetai avec fureur à travers la tente, il heurta la toile avec un petit bruit mat. Sans un mot, Taieb tira de sa poche son téléphone et me le tendit. Chose sidérante, même ici, dans le plus vaste désert du globe, il y avait un signal, quoique faible. Je dus m'y reprendre à trois fois pour composer le numéro d'Ève et ça sonna longuement. Enfin, une voix lointaine répondit :

— Qui est-ce ?

— C'est moi, Ève ; Izzy.

— Iz ! Mais où es-tu, bon sang ?

Cela m'avait étonnée que nos ravisseurs n'aient pas confisqué nos portables, mais c'est alors que je me rendis compte qu'ils n'avaient pas vraiment de raison de le faire. Que pouvais-je dire ?

— Bonne question. Je n'en ai pas la moindre idée. Quelque part au milieu du Sahara.

Même Taieb entendit son cri de surprise. J'éloignai le téléphone de mon oreille jusqu'à ce qu'elle se calme, puis lui racontai aussi rapidement et simplement que je le pus ce qui nous était arrivé.

— Enlevés ? Nom de Dieu ! Que dois-je faire ? Appeler l'ambassade ?

J'étais en train de chercher une réponse à cette question quand un homme se baissa pour entrer dans la tente, me vit parler au téléphone, me l'arracha des mains et coupa la communication. Il aboya quelque chose mais je compris seulement « *'vec moi* » ; je ne pouvais cependant pas me tromper sur le sens du geste qu'il fit avec son fusil. Ne sachant que faire, je me tournai vers Taieb.

— Suivez-le, se borna-t-il à répondre.

Et ce que je lus dans ses yeux suffit à me réchauffer jusqu'au creux de l'estomac.

Dehors, la tempête semblait s'être calmée. L'air était encore jaune-gris à cause du sable en suspension et il s'était accumulé contre les flancs des tentes comme de la neige, mais bien que j'en eusse plein la bouche, il était possible de respirer. Je suivis le garde jusqu'à la tente la plus grande, qui était noire et basse, et je dus me plier en deux pour y entrer. À l'intérieur, le chef des « contrebandiers » se prélassait sur une natte en roseau, appuyé sur un coude. N'eût été le caractère spartiate du cadre, il aurait ressemblé à quelque empereur ou chef de guerre de l'Antiquité, car tel était son maintien. Il avait troqué le treillis poussiéreux qu'il portait le jour où il nous avait faits prisonniers contre une djellaba sombre et un ample sarouel en coton orné d'une broderie blanche élaborée sur les côtés ; ses pieds nus montraient de longs orteils maigres et les plantes larges et durcies d'un enfant qui porte rarement de chaussures. Mais sa tête restait enveloppée dans son turban tribal et l'on ne voyait que ses yeux sombres et étincelants. Deux verres fumants, une théière ébréchée en étain bleu, un tas de tigelliouin et un bol d'huile étaient posés sur une petite table ronde devant lui. Il me fit signe de m'asseoir et je me laissai choir sans grâce sur les genoux.

— Apparemment, les Britanniques disent que vous êtes une citoyenne française et les Français que vous êtes britannique.

Cela paraissait beaucoup l'amuser. De sa main libre, il poussa un des deux verres de thé vers moi et je me rendis alors compte que, contre toute attente, il tenait de l'autre main un téléphone par satellite dernier cri.

— Il semble que personne ne veuille de vous, Isabelle Treslove-Fawcett.

Sur ce, il me lança mon passeport, un geste totalement méprisant qui signifiait : « Vous voyez à quoi ça vous sert ici ! » Je le fourrai dans ma poche, bien qu'il me fût difficile de penser à quelque chose de moins utile dans cet endroit perdu. Ne sachant que dire, je pris le verre de thé et concentrai mon attention dessus, mais le breuvage était si sucré et fort que je faillis avoir un mouvement de recul.

— Peu importe. Tout cela fait partie du jeu, poursuivit-il. J'ai avancé mon pion, ils ont paré en manœuvrant pour gagner du temps pendant qu'ils tentent de déterminer où nous sommes et quoi faire ensuite… C'est un vieux scénario. Ils font mine de ne pas s'intéresser à la question, mais vous pouvez être sûre qu'ils galopent dans tous les sens en espérant que nous ne décidions pas d'ameuter les médias.

Il poussa le panier de tigelliouin vers moi et ne dit plus rien jusqu'à ce que nous ayons mangé tous les deux pendant un bon moment. Cela me fascinait de voir comment il passait la galette de pain sous son turban et tournait la tête en mangeant, comme s'il y avait là quelque chose de trop intime pour que j'en sois témoin.

Son téléphone se mit soudain à sonner, il appuya sur un bouton et écouta attentivement, puis grommela rapidement quelques mots en réponse, coupa la communication et se leva d'un bond en appelant ses gardes. Le calme et l'ordre firent tout à coup place au bruit et à l'urgence. Dans un grand tourbillon d'activités organisées, les hommes démontèrent les tentes et les rangèrent sur les galeries des véhicules. Je fus poussée dans la Touareg avec une telle hâte que je n'eus pas la possibilité de voir où était Taieb et l'instant d'après nous étions bringuebalés à toute vitesse sur les pistes défoncées du désert, tous dans des directions différentes.

Tout en conduisant d'une main sur le terrain accidenté, le « contrebandier » lançait des ordres dans son téléphone. Un grand nuage de poussière nous enveloppa quand le 4 × 4 chassa sur le sable meuble, puis nous traversâmes une plaine gravillonneuse dans le bruit de mitraille provoqué par les cailloux projetés contre le châssis et la carrosserie du véhicule. Pauvre voiture de Taieb, pensa mon cerveau d'Occidentale ; sa belle peinture noire allait être complètement bousillée. Un court instant, je me réjouis que ce ne soit pas la mienne. Cette pensée mesquine fut interrompue par un vrombissement aigu au-dessus de nos têtes et un avion à réaction de l'armée au ventre pâle et aux ailes camouflées s'éloigna de nous rapidement en décrivant un arc de cercle avant de disparaître au loin en un clin d'œil.

Le conducteur sourit avec une sombre satisfaction, ce qui creusa ses pattes-d'oie.

— Ah, s'ils croient qu'on se fait du mouron à cause de leur avion-espion ! Tant que vous êtes avec nous, personne n'osera nous attaquer. Imaginez la mauvaise publicité que ça leur ferait !

Il se tut un moment pour me donner le temps d'assimiler le fait que lui, un homme rude du désert, comprenait le concept de publicité, puis il passa en conduite à quatre roues motrices pour suivre le lit asséché et escarpé d'une rivière, remonta sur la berge et continua en trombe sur une piste plus dure bordée par des tamaris duveteux.

— Il va de soi que, s'il vous arrivait quelque chose, ils en rejetteraient la faute sur nous. « Sauvagement assassinée par ses ravisseurs, des terroristes », voilà ce qu'ils diraient. Mais nous avons des sympathisants dans les médias du globe, dit-il avant de me jeter un coup d'œil rapide. Vous avez des amis journalistes, Isabelle ?

Je le regardai fixement.

— Moi ? Non.

— Aucun au *Times* de Londres ou à la BBC ? Ou au *Monde* ? insista-t-il.

— J'évolue dans d'autres milieux, répondis-je avec un geste fataliste.

— Ça n'a pas d'importance. Vous pouvez envoyer vous-même quelque chose sur le site Web de la BBC ; nous pourrons télécharger des photos de vous au prochain camp.

Son assurance était telle que je me butai.

— Vous nous avez enlevés, mon ami et moi, vous lui avez volé sa voiture, vous nous emmenez Dieu sait où – pour quelle raison devrais-je vous aider ?

— Lorsque vous verrez ce que je vais vous montrer, vous serez prête à faire tout ce qui est en votre pouvoir pour notre cause.

Il avait énoncé cela comme une évidence ; n'en revenant pas, je secouai la tête et regardai par la portière le paysage cahoter en m'efforçant de ne pas rire, toute mon indignation apparemment envolée. À mesure que le désert nous avalait, je constatai que je ne me souciais guère de savoir où l'on m'emmenait et ce qui allait m'arriver. Je n'avais pas la situation en main ; elle n'était pas de mon fait. Je ne me sentais plus menacée ni même contrariée et n'éprouvais qu'un sentiment d'acceptation face aux forces supérieures qui me dominaient. Acquiesçant par avance à toute éventualité, j'étais envahie par une sensation de calme que je n'avais jamais connue jusque-là. Comme c'était étrange : étais-je en train d'adopter l'attitude « *inch' Allah* » ? Si tel était le cas, je semblais en avoir pris une bonne dose. La grand-mère de Taieb aurait été furieuse contre moi. Taieb : à peine sa pensée m'effleurait-elle, je souriais intérieurement. Pourquoi cela ?

Au bout d'un moment, nous nous retrouvâmes sur une plaine plate et sablonneuse parsemée de pierres noires rondes et, de temps à autre, d'un arbre solitaire aux grandes branches déployées. Le conducteur arrêta la voiture sous l'un d'eux et nous sortîmes dans la chaleur étouffante. Les deux gardes assis à l'arrière allèrent se soulager et je suivis leur exemple, jetant mon dévolu sur un acacia de bonne taille à quelque distance du véhicule. À mon retour, le chef du groupe avait ramassé l'une des pierres. Il me la lança nonchalamment, comme s'il jouait à la balle avec un enfant. Je la rattrapai et la laissai presque tout de suite tomber. Je la ramassai, retournai et examinai sa surface rouillée et piquetée.

— C'est un météorite, mais les miens appellent cela une pierre de foudre, me dit-il. Ils considèrent qu'elles portent bonheur.

— Pas tant que ça si vous en recevez une sur la tête, dis-je aigrement.

Il éclata de rire.

— Ah, Isabelle Treslove-Fawcett, vous avez vraiment une attitude de Touareg ! Même dans les pires circonstances, vous faites encore preuve d'humour.

Touareg. Pourquoi cela ne m'était-il pas venu à l'esprit ? À quoi avais-je donc pensé depuis le début ? J'avais cru qu'il gardait son turban autour de la tête pour se dissimuler plus que pour des raisons culturelles, que c'était simplement un criminel désireux de cacher son identité. Je le regardai avec un intérêt renouvelé tout en étant parcourue d'un frisson. Lorsque Taieb avait évoqué ses origines touaregs, l'exotisme de tout cela m'avait charmée, mais les leçons d'histoire de ma mère me revenaient maintenant : le massacre de la colonne française commandée par le lieutenant-colonel Flatters, partie en expédition dans le Hoggar algérien en 1881 pour établir le tracé d'une éventuelle ligne de chemin de fer transsaharienne. Les Touaregs leur avaient tendu une embuscade dans les collines et, entre ceux-là et le désert, ils avaient été exterminés jusqu'au dernier. Elle m'avait aussi parlé de la charge téméraire que quatre cents Touaregs montés sur des chameaux avaient par la suite lancée contre l'expédition Lamy-Foureau, mieux préparée, charge fauchée par la mitraille jusqu'à ce qu'il n'y ait plus un seul guerrier ni chameau debout. Enfant, je me les étais toujours représentés comme les Cherokees ou les

Sioux, luttant courageusement contre les forces supérieures de la modernité et du « progrès » et, dans les films, j'avais systématiquement pris parti pour les Indiens contre les cow-boys. Intérieurement, j'avais donc toujours applaudi les Touaregs opposés aux Français opiniâtres, résolus à prendre la nature dans leurs filets et à la domestiquer, ce que ma mère avait voulu faire avec moi. Mais avec du recul, j'avais dû reconnaître qu'il existait chez ces guerriers du désert un côté plus sinistre : la froideur impitoyable avec laquelle ils ne se souciaient que de leur idée de l'honneur et de la liberté. Et je me retrouvais prise, tel un pion, au milieu de ce conflit séculaire entre les mondes ancien et moderne. Le sentiment « *inch'Allah* » que j'avais éprouvé une heure plus tôt ne tarda pas à s'estomper.

— Vous connaissez mon nom, déclarai-je après un moment, mais vous ne m'avez pas donné le vôtre. Voulez-vous avoir l'obligeance de me le dire ?

— Certains m'appellent le Fennec, le renard du désert, d'autres la Tachelt, la vipère à cornes, répondit-il, ce qui ne contribua pas à apaiser mes craintes.

— Vous n'avez pas un nom plus personnel ? demandai-je, me souvenant d'avoir lu quelque part qu'il était important pour les otages de nouer un contact affectif avec leurs ravisseurs pour ne pas être considérés comme de simples prisonniers, mais comme des êtres humains, et par conséquent réduire le risque d'être abattus de sang-froid.

— Je ne donne pas mon nom tamazight ; cela fait longtemps que je ne m'en sers pas.

— Vous semblez en avoir honte, répliquai-je hardiment, trop peut-être, car je le vis se hérisser et lever le menton.

— Honte ? Jamais. La fierté qu'un Touareg a de son ascendance est inaltérable et notre nom est dépositaire de notre ascendance. Ma fierté est intacte, malgré toutes les indignités dont a été victime notre peuple, mais je garde pour moi mon nom et mon héritage. Ma tribu a suffisamment souffert ; je ne veux pas qu'elle soit persécutée davantage parce qu'on m'a associé à elle.

J'avais manifestement touché un nerf à vif. « Persécutée ? » m'étonnai-je dans ma naïveté ; qui pourrait persécuter une race nomade, des habitants du désert qui ne restent jamais longtemps à la même place et, pouvait-on penser, constituent donc une cible en mouvement impossible à atteindre. Je lui jetai un coup d'œil pour qu'il me donne des éclaircissements, mais son regard était distant, peiné et amer, puis il se détourna de moi et cria à ses hommes de m'apporter de l'eau.

Quelques minutes plus tard, nous étions de retour à la voiture et peu après celle-ci fut rejointe par deux autres véhicules avec lesquels nous partîmes en convoi, filant à travers les sables comme des bateaux toutes voiles dehors dont la route était bordée des deux côtés par d'immenses vagues.

Nous ne nous arrêtâmes de nouveau qu'à la tombée du jour. J'avais somnolé, la tête appuyée contre la portière ; lorsque je me réveillai pour de bon, il faisait complètement nuit, nuit ponctuée par les lueurs de petits feux. Ce camp paraissait tout à fait différent de celui que nous avions quitté le matin. Des chiens accoururent vers moi en aboyant gaiement ; il y avait des gens partout, surtout des enfants, semblait-il, encore debout et galopant en tous sens malgré l'heure apparemment tardive. Il y avait aussi des femmes, remarquai-je avec curiosité, mais elles gardaient leurs distances. Non loin de là, j'entendis le bêlement plaintif de chevrettes qui appelaient leurs mères, dont elles avaient été séparées pour économiser leur lait. Comment savais-je cela – et je le savais avec certitude –, je n'en avais aucune idée, mais un frisson me parcourut la colonne vertébrale.

Les hommes du Fennec me conduisirent à une tente à l'écart et à l'entrée, j'échangeai des salutations avec ses occupantes, qui se reculèrent afin de me laisser passer. Je dus presque me mettre à quatre pattes, ce qui n'était pas la position la plus digne pour ma première rencontre avec des Touaregs. Nous nous regardâmes mutuellement, chacune prenant note de l'étrange apparence de l'autre. À Tafraout, je m'étais habituée à voir les femmes enveloppées dans leurs robes noires de la tête aux pieds, le visage caché aux inconnus avec une timidité feinte, qui ne me regardaient jamais dans les yeux. Au contraire, celles-ci me dévisagèrent avec une franche curiosité et, quand je les surpris à le faire, elles sourirent, se mirent à jacasser et leurs bijoux se balancèrent et accrochèrent la lumière des bougies. Assises en rang, elles me regardaient, pareilles à des figures représentant les trois âges de la vie dans une peinture médiévale : une jeune d'une beauté éclatante, une deuxième à la cinquantaine bien portée et une vieille toute ratatinée au nez crochu de faucon. Je me demandai si elles étaient parentes ; elles semblaient en tout cas très à l'aise dans la compagnie les unes des autres ; je me demandai aussi ce qu'elles pensaient de moi, avec ma chemise en lin chiffonnée et sans doute crasseuse, un jean de styliste, une Longines et des boucles d'oreilles discrètes au point d'être invisibles. Les leurs étaient d'une dimension imposante, des gros morceaux d'argent de formes géométriques franches qui me semblaient extrêmement gênants à porter, mais qu'elles arboraient comme s'ils avaient été aussi légers que des plumes. Et toutes les trois portaient des amulettes semblables à la mienne, dans une dizaine de variantes : épinglées à leurs robes sombres, leurs chemisiers de couleurs vives, leurs châles élaborés ou, comme moi, au cou sur un cordon tressé.

Je portai la main à mon collier, caché sous ma chemise. Je sentis mon cœur battre sous les doigts comme si une partie de moi-même avait su avant mon moi conscient que j'étais tombée sur quelque chose de vraiment important, quelque chose qui allait changer le cours de ma vie. J'avais le sentiment indicible d'avoir été emmenée par une conspiration du destin et des circonstances à un passage clé, au cœur du mystère, et pourtant, maintenant qu'il était sur le point d'éclater au jour, j'avais peur de savoir. Quelque part, j'avais envie de sortir sans plus attendre mon amulette et de la montrer à ces femmes semblables à des icônes, mais quelque chose me faisait hésiter. C'eût été inélégant, trop brusque, d'agir ainsi à notre première rencontre, à une heure pareille. Je les laissai donc me faire de la place sur un lit bas tendu de cordes et équipé de couvertures en laine de couleurs vives en guise de matelas. L'instant d'après, j'étais couchée. Je glissai dans le sommeil presque avant d'avoir posé la tête, dans un relâchement de l'esprit et des muscles et cet état de perception tranquille parfois extrêmement pénétrante. Pendant un moment, je n'eus plus conscience que de leurs voix semblables à des murmures portés par le vent, une susurration de feuilles ou de vaguelettes clapotant sur une plage, puis ces bruits semblèrent se fondre et j'entendis le mot « Lallaoua » répété sans fin.

32

Lorsque je rouvris les yeux, il faisait grand jour et j'étais seule dans la tente. Je m'étirai voluptueusement, une étrange langueur dans les membres. Je ne me rappelais pas avoir si bien dormi depuis des années. Je sortis et regardai alentour. Nous étions dans une vallée aride dans laquelle la rivière inexistante avait taillé une large plaine et partout sur cette plaine il y avait des gens et des tentes, des dizaines de tentes et peut-être des centaines de personnes. Des vieillards dont les djellabas et les turbans ne cachaient guère les chevilles grosses comme des bâtonnets ni la peau tendue sur les os. Des enfants au ventre ballonné et aux yeux immenses, la tête rasée sauf une ou deux longues nattes. Un groupe de vieilles femmes surveillaient des marmites sur les feux, d'autres plus jeunes broyaient en cadence quelque chose dans de grands mortiers en bois.

J'entendis un vrombissement derrière moi et vis apparaître une file de camions enveloppés d'un nuage de poussière. À leur approche, les femmes laissèrent tomber leurs pilons, remontèrent le bas de leurs robes et se dirigèrent vers eux, très sveltes, le dos bien droit, pleines de dignité dans leur refus de courir. Des hommes leur firent passer des sacs de nourriture – apparemment du blé et du riz, un sac de légumes, de l'huile de cuisson, des dattes – et elles attendirent leur tour pour recevoir leur part.

— Bonjour, mademoiselle Fawcett. J'espère que vous avez bien dormi.

Je tournai la tête : le chef des Touaregs était à côté de moi en compagnie de Taieb, qui, les yeux brillants comme des étoiles, croisa immédiatement mon regard.

— Comment allez-vous, Izzy ?

J'étais si heureuse et soulagée de le voir que j'avais du mal à parler. J'avais envie de le toucher pour m'assurer qu'il était bien là, mais la présence du Fennec m'en empêcha. J'espérai que mon sourire exprimait ce que je ressentais.

— Je vais bien, merci.

Les yeux de chacun s'attardèrent sur le visage de l'autre. Je finis par détourner les miens et me calmai. Je me tournai vers le chef touareg.

— Où sommes-nous ? lui demandai-je. On dirait un camp de réfugiés.

— Vous pouvez le dire. Ces gens ont certes besoin d'un refuge.

— Ils ont perdu leurs maisons ?

— Ils ont tout perdu. Tout, sauf leur vie et leur dignité, mais la famine et la sécheresse menacent même celles-là. Venez, j'aimerais que vous rencontriez certaines personnes.

Il nous emmena d'un côté du camp où une femme d'environ mon âge était assise en train de carder de la laine en se servant d'une main et d'un pied. Son autre main se terminait par un moignon, dont la peau brune avait pris une teinte pourpre, luisante et obscène. Ce que j'apercevais de son visage et de son cou était couturé de cicatrices ; elle avait un œil fermé. Le Fennec s'agenouilla et échangea des salutations avec elle ; elle posa la laine, tendit la main et ils se touchèrent mutuellement la paume des doigts, geste à la fois cérémonieux et tendre. Puis, d'un grand geste de reine acceptant sa cour, elle fit signe à Taieb et à moi de nous asseoir.

— Djouma va vous raconter son histoire, me dit le Fennec. On nous a appris à ne pas nous plaindre et à ne pas montrer de faiblesse ; elle n'entrera donc pas dans les détails. Je vous laisse comprendre entre les mots.

Djouma commença son récit en de longues phrases rythmées proches du chant en tapant par terre de son unique main pour souligner ses propos et pendant que sa voix montait et descendait, celle du Fennec faisant un contrepoint grave à ses accents flûtés.

— Je viens d'une tribu qui possède des droits de pâturage ancestraux dans la région de Tamazalak. Les soldats sont venus un jour et nous ont pris tous nos chameaux. Ils disaient qu'ils avaient des papiers qui leur donnaient le droit de les réquisitionner. Des jeunes gens ont protesté, alors ils les ont emmenés dans leurs camions. Nous ne les avons plus jamais revus. Lorsque les soldats sont revenus, il ne restait que les femmes, les enfants et les vieillards, mais ça ne les a pas empêchés de nous battre. Ils ont dit que les rebelles se multipliaient comme des scorpions dans notre village et ils ont jeté deux enfants dans le puits. C'étaient les fils de ma cousine Mina. Nous avons entendu leurs cris quand leurs os se sont brisés. Je les entends encore avant de m'endormir. Ceux d'entre nous qui ont survécu à cette attaque se sont enfuis dans le désert avec les bêtes qui restaient. Mais il y a eu une vague de sécheresse et elles sont mortes les unes après les autres. Je suis finalement venue ici, *alhamdoulillah*.

Je restai assise là, abasourdie, pendant que le Fennec la remerciait et que Taieb lui touchait la main, de toute évidence ému par son histoire.

— Merci, dis-je, merci bien et *choukran*.

Elle sourit sereinement, hocha la tête une fois comme pour nous congédier et reprit son cardage.

Le Fennec nous amena ensuite auprès d'une jeune femme coiffée d'un châle de couleurs vives qui se trouvait parmi un groupe d'autres femmes en robes sombres. Des salutations furent échangées et le Fennec traduisit tandis qu'elle nous racontait qu'on était venu chercher son mari au camp et qu'on l'avait tué sur présomption d'appartenance aux rebelles.

— Cela arrive tout le temps, conclut-elle avec un léger haussement d'épaules.

Mais malgré toute sa nonchalance, j'avais lu la douleur dans ses yeux quand elle avait parlé de son mari défunt, pendu à un arbre à l'ombre du mont Tamgak.

Nous lui fîmes nos adieux et le Fennec nous emmena ailleurs.

— C'est l'enfer, dit Taieb, le visage tendu par l'émotion.

Pendant que nous marchions derrière le chef touareg, il effleura le dessus de ma main du bout des doigts. C'était le plus léger et furtif des contacts, mais j'eus l'impression d'avoir le bras en feu.

En traversant le camp, le Fennec nous montra d'autres personnes au passage.

— Khabte est orphelin : sa famille a été tuée à l'Adagh des Iforas. Nama a été enlevée par des soldats et violée dans leur caserne ; elle est restée dans le coma pendant trois semaines. Ils l'ont larguée dans le désert, mais le désert prend soin des siens ; nous l'avons trouvée et conduite ici. Moktar est membre d'une tribu dont les terres ancestrales ont été accaparées par les Français lorsqu'ils ont trouvé de l'uranium à Arlit ; cette tribu s'est dispersée aux quatre vents, incapable de subvenir à ses besoins. Certains ont fui en Algérie et en ont été ensuite expulsés ; désormais, ils mendient dans les rues de Bamako. Beaucoup de gens nous haïssent là-bas. Ils disent que leurs ancêtres ont été nos esclaves et que maintenant qu'ils tiennent les rênes, nous sommes à leur botte. Et ils se servent de cette botte avec une malveillance incroyable.

Il montra un borgne en treillis poussiéreux et turban noir debout de l'autre côté des camions.

— Elaga est l'un des survivants du massacre de Tchin Tabaradène.

Il se tourna vers nous, le regard perçant.

— Vous savez ce qui s'est passé à Tchin Tabaradène ?

— Un peu, répondit Taieb à voix basse, l'air angoissé. Mais je n'avais encore jamais rencontré quelqu'un qui était là-bas.

Je secouai la tête en signe de dénégation et m'appuyai à l'un des véhicules, avec une double sensation de chaud et de froid.

— Si vous écrivez un jour un article sur nous, Isabelle, mieux vaut que vous connaissiez l'histoire, dit le Fennec sans me regarder, les yeux tournés vers la file de femmes qui attendaient les bras tendus leurs rations de nourriture. Nous étions le peuple le plus libre de la terre, commença-t-il après avoir pris une profonde inspiration, et nous sommes maintenant parmi les plus pauvres et les plus opprimés. Nos pâturages nous ont été enlevés et on nous a renvoyés de l'un à l'autre. Lorsque la famine et la sécheresse ont ravagé notre peuple, la nourriture que nous envoyaient les organisations humanitaires a été volée et vendue au marché noir par les autorités. C'est pourquoi je préfère maintenant fournir l'aide moi-même. L'uranium et le pétrole ont été extraits sur toutes nos terres ancestrales, le désert a été dépouillé de ses richesses, et nous n'avons encore reçu aucun dédommagement pour ce préjudice ; au lieu de cela, des gardes étrangers patrouillent en lisière des mines d'Arlit et tirent sur tous ceux qui s'en approchent. Une fraction des immenses profits engendrés par l'exploitation de nos terres nous a-t-elle été allouée ? Non, pas un sou. Pas une école, pas un hôpital n'a été construit pour nous ; aucun emploi ne nous a été proposé ; nous n'avons aucune représentation dans les gouvernements du Mali et du Niger. Nos jeunes gens ont été enterrés ou se sont exilés afin de laisser ce qu'il y avait à manger aux vieux et aux enfants. Elaga et moi sommes devenus des *ishoumar*, des sans-emploi et des indésirables, des déracinés. De manière mal avisée, nous avons accepté l'invitation de Kadhafi de venir en Libye pour préparer l'avenir de la « république touareg ». C'était dans les années 1980 : Elaga était encore jeune ; j'étais assez âgé pour avoir un peu plus de jugeote. Mais un rêve m'habitait, le rêve de mon aïeul Kaocen : celui de voir un jour toutes nos tribus réunies et former l'Azaouad, une république dans laquelle tous pourraient courir le pays librement et mener la vie des Touaregs. Les promesses de Kadhafi n'étaient que des illusions, mais pendant un temps j'ai cru à ces illusions. Pour payer le vivre et le couvert, j'ai combattu dans son armée au Sahara Occidental, au Tchad, au Liban – j'avais une telle rage contre le monde entier que je me serais battu contre n'importe qui. De sa part, ce n'était que vanité : l'idée d'envoyer sa propre armée aider ses cousins arabes en lutte lui plaisait, mais en fin de compte il ne s'agissait que d'argent et de faveurs, dont rien ne revenait aux Touaregs. Les promesses s'envolèrent, ce qui n'était pas surprenant. Kaocen répétait que les Touaregs n'avaient aucun allié au monde, j'aurais dû m'en souvenir.

« Nous avons été expulsés d'Algérie en 1990 avec le reste de notre peuple, mais personne d'autre ne voulait de nous. Le Mali prétendait que c'était le problème du Niger, le Niger que c'était celui du Mali. Un accord a finalement été conclu et on a réussi à persuader le Niger de reprendre dix-huit mille de ses ressortissants. Nous pensions que nous allions retourner sur nos terres ancestrales de l'Aïr et du Tamesna, mais on nous a internés à Tchin Tabaradène.

« C'était un endroit épouvantable : sale, surpeuplé, ravagé par les maladies, où l'on était traité avec brutalité. Les militaires étaient ravis d'avoir les fameux Touaregs tant redoutés enfin à leur merci. Il y avait beaucoup de passages à tabac, de viols et d'humiliations rituelles : des vieillards que l'on mettait nus dans la rue, leur turban enlevé pour la première fois de leur vie ; des adolescents que l'on faisait marcher à quatre pattes pour amuser les soldats.

Il me regarda dans les yeux.

— Lorsque j'entends le tollé provoqué par les atrocités d'Abou Ghraib ou de Guantánamo dans les pays occidentaux, cela me fait rire. Si les Occidentaux avaient été témoins d'un dixième de ce que nous avons subi à Tchin Tabaradène, ils auraient pleuré de honte en constatant qu'une chose pareille puisse arriver dans le monde prétendument civilisé. Mais l'Afrique est le continent oublié et nous faisons partie des peuples oubliés.

Je me surpris à empoigner l'amulette sous ma chemise, avec l'impression d'avoir pénétré dans une sorte de champ de mines caché, où les mots qui explosaient autour de moi étaient capables de tuer et de mutiler.

— On ne nous laissait pas sortir du camp ni éduquer nos enfants. Finalement, certains des hommes les plus jeunes manifestèrent devant le commissariat de police. Un soldat fut tué avec son propre fusil. C'était exactement le genre d'excuse qu'attendaient les autorités. Nous étions sans armes, épuisés, succombant à la maladie et à la malnutrition, mais pour la mort d'un soldat, ils ont lancé sur nous l'armée entière, déclaré l'état d'urgence, envoyé les bataillons, les gaz lacrymogènes, les parachutistes. Les camps furent rasés, les puits empoisonnés ou comblés. Ils venaient de nuit avec des machettes et des bidons d'essence...

Il se mit soudain à parler d'un ton haché. Je lui lançai un coup d'œil de côté : ses yeux, aussi durs que des diamants, étincelaient de colère. Aussi immobile qu'une statue, Taieb attendait la suite.

— Je me suis échappé avec quelques autres. Je me sens encore coupable de n'être pas resté, mais j'avais déjà vu des scènes semblables et je savais ce qui allait suivre. Elaga, lui, est resté : il avait une femme et trois enfants. Je n'en avais pas, il m'était facile de fuir. Battez-vous comme des chacals, c'est ce que disait toujours Kaocen, ce à quoi il incitait ses hommes. Mieux vaut attaquer puis prendre la fuite que se battre comme des lions, face à face, mais certains des nôtres ont du mal à accepter cette idée. Pour eux, elle est synonyme de lâcheté et non de pragmatisme ; ce sont pourtant les mêmes qui portent aux nues ceux qui ont lancé leurs chameaux contre les tanks de l'armée malienne en 1963 et ont été fauchés jusqu'au dernier. C'était un geste magnifique, mais ce n'était qu'un geste : voué à l'échec et vain. Dire cela ne m'a pas valu des remerciements. Ceux qui sont restés sont morts ou ont été grièvement blessés. Elaga a perdu sa famille, son œil et il a failli perdre la vie. Beaucoup ont été tués au cours de l'explosion de violence du début, puis l'extermination systématique a commencé. Ils ont même parlé de solution finale – oui, ce sont les mots mêmes qu'ils ont utilisés –, de la nécessité d'éliminer les Touaregs, d'en expurger la société. Des centaines d'entre nous ont été embarqués dans des camions de l'armée et emmenés dans le désert en direction de Bilma. Nous connaissions bien la route ; dans le temps, nous l'appelions « la route du sel ». On n'a jamais revu la plupart de ceux qui sont partis.

— Mon Dieu, murmura Taieb. Je l'ignorais.

Il passa la main sur son visage et le soleil fit briller la sueur sur ses doigts quand il la retira.

— Nous avons perdu près de deux mille des nôtres, reprit le Fennec, mais les autorités ont prétendu que le nombre des victimes était de soixante. Ceux d'entre nous qui se sont échappés ont formé une coalition. Nous avons adressé une protestation officielle aux anciennes puissances coloniales, mais la France a détourné la face. Les Français étaient trop engagés auprès des pays fournisseurs de pétrole et d'uranium pour se lancer dans la mêlée, même lorsque l'ONU a pris notre parti. Sous la pression diplomatique, le gouvernement nigérien a mis en scène un procès pour l'exemple mais ce n'était qu'une comédie. Lorsque le chef des tortionnaires de Tchin Tabaradène a été appelé à la barre, il s'est vanté d'avoir étranglé un vieillard de ses propres mains et l'assistance a applaudi. L'action directe devint notre dernier espoir. Nous avions essayé de contourner le système, nous avions quitté le champ de bataille et on nous y a renvoyés. Nous avons tenté de recourir à la diplomatie, peine perdue. Pendant quelques années, j'ai dirigé une faction rebelle dans les montagnes, mais nos raids n'avaient pas plus d'effet sur l'ennemi que des piqûres de moustique. Depuis lors, il y a eu des trêves et des cessez-le-feu difficiles, des tentatives d'assimilation, mais dans le fond rien n'a changé. J'essaie maintenant de faire le peu dont je suis capable pour aider mon peuple et informer le monde extérieur de sa situation critique.

Il se retourna vers moi et me regarda calmement.

— Peut-être commencez-vous maintenant à comprendre pourquoi je fais ce que je fais, Isabelle Treslove-Fawcett, et à excuser un peu mes méthodes frustes.

J'éclatai soudain en sanglots, atterrée par son récit et terrassée par les tensions qui m'avaient tiraillée dans tous les sens.

En comparaison de la sombre histoire récente du peuple touareg, mes malheurs étaient insignifiants, mais en même temps ils semblaient immenses et de nature à engloutir le monde entier, comme si quelque chose en moi avait monté en une marée de sentiments.

Le Fennec s'était détourné à moitié, embarrassé par mon débordement. Puis il me fit face à nouveau et me regarda. Non pas mon visage, mais plus bas. Je me rendis soudain compte que, dans le mouvement compulsif de mes doigts, j'avais défait sans m'en apercevoir le bouton de ma chemise. Au moment où je m'apprêtais à la reboutonner, il me prit par l'épaule d'une main et se saisit de l'amulette de l'autre.

— Où avez-vous eu ça ? me demanda-t-il, des éclairs dans les yeux, avant de se tourner vers Taieb. Vous l'avez pris à la vieille femme que vous avez enterrée ?

— Non, non, bien sûr que non ! s'exclama celui-ci, horrifié par cette suggestion. C'est à Isabelle. Expliquez-lui, Izzy.

Le Fennec tira sur le collier pour mieux le voir au moment où je faisais un pas en arrière. Le cordon en cuir, qui m'avait retenue dans ma chute et sauvé la vie sur la Tête de Lion, se cassa net et l'amulette tomba à nos pieds. Malgré son âge, le chef touareg fut plus rapide que moi. Il se jeta dessus comme un cobra en train de frapper, la ramassa prestement et la retourna en tous sens. Puis, d'une pichenette, il fit glisser le bossage central pour ouvrir le compartiment secret comme si, par magie, il avait eu une connaissance préalable de son fonctionnement. Le petit rouleau de parchemin tomba dans le creux de sa paume.

— Dites-moi comment vous vous êtes procuré cet objet ! me pressa-t-il d'une voix rauque.

— Ça… ça vient de mon père, bégayai-je. Mon père me l'a laissé dans son testament.

Je lui parlai de la boîte en carton remisée au grenier et de son étrange contenu.

— Il était archéologue, mon père. Dans mon sac, vous trouverez les papiers qu'il m'a laissés dans le carton.

Il me lança un regard, noir mais très bref : maintenant qu'il avait vu l'amulette et ce qu'elle contenait, il donnait l'impression de ne pouvoir en détacher les yeux. Après un long moment de contemplation, il s'éloigna de nous à grands pas pressés.

— Venez avec moi, lança-t-il par-dessus son épaule, comme si cela lui était venu après coup.

Je trottai à sa suite, me sentant étrangement nue sans l'amulette ; légère aussi, comme si j'allais m'envoler telle une plume au vent.

Dans la tente du Fennec, la même que celle où j'étais allée le matin précédent, miraculeusement remontée là à l'identique jusque dans ses moindres détails, il nous fit signe de nous asseoir pendant qu'il farfouillait dans une boîte, dont il tira finalement mon sac à main. Il me le lança.

— Montrez-moi, dit-il.

Il semblait fiévreux et ne cessait de passer la main sur son visage, toute maîtrise de soi envolée. Je sortis les papiers pliés et les lui tendis. Lorsqu'il les déplia, le formulaire vert illisible tomba au sol. Il le ramassa d'un geste vif et l'examina.

— Qu'est-ce que c'est ?

— Je n'en ai aucune idée, répondis-je honnêtement.

Le Fennec le jeta et tourna son attention vers la feuille de papier ministre dactylographiée, qu'il étudia de près extrêmement longtemps. Il me la lança enfin et, montrant deux mots d'un doigt accusateur :

— Tin Hinan ! Qu'est-ce qui est dit à propos de Tin Hinan ?

Je compris que c'étaient les seuls mots qu'il avait pu déchiffrer, et ce, avec difficulté. Je traduisis donc approximativement pour lui l'article de mon père en butant, du fait de mon français déficient, sur les mots « bière », « cornaline » et « amazonite », que, chose étonnante, Taieb semblait connaître.

— L'amulette a donc été trouvée dans la tombe de Tin Hinan ?

— C'est ce qui est dit ici, répondis-je maintenant tout à fait mal à l'aise.

Mon père avait manifestement volé un objet historique important dans la tombe de la reine touareg. Il n'était qu'un pilleur de tombes et moi, la fille d'un pilleur de tombes.

— Je suis désolée, dis-je. Je ne sais absolument pas pourquoi il me l'a laissée. Mon père aimait le mystère ; il adorait mystifier les gens, les taquiner avec ses connaissances supérieures, expliquai-je avant de lui parler de la lettre qu'il m'avait écrite, de son ultime persécution manipulatrice, conscient qu'il était qu'il me serait impossible de ne pas creuser la question. Pouvez-vous déchiffrer l'inscription ? Vous savez lire le tifinagh ?

La question l'offensa.

— Bien sûr. Tous les enfants élevés comme de vrais Touaregs apprennent le tifinagh sur les genoux de leur mère.

Lui et Taieb échangèrent un regard belliqueux. Puis le Fennec sortit de la tente et s'accroupit devant pour lisser un carré de sable à la main. Avec une clé de voiture, il traça une série de symboles en vérifiant au fur et à mesure qu'ils correspondaient bien à ceux du parchemin. Puis il secoua la tête, marmonna quelque chose par-devers lui et effaça ce qu'il avait écrit. Il tourna le bout de papier d'un côté, l'examina attentivement et recommença. Après plusieurs tentatives avortées, il poussa une exclamation de dépit, se leva d'un bond et donna un coup de pied dans le sable.

— Suivez-moi ! ordonna-t-il d'un ton impérieux.

Une fois de plus nous partîmes à sa suite à travers le camp comme des chiens sur les talons de leur maître.

À l'ombre d'un arbre, il trouva la vieille ratatinée qui s'était trouvée dans la tente où j'avais passé la nuit. Ils se lancèrent dans une suite interminable de salutations rituelles, au point que j'eus envie de lui arracher des mains le collier et le parchemin et de les mettre sous le nez de la vieille femme. Heureusement, la réserve et les bonnes manières anglaises prévalurent et je me bornai à me dandiner impatiemment d'un pied sur l'autre. Le Fennec aborda enfin la question de l'amulette et il nous fallut alors subir une longue pantomime de la vieille femme qui examina en détail les motifs gravés et les disques de cornaline, le bossage central et le cordon en cuir tressé maintenant coupé en deux. Lorsque le Fennec lui montra comment ouvrir le compartiment secret, elle pépia comme une enfant, le tint près de son œil et fit glisser le bossage dans un sens et dans l'autre avec jubilation. Puis ils se mirent à discuter du superbe travail du métal et de la provenance de l'amulette, et enfin il étala le parchemin sur la paume de sa main et le lui montra pour qu'elle en examine l'inscription. Elle claqua la langue et tourna la tête d'un côté et de l'autre tout en marmottant. Elle posa le doigt sur l'une des rangées verticales de symboles. Il y en avait trois, mais trois autres les coupaient à angle droit.

— Mariata, dit-elle.

Le Fennec souffla un bon coup comme s'il avait retenu sa respiration pendant une éternité.

Elle toucha la deuxième rangée.

— Amastan.

Aucun de ces deux mots n'avait de sens pour moi, mais l'air était si chargé d'émotion que mes cheveux se dressèrent sur ma nuque. Et je sus tout à coup ce que signifiait la troisième rangée.

— Lallaoua, murmurai-je.

Tous me regardèrent. J'éprouvais une sensation de chaleur, puis de froid, et me mis à tanguer.

— *Ey-yey*, dit la vieille femme, sa voix semblant venir de très loin. Lallaoua.

Taieb me soutint en passant le bras autour de ma taille et je sentis sur mon cou son souffle chaud, ce qui manqua me faire défaillir.

— Vous avez lu le mot ? Lallaoua ? Ou bien vous l'avez deviné ?

Je secouai la tête, muette. Je ne savais absolument pas.

Le Fennec était maintenant tout flageolant. Je vis sa main trembler quand la vieille femme fit pivoter le parchemin à quatre-vingt-dix degrés. Mais quel que fût l'angle sous lequel elle le regardait, elle restait perplexe. Elle finit par lever les mains en signe de défaite et se lamenta longuement. Le Fennec essaya d'enrouler le parchemin, mais ses mains tremblaient trop. Alors, elle le lui prit, l'enroula et le remit à sa place, puis elle fit glisser le bossage central sur son éternel mystère.

Nous retraversâmes le camp à une telle vitesse que j'étais hors d'haleine quand nous arrivâmes à la tente du Fennec.

— Qu'est-ce que c'est que Mariata ou qui est-ce ? demandai-je.

Ses sourcils grisonnants se froncèrent comme s'il ne voulait pas entendre la question, puis il se détourna de nous et mit la tête dans ses mains. Et cet homme — contrebandier, chef des rebelles, ancien combattant, chef touareg, quoi qu'il fût –, cet homme qui venait de raconter les histoires de persécution les plus poignantes, de rapporter les pires atrocités sans une trace d'émotion dans la voix, éclata en sanglots déchirants. Ils s'échappaient entre ses doigts écartés et emplissaient la tente d'une immense douleur.

J'étais consternée, effrayée même d'être ainsi enfermée dans ce lieu étouffant saturé d'émotions à l'état brut. J'avais envie de partir en courant, mais quelque chose me retenait. Il m'avait dit, je m'en souvenais, que les Touaregs apprenaient à ne jamais se plaindre ni montrer de faiblesse, et je me demandais comment un joli collier tribal et son amulette secrète pouvaient exercer un tel effet sur cet homme rude. Mais tout en me posant cette question, je savais ce que j'avais toujours su : mon amulette était douée d'un grand pouvoir, chargée de magie, et elle recelait sa propre histoire tragique.

33

La peau de mon bien-aimé brille comme la pluie sur les rochers
Comme la pluie sur les rochers
Lorsque s'ouvrent les nuages ventrus
Parmi les éclairs et le grondement du tonnerre
La peau de mon bien-aimé est aussi brillante que le cuivre
Aussi brillante que le cuivre
Battu par les inadan sur le feu
Oh ! Que j'aime l'éclat de ses pommettes
Aiguisées comme la lame d'un couteau dans la lumière du soir
Lorsqu'il se dévoile, pour moi seule.

La voix de Mariata s'étrangla au dernier vers, le souvenir lui revenant, et les larmes menacèrent. C'est un gaspillage d'eau, se dit-elle avec détermination avant de recommencer depuis le début. Et puis elle ne devait pas montrer de faiblesse à son fils. Il était désormais omniprésent ; elle le sentait bouger sans cesse comme s'il avait été impatient d'échapper à l'ennuyeuse prison de sa matrice. Elle reprit son couplet encore et encore, d'abord dans un murmure, puis comme une psalmodie, jusqu'à ce qu'il se mue en une sorte de mantra et les mette presque en état de transe en les berçant tous les deux. À côté d'elle, les pieds du dromadaire marquaient le rythme, lent et majestueux : La *peau* de mon *bien-aimé* brille comme les *rochers*.

Elle avait composé la chanson pour Amastan tandis qu'ils étaient allongés au clair de lune près de la rivière et que les grenouilles chantaient à pleine gorge. Le soir où le bébé avait été conçu. Comment savait-elle cela avec une telle certitude, elle l'ignorait ; elle le savait tout simplement. Ses yeux lui cuisaient, mais ils étaient trop secs pour verser des larmes ; ils lui faisaient mal, pas autant que son cœur cependant.

Assez ! se dit-elle d'un ton féroce. Et elle entonna une autre chanson :

Restons à l'écart des demeures des hommes
Alors même que l'eau s'y trouve en abondance
Car l'eau asservit les plus sages des hommes
Et je n'ai que vingt et un ans.

Ses paroles l'arrêtèrent net. *Vingt et un ans.* Quel âge avait-elle ? Maintenant qu'elle y pensait, elle n'en était plus sûre. Les femmes de sa tribu célébraient d'ordinaire le passage de chaque nouvel été en ajoutant une bordure à un tapis fait main, en gravant un signe de plus sur une amulette ou en en fabriquant une nouvelle. Mais Mariata n'était jamais restée suffisamment longtemps au même endroit pour marquer le passage d'une nouvelle année comme le faisaient les autres filles et elle se rendit compte qu'elle ne savait plus son âge. Ce fait prit soudain une énorme importance. Cela revenait à ne plus avoir la notion de sa propre identité. Il était facile de la perdre dans cette immensité. La nuit, sous les étoiles, elle avait l'impression d'être une minuscule créature à la surface de la Terre, d'y ramper comme les scarabées du désert à longues pattes qu'elle voyait escalader les dunes et déguerpir en touchant à peine le sol brûlant, y laissant des empreintes légères. Et ces traces étaient recouvertes au premier souffle de la brise. C'était la sensation qu'elle éprouvait alors, comme si toute trace de son existence sur terre aurait pu être aussi aisément effacée.

Afin de réaffirmer son identité, ne serait-ce que pour elle-même, Mariata fit appel à ses souvenirs. Elle se remémora d'abord l'été de ses sept ans, quand elle regardait les œufs de grenouille

433

éclore dans la guelta près de leurs pâturages estivaux ; puis, à huit ans, lorsque, assise avec la sœur de sa grand-mère sur le Nez du Loup, qui surplombait la vallée d'Outoul, celle-ci lui montrait les étoiles. Elle se revit à douze ans, quand elle avait gagné le concours de poésie face à une tribu rivale, pour avoir usé de mots que les autres n'avaient jamais entendus, imaginé de jolies transitions et dissimulé dans ses vers des insultes qui avaient fait hurler de rire les membres de sa propre tribu. D'autres images de son enfance lui revenaient à l'esprit à mesure qu'elle cheminait ; à un certain moment, elle se mit même à rire au souvenir du jour où elle avait appris à sa jeune cousine Alina, âgée de cinq ans, à lancer des figues en l'air, si haut qu'elle en était presque aveuglée par le soleil en suivant leur trajectoire, et à les rattraper en un geste purement instinctif. Puis la petite coquine s'était enfuie en riant, une figue à la main, qu'elle avait avalée tout entière pour empêcher Mariata de la récupérer, s'étranglant à moitié. Des figues… Un jet de salive douloureux lui emplit soudain le fond de la bouche et une envie de figues l'envahit si brusquement qu'elle manqua défaillir. Il lui fallait des figues, tout de suite ! Elle n'en avait pas mangé une seule depuis son départ du Hoggar, sauf le jour où elle était passée par les jardins dont s'occupaient les harratin, où un figuier aux branches argentées en produisait d'abondance.

Mais il n'y avait pas de figues par ici, sans doute pas à des centaines de kilomètres à la ronde. C'était l'évidence même, pourtant quelque chose en elle – peut-être son fils, déraisonnable et exigeant comme seuls peuvent l'être les bébés – ne pouvait accepter ce fait. Elle devait manger des figues à tout prix et qu'importe la façon dont elle se les procurerait. Si telle était la volonté du bébé, ne pas lui donner ce dont il avait envie risquait de faire apparaître la marque sombre du fruit sur son dos ou, pis, sur son visage. Au camp, il y avait toujours des enfants portant de telles marques de naissance qui entachaient leur beauté, et les futures mamans savaient que manger ce que leur enfant réclamait – que ce soit des cendres, du sel ou même des crottes de chameau – était la seule façon de les éviter.

Elle déchargea le sac qu'Azaz lui avait laissé, le fouilla jusqu'au fond et en sortit la dernière poignée de dattes, celle qu'elle avait mise de côté ces derniers jours. Elle avait mangé tout le reste, hormis les lanières de viande séchée du pauvre Acacia, maintenant si durcies par le soleil qu'elle craignait de s'y casser les dents. Fais comme si les dattes étaient des figues, se dit-elle, et si tu l'imagines de toutes tes forces, peut-être réussiras-tu à faire croire à ton fils que c'en est vraiment. Rappelle-toi à quoi ressemble le goût des figues, comment la peau résiste d'abord sous la dent avant que le sucre n'emplisse ta bouche ; souviens-toi de sa pulpe juteuse, des petites graines entre les dents…

— Ne me demande plus de figues, murmura-t-elle à son bébé un peu plus tard. Il n'y en a plus.

Jusque-là, ils avaient eu de la chance : ils avaient trouvé un pâturage du côté sous le vent d'une dune, laissé intact par les voyageurs de passage. Takama y avait passé une journée à gargouiller de satisfaction tout en mastiquant, transformant l'herbe dure et sèche en une méchante étoupe verte. Ils avaient aussi trouvé de l'eau, des puits qui n'étaient plus que des trous dans le sol, comblés par les sables, presque cachés à la vue, que l'on manquait si on ne tombait pas en plein dessus. Elle avait suivi les instructions de son frère, elle avait suivi les étoiles et tourné son visage au vent, mais elle s'était aussi fiée à son instinct et avait laissé ses pieds l'emmener là où la ligne de sa main le dictait. Pourtant, il n'y avait pas plus d'eau que ne pouvaient en porter à eux deux un petit dromadaire femelle et une femme en fin de grossesse et, bien que la bosse de Takama se dressât, pleine et ferme, Mariata s'inquiétait constamment du bien-être de l'animal, plus qu'elle ne s'inquiétait d'elle-même. Lorsque le soleil était à son zénith et qu'elles se reposaient, elle restait étendue, tâtant son ventre du plat des mains, et sentait grossir et pousser vers l'extérieur le petit nœud de chair d'ordinaire caché ; « ton petit puits du désert », l'avait un jour appelé Amastan en lui léchant les flancs, si bien que l'air de la nuit lui avait procuré une sensation de fraîcheur. Puis il avait plongé la langue au fond de son nombril, la faisant se tordre de rire. « Un jour, il y aura un enfant attaché à toi ici comme tu étais attachée à ta mère, et cet enfant sera le mien et il n'y en aura jamais d'aussi beau ni autant chéri dans aucun coin du monde », lui avait-il dit.

Elle se demandait ce qu'il penserait maintenant de son corps, énorme et gonflé au point d'éclater, la peau aussi tendue qu'un tambour, de ses seins, aux tétons naguère dressés, mutins, à présent lourds et gorgés de lait comme des mamelles de brebis, de ses jambes pareilles à des troncs de palmier, de ses chevilles grosses comme des sacs… Il ne servait à rien de rouler de telles pensées : elle repartit avec lassitude en traînant un pied devant l'autre, suivie de Takama.

Des avions passèrent plus d'une fois au-dessus de leurs têtes, si vite que leur bruit les précédait et s'attardait dans leur sillage. Le dromadaire ne semblait pas se soucier de leur présence, mais aux yeux de Mariata ces engins, qui n'appartenaient ni à la terre ni au ciel, étaient de mauvais augure. Elle traversa la route dont lui avait parlé Azaz dans les premières heures d'une nuit sans lune, alors que le monde entier était noir et qu'on n'apercevait aucun phare ni dans un sens ni dans l'autre. Laissant le Tanezrouft derrière elle et se repérant aux étoiles, elle franchit l'erg el-Agueïba, dont elle ignorait le nom ; tout ce qu'elle savait, c'est que le soleil s'était levé sur l'endroit le plus désolé qu'elle eût jamais vu, une plaine sablonneuse sans fin ponctuée de puits salants bruns et durcis et de végétaux épineux dont même Takama ne s'approchait pas, elle qui n'avait jusque-là montré aucune des tendances névrotiques caractéristiques des dromadaires.

À quelques jours de marche au sud de la plaine de sable, elles tombèrent sur un énorme lit de rivière à sec et le suivirent pendant trois jours, jusqu'à ce que les sandales de Mariata la lâchent et les obligent à s'arrêter. Elle s'assit sur un rocher pour inspecter ses pieds calleux. Il fut un temps où elle avait été fière de ses jolis pieds, délicats et longilignes, et quand ils avaient été décorés au henné pour son mariage, tout le monde s'était extasié de leur élégance. Depuis, le désert ne leur avait fait aucun bien. Dans les

436

premiers jours, des ampoules s'étaient formées et avaient éclaté. Les plaies avaient guéri et la peau s'était à nouveau couverte de cloques. Les tissus cicatriciels se superposaient maintenant et une épaisse couche de peau dure avait élargi ses sandales aux lignes délicates au point d'en faire craquer les coutures. Elle les rafistola rapidement avec des bandes de tissu arrachées à sa robe en songeant qu'elle n'était pas près de se remettre à danser pieds nus. Un sourire sardonique retroussa un instant ses lèvres.

Tout en marchant, elle faisait maintenant attention au temps, car des nuages s'étaient accumulés durant les derniers jours et elle savait que la saison des pluies allait bientôt commencer. « Dans le désert, plus de gens meurent de noyade que de soif », lui avait dit un jour Amastan. Elle s'était moquée de lui et lui avait rétorqué qu'il était bien bête s'il s'attendait à ce qu'elle croie à de telles balivernes. « Tu verras », s'était-il contenté d'ajouter. Le lendemain, il avait traversé le camp pour aller chercher le vieil Azélouane, qui avait confirmé ces fables invraisemblables. « Lorsque la pluie tombe dans le désert, c'est un véritable déluge accompagné du tonnerre, avait-il déclaré. Elle tombe trop fort et trop vite pour que le sable l'absorbe ; alors elle se précipite à torrent dans les oueds. Lorsque les nuages menacent, on monte sur les hauteurs. »

Elle ne l'avait pas cru entièrement, s'était dit qu'Amastan avait persuadé le vieux chamelier de lui raconter des histoires, mais ses paroles lui revenaient maintenant à l'esprit et, comme il faisait de plus en plus sombre, elle gravit le flanc de la vallée rocailleuse avec Takama. Leur progression était ralentie et plus difficile maintenant qu'elles devaient se frayer un chemin au milieu des rochers, mais elle constata vite que Takama avait le chic pour trouver le meilleur trajet et elle monta bientôt en selle pour reposer son corps las. Elles avaient cheminé côte à côte ces dernières semaines – elle était désormais trop lourde pour se hisser sur son dos – et Mariata se réjouissait d'avoir ménagé sa monture, car Takama se déplaçait avec une attention et une intelligence qui confirmaient sa bonne condition physique. Son intuition ne l'avait pas trompée : à l'aube, les premières gouttes crépitèrent sur la roche poussiéreuse, y laissant des éclaboussures noires, et elles durent bientôt se mettre à couvert de l'averse. Du flanc de la colline, Mariata vit avec stupéfaction une muraille liquide dévaler l'oued, une masse bouillonnante d'eau brune, de sable et de terre. Si elles s'étaient trouvées là, elle et Takama auraient été emportées en un clin d'œil. Elle se mit à frissonner de la tête aux pieds. Elle ne savait pas si c'était à cause de la chute soudaine de température ou de ce qui se serait passé si elles avaient continué à marcher dans l'oued.

L'arrivée des pluies précipita un intense bourgeonnement de vie : des plantes jaillissaient dans tous les coins, pointaient la tête de la moindre fissure, immédiatement croquées avec avidité par Takama. Entourée de cette abondance et de cette vigueur soudaines, toute l'énergie de Mariata semblait être absorbée par la croissance de l'enfant, car son ventre se gonflait comme de la pâte en train de lever, bien qu'il parût impossible qu'il grossisse davantage. Épuisée, avachie sur la selle et agrippée des deux mains à sa fourche en bois sculpté, elle oscillait avec le mouvement du dromadaire. Jamais elle ne s'était sentie aussi fatiguée de sa vie.

Puis un jour, alors qu'elles poursuivaient leur marche, elle sentit un flot humide couler sur ses cuisses. Elle crut un moment que c'était de l'urine, alors qu'elle n'en avait presque pas produit ces dernières semaines, puis un spasme douloureux parcourut son abdomen et elle se plia en deux, haletante. La douleur se calma une minute plus tard, mais une autre suivit bientôt, puis une troisième et une quatrième.

Mariata eut son enfant dans les collines de l'Adrar N'Ahnet. Se refusant à céder à la panique, elle se prépara sereinement à accoucher. À quoi cela eût-il servi ? Il n'y avait personne pour l'aider. Elle se déshabilla et psalmodia les paroles qui tiendraient les djenoun à l'écart des parties vulnérables de son corps. Dans un creux sablonneux entre des rochers rouges éboulés, seule en dehors de sa patiente femelle dromadaire, nue sous l'œil brûlant du soleil, Mariata s'accroupit, poussa, pria et sua. Au moment où la lune se levait au-dessus du mont Tinnîret, le bébé vint enfin au monde tandis que les chacals s'appelaient dans la nuit.

Tremblante de fatigue, elle noua et coupa le cordon comme elle avait vu faire les femmes de sa tribu. Il était aussi long et épais qu'un serpent ; elle le mit à sécher sur un buisson. Elle enterra le placenta pour qu'il n'attire pas les chacals, sauf un petit bout qu'elle mangea afin qu'une parcelle de son bébé soit toujours présente en elle et qu'elle puisse protéger son âme des Kel Assouf.

Le bébé était fort. Couché sur le sable, il se tortillait comme s'il avait voulu se lever et se mettre à marcher sans attendre. Mariata effleura de la main son minuscule visage bouffi et ses paupières closes, ses cheveux noirs qui séchaient déjà dans la brise fraîche de la nuit. Elle le nettoya avec du sable et le posa sur le sac en cuir souple que l'enad avait confectionné pour elle. Elle planta le couteau dans le sol à côté de lui pour écarter les esprits. Tant qu'il ne serait pas protégé par le baptême, six jours plus tard, il était particulièrement menacé par les djenoun. Après s'être lavée, elle projeta du sable à coups de pied sur le lieu de l'accouchement. Puis elle revêtit sa robe en loques, s'allongea et se pelotonna autour de la vie nouvelle qu'Amastan et elle avaient engendrée.

Le bébé trouva le sein sans difficulté et ne se plaignit pas une seule fois, se lançant dans l'existence comme s'il avait su dans quelle situation dramatique ils se trouvaient et n'avait pas voulu attirer l'attention du mauvais œil. Les deux jours suivants, Mariata se reposa et reprit des forces. Elle ne pouvait s'empê-cher de contempler l'enfant. Elle lui chuchotait des mots tendres et chantait pour lui toutes les chansons de son enfance dans le Hoggar dont elle parvenait à se souvenir, même les tristes, même les chants de guerre. Lorsque le bébé ouvrit les yeux, ils étaient aussi sombres que la nuit et, l'espace d'un instant, Mariata eut peur, mais elle ne savait pas si elle avait peur de l'enfant ou pour lui.

Le troisième jour, dans la chaleur de l'après-midi, lorsqu'elle s'obligea à aller chercher de l'eau à l'outre accrochée au buisson où le cordon ombilical séchait au soleil, elle dérangea quelque chose qui éclata en mille morceaux blancs dans la lumière, sur le fond bleu du ciel. Elle les regarda une longue seconde avant de se rendre compte que c'étaient des papillons, minuscules et fragiles, leurs ailes pâles rendues translucides par le soleil, et elle se sourit à elle-même.

— Si vous pouvez survivre en ce lieu, nous aussi, murmura-t-elle.

Le soir du sixième jour, Mariata se leva et, solennellement, fit trois fois le tour du bébé et du dromadaire, à défaut de faire le tour d'une tente. Comme il n'y avait ni bouc ni enad pour le sacrifier en vue d'un festin, elle pria Takama de la laisser prélever un tout petit peu de sang à son cou. Elle voulut le faire goûter au bébé en lui présentant son doigt, mais il détourna la tête et battit l'air de ses mains, rebuté par son odeur salée. Mariata soupira et insista jusqu'à ce qu'il en prenne un peu pour écarter les Kel Assouf de sa bouche. Puis, avec une brindille plongée dans le sang, elle traça aux coins de ses yeux et sur son front les motifs en pattes d'oie qui donneraient de la force à ses yeux et à son esprit. Lorsque le sang eut séché, elle retourna le bébé et traça d'autres motifs sur son dos et ses jambes afin de lui assurer force et protection. Elle écrivit son nom à l'emplacement de son foie et le proclama à six reprises au monde afin que tous le connaissent, connaissent ses parents et sa tribu, et sachent qu'il descendait de Tin Hinan par sa mère. Ensuite elle enleva son amulette, retira le minuscule rouleau de parchemin niché à l'intérieur et, tirant la langue sous l'effort, elle écrivit minutieusement le nom du nouveau-né à côté des noms de ceux qui l'avaient conçu.

Elle alla chercher le cordon ombilical séché au soleil et, avec une grande concentration, l'aplatit en le tapant sur le rocher, le coupa en trois brins qu'elle tressa si serré que Tana elle-même l'aurait félicitée de son travail. Elle ôta la jolie rangée de perles à laquelle avait été suspendue l'amulette jusque-là, la renoua et la mit à son cou, puis elle enfila l'amulette sur le cordon tressé et enroula celui-ci autour du bébé avant de la remettre dans le sac. C'était maintenant l'amulette la plus efficace qui soit et si elle ne parvenait pas à assurer la sécurité de l'enfant, rien ne le pourrait.

Le septième jour, elle désentrava le dromadaire et ils suivirent le long cours d'eau à sec qui descendait jusqu'à la plaine. Dans la vallée, ils tombèrent sur le puits d'Azib Amelloul et quelques nomades, qui crièrent : « *Isalan ?* Quelles nouvelles ? » et louèrent la beauté de son enfant. C'étaient des gens aimables et simples, et, bien que très pauvres, ils tinrent à tuer l'une de leurs chèvres en son honneur. Pendant deux jours, Takama partagea les bons pâturages avec leurs bêtes et Mariata fut traitée comme un membre de la famille royale en visite. Les femmes parlaient un dialecte tamazight différent de celui auquel elle était habituée : leurs intonations étaient dures et nasales, les voyelles traînées en longueur. Elles se demandaient pourquoi elle était seule et où elle allait.

— Je suis venue dans le désert pour mettre au monde mon enfant, leur dit-elle.

Elles eurent un hochement de tête approbateur : c'était l'ancienne façon de faire.

Elles lui proposèrent de rester avec eux — un nouveau-né porte toujours chance —, mais ils se dirigeaient vers le nord et l'Adrar Tisselîlîne.

— Ce n'est pas bon pour une femme de se déplacer seule, lui dirent-elles. Il y a beaucoup de bandits et de soldats dans les parages, qui font des allées et venues entre Tamanrasset et In Salah. Si tu dois continuer seule, prends soin d'éviter la route. Ils ne se conforment pas à notre code et n'ont aucun respect pour les femmes.

Mariata les remercia, mais le lendemain ils se séparèrent. Elle les regarda jusqu'à ce que la dernière chèvre ne soit plus qu'un point au loin, puis elle mit le bébé sur son dos et fit s'agenouiller Takama pour la charger à nouveau. Les nomades avaient lavé et raccommodé sa robe aussi bien que possible en cousant un liséré neuf de couleurs vives sur ses bords en lambeaux. Elles lui avaient donné un lange propre pour l'enfant, un nouveau voile et une paire de vieilles sandales presque à sa pointure. Elles lui avaient donné du millet, des dattes, du lait et du fromage de chèvre. À chaque cadeau, les larmes lui étaient venues aux yeux, tant ces gens étaient gentils. Elle avait essayé de refuser, sachant qu'il leur était difficile de se passer de tout cela, mais elles avaient fait comme si son refus les offensait, et elle s'en alla donc aussi riche qu'une princesse.

Montée sur Takama, elle fit route vers le sud-est pendant deux jours, jusqu'à ce que les montagnes volcaniques du Hoggar apparaissent à l'horizon, leurs sommets pointus si caractéristiques se découpant sur le soleil couchant. Mariata se mit à rire. Elle avait réussi ! Contre toute attente, elle était rentrée au pays. Elle prit le bébé dans ses bras et tourna son visage vers les collines.

— Voici ta patrie, mon agneau, ma petite figue sucrée, mon amour.

En chemin, elle lui conta les légendes de l'Ahaggar, lui parla de la révolte des Sanoussi, lorsque les Kel Taïtok s'étaient soulevés contre les envahisseurs étrangers ; de la beauté légendaire de la poétesse Dassine, courtisée par les nobles de partout, qui avait impérieusement éconduit le chef le plus puissant de tous, parce qu'il était laid ; de la bataille de Tit ; de la ruse avec laquelle les raids étaient organisés, du courage des guerriers. Elle lui parla des peintures rupestres de Touhogine et de Mertoutek, où d'élégantes gazelles sautaient en travers des parois rocheuses, et de la montagne des Esprits, le Garet el-Djenoun.

— Nous serons bientôt parmi les nôtres et tu seras fêté et adoré par toutes les femmes parce que tu es le seul bébé qui ait traversé le désert.

Le lendemain soir, le massif montagneux ne semblait pas plus près. Ils traversèrent l'oued Tirahart et prirent de l'eau au puits d'Anou à Arabit, où Mariata s'émerveilla à la vue de toutes les empreintes dont le sol était couvert : celles de chèvres, de moutons et de chameaux, mais aussi d'ânes et de mules.

— S'il y a des ânes, alors nous sommes presque arrivés, dit-elle à l'enfant pour se rassurer elle-même.

Takama poussa un grand blatèrement gargouillant et secoua l'encolure en levant le menton vers le ciel comme pour manifester son assentiment.

Ils traversèrent les ruisseaux qui couraient au pied du mont isolé de Tin Adjar. Au-delà se trouvaient Abalessa et la vallée d'Outoul, dominées par les collines où vivaient les siens. Le terrain s'inclinait régulièrement, semé de formations rocheuses étranges et magnifiques qui changeaient de couleur de façon spectaculaire au cours de la journée, passant d'un ocre beige clair en plein midi à un ambre rutilant, puis à un rouge flamboyant lorsque le soleil se couchait. Mariata les touchait avec émerveillement, le cœur empli de joie. Elles semblaient pleines d'énergie, ces roches, et elle aussi.

Le lendemain, l'aube apporta un nuage bas qui venait du sud en tourbillonnant et Mariata émit un grognement. Il n'y avait là pas grand-chose pour se mettre à couvert, se protéger d'une tempête de sable. Mieux valait accélérer l'allure. Elle fit s'agenouiller Takama et installa le bébé sur son dos avant de se mettre en selle. Malgré l'approche de la tempête, elle se mit à rire : c'était bon de se sentir de nouveau agile après avoir été comme une brebis pleine pendant des semaines. Ils progressèrent rapidement, mais la tempête ne tarda pas à les rattraper et le sable à les fouetter, si bien que, même enveloppée de son voile, Mariata en sentait les grains entre ses dents. La tourmente gagna en violence. De toute évidence, il ne servait à rien de continuer : il leur fallait se mettre à l'abri. À travers les vagues cinglantes, elle distingua une butte dont le côté semblait percé d'une grotte. Elle poussa Takama dans sa direction et lui donna des tapes sur la tête jusqu'à ce qu'elle se couche. Puis elle escalada le flanc éboulé de la petite colline. Grâce au ciel, c'était bien une caverne ! Après avoir déposé le bébé à l'entrée, elle redescendit entraver le dromadaire, le visage et les mains flagellés par le sable. Mais Takama s'était déjà installée, l'arrière-train tourné à la tempête avec détermination.

Dans la caverne, Mariata serra son bébé contre elle et leva un sein lourd de lait vers sa petite bouche qui le cherchait. Ils avaient eu une telle chance jusque-là, à croire que Tin Hinan avait veillé sur eux ! Dehors, la tempête hurlait comme mille djenoun furieux, mais à l'intérieur, ils étaient bien et en sécurité. Mariata alluma l'une des bougies prises dans le sac de Tana. Elle fit fondre le pied de la deuxième sur la flamme de la première et la posa sur une pierre, puis renouvela l'opération avec la première. Les deux bougies éclairèrent alors la caverne, révélant tout autre chose qu'une formation naturelle. Mariata regardait autour d'elle, stupéfaite. Elle se trouvait dans une salle dont les murs en pierre avaient été indubitablement taillés par la main de l'homme. Un frisson la parcourut. Elle était à l'intérieur d'une tombe ou à l'entrée d'une tombe, car une porte semblait s'ouvrir dans l'antichambre où elle était accroupie. Dès qu'elle en prit conscience, elle n'eut qu'une envie : sortir de là, quitte à affronter la tempête. Ce fut l'enfant qui la retint : il lâcha un petit cri et leva les mains en l'air comme pour saisir quelque chose d'invisible. Mariata fut immédiatement convaincue qu'un djinn était entré dans la tombe ou plutôt qu'il avait attendu là des voyageurs non avertis.

— Au large ! Va-t'en ! cria-t-elle.

Mais sa voix se perdit dans les hurlements de la tempête. Finalement, elle fit brûler les simples que Tana lui avait donnés et mélangea les cendres avec un peu de sang de son doigt pour en faire une pâte dont elle se servit pour inscrire une formule magique. D'abord sur le mur de l'antichambre, ensuite sur le bout de parchemin de l'amulette, en travers des noms déjà écrits, de façon à former une trame complexe dans laquelle chacune des trois lignes avait un symbole commun avec chacune des trois colonnes. Satisfaite, elle remit le parchemin dans le compartiment de l'amulette, qu'elle suspendit au cou du nourrisson.

— Cette amulette te protégera sûrement du pire, lui promit-elle.

Puis elle pleura, car aucun charme n'avait pu sauver son Amastan.

Le lendemain matin, il y eut une accalmie, bien que le ciel fût encore bas et lourd, masse jaunâtre qui flottait sur le Hoggar et en cachait les sommets. Mariata était convaincue que le répit serait de courte durée, il n'y avait donc pas une minute à perdre. Cependant, ce jour-là, le bébé se montra rétif et peu coopératif, ce qui ne lui ressemblait pas. Il se tortillait dans ses mains comme un lièvre des montagnes et refusait de téter. Pour finir, Mariata perdit patience.

— Eh bien, si tu ne manges pas, tu auras faim !

Elle l'emmaillota sans ménagement dans son lange pour qu'il cesse de donner des coups de pied, puis sortit voir le dromadaire.

Mais il n'y avait aucun signe de la présence de Takama. Mariata l'appela et scruta les environs, en vain. Même ses empreintes dans le sable avaient disparu, effacées par la tempête. Elle soupira. Soit : elle avait parcouru des distances plus grandes que celle qui restait et elle retrouverait certainement Takama en chemin. Mais elle avait le cœur lourd ; elles avaient partagé tant de choses que la perdre maintenant la chagrinait.

Elle prit le bébé et le sac de l'enad, retira son voile et s'apprêtait à le mettre en écharpe pour porter l'enfant quand elle entendit quelqu'un approcher. S'étant retournée, elle vit trois hommes montés sur des dromadaires qui en menaient un quatrième par la longe. Takama. Elle s'apprêtait à descendre la butte en courant à leur rencontre quand elle se ravisa. Ils portaient le turban, c'étaient des Kel Tamazight, et se précipiter vers eux comme une mendiante et une folle n'était pas de mise. Et ce n'étaient pas non plus des Touaregs ordinaires, car ils chevauchaient de grands méharis blancs et des fusils étaient accrochés aux flancs de leurs dromadaires ainsi que les *takoubas* traditionnels. Quelle fière allure était la leur lorsqu'ils émergèrent du soleil ! Elle s'assit à l'entrée de la tombe et attendit.

Le premier s'avança et leva les yeux vers cette femme au visage rayonnant, à cette mère avec son bébé dans les bras. Il la regarda longuement, puis dit :

— Un mauritanien minable ne me dédommage pas vraiment des deux méharis que tu m'as volés, mais je le prends à titre d'acompte sur le remboursement de ta dette. Et je sais très bien comment tu pourras t'acquitter du reste.

Mariata eut l'impression qu'on lui plantait la lame froide d'un couteau dans les entrailles et son cœur se mit à battre follement, douloureusement. Elle était incapable de respirer, encore moins de parler.

Les trois hommes mirent pied à terre et s'approchèrent d'elle. Le plus grand d'entre eux regarda avec dégoût l'enfant emmailloté.

— Tu peux poser cette larve par terre, c'est sa place, dit Rhossi ag Bahédi. Tu n'en auras plus besoin.

Elle se débattit, gémit, mordit et griffa, mais ils étaient trop forts pour elle. Ils la traînèrent hors de la tombe et la ligotèrent comme une gazelle abattue par les chasseurs. Puis ils la jetèrent sur Takama et l'emmenèrent. Sur trois cents mètres, Mariata réclama son bébé à cor et à cri, mais quand il devint évident qu'ils ne rebrousseraient pas chemin, elle se maîtrisa et se concentra pour mémoriser tous les pas qu'ils faisaient, toutes les pierres et les plantes devant lesquelles ils passaient. Elle prit note de chaque changement de direction, des motifs dessinés dans le sable par le vent dominant et de la position des ombres. Des mois dans le désert lui avaient appris beaucoup de choses et, plus que tout, la force d'âme.

En arrivant en lisière du camp, Rhossi la jeta au sol comme un sac de riz et, de toute sa hauteur, la regarda d'un air méditatif.

— Si tu cries ou te débats, tu t'en repentiras. Tu es une pauvre vagabonde solitaire que nous avons secourue. Par bonté de cœur, je te prends comme deuxième épouse pour te protéger.

Mariata ne prêta aucune attention à ses paroles. Elles étaient dénuées de sens : elle ne se souciait que de son bébé. Elle avait un plan, mais il lui fallait être patiente. Peu importait ce qui se passerait entre-temps. Docile, ce qui ne lui ressemblait guère, elle se laissa conduire dans le camp. Ils passèrent devant plusieurs dromadaires entravés, un groupe d'hommes en train de fumer, puis deux jeeps cabossées et des personnes vêtues à l'européenne.

— Ne les regarde pas, lui dit Rhossi à voix basse. Ils ne s'intéressent pas à des gens comme toi. Tout ce qui les intéresse, c'est la poussière et les os, pas les vivants.

Plus loin, il y avait des tentes et d'autres gens, des femmes pour la plupart et quelques enfants. Tous la regardaient sans curiosité, mais Mariata détournait les yeux. Derrière elle, elle entendit les jeeps démarrer et s'éloigner bruyamment ; on s'intéressait davantage à leur départ qu'à son arrivée. Jusqu'à ce qu'on la pousse dans une longue tente noire et basse… Une femme à la peau sombre, grassouillette, à la petite bouche méchante et au menton fuyant se trouvait à l'intérieur. L'œil sombre, elle embrassa du regard cette femme déguenillée et la main de l'homme posée sur elle en un geste possessif, puis elle lança une volée d'invectives.

— Qu'est-ce qui te prend d'amener une baggara dans ma tente ? Elle doit être infestée de vermine, ça se voit. Fais-la sortir d'ici avant qu'elle n'abîme mes belles affaires !

Rhossi se contenta de rire et poussa Mariata avec une violence telle qu'elle s'écroula sur l'autre femme.

— Du calme, femme, ou bien faut-il que je t'appelle maintenant ma « première épouse » ? Voici… Mina.

C'était le premier nom qui lui était venu à l'esprit. Ça ferait l'affaire. Mieux valait qu'on ne sache pas qu'il était tombé sur un membre de la puissante tribu des Kel Taïtok.

— Elle sera ma seconde épouse, puisque tu n'as pas réussi à me donner de fils, et je sais que celle-là est fertile !

Il ne précisa pas comment il le savait, mais cela suffit pour que la femme lance un regard de profond mépris à la nouvelle venue tout en la repoussant à coups de pied.

— Fais en sorte qu'elle soit lavée et présentable devant moi au coucher du soleil, sinon ça ira mal pour toi, ordonna Rhossi.

Il lui adressa un gentil sourire, mais elle se mit à trembler, sachant trop bien ce que cela voulait dire.

La première épouse, Hana, se déchargea de sa frustration sur « Mina », sans jamais s'adresser à elle directement. Elle parlait dans le vide : « A-t-on jamais vu des cheveux aussi emmêlés et sales ? On devrait les couper à ras » ou « Qu'est-ce qu'il lui trouve, je ne peux l'imaginer : elle est maigre comme un bâton et elle pue comme une chèvre. » Mariata la laissa faire ce qu'elle voulait et n'émit pas la moindre plainte alors que Hana la peignait, la récurait et lui coupait les cheveux sans aucun ménagement. Rien ne lui importait en dehors du sauvetage de son enfant. Elle se le répéta comme un mantra lors de la courte cérémonie devant le marabout et des « festivités » qui furent silencieuses et écourtées. Nul n'aimait beaucoup Rhossi ag Bahédi, semblait-il, et beaucoup des personnes présentes paraissaient apparentées à la première épouse et considérer l'arrivée d'une seconde épouse, inconnue de surcroît, comme une insulte à leur clan. Par ailleurs, il était tout à fait inhabituel qu'un chef prenne une deuxième femme, surtout aussi vite. Mais les codes de conduite n'étaient plus respectés en cette période de troubles où l'on ignorait ce que le lendemain réservait. Les hommes estimaient que tout plaisir était bon à prendre car on risquait d'être mort le jour suivant. Et il fallait reconnaître que cette jeune femme était superbe maintenant qu'elle était lavée, bien habillée et parée pour la noce – bien plus agréable à regarder que la pauvre Hana. Mais elle était maigre, beaucoup trop maigre, tous s'accordaient sur ce point. Elle ne tarderait cependant pas à se remplumer et ce serait alors une vraie beauté. Et en plus, pas de dot à verser : une affaire !

Les femmes n'en pensaient pas moins, bien qu'aucune ne soufflât mot. Mieux valait errer dans le désert qu'être la seconde épouse de Rhossi. Elles avaient vu les bleus qu'il avait faits à Hana, même si elle s'efforçait de les cacher. Elles avaient vu les filles de harratin dont il avait abusé. Ainsi, alors qu'elles appréciaient un beau mariage plus que tout, elles n'avaient pas vraiment le cœur à chanter et à battre la mesure ce soir-là, et dès que Rhossi emmena sa nouvelle femme au lit, elles se dispersèrent.

Lorsque Rhossi la déshabilla et regarda de haut son corps famélique, sa poitrine pleine de lait, son ventre distendu et ses membres grêles, Mariata souhaita être ailleurs. Quand il se moqua d'elle et évoqua avec délectation l'attaque qui avait enlevé Amastan à Mariata tout en la prenant de force, elle regarda fixement la toile sombre de la tente comme si elle avait pu voir les étoiles au travers. Une heure plus tard, alors qu'il ronflait bruyamment, elle se rhabilla en vitesse, se glissa dehors, alla retrouver Takama et disparut dans la nuit sans lune.

Comment trouva-t-elle son chemin, mystère : tout semblait si différent dans l'obscurité, mais lorsque le soleil se leva au-dessus des collines, Mariata aperçut la butte devant elle. Sans attendre que Takama soit couchée, elle sauta à terre et se mit à courir, ses pieds touchant à peine le sol.

— Me voilà ! Je viens te chercher ! lança-t-elle.

Mais aucun cri du bébé ne lui répondit. Elle gravit la butte au pas de course et se précipita dans l'entrée de la tombe : elle était déserte. Elle poussa des gémissements dont les échos emplirent l'antichambre. Elle ressortit et fouilla tout autour de la tombe à quatre pattes jusqu'à avoir les mains et les genoux en sang. Mais il n'y avait pas d'erreur possible : le bébé avait disparu.

34

Pendant trois jours et trois nuits, le Fennec avait conduit comme un dément, lançant la Touareg sur les pistes du désert et les plaines jonchées de pierres. Le monde défilait à toute allure et le paysage se dévidait en brins de couleurs distinctes comme s'il avait été passé à la centrifugeuse. Une partie du voyage s'effectua sur une route goudronnée, mais c'était pour les nerfs une plus rude épreuve encore que les pistes cahoteuses. Le Fennec avait pour habitude de coller au train des camions, puis de les doubler avant de se rabattre si imprudemment que mon pied droit jouait sur la pédale de frein fantôme. Ce qui, de toute façon, n'aurait pas servi à grand-chose, du fait que nous étions dans une conduite à gauche.

De retour sur les pistes, nous étions bringuebalés en tous sens, l'amulette rebondissait contre ma clavicule et les suspensions de la voiture gémissaient avec un bruit métallique. Je me retournai pour regarder Taieb après une secousse particulièrement violente, mais il était impassible comme toujours, comme si ce 4 × 4 haut de gamme ne lui avait pas coûté près de deux ans de travail. Ce n'est que de l'argent, semblait-il penser. À côté de lui, le lieutenant du Fennec paraissait passablement moins nonchalant : il regardait le sol fuir à cette vitesse surnaturelle avec des yeux grands comme des soucoupes.

« Voulez-vous me dire où vous nous emmenez ? » avais-je demandé le premier jour.

J'avais dû me forcer pour parler, car, rien qu'en ouvrant la bouche, je risquais de me briser les dents.

« Voir quelqu'un que je connais. »

Était-il nécessaire d'être aussi sibyllin ?

« Vous pourriez peut-être m'expliquer pourquoi ?

— Vous le saurez quand nous serons arrivés. »

Et c'est tout ce que dit le Fennec jusqu'au moment où il arrêta la voiture sous un gros acacia, en descendit et passa deux coups de téléphone. Je compris l'essentiel de l'appel en français, malgré l'abondance de jurons et d'expressions familières que je ne pouvais que deviner, mais il semblait s'agir d'un paiement qui devait être effectué par quelqu'un d'autre. L'autre appel fut donné dans une langue si impénétrable que je n'essayai même pas de le comprendre. Je me tournai vers Taieb.

— Vous avez une idée de ce que tout cela veut dire ? demandai-je à voix basse.

— Le camp où nous étions n'existe que grâce à un *pourboire* qu'il verse au commandant de la garnison locale. Il s'est assuré qu'il n'allait pas y avoir de changement de personnel dans les jours prochains et il lui a certifié que l'argent avait été envoyé. Quant à l'autre appel, je n'ai saisi qu'un mot par-ci par-là : il s'agissait de contrôles de police.

Il haussa les épaules. Tout cela ne contribua guère à me calmer les nerfs.

Pour finir, nous ne vîmes aucun poste de contrôle ni ne fûmes arrêtés par l'armée ou la police, et je m'abandonnai au cours des événements et à la lassitude qui m'avait envahie. M'obligeant à adopter mon attitude intérieure *inch' Allah*, je m'endormis au bout d'un moment.

Lorsque je me réveillai, le monde avait cessé de défiler à toute allure et un soleil pâle et tranquille se montrait au-dessus d'une colline couronnée de rochers aux formes fantastiques. Sans grand effort d'imagination, je distinguai un lapin tapi, un homme assis, un champignon géant et un long museau de chien.

— Où sommes-nous ? demandai-je à Taieb.

Il n'en avait évidemment pas la moindre idée. Nous laissâmes la voiture garée à l'ombre des rochers et continuâmes à pied. Le

Fennec marchait en tête à grandes enjambées, comme s'il était décidé à dévorer le sol avec ses bottes, chaque mètre franchi étant un de moins entre lui et sa destination. J'imaginais sans peine à quel point cet homme devait être redoutable au combat, obstiné et concentré sur l'objectif. J'étais contente que ses yeux perçants de faucon soient fixés sur le chemin et non sur moi, car j'avais du mal à suivre et devais courir à moitié. À mon côté, Taieb avançait à longs pas élastiques comme s'il avait pu conserver toute la journée ce train d'enfer. Mais le pauvre lieutenant peinait, chargé comme il l'était d'une arme semi-automatique et d'un bidon d'eau ; j'entendais l'air entrer dans ses poumons de fumeur et s'en échapper en sifflant.

Le chef touareg savait manifestement où il était et où il allait : chaque fois qu'il arrivait à un embranchement, il choisissait sa route sans hésiter. Après une heure de marche rapide, en montée la plupart du temps, nous arrivâmes en haut d'un escarpement rocheux. En contrebas, on voyait de l'eau miroiter entre les rochers, un enclos sablonneux, une dizaine de tentes basses et noires et une petite cabane par le toit de laquelle s'échappait de la fumée.

Le Fennec se jeta au pas de course dans la pente en direction du petit campement, les pierres s'éboulant dans son sillage. J'avais descendu des centaines de pentes raides au cours de ma vie et j'estimais avoir le pied assez sûr, mais je n'avais encore jamais vu quelqu'un d'aussi agile. Lorsque nous arrivâmes en bas, il avait disparu. Beaucoup de gens sortirent des tentes pour nous regarder avec curiosité. Des enfants intrépides, à l'œil tout aussi intrépide et au sourire édenté, couraient après nous, touchaient nos vêtements ou nos bras comme pour relever un défi, puis repartaient en courant pouffer de rire derrière leurs amis. Ils montraient mon jean, qu'ils semblaient trouver particulièrement amusant ; ils s'attaquaient à Taieb, grimpaient le long de sa jambe et lui demandaient de les porter. Ils se moquaient beaucoup du pauvre lieutenant en sueur avec la « kalach » et certains ramassèrent des bâtons et firent semblant d'engager la bataille. Une fillette aux yeux immenses, dont les nattes rebondissaient dans le dos, manifesta beaucoup d'intérêt pour ma montre et se refusa à me lâcher le poignet, tant elle était fascinée par le tic-tac de la grande aiguille et par son diamant qui étincelait au soleil. En un autre temps et un autre lieu, elle m'avait coûté près de deux mille livres. Une somme ridicule pour un objet qui donnait l'heure et rien de plus, alors qu'il suffisait de regarder le soleil ou la longueur des ombres au sol. J'avais du mal à imaginer quelque chose de moins utile en ce lieu, si ce n'est peut-être le papier-monnaie qui avait permis de l'acheter. Je défis en souriant le bracelet en cuir et laissai la fillette partir en courant avec la montre, poursuivie par ses amis. Taieb leva un sourcil interrogateur.

— C'était une Longines, n'est-ce pas ?

L'air indigné du lieutenant méritait le spectacle. J'éclatai de rire. C'est la réapparition du Fennec qui empêcha mon rire de devenir hystérique.

— Venez avec moi, dit-il abruptement en français avant de tourner les talons.

Nous passâmes devant toutes les tentes où on avait sorti des tapis de couleurs vives pour les aérer ; les femmes préparaient le repas ou tissaient ; les hommes cousaient des morceaux de cuir coloré et en tressaient des lanières. De l'autre côté de l'enceinte, nous arrivâmes à la cabane avec son panache de fumée. En y entrant, il apparut clairement que c'était une sorte de forge. Il y avait des outils de forgeron partout, des marteaux de toutes tailles, une enclume en pierre, un soufflet de couleurs vives. L'enfant qui l'actionnait nous regarda avec de grands yeux, puis s'enfuit à toutes jambes, découvrant un personnage accroupi devant le feu. Les flammes illuminaient sa face sillonnée de rides, ses yeux vifs et ses cheveux blancs coupés court, en violent contraste avec la noirceur du visage. Lorsqu'il se leva, il était presque de la même taille que le Fennec et presque aussi imposant, la poignée de main particulièrement vigoureuse pour un homme de cet âge.

Le lieutenant armé fut envoyé dehors et le forgeron nous invita du geste à sortir de la cabane obscure et enfumée pour nous installer dans la cour de derrière, regorgeant de fleurs et de végétation. Mon regard embrassa des plants de tomates, de poivrons et de piments, du fenouil, des oranges, des soucis et des bougainvilliers. Un véritable miracle, une oasis, une corne d'abondance.

— Je vois que vous aimez mon jardin, dit le forgeron d'une petite voix fluette en désaccord total avec sa stature. Pardonnez-moi de ne pas porter de turban ; ce n'est pas par irrespect, mais parce que de toute façon je n'aurais le droit de n'en porter qu'une moitié.

Le Fennec sembla trouver cela amusant, mais mon air dérouté dut me trahir car le forgeron sourit.

— Mon nom est Tana et je suis ce qu'on appelle un homme-femme, quoique je préfère qu'on emploie l'article féminin en parlant de moi, me dit-elle dans un français impeccable.

Je suis certaine que ma bouche dut former un O parfait de surprise et pas seulement parce que je n'avais encore jamais rencontré d'« homme-femme ».

— Votre français est remarquable, remarquai-je, cherchant quelque chose à dire qui ne révèle pas complètement ma confusion. Comment se fait-il que vous le sachiez si bien ?

— Je sais beaucoup de choses. Je parle aussi un peu le songhaï. J'ai constaté qu'en s'adressant aux autorités locales et aux organisations humanitaires dans leur propre langue, on aboutissait à de meilleurs résultats.

Elle montra une couverture rouge étalée par terre au milieu de laquelle trônait une petite table ronde en argent, tandis qu'une théière du même métal chauffait déjà sur un brasero au charbon de bois installé à l'écart. La table était superbement et minutieusement ouvragée et ciselée ; quatre verres à thé y étaient posés, comme si elle avait su que nous venions. À moins qu'elle n'ait eu que quatre verres, qu'elle laissait toujours là. Une fois le thé prêt, elle le versa cérémonieusement et personne ne dit mot pendant ce temps-là pour ne pas interrompre le rituel. À la fin, Tana se pencha vers moi.

— On m'a dit que tu avais une amulette en ta possession.

Je jetai un coup d'œil au Fennec, qui hocha la tête rapidement.

— Elle contient un petit rouleau de parchemin écrit en tifinagh.

— Ah oui, le parchemin, dit-elle en me regardant avec insistance. Que sais-tu du tifinagh ?

Je dus reconnaître que je n'en savais pas grand-chose. Elle souleva un coin de la couverture et fit des marques dans le sable.

— Notre langue parle du monde dans lequel nous vivons. C'est certes vrai dans toute culture, mais la nôtre représente les éléments fondamentaux de notre existence plus directement que la plupart. Tu vois toutes les lignes droites, ces bâtonnets ? Ce sont les jambes des hommes et les pattes des animaux, dont les vies sont étroitement imbriquées et interdépendantes : les chèvres, les moutons et les chameaux, les gazelles, les chacals et les lions. Les croix indiquent les voies entre lesquelles nous devons choisir, les chemins que nous empruntons pour traverser le désert de notre vie, la route le long de laquelle nous guident le soleil, la lune et les étoiles. Selon un de nos dictons, toute chose essentielle part du cœur et parcourt de plus en plus loin le Cercle de la Vie, de même que l'horizon du monde entoure la tribu et le troupeau. Mais tout revient au cœur, tu sais. L'amour est la force la plus grande qui existe au monde.

Elle ouvrit le compartiment secret de l'amulette, fit tomber le parchemin dans sa main et le regarda un long moment. Puis elle sourit longuement, remit le parchemin à sa place et referma le bossage central avec un claquement sec définitif.

— Je ne m'attendais pas à la revoir. Mais je suis contente de l'avoir entre les mains, malgré tous les événements malheureux dont elle a été témoin.

Le regard de ses yeux sombres parut me transpercer. Puis elle se tourna vers le Fennec.

— Pauvre âme. Quarante ans dans le désert, quarante ans passés à te détourner de l'amour, de ce qui fait le plus mal, quarante ans à nier que le cœur est au centre du monde. Tu ne l'as jamais retrouvée, n'est-ce pas ? Et c'est pour cela que tu es revenu ici après tout ce temps avec cet objet. Oh, ne te méprends pas sur mes paroles : nous te sommes reconnaissants de tout ce que tu as fait pour nous, des dons sous forme d'argent et d'aide. Mais cela aurait fait plaisir de voir ton visage de temps à autre. Et si tu avais gardé le contact, j'aurais pu t'épargner deux années de tristesse. Pourquoi est-ce toujours la pauvre vieille Tana qui a tous les fils en main ? poursuivit-elle avec un petit rire étranglé. Eh bien, nous n'allons pas tarder à les tisser en une histoire, si curieuse soit-elle. Tout cela est très étrange pour toi, jeune fille, dit-elle en me tapotant la main, je le vois. Ne bouge pas, je crois que cela va le devenir encore plus.

Elle se releva avec l'aisance de quelqu'un de beaucoup plus jeune et se baissa pour rentrer dans la cabane.

— Que veut-elle dire par là ? demandai-je au Fennec.

Il fixait des yeux les braises rougeoyantes du brasero comme si elles recelaient la réponse à ses questions. Et il tremblait. Je jetai un coup d'œil à Taieb. Il passa le doigt sur le dessus de ma main.

— Il y a là un grand mystère, mais je crois qu'il est sur le point de s'éclaircir. Soyez patiente, Izzy.

Il y eut un mouvement à la porte et Tana réapparut, suivie d'une femme plus petite dont la longue chevelure noire, semée de quelques cheveux blancs, était tressée en torsades élaborées. Ses boucles d'oreilles en argent, formées alternativement d'anneaux et de triangles inversés, touchaient presque ses épaules. De l'argent brillait à ses doigts et à ses bras ; des poids en argent oblongs tiraient vers le bas les coins du foulard qu'elle portait sur la tête et une dizaine d'épingles ornaient sa robe bleu foncé. Ses mains passées au henné avaient pris une belle teinte brune, ses lèvres aussi, si bien qu'elles ressortaient fortement sur sa peau claire. Je n'avais jamais vu de femme aussi pleine de dignité. Elle ressemblait à la reine du désert dans ses plus beaux atours, telle que je me l'imaginais. Mais la reine du désert était morte depuis fort longtemps alors que cette femme-là était bien vivante. Ses yeux étaient de la couleur d'un nuage d'orage, mais il y avait en eux une étincelle d'humour et une profonde intelligence affermie par des leçons durement apprises. Elle avait le nez long et droit, les sourcils épais et son menton reflétait une détermination qui frisait l'entêtement. Personne n'a jamais dû dire que c'est une jolie femme, elle est bien trop belle, pensai-je.

Son regard plein de hardiesse tomba d'abord sur moi, s'y attarda un moment ; je crus voir son menton trembler, puis elle jeta un coup d'œil à Taieb et eut un hochement de tête approbateur, et elle laissa enfin ses yeux se poser sur le Fennec.

— Amastan, dit-elle très distinctement.

— Oh, Mariata... laissa-t-il échapper dans un soupir.

Les noms inscrits sur le parchemin. Je les regardai alternativement en m'efforçant de trouver un sens à tout cela. Tana se pencha vers moi et me toucha l'épaule.

— Ils ne se sont pas vus depuis quarante ans et chacun croyait que l'autre était mort. Quarante ans, c'est long pour garder quelqu'un dans le fond de son cœur sans jamais le tenir dans ses bras. Venez avec moi. Même s'ils n'ont d'yeux que l'un pour l'autre, mieux vaut les laisser seuls.

Nous sortîmes du jardin par une voûte de fleurs bourdonnante d'abeilles. Au-delà, nous arrivâmes à une profonde rivière en grande partie à sec mais où des poches d'eau miroitaient encore entre les rochers blancs et lisses de son lit.

— Dans ma jeunesse, il y avait toujours de l'eau courante ici, dit-elle tristement. Il y avait des roseaux, des grenouilles, des oiseaux qui chantaient sans arrêt et des lauriers-roses aux fleurs magnifiques. À combien d'enfants ai-je fait manger du charbon de bois parce qu'ils s'étaient empoisonnés en touchant aux lauriers... fit-elle en secouant la tête. La vie est ainsi : les choses les plus belles sont souvent les plus mortelles. Songez à ces deux-là : jamais il n'y a eu deux jeunes gens aussi beaux. Amastan était grand – il l'est toujours –, il avait un beau port de tête et des yeux au regard éloquent ; des yeux de poète, je disais, mais vous avez vu ce qu'il est devenu lorsque la vie lui a été amère. Ça ne m'étonne pas qu'il ait choisi la voie qu'il a prise : il en avait déjà trop vu quand il est arrivé ici, encore enfant. Puis perdre son premier amour à dix-neuf ans et le deuxième à vingt-trois, ça ne laisse pas l'âme indemne. Il est allé se battre dans le Levant et qu'est-ce que ça lui a rapporté ?

La question était de pure rhétorique. Taieb me pressa la main et j'entourai la sienne de mes doigts. Nous étions subjugués.

— Quant à Mariata, eh bien… C'était une vraie petite princesse, celle-là ; quand elle est arrivée ici, elle a prétendu qu'elle descendait de Tin Hinan en personne, mais qui sait si c'est vrai ? Les Kel Taïtok adorent s'enorgueillir de ce genre de choses. Moi, je dis que mieux vaut être soi-même que de trimballer mille ancêtres sur son dos, mais notre culture a toujours été ainsi. Elle vous attache au passé. Mais il est vrai que ça vous donne le courage et la fierté nécessaires pour affronter les situations difficiles. Il y a le pour et le contre. C'est la mère d'Amastan qui l'a amenée ici.

Elle nous parla alors de Rahma, qui avait été heureuse en mariage avec un grand chef, jusqu'à ce que celui-ci prenne une seconde épouse.

— La polygamie est chose rare chez nous, me dit-elle. Un homme, une femme : on appartient à l'autre de cœur et d'âme, on voit à travers ses yeux. C'est généralement comme cela que l'on fait dans la société touareg et c'est toujours le mieux. La coutume d'avoir plusieurs femmes est venue de l'est et n'a engendré que des problèmes. Les femmes détestent partager leur homme et les hommes ne le comprennent pas. Pour en revenir à Rahma, il ne lui est rien resté quand elle s'est séparée de Moussa, en dehors d'Amastan, son seul enfant survivant. Elle adorait ce garçon, elle l'aimait à la folie. Aussi, quand il a perdu l'esprit, j'ai dû intervenir pour qu'elle ne perde pas le sien. Je l'ai envoyée dans l'Aïr chercher Mariata. Il fallait qu'elle fasse quelque chose et j'ai pensé que ça pourrait être utile. On entend circuler certaines rumeurs dans le monde des inadan que les autres n'entendent pas et on y lit des signes que les autres ne savent pas lire. Aucune des filles du cru n'était assez jolie et maligne pour attirer l'œil d'Amastan après ce qui lui était arrivé. Et elle n'était pas comme tout le monde… Elle ne l'est toujours pas, vous l'avez constaté vous-mêmes. Une beauté… Pas jolie, attention ! mais vraiment belle, ce qui est bien plus durable. Un visage énergique et de la volonté à l'avenant. Comment pouvait-il résister ? J'aurais aimé avoir lu, à l'époque, les autres signes qui entouraient cette union, mais j'ai fait ce que j'ai cru bon sur le moment. Je n'ai pas regardé assez loin dans l'avenir et quand je l'ai fait, ils étaient déjà inséparables. L'amour est plus fort que le destin, n'est-ce pas remarquable ? D'aucuns disent qu'il est plus fort que la mort, mais, bénies soient mes étoiles, je n'ai pas encore eu la possibilité de le vérifier moi-même.

Et elle nous raconta les événements extraordinaires qui avaient séparé l'homme que je connaissais sous le nom du Fennec et qu'elle appelait Amastan avec une tendresse presque maternelle, et Mariata, la femme du désert.

— Les soldats sont arrivés le soir de leurs noces. Il va de soi qu'ils couchaient ensemble depuis des semaines, probablement des mois, ce qui, d'ailleurs, ne diminuait en rien l'estime que les autres leur témoignaient. Les Gens du Voile ferment les yeux sur ce genre de choses. Efforcez-vous de ne pas vous laisser surprendre, voilà ce qu'ils disent, et si cela arrive, essayez de trouver une bonne histoire qui nous distraie. Elle était déjà enceinte quand ils se sont mariés. Mariée et veuve le même jour ; c'est du moins ce qu'elle a pensé, pendant des années. Pauvre Mariata. Pauvre Amastan ! Ce n'est pas la balle tirée par le soldat qui a failli le tuer, mais le coup à la tête. La balle l'a touché ici, dit-elle en posant la main juste au-dessus du cœur, mais quand il est tombé, il s'est tapé le crâne si fort qu'il aurait pu en mourir. Il est resté inconscient pendant des semaines ; Dieu s'est montré particulièrement miséricordieux. Il avait déjà vu les conséquences d'un massacre, ce n'était pas la peine qu'il en revoie, qu'il voie ce que j'ai vu… fit-elle avec un frisson. Ç'a été une nuit terrible.

— Comment y as-tu survécu ? demanda Taieb en scrutant son visage.

La bouche de l'enad se tordit en une grimace.

— Ils ont violé et tué à peu près toutes les femmes sur lesquelles ils ont pu mettre la main. Mais quand ils sont arrivés à moi… Ils ont dit qu'ils n'avaient encore rien vu de pareil. Ils étaient tout bonnement terrifiés. Ils sont partis en courant. De ma vie, je n'ai jamais été si heureuse d'être née différente des autres.

— C'est donc vous qui avez sauvé la vie du Fennec, n'est-ce pas ? demandai-je.

Ce nom suscita un petit grognement moqueur.

— Toujours aussi romantique, celui-là. Il ne supportait plus de porter son vrai nom après la disparition de Mariata. Je pensais qu'il la retrouverait et la ramènerait, mais la vie n'est pas comme l'eau, elle n'aime pas suivre la ligne de plus grande pente, pas vrai ? Il mit longtemps à se remettre après cette blessure et ce coup à la tête, des mois. Lorsqu'il fut capable de marcher à nouveau, sans parler de penser correctement, elle avait déjà disparu, d'abord emmenée au Tafilalet par son père, puis partie seule dans le désert. Elle a fait tout le trajet du sud du Maroc à la lisière du Hoggar, plus de mille cinq cents kilomètres. Un exploit d'autant plus grand qu'elle était enceinte.

Je lui lançai un regard incrédule.

— Elle a traversé le désert ? Seule ?

— Et enceinte, confirma Tana avec un hochement de menton résolu. Comme je l'ai dit, elle a énormément de volonté. Quoi qu'il en soit, lorsque Amastan découvrit où elle avait été conduite et qu'il se rendit à Imteghren, elle était déjà partie. Il trouva la maison où elle avait habité, frappa à la porte et c'est la femme qu'avait épousée le père de Mariata qui lui ouvrit ; il n'y avait là personne d'autre. Elle le regarda, ce nomade déguenillé qui posait des questions délicates. Elle lui dit que la fille était morte, juste comme ça. Morte de maladie, affirma-t-elle, et elle lui ferma la porte au nez. Il interrogea des gens du quartier, mais personne ne lui donna à entendre un autre son de cloche. Ce qui restait de son cœur était brisé. Il revint ici, ne put rester en place et partit dans les collines, où il s'engagea à fond dans la cause rebelle.

— Quand as-tu découvert qu'elle était vivante ? demanda Taieb.

— Il y a deux ans, pas plus. Elle aussi avait changé de nom. Dans le meilleur des cas, il est difficile de ne pas perdre la trace des gens dans le désert, mais quand, de surcroît, ils ne se font plus appeler par le nom qu'on leur a donné à la naissance… dit-elle avant de claquer la langue en secouant la tête. Je savais qu'elle n'était pas morte. Je le savais ici, précisa-t-elle en se touchant le cœur du doigt. Et je l'avais lu aussi dans les ossements, mais à quoi aurait-il servi de le lui dire ? Il ne m'aurait jamais écoutée.

— Pourquoi avait-elle changé de nom ? demandai-je avec curiosité.

Tana se redressa, ferma les yeux.

— Le destin est malicieux, parfois franchement pernicieux. À la fin de son long périple dans le désert, elle a été capturée par l'homme qu'elle haïssait le plus au monde, Rhossi ag Bahédi, l'héritier du groupe des percussionnistes de l'Aïr. On chuchote parfois que c'est Rhossi qui a fait attaquer notre tribu par les soldats, mais ça n'a jamais été confirmé. On peut seulement affirmer que Rhossi s'est échappé plus aisément que l'on pouvait s'y attendre en pareilles circonstances… ajouta-t-elle avec un soupir. Il s'est donc échappé et un an après, il a eu ce qu'il voulait : Mariata, dont il put faire ce qui lui plaisait. Il l'a prise pour épouse, seconde épouse, pour être exacte. Pauvre chérie, elle tenait sa lignée en si haute estime ! Une telle mésalliance a dû lui être insupportable, et Rhossi n'a jamais dû la laisser l'oublier. On comprend pourquoi elle a décidé de changer de nom. Elle s'est vengée, à sa manière : il n'a pas réussi à avoir un enfant d'elle, ce qui lui a valu son lot de ridicule.

— Et le bébé ? Elle a eu le bébé ? Il a survécu ? questionna Taieb avec ferveur.

Ce jeu de révélations semblait l'amuser plus que moi. Quelque chose me travaillait dans mon for intérieur, sur quoi j'étais incapable de mettre un nom et que je n'étais pas certaine de vouloir regarder en face. Tana soupesa l'amulette dans sa main.

— Trois noms y sont inscrits, dit-elle. Amastan, qui l'a d'abord eu en sa possession, Mariata, à qui il l'a donnée…

— Et Lallaoua.

Elle me gratifia d'un hochement de tête approbateur.

— Exact. Et Lallaoua. Oui, Mariata a eu son enfant : une fille, ce qui l'a surprise. Le bébé avait été si remuant qu'elle avait la certitude que c'était un garçon ; elle l'avait même déjà appelé Amastan. Mais le nourrisson n'avait aucun des attributs d'un garçon, seulement ceux d'une fille. Elle l'appela donc Lallaoua, esprit de la liberté. Lallaoua oult Mariata oult Yemma oult Tofenat. Et ainsi de suite jusqu'à Tin Hinan. Elle inscrivit le nom dans l'amulette pour protéger le nouveau-né et elle l'entoura du charme le plus protecteur que j'aie jamais vu, obligeant les esprits des parents à prendre soin de l'enfant, entrelaçant les mots, tissant un filet de sécurité qui réunirait ces trois âmes. Elle pensait que cela n'arriverait que dans les étoiles, mais le destin se fait parfois pardonner ses espiègleries et écrit lui-même un joli conte de fées.

Elle fit une pause puis se pencha vers moi.

— Dis-moi, mon petit, comment t'es-tu procuré cette amulette ?

Je le lui expliquai et la vis sourire, un long sourire satisfait.

— C'est donc l'histoire qu'on t'a racontée, n'est-ce pas ? Je vais t'en donner une version différente. Mariata a eu son enfant et c'était une fille ; elle a inscrit son nom dans l'amulette et attaché le talisman autour du bébé pour lui porter chance. Rhossi voulait des garçons, mais il ne voulait pas de l'enfant d'un autre. Il l'a laissé là pour qu'il meure. La nuit de ses noces, Mariata s'est enfuie pour revenir à l'endroit où elle l'avait laissé. Dans la tombe de Tin Hinan… Ah, comme les motifs dessinés par la vie et la mort sont élégants et leurs arrêts inéluctables ! Quand elle est arrivée là, le bébé n'y était plus ; elle ne trouva que des traces de pneus et de pieds. Des pieds chaussés de chaussures comme on n'en voit nulle part au Mali ou au Niger. Un homme et une femme, me dit-elle, et lui était beaucoup plus massif qu'elle, dont la pointure dépassait à peine celle d'un enfant.

Je n'arrivais pas à détacher mes yeux de Tana, mais pendant ce temps-là, mon cœur battait la chamade, des pensées ridicules me passaient par la tête, comme « ma mère avait de tout petits pieds, elle chaussait du 35 », et je savais simultanément que quelque chose ne collait pas dans cette phrase.

Tana me toucha le front.

— Tu as cet air sérieux qu'elle prenait souvent quand elle concentrait son attention. Sauf que ses sourcils se touchaient et je vois que tu les empêches de le faire. Oui, ma chère, quoi qu'ils t'aient dit, tu n'étais pas leur enfant. Ils ne t'ont pas conçue. Ils t'ont trouvée dans une tombe du désert et emportée.

Tout se mit à tourner autour de moi. Je clignai des yeux, avalai ma salive et essayai de me concentrer.

— Tu dis que la femme était française, oui ?

Je hochai la tête.

— Ils ont dû te faire passer la frontière en fraude, dit Tana d'un air songeur. Je sais que c'est possible, surtout pour de riches Européens… malgré la guerre des Sables. Ce genre de choses n'a jamais touché vraiment les Européens ; ils vivent dans un monde différent du nôtre.

— L'acte de naissance, Izzy, dit soudain Taieb, ses yeux marron pleins d'étonnement.

Il fouilla dans sa poche et en tira un bout de papier vert plié. La dernière fois que je l'avais vu, c'était quand le Fennec l'avait jeté avec agacement.

— Dès que j'ai posé les yeux dessus, j'ai su que c'était un acte de naissance marocain. Vous voyez le cachet ? dit-il en montrant un rectangle à moitié effacé dans le bas du document. C'est celui de Hassan II, notre roi précédent. Il est à peine visible, mais montrez-le à n'importe quel Marocain et il le reconnaîtra instantanément. Vous avez un acte de naissance marocain, conclut-il en riant.

Un faux acte de naissance, rédigé et tamponné par quelque fonctionnaire corrompu en échange d'un petit bakchich.

— Mais non, dis-je presque dans un murmure. Ce n'est pas mon acte de naissance. Je n'en ai pas.

Mais je sentais que la joie vainquait mon trouble, chassait mes doutes et montait peu à peu, inexorablement, en moi, comme l'eau tirée à la lumière des profondeurs d'un puits sombre.

— Tana m'a dit que tu allais venir.

— Comment pouvait-elle le savoir ?

— Tu connais Tana mieux que moi. Elle sait tant de choses !… Tu sais que je t'ai porté avec moi toutes ces années, dans mon cœur, sur mon cœur.

Elle dégrafa une broche en argent accrochée à sa poitrine et défit la lanière de cuir qui la maintenait fermée. Elle en retira un morceau d'étoffe indigo teintée de brun rouille et pliée menu. Elle le regarda avec affection un moment et le laissa tomba à terre entre eux.

— C'est ta manche qui s'est déchirée quand on m'a arrachée à toi. Je croyais que c'était le dernier vestige de ta vie, puis je me suis rendu compte que je portais ton enfant en moi.

Elle tourna vers lui un sourire lumineux.

— Tu n'as pas reconnu ta fille quand tu l'as rencontrée ? C'est drôle, enlever sa propre fille ! fit-elle avec un petit rire.

Il secoua la tête.

— Comment aurais-je pu savoir ? Je ne savais même pas qu'il y avait un enfant, et puis faire le lien comme ça, en pareilles circonstances…

Il n'acheva pas sa phrase. C'était absurde.

— Bien sûr que non, reprit-il avant de s'interrompre, pensif. Et pourtant, tu sais, il y a en elle quelque chose… quelque chose de toi.

— Je l'ai reconnue tout de suite. Je l'aurais reconnue entre mille. Elle a tes yeux.

Amastan sentit qu'il les avait humides. Il les essuya du dos de la main : l'asshak exigeait que l'on ne montre pas de faiblesse, même devant sa femme. Mais les larmes eurent le dessus et il les laissa couler sur son visage, dans la cotonnade de son taguelmoust.

— Elle a le même menton que toi, réussit-il enfin à articuler.

Mariata tendit la main vers sa joue.

— Laisse-moi te voir. Laisse-moi voir ton beau visage.

Elle tira son turban vers le bas et le fixa des yeux, embrassant avidement du regard chacun de ses muscles, chacun des pores de sa peau, chacune de ses rides.

— Le temps qui a passé entre nous ne compte pas ; il ne signifie rien. Tu es toujours le même. Tu es mon Amastan et je suis ta Mariata. Ne me quitte plus. Promets-le-moi.

Incapable de parler, il hocha simplement la tête et croisa les mains sur son cœur.

Deux ans après

Dans l'embrasement du ciel pâle, le soleil du désert dardait ses rayons sur un groupe de personnes rassemblées dans un camp au pied de la montagne. Le paysage était spectaculaire : d'un côté des pics volcaniques déchiquetés perçaient l'horizon, de l'autre, la mer de sable s'étalait immobile, ses crêtes et ses creux comme figés dans le temps. Dans un pré voisin, vert émeraude sur fond rouge, des dromadaires paissaient ou restaient patiemment les yeux dans le vide en remuant la mâchoire avec contentement d'un côté et de l'autre. Près de la bande argentée de la rivière, des chèvres noires faisaient des cabrioles d'un rocher à l'autre. De jeunes mâles se battaient pour jouer et les parois ocre rouge renvoyaient l'écho des bêlements des boucs qui les réprimandaient pour ce comportement agressif précoce. De l'autre côté d'un enclos à l'autre bout du camp, derrière plusieurs véhicules poussiéreux, des enfants réunis devant l'une des longues tentes basses écoutaient avec attention deux hommes vêtus de la robe et du turban traditionnels. Le plus âgé avait un profil énergique, taillé à la serpe, et l'œil vigilant. Il avait les yeux braqués sur son compagnon, qui gesticulait avec enthousiasme, puis il se pencha et traça de grandes boucles dans le sable à ses pieds à l'aide d'un bâton pointu. Il se redressa pour examiner son œuvre, s'éloigna rapidement et revint quelques instants plus tard avec le bas de sa robe plein de cailloux. Dessous, il portait un jean bien coupé, étroit aux jambes dans le style français. Il laissa tomber les pierres dans un grand nuage de poussière qui fit éternuer les enfants. Le

466

plus âgé des deux hommes dit quelques mots et tous rirent, si bien que son visage aux durs aplats prit un moment une expression moins redoutable. Son cadet posa un caillou rouge sur le tracé d'une des ellipses qu'il avait dessinées, puis un autre, plus gros et de teinte plus claire, un peu plus loin. D'autres pierres furent disposées sur les lignes concentriques : les enfants regardaient, fascinés et perplexes. Il parlait avec une grande animation, montrant d'abord les cailloux, puis le ciel et le désert, et il fit ensuite un grand geste du bras qui englobait le motif tracé au sol.

Assises à l'écart, deux femmes assistaient à cette leçon de choses avec un mélange de tendresse, de fierté et d'amusement. De profil, elles étaient le reflet l'une de l'autre, car le soleil avait aimablement effacé les rides du visage de la plus âgée et estompé les menues imperfections de celui de la plus jeune. Si le contraste entre les couleurs de leurs cheveux nattés – poivre et sel pour l'une, noirs pour l'autre – n'avait trahi leur différence d'âge, on les aurait prises aisément pour des sœurs ou des cousines. Toutes deux portaient d'amples robes bleu foncé, fraîches malgré la chaleur, des foulards aux teintes vives, des bijoux en argent, et du khôl soulignait leurs yeux sombres et expressifs ; l'une avait au poignet une montre à affichage numérique en plastique, résolument bon marché, fonctionnelle, qui n'avait rien d'un signe extérieur de réussite. Elle la consulta, puis se leva et, les mains au creux des reins, s'étira voluptueusement avant de se diriger vers la classe en plein air. L'autre femme tapota l'amulette – un gros carré d'argent massif ciselé orné de disques en cornaline – qu'elle arborait fièrement sur la poitrine, puis elle se mit debout, rejeta le long pan de son foulard par-dessus son épaule et suivit le mouvement.

— Et ça, qu'est-ce que c'est ? demanda le plus jeune des deux hommes en montrant un caillou blanc.

Les gamins tendirent le cou.

— *Tellit* ? hasarda l'un d'eux en tournant vers l'aîné un regard solennel.

— *Tellit*, confirma Amastan, rayonnant.

— La Lune, dit Taieb en écho.

Il toucha du bout de son bâton un caillou de granit rose posé sur l'anneau elliptique suivant tracé dans le sable.

— Et l'un de vous se rappelle ce qu'est celui-là ?

Une fillette aux cheveux tressés en une demi-douzaine de nattes répondit dans un murmure. Taieb mit une main en coupe autour de son oreille et elle répéta timidement.

— L'étoile rouge, oui, c'est tout à fait ça : Mars. Bravo, Tarichat.

Il leur fit tracer des ellipses et placer les planètes et leurs satellites aux positions convenables, leur posa des questions et répondit aux leurs dans un mélange de tamazight, de français et d'anglais. Puis l'un des enfants mit le pied sur Vénus, tomba en projetant la Terre hors de son orbite et soudain tout le monde se retrouva à rire et à ajouter de nouveaux corps célestes là où il n'y en avait jamais eu. Au même instant, une grande ombre s'allongea sur le sable et tous se retournèrent pour voir ce qui avait provoqué ce phénomène. L'un des enfants s'esclaffa, cria quelque chose et Amastan sourit, découvrant des dents d'un blanc étincelant qui contrastait avec sa peau hâlée entrevue entre les plis sombres de son taguelmoust.

— Il dit que tu as provoqué une éclipse solaire !

Taieb s'approcha de la nouvelle venue et passa le bras autour de sa taille arrondie.

— Comment pouvons-nous leur apprendre quelle est leur place dans l'univers quand ma gigantesque épouse vient recouvrir de son ombre tout le système solaire ?

Izzy lui donna un petit coup de poing affectueux sur le bras, ce que, pour une raison inconnue, les enfants trouvèrent hilarant. Mariata secoua la tête.

— Vous autres, les hommes, vous vous préoccupez toujours de votre place dans l'univers. Nous, les femmes, avons d'autres soucis.

Une étincelle de défi affectueux s'alluma dans ses yeux noirs ; Amastan la gratifia de son petit sourire habituel. Elle soutint un moment son regard, puis se pencha et posa la main sur le ventre rond de sa fille.

— Alors, tu as pris une décision ?

Izzy l'avertit d'un coup d'œil, mais Mariata poursuivit quand même :

— Où vas-tu accoucher ?

— La question ne se pose même pas. Elle va aller à Paris, dit Amastan, tout sourire envolé. Ma fille accouchera dans une clinique moderne et propre, où aucune faute ne peut être commise.

— Absolument, Izzy, nous en avons déjà parlé ! s'exclama Taieb avec une détermination aussi farouche. Tu ne peux pas avoir le bébé ici, ce serait de la folie.

— De la folie ! répéta Amastan en écho.

Ils se tenaient épaule contre épaule, comme deux moitiés d'un même haricot. L'expression trotta dans la tête d'Izzy, qui la retourna dans tous les sens avec amusement. Cela voulait-il dire « deux pois dans une même cosse » ? Elle se surprenait parfois à citer des dictons qu'elle n'avait jamais utilisés auparavant, certaines choses qu'elle avait peu de chances de connaître en raison de son éducation. C'était bizarre et tout à fait normal en même temps. Elle y était presque habituée.

— Écoutez, je connais tous les arguments, je suis consciente des dangers, mais, vous savez, les femmes ont accouché dans le désert pendant des milliers d'années ! Non… n'en dites pas davantage, je n'ai pas encore pris de décision. Mais n'oubliez pas que Jean et Anne-Marie seront ici.

C'étaient les deux médecins itinérants payés par la fondation créée par Taieb et Izzy, financée par l'indemnité de licenciement de cette dernière et le produit de la vente de ses deux maisons de Londres ainsi que par les revenus du courtage prospère de Taieb sur des articles destinés aux collectionneurs américains et européens. Tana avait transmis une grande partie de son savoir-faire d'enad à la jeune génération, non sans conserver quelques secrets ; les résultats obtenus étaient étonnants et les produits très demandés.

Mariata regarda sa fille du coin de l'œil, l'un de ses regards à la fois entendus et amusés. Izzy savait ce qu'il signifiait : décide toi-même et ne les écoute pas ; que savent les hommes de ce genre de choses ? Nous sommes des femmes du désert et courons notre chance dans le désert. Sachant qu'Izzy aurait le dernier mot, Mariata changea habilement de sujet.

— Et comment allez-vous appeler cette petite ? Vous avez choisi un nom ?

— Tu es sûre que ce sera une fille ? demanda Amastan, une légère note d'agressivité dans la voix.

— Oh, oui, je n'ai aucun doute là-dessus, répondit Mariata avec un sourire béat. J'ai lu les signes.

Taieb secoua la tête.

— Tu sais toujours tout avant qu'on ait ouvert la bouche. J'ignore pourquoi tu poses la question. Izzy et moi en avons discuté hier soir et sommes tombés d'accord.

— Même si je vis cent ans, les femmes resteront pour moi un mystère, dit Amastan en simulant un soupir de résignation.

Il dévisagea sa femme d'un air solennel et même déférent. Ils se regardèrent longuement.

Quarante ans, songea Izzy. Même après deux ans, elle ne s'était pas encore faite à l'idée d'être la fille de tels parents. C'était comme emprunter la vie de quelqu'un d'autre, pénétrer dans un monde de conte de fées. Un conte de fées issu d'un univers bien plus clément que celui de Perrault ou des frères Grimm. Elle se demanda si Taieb et elle seraient encore si conscients l'un de l'autre, liés de manière aussi étroite après tant de temps. L'idée même était incroyable, absurde, mais aussi tout à fait charmante. *Songe à l'âge que nous aurons alors !* Elle rit de l'image qu'elle s'en fit et lorsqu'elle leva les yeux, son mari la regardait avec une telle attention qu'une sensation de chaleur parcourut son abdomen. À moins que le bébé n'ait donné un coup de pied. Encore un autre.

— Lallaoua, dit-elle doucement en posant la main sur son gros ventre. J'ai le sentiment de devoir au monde une Lallaoua : pour la vieille dame qui a donné sa vie au désert et la fille qui n'a pas eu la possibilité de grandir en portant ce nom.

adhan : appel des musulmans à la prière

afrit : esprit malveillant

ag : fils de

ahal : fête touareg

amenokal : chef des percussionnistes des tribus

amghrar : chef tribal

anet ma : l'oncle maternel, plus important que le père ou la
   mère

asfar : mot tamazight signifiant « peau claire »

asshak : le code d'honneur et de respect mutuel des Touaregs

azalay : expédition commerciale (ou caravane) visant à
   l'échange du sel

baggara : vagabond, mendiant

baraka : la force générée par la chance

bokaye : sorcier ou manipulateur des esprits (Afrique de
   l'Ouest)

djenoun (sing. djinn) : esprits, souvent malveillants

enad (pl. inadan) : forgeron touareg, souvent versé dans la
   magie et les rituels

fesh-fesh : sables mouvants

fichta : fête berbère

fondouk : abri pour les chameaux et les voyageurs

guedra : danse de femmes rituelle

guelta : mare

haïk : robe de femme traditionnelle

hamada : plaine rocailleuse

harratin : ouvrier agricole

Iboglan : aristocrate touareg

iklan : esclave noir attaché à une tente

inadan : voir enad

kasbah : forteresse ou fortification

Kel Assouf : les esprits du désert

ma'allema : celle qui enseigne la religion et des techniques telles que la broderie

madougou : chef d'un train de chameaux ou caravane

méchoui : agneau grillé à la broche

m'smen : crêpe berbère

oult : fille de

qareen : démon personnel

redjem : tumulus funéraire

Sah'ra : mot arabe signifiant « brun foncé »

séhoura : sorcière

sif : longue dune pareille à une lame

souk : marché

tagella : pain artisanal rond et plat

taguelmoust : voile porté par les hommes touaregs

tajine : poterie évasée dotée d'un couvercle pour la cuisson des aliments et ragoût cuit dans ce récipient

takouba : épée touareg

tamazight : langue parlée par les Touaregs

tamerwelt : lièvre

tassoufra : sac servant à mettre les aliments

tcherot : amulette

tefok : le soleil

tehot : le mauvais œil

tifinagh : ancien alphabet écrit des Touaregs

tigelliouin : pluriel de tagella

Note de l'auteure

Ce roman a été inspiré par deux histoires. La première a été la découverte que la famille de mon mari, Abdellatif, est issue des nomades de Mauritanie qui rapportaient d'Afrique sub-saharienne de l'argent, des épices et du sel à travers le Sahara pour les échanger sur les marchés du Maroc.

La seconde a été la rencontre d'une Française venue dans le village berbère où nous habitons à la recherche de son père, un marchand touareg avec qui sa mère française avait eu une liaison dans les années 1960. Elle n'avait appris la vérité sur son père que sur le lit de mort de sa mère ; toute sa vie, il était resté un mystère, un secret honteux. Contrairement à Abdellatif, elle s'était toujours sentie déracinée, incertaine de son identité, une moitié de personne jamais vraiment adaptée au monde dans lequel elle vivait. Il ne m'appartient pas de raconter le reste de son histoire, mais je dois la remercier de m'avoir inspirée, car sans elle je n'aurais jamais écrit ce livre.

Remerciements

Merci à Abdel, mon mari, pour m'avoir éclairée sur une culture mystérieuse que je n'aurais autrement eu aucune chance de comprendre et m'avoir offert la vieille amulette touareg sur laquelle ce récit est fondé. Merci à Mohamed et l'école de Tiouada, à Hassan, notre guide dans le désert, aux dromadaires qui ont supporté mon poids et mon manque total d'expérience sans trop se plaindre, et à tous ceux qui ont patiemment répondu à mes questions incessantes sur la vie nomade. À Emma, Karen et Philippa, pour leur soutien pendant la rédaction de ce livre complexe, à Venetia et Jenny, de Viking Penguin, pour leur détermination et leur passion, à Danny Baror, pour sa foi inébranlable et ses encouragements.

N'étant ni anthropologue ni linguiste, je dois beaucoup à mes sources écrites. J'ai établi ci-après la liste des principales à l'intention de ceux et celles qui souhaiteraient creuser ce sujet fascinant.

Sources et bibliographie

Ag Assarid, Moussa et Ibrahim, *Enfants des sables*, Presses de la Renaissance, 2008.

Becker, Cynthia J., *Amazigh Arts in Morocco*, University Press of Texas, 2006.

Benanav, Michael, *Men of Salt*, Lyons Press, 2006.

Bernus, Edmond, *Les Touaregs*, Éditions Vents de Sable, 2002.

Biddlecombe, Peter, *French Lessons in Africa*, Little, Brown, 1994.

Bourseiller, Philippe, *Call of the Desert*, Harry N. Abrams, Inc., 2004.

Bowles, Paul, *The Sheltering Sky*, Penguin, 1945.

Dayak, Mano, *Touareg: la tragédie*, Hachette, 1998.

Fernandez-Armesto, Felipe, *Civilizations*, Free Press, 2002.

Fisher, Angela, *Africa Adorned*, Harry, N. Abrams, 1984.

Fleming, Fergus, *The Sword and the Cross*, Granta, 2003.

Gardi, Rene, *Sahara*, Harrap, 1970.

Gast, Marceau, *Tikatoutin*, Éditions de la Boussole, 2004.

Guindi, Fadwa El, *Veil: Modesty, Privacy, and Resistance*, Berg Publishing, 2003.

Hagan, Helene E. et Myers, Lucile C., *Tuareg Jewelry*, XLibris, 2006.

Kenan, Jeremy, *Sahara Man*, John Murray, 2001.

Lindqvist, Sven, *Desert Divers*, Granta, 2002.

Nicolaison, Johannes, *The Pastoral Tuareg*, Thames & Hudson, 1997.

Palin, Michael, *Sahara*, Weidenfeld & Nicholson, 2002.

Prasse, Karl G., *The Blue People*, Museum Tusculanum Press, Université de Copenhague, 1995.

Prorok, Byron de, *In Quest of the Lost Worlds*, The Narrative Press, 2003.

Rasmussen Susan J., *Those Who Touch : Tuareg Medicine Women in Anthropological Perspective*, Northern Illinois University Press, 2006.

Rivaille, Laurence et Decoudras, Pierre-Marie, *Contes et Légendes touaregs du Niger*, Karthala, 2003.

Scott, Chris, *Desert Travels*, Traveller's Bookshop, 1996.

Seligman, T. et Loughran, Krystine (éd.), *Art of Being Tuareg*, University of Washington Press, 2006.

Slavin, Kenneth et Julie, *The Tuaregs*, Gentry Books, 1973.

Villiers, Marq de, et Hirtle, Sheila, *Sahara*, Walker, 2002.

Barrie, Dr Larry A., « The rise of amazigh nationalism and national consciousness in North Africa », Strategic Studies Depart., 4th Psychological Operations Group (Airborne), 1998.

Lode, Kare, « Mali's peace process : context, analysis and evaluation ».

Sehmer, Alex, et Welsh, May, « Unrest in the Sahara : Niger's nomads fight for rights », Al Jazeera Report, 2008.

www.amazighworld.org

www.mondeberbere.com

Écrits sur la musique de Tinariwen, Tidawt et Etran Finatawa

Consultez mon site :
www.janejohnsonbooks.com

Suivez les Éditions Libre Expression sur le Web :
www.edlibreexpression.com

Cet ouvrage a été composé en Cochin 12,25/14,7
et achevé d'imprimer en septembre 2012 sur les presses
de Marquis Imprimeur, Québec, Canada.

certifié   procédé   100% post-   archives   énergie
    sans chlore consommation permanentes biogaz

Imprimé sur du papier 100 % postconsommation,
traité sans chlore, accrédité Éco-Logo et fait à partir de biogaz.